U0152085

睡虎地秦簡研究

徐　富　昌　著

文　史　哲　學　集　成

文史哲出版社印行

國家圖書館出版品預行編目資料

睡虎地秦簡研究 / 徐富昌著 -- 初版 -- 臺北市：文史哲, 民 99.10 印刷
頁;　公分（文史哲學集成；287）
參考書目：頁
ISBN 978-957-547-217-7 (平裝)

1. 簡牘 2. 中國-歷史-秦（西元前 221-207）

796.8　　82002935

文史哲學集成 287

睡虎地秦簡研究

著　者：徐富昌
出版者：文史哲出版社
http:// www.lapen.com.tw
e-mail：lapen@ms74.hinet.net
登記證字號：行政院新聞局版臺業字五三三七號
發行人：彭正雄
發行所：文史哲出版社
印刷者：文史哲出版社
臺北市羅斯福路一段七十二巷四號
郵政劃撥帳號：一六一八〇一七五
電話886-2-23511028 · 傳真886-2-23965656

實價新臺幣九六〇元

中華民國八十二年（1993）五月初版
中華民國九十九年（2010）十月 BOD 一刷

ISBN 978-957-547-217-7　　00287

序 言

地不愛寶，古器寶物頻出。自清季以降，隨著田野考古的興起，新出史料與寶物不僅日益繁富，其精其要，亦多凌駕往昔。諸如殷商甲骨、兩周銅器、石刻史料、敦煌寫卷及秦漢簡牘，都在湮沒千載之後，再現人世。寶物史料既多，其所展現的原始面貌對古書及傳述資料的徵補輯佚，遂有其重要地位，而其價值更凌駕於宋刊明刻之上。王國維先生云：「吾輩生於今日，幸於紙上材料外，更得地下之新材料。由此種材料，我輩固得據以補正紙上之材料，亦得證明古書之某部份全爲實錄，即百家不馴之言，亦無不表示一面之事寶。此二重證據法，惟在今日，始得爲之。」正如王氏所言，新史料之出土，對學術之研究查考，有其正謬曉徵之價值。另一方面，隨著考古學的發展，這些地下資料，也在研究領域的擴大下，產生了各分支學科，如甲骨文的不斷出土，就產生了專門以甲骨文爲研究對象的甲骨學；鐘鼎銘文的不斷被發現，就形成了研究鐘鼎文字的鐘鼎學或金文學；隨著敦煌寫卷的被發現，便出現了敦煌學。而同樣的，隨著下簡牘的不斷出土，自然就產生了以地下出土簡牘爲研究對象的簡牘學。不過，由於這些地下出土物發現的時間有早有晚，學界對它們重視的程度也有輕有重，從而對這些的學術的形成也有先有後。就簡牘學而言，目前可以說還處在萌芽狀態。

簡牘出土的範圍很廣，內容很博，數量很大，而所出土的簡牘大都以漢簡爲主。漢簡出土的歷史不但較秦簡出土的歷史爲長，同時，出土的數量也較秦簡爲多。迄今爲止，大批出土的秦簡，唯有《雲夢秦簡》，而這也是近十餘年來的事，（一九七五年十二月出土）因此，對它的研究展開也較晚，但研究的進展卻十分快速，尤其是一九八四年到一九八八年達到了顚峰，成果也頗爲豐碩。（請參見本文《附錄一》）。《雲夢秦簡》出土以來，其研究重心大都集中在法制史上，其實，可供研究的範圍很廣。諸如土地制度、社會性質、租稅制度、傜役制度、戶籍制度、郵傳制度、工商管理制度、稟給制度、傳食制度、軍事制度、賜爵制度、職官制度，甚至簡冊制度，都是《雲夢秦簡》所反映的問題和內涵。這些問題我們在衆多的研究成果中，也都看到了可喜的成績，但在整體上來說，對於已經提出的問題仍然存在著不少分歧的看法，有必要重新加以探討。或從另一個角度去重新認識其意義和作用。同時，對於《雲夢秦簡》的縱向發展和綜合研究也亟需加强。基於以上的了解，使我對《雲夢秦簡》起了全盤研究的企圖。

一九八四年（民國七十三年），我發表《漢簡文字研究》一文，同時並董理出《武威儀禮漢簡字形表》、《武威醫藥簡字形表》、《孫子兵法簡字形表》、《孫臏兵法簡字形表》、《阜陽漢簡字形表》、《定縣漢簡字形表》等稿作，（自印本）在整個寫作和整理的過程中，使我對於簡牘學起了濃厚的興趣。其後從金師祥恆研習《甲骨學》和《說文研究》。受業期間，昕夕相從，深受祥恆師學術和人格上的啓示，始稍聞治學之道，乃決心追隨門下。之後提出博士論文研究計畫——《睡虎地秦簡研究》，獲祥恆師允予指導。當時祥恆師原擬從甲骨、金文、以迄戰國文字做一完整而有體系的整理，因此，在論文撰寫之初，師以《秦簡文字字形表》一題，命我先做整理，乃有《雲夢秦簡》字表之作，爲本論文奠定初步的基礎。（此一部分與另作《秦簡文字研究》合一，未附入本文）同時並整理相關作品——《秦簡文編》（未附入本文）祥恆師又以爲秦簡文字爲古文字與今文字之過渡文字，爭議之處不多，乃命我以秦簡文字爲基礎，就秦簡的內容做縱深和綜合性的研究。因此，本文從大綱的擬定到內容的改訂，都花了祥恆師很多心血。本文的研究，原有六大主題，一爲刑律篇，二爲官制篇，三爲軍制篇，四爲社會篇，五爲形態學篇，六爲文字編。其後以篇帙過鉅，乃將後三者加以割捨。所餘主題分爲三大方面，一是刑律部分，二是官制部分，三是軍制部分。這三篇，基本上是以文字爲基礎，透過對《雲夢秦簡》全篇釋文的解讀，進行這三大制度的考索。同時，將《雲夢秦簡》可供研究的其他制度，如土地制度、社會性質、徭役制度、戶籍制度、郵傳制度、工商管理制度、稟給制度、傳食制度、軍事制度、賜爵制度、職官制度、簡冊制度，融入其中。

一九八九年（民國七十八年）七月一日，祥恆師遽遭意外，驟辭人世。博士論文未及提出，後蒙張師以仁不棄，允予代祥恆師完成指導工作，論文方始得以繼續進行。尤其是論文的後半階段，以仁師不但在我原有的基礎上，給我引導和啓迪，更逐字逐句細心批閱我的論文，並與我反覆論辯文中大小問題，由於時間緊迫，老師經常爲了我遲交而又急如星火的章節，凌晨三點起身批閱。這些都令我難以忘懷。

學術研究工作原本清寂，非適才適性，難以爲繼。而研究生涯不分晝夜，無堅毅沉潛之心，亦難有成。我雖向道之心尙堅，然以天賦駑鈍，才謭質陋，每苦思竭慮而無所獲，揮汗燈下，常忽忽不知東方之既白。幸金、張二師勉勵有加，同窗友人多予臂助，方底於成。今此文已全部撰成，即將公諸世人，特略述其撰寫意義及經過如上。對金、張二師之指導，及諸多友人之協助，尤深致感激之意。惟以全文所涉頗廣，管見蠡測，疏失之處，想必所在多有，幸通儒碩彥，不吝賜教。

王師叔岷，惠允爲本書題耑，以獎掖後學，在此亦敬申感謝之忱。

一九九三年春**徐富昌**謹序於國立臺灣大學中文系

凡　例

一、本文所有簡號以一九八六年五、六月國立故宮博物院《中華五千年文物集刊·簡牘篇》第二、三冊所弔的簡號爲依據。

二、本文稱引《睡虎地秦墓竹簡》的內容及圖版以「文物出版社」一九九〇年九月第一版爲依據。

三、本文所引《雲夢秦簡》釋文，異體字、假借字一般隨文注出，外加（　）號。

四、本文所引《雲夢秦簡》釋文，原有錯字、隨注正字，外加〈　〉號。

五、本文所引《雲夢秦簡》釋文，簡文原有殘缺，可據殘筆或文例補足的字，外加〔　〕號。不能補足的殘缺字，以□號表示。

六、簡文章句號或題目號的中、小圓點，本文以●號表示。

七、《編年記》原簡分上下兩欄，《爲吏之道》分五欄，《日書》分一到八欄不等，本文在簡號之後另加小圓點，再以一、二、三、四、五、六、七、八等數字標出欄號，如：六八一·三簡，代表六百三十一簡第三欄。反面簡以＊號表示，如＊八五二·三簡，代表八百五十二簡反面第三欄。

睡虎地秦簡研究

目　次

第一篇　緒論篇

第一章　秦簡概述

第一節　秦簡的發現與整理

民國六十四年（一九七五年）十二月，在湖北省雲夢縣之睡虎地墓地發掘一座秦墓，即睡虎地十一號秦墓，出土了一千一百餘枚竹簡。此墓是秦始皇三十年的私人古墓，墓主「喜」是始皇時代的基層官吏。①此墓爲一小型木槨墓，墓呈二八五度之座向，爲無墓道之長方形豎穴坑墓，但墓坑四周有「腳窩」以利上下。墓坑打破春秋戰國時期之文化層，殘存墓口東西長四・一六米，南北寬三米，距地表土高○・三米，墓口至墓底深五・一米。墓坑東部有雙扇板門壁龕一個（底部與槨牆板平行），龕內出帶傘蓋木軺車一乘，并有輓車之三匹木足彩繪泥馬和二件彩繪泥俑。墓坑四角發現殘存灰燼，木槨蓋板正中有一完整之牛骨頭，可能是入葬時祭祀之物。

墓坑之塡土有三種：其上爲厚一・一米之五花土；中爲厚二米之粗硬青灰泥；槨室四周以質地細膩、密度較大之青膏泥塡之。塡土皆經夯打，夯窩徑約六—七米，比較結實。

墓具爲一棺一槨，皆保存完好。（圖一）槨室平面呈II形，東面長三・五二米、南北寬一・七二米，自槨板下至槨板上深一・一六米。上面橫列槨蓋板十塊，槨蓋板爲底部削平之圓筒木，其上橫鋪一層樹皮，其下鋪一層稻草。槨室之南、北墻皮與東面檔板均由三塊構成，檔板兩端之凸榫插入墻板之凹槽內，故四壁之構築相當牢靠。槨底板由五塊整木縱列而成，底板下橫置兩根墊木。槨室由橫梁分成頭箱與棺室兩部分，橫梁下置一副雙扇的板門，使頭箱與棺室相通。（圖二）頭箱與棺室上面均爲厚約十四厘米之頂板所密封。清理時，槨室內積水約七十八厘米，但無淤泥。

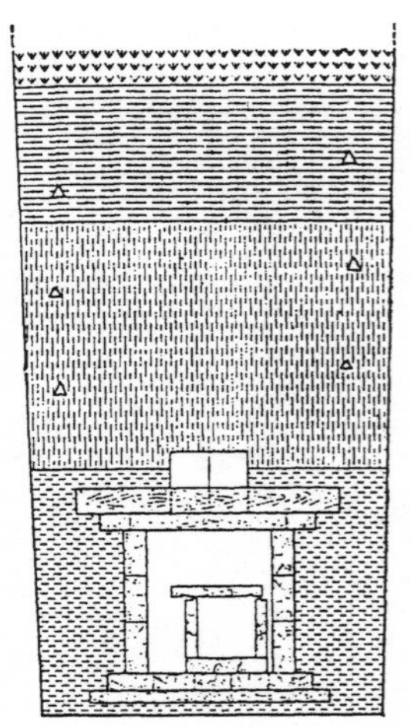

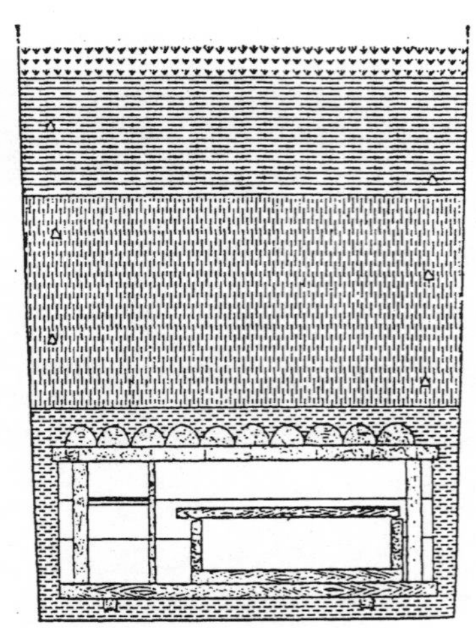

圖一 墓葬剖面圖

（左：縱剖面圖，右：橫剖面圖）

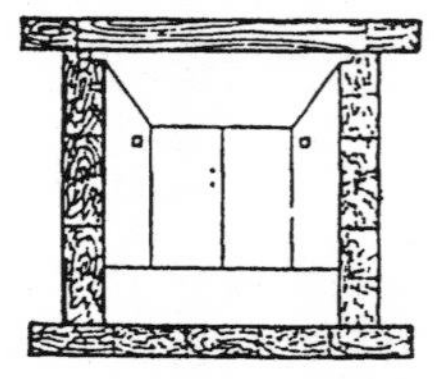

圖二 板門正視圖

頭箱置於槨室之西，南北長約一米，東西長約〇・五六米。頭箱處築有橫隔板一個，橫隔板長一米，寬〇・五六，距底板深〇・七六米。棺室在槨室之東，東西長二・二六米，南北寬一米，內置一木棺。木棺爲長方盒狀，東西長二米，南北寬〇・七四米，高〇・七二米。蓋板兩端近處尚有二道麻繩（每道八根）纏縛之跡，棺側并有素絹與錦裹之草束護棺。棺蓋板封蓋不嚴，木棺浸於槨室之積水。棺底板上鋪有約一厘米厚之小米。清理時，棺內屍體已朽，僅存骨架，但尙存已萎縮之腦髓。經鑒定，知墓主爲一四十餘歲之男子，葬式爲仰身曲肢。②

隨葬器物主要放置於頭箱及棺內。（圖三）頭箱放置漆器、竹器、銅器、陶器等類約七十餘件左右之隨葬物。棺內則置有一千一百餘枚竹簡，并有毛筆、玉器、漆奩等器物。③

第一層

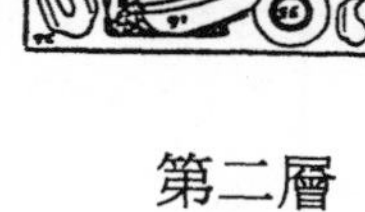

第二層

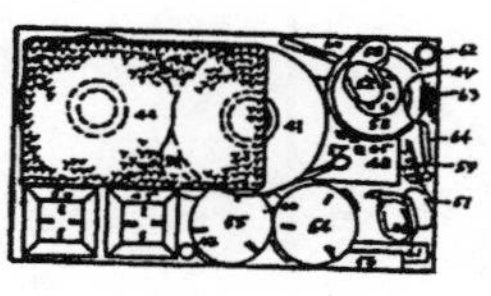

第三層

（圖三）　墓葬頭箱器物出土位置圖

這批竹簡總計一千一百餘枚，（另有殘片八簡）分爲八組，堆放有序，分別置於棺內人骨架的頭部、右側、足部及腹部等處。（圖四）除置於足部的竹簡殘斷較多與少數因積水浮動而散亂外，餘皆保存完好，字迹清晰。

圖四 竹簡出土位置圖

竹簡經整理拼合，總計一千一百五十五簡，另有殘片八十簡，內容計有十種：

一《編年記》

二《語書》

三《秦律十八種》

四《效律》

五《秦律雜抄》

六《法律答問》

七《封診式》④

八《爲吏之道》

九《日書》甲種

十《日書》乙種

其中《語書》、《效律》、《封診式》、《日書》乙種四書原有書題，其餘書題都是整理小組所擬定。

竹簡原分別放置於墓主頭部、頸部、腹部和足部等處，各簡之出土部位及數量，約可歸納如下：

部　　位	簡牘內容	簡　　數
墓主頭部底下	《編年記》	五三簡（1 －53）
墓主頭部右側	《封診式》	九八簡（581－678）
	《日書》甲種	一六六簡（730－895）
墓主頸部右側	《法律答問》	二一〇簡（371－580）
墓主軀幹右側	《秦律十八種》	二〇一簡（68－268）
墓主下腹部	《語書》	一四簡（54－67）
	《秦律雜抄》	四二簡（329－370）
	《效律》	六〇簡（269－328）
	《爲吏之道》	五一簡

		（679－729）
墓主足下	《日書》乙種	二六〇簡（896－1155）

（表一）⑤

秦簡的內容和性質豐富，雖然大部份是法律。但其中不僅有秦律，而且有解釋律文的問答和有關治獄的文書程式，更提供大量具有社會意義的占候卜筮之術。同時，它也廣泛地涉及當時的政治、經濟、文化、軍事、社會等各方面，爲研究此一時期的歷史提供了前所未見的豐富材料。⑥特別是秦簡中的秦律，提供了研究秦代法律眞相極重要的新材料。自西周以迄隋朝，歷代法典皆佚。過去雖有輯錄研究，也不過是斷簡殘篇，一鱗半爪。而雲夢睡虎地秦律的出土，實塡補了法制史上的一段空白。

因此，秦簡甫一出土，即轟動國際學界。各方爭求此一資料，形成了多種釋文和圖版：

就我所知現行的釋文和圖版即有以下十二種：

一：一九七六年四月六日，《光明日報》首載的《雲夢秦簡》部份釋文。

二：一九七六年六、七、八月，《文物》第六、七、八期連載之《雲夢秦簡釋文》。

三：一九七七年九月，文物出版社出版線裝本《睡虎地秦墓竹簡》，一函七冊。

四：一九七八年十一月，文物出版社出版平裝本《睡虎地秦墓竹》。

五：一九八〇年十一月，木鐸出版社《文史集林》第三輯轉載《文物》五、六、七期釋文。

六：一九八一年七月，簡牘學會《簡牘學報》第十期秦簡研究專號，刊載新編《睡虎地秦簡校註》。

七：一九八一年九月，文物出版社出版發掘報告專集《雲夢睡虎地秦墓》。

八：一九八一年十一月，里仁書局翻印出版《睡虎地秦墓竹簡》，此書爲文物出版社一九七七年線裝本與一九七八年平裝本之合印本。

九：一九八二年一月，鼎文書局出版《中國法制史料》，其中第二輯第一冊收有日人堀毅整理之《睡虎地秦墓竹簡》，係轉錄文物出版社一九七八年平裝本釋文。

十：一九八五年，荷蘭萊登大學漢學研究院胡四維（ A・F・C・ Hulsew'e ）撰《秦律遺文譯註》（Remnants of Ch'in L-aw－An annotated traslation of the Ch'in legal and administrative rules of the 3rd century B.C. discovered in Prefecture, Hu-pei Province, in 1975 ）。

十一：一九八六年五、六月，國立故宮博物院出版《中華五千年文物集刊・簡牘篇》二、三冊。

十二：一九九〇年九月，文物出版社出版新版《睡虎地秦墓竹簡》。

其他關於秦簡的各項專題研究與整理，請參閱本文附錄：《雲夢睡虎地秦簡文獻目錄》。

【附註】

①關於此墓墓主「喜」的生平，可參見《湖北雲夢睡虎地十一號秦墓發掘報告》，《〈編年記〉考證》二文。詳後。

②「仰身曲肢」爲秦代葬俗之一，參見葉小燕《秦墓初探》，文載《考古》一九八二年第二期，頁六十八。（圖五）

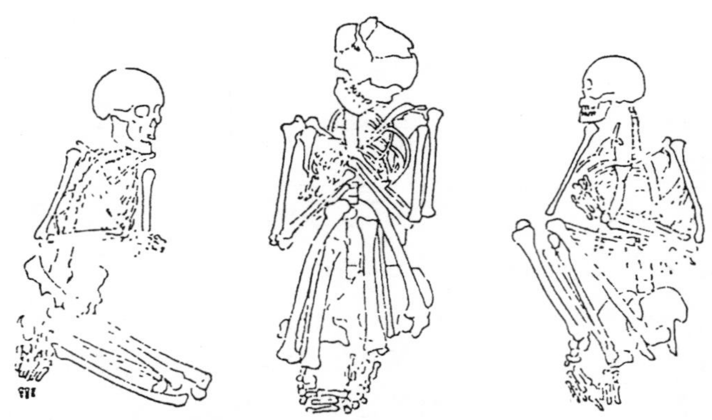

③以上墓葬整理，參見《湖北雲夢睡虎地十一號秦墓發掘簡報》，文物，一九七六期，頁一至頁三。

④《語書》、《封診式》二書，原題《南郡守騰文書》及《治獄程式》，二書原簡書題，都寫在末一簡簡背上端，出土時覆有一層物質，未經發覺，經長期浸泡除去，才得以發現。一九九〇年九月新版《睡虎地秦墓竹簡》出版時，整理小組依原題正名。參見該書出版說明。

⑤參見《中華五千年文物集刊・簡牘篇二》，頁二。又（表一）之總簡編號係以上書《簡牘篇》二、三冊之編號為準。

⑥參見《睡虎地秦墓竹簡》，文物出版社一九九〇年九月版，頁二。

第二節 墓主生平

關於墓主的生平，《編年記》提供了一份很好的墓主簡歷。根據其中記載，知墓主生於秦昭王四十五年（西元前二六二年），卒於秦王政三十年或三十一年（西元前三一七年或三一六年），死年四十五、六歲，與墓中人骨的醫學鑒定相符。①

根據《編年記》，墓主的身世、經歷，大略如下：

（昭王） 卌五年	十二月甲午 雞鳴時	喜產
今（秦王 政元年）		喜傅
三年	八月	喜揄史
【四年】	十一月	喜□安陸□史
六年	四月	爲安陸令史
七年	正月甲寅	鄢令史
十二年	四月癸丑	喜治獄鄢
十三年		從軍
十五年		從平陽軍
卅年	※（《編年記》止於此年）	

由上表可知，墓主生於秦昭王四十五年十二月，從此年到秦莊王（即《史記》之莊襄王）三年，爲喜未成年時期。這一時期，未記其事蹟。

秦王政元年（西元前二四六年），「喜傅」。這一年，喜十七歲，是他的服役登錄之年。所謂「傅」，就是傅籍。《漢書・高帝紀》條顏師古注曰：「傅，著也，言著名籍，給公家徭役也。」又《史記・孝景本紀》曰：「男子二十而得傅。」《索隱》引荀悅注云：「傅，正卒也。」此外，《雲夢秦簡》中的《傅律》，其內容大都與戶口登記及兵役有關。可知傅籍即是登記應徵服役的名冊，亦即男子傅籍之後，開始對政府承擔徭役、兵役等義務。②（傅籍尚有其他作用，如繳納賦稅、授田等。關於傅籍的問題，本文第四篇《軍制篇》另有討論，不贅。）喜在這一年，需承擔一個成年人所應負的責任，我們可以此年做爲喜成年的分水嶺。

秦王政三年，喜十九歲。「喜揄史，」即喜擔任揄地之史（縣掾屬）。揄，當即《左傳昭公八年傳》曰：「石言於晉魏楡」之楡。服虔曰：「魏，晉邑，楡州里名也。」《水經・洞過水注》引此謂「《漢書》曰楡次」。是揄，即楡次，在今山西楡次市西北，原爲趙地，莊襄王三年爲秦所攻取，事見《秦本紀》、《趙世家》。③喜在十九歲這一年，擔任楡地之史，這是喜仕宦之始。

秦王政四年，喜二十歲，十一月，進爲安陸□史。六年，喜二十一歲，四月，「爲安陸令史」。令史，爲縣之掾屬，《漢儀注》曰：「令吏曰令史」，即喜爲安陸縣之令吏。七年，喜二十三歲，正月甲寅，轉任「鄢令史」。秦王政十二年，喜二十八歲，四月癸丑，「喜治獄鄢」，亦即喜由鄢縣縣令之屬吏進爲鄢縣之司法官吏。馬非百云：「秦官有治獄吏，見《史記・秦始皇本紀》。又有『獄掾』，見《史記・項羽本紀》及《曹相國世家》。又有獄吏，見《任敖傳》。又《蒙恬傳》：『恬嘗書獄典文學。』《索隱》：『謂恬嘗學獄法，遂作獄官文學。』此言『喜治獄鄢』，可能就是以鄢令史調任『治獄吏』、『獄掾』或『獄吏』，或『作獄官文學』，猶言主管獄訟事宜。」④由十一號墓出土的竹簡大都是法律簡來看，墓主曾經擔任過治獄吏是毫無疑問的。

從秦王政元年「喜傅」至秦王政十二年「喜治獄鄢」十三年間，爲喜的第二個時期。此一時期，喜大都擔任文官，且都是縣的基層官吏。

秦王政十三年，是喜另一歷練之始，也是他生命的第三個時期。這一年，喜二十九歲，「從軍」，由文職轉任軍職。由於秦原本就有掾吏斗食、佐、史從軍之制，故喜得以鄢令史治獄於鄢而從軍。⑤

秦王政十五年，喜三十一歲，「從平陽軍」。所謂「從平陽軍」，當指喜親身參與秦攻趙平陽之役，但此役「最後至番吾而爲李牧所敗」。⑥此役之後，喜在《編年記》中的記載甚爲簡略。其官職、事迹均不見著錄，可能是喜在此役戰敗，職務上或有所調整而諱書。

從秦王政十六年至三十年，《編年記》概不記載喜的官職和事迹，最後二年，甚至只有年代而無任何記述。商慶夫認爲「此十數年中，墓主喜的生涯當又轉入一個新的時期——晚年或被罷免，或自恬退。」這個推論當是可以接受的。⑦

《編年記》終於秦王政三十年，墓主喜四十六歲，這一年當是喜的卒年。

此外，根據《編年記》，墓主喜還有其他親人。其家族成員，見於記載者凡八人，約可分爲三輩。

（秦王政）十六年	七月丁巳	公終　（一）
廿年	七月甲寅	嫗終　（一）
（昭王）卌五年	十二月甲午雞鳴時	喜產　（二）

卌七年	十一月	敢產　（二）
五十六年	正月	遬產　（二）
（秦王政）十一年	十一月	獲產　（三）
十八年	正月	恢生　（三）
廿七年	八月己亥廷食時	產穿耳（三）

第一輩是墓主的父母。《編年記》秦王政十六年有「公終」的記載，古人稱父爲公，《廣雅・釋親》曰：「公，父也。」《列子・黃帝》曰：「家公執席。」家公即家父也。「公終」，即墓主喜的父親死於此年。又《戰國策・魏策一》曰：「張儀欲窮陳軫，令魏王召而相之……將行，其子陳應止其公之行。」是時人稱父爲公之證。同文記陳應與其父對話時，亦稱其父爲公，可見墓主自稱其父爲公是合乎當時習俗的。⑧二十年有「嫗終」的記載，《說文》曰：「嫗，母也。从女，區聲。」《漢書・酷吏傳》曰：「（嚴）延年兄弟五人皆有吏材，至大官，東海號曰『萬石嚴嫗』。」嚴嫗，即嚴母也。《編年記》於始皇二十年記「嫗終」二字，即謂墓主喜的母親死於是年。《編年記》僅記墓主父母之死年，其生年則不詳。馬非百認爲《編年記》托始於昭王元年，「也許是因爲下文始皇十六年所記載的『公終』的『公』的生年的緣故。」⑨此說只是推測，出土資料無法證實這個論點。

喜家族的第二輩，有喜及其弟敢、遬三人。敢生於秦昭王四十七年十一月，小喜兩歲；遬生於秦昭王五十六年正月，小喜十一歲。雲夢縣城關西南角大墳頭一號西漢墓中出土有一陰刻「遬」字的白玉方印，此墓可能就是遬的墓葬。大墳頭一號墓和喜墓所在地睡虎地都在雲夢地關西邊，兩墓僅距四百米。又喜死於秦王政三十年，年四十六歲。遬時年方三十五。他的死當在西漢初年，與《簡報》推斷正合。⑩

喜家族的第三輩，有獲、恢、穿耳三人。獲生於秦王政十一年十一月，可能是喜或敢之子；恢生於秦始皇十八年正月，可能是喜之子侄；穿耳生於二十八年八月，《編年記》對穿耳的生辰記載甚爲詳細，如其云「己亥廷食時」，廷食，《雲夢睡虎地秦墓竹簡》註曰：「廷，《後漢書・郭太傳》注引《倉頡》：『直也。』此處意爲適値。食時，據秦簡〈日書〉乙種即辰時，廷食時，正當辰時。」⑪亦即穿耳生於八月己亥這天的辰時。《編年記》對穿耳的記載如此詳細，可以推測他與墓主（即作者）關係不同。獲、恢二人，是子是侄，不能確定，但穿耳可能即墓主喜之子。⑫

【附註】

①參見《湖北雲夢睡虎地十一號秦墓發掘報告》，文載《文物》一九七六年第五期。

②關於秦國傅籍的標準，有下五說：

一、二十三歲傅籍

二、十五、十六歲傅籍

三、十七歲傅籍

四、男子身高五尺六寸爲傅籍標準

五、以成親立戶爲傅籍的標準

以上五種說法，在《雲夢秦簡》出土後，已證明第一說以「二十三歲」爲傅籍標準是錯誤的，其餘四說的立論都建基於《雲夢秦簡》。第二、三兩說是以墓主喜的年齡來推算秦國的傅籍，之所以會有十五、十六和十七歲的區別主要在於虛歲和實歲的不同，以及秦國歲首的問題，大致說來，二、三說可以合爲一說，就是以年齡爲傅籍標準，但以十七歲爲正確的推算；第四說以身高來推論，這在《雲夢秦簡》中的確可以看到不少例證；至於第五說以成親立戶爲傅籍的標準，仍然是有問題的。（請參見本文《軍制篇》傅籍制度部分）

③參見韓連琪《睡虎地秦簡〈編年記〉考證》，文載氏著《先秦兩漢史論叢》，一九八六年六月。

④參見氏著《雲夢秦簡〈大事記〉集傳》，《中國歷史文獻研究集刊》一九八一年第二期。

⑤同註③。

⑥同註③。《編年記》在始皇十五年書「從平陽軍」，與《史記・秦始皇本紀》、《六國年表・秦表》、《六國年表・趙表》所書皆有出入。今從韓氏之考證。

⑦見氏著《睡虎地秦簡〈編年記〉的作者及其思想傾向》，文載《文史哲》一九八〇年第一期。

⑧參見馬雍《讀雲夢秦簡〈編年記〉書後》，文載《雲夢秦簡研究》。

⑨同註④。

⑩同註④。又參見《湖北雲夢西漢墓發掘簡報》，文載《文物》一九七三年第九期。

⑪同註⑥，《睡虎地秦墓竹簡》第十頁。

⑫同註⑧。

第二章　研究範圍和旨趣

《雲夢秦簡》出土以來，其研究重心大都集中在法制史上，其實，可供研究的範圍很廣。本文的研究主題大致可以分爲三大方面，一是刑律部分，二是官制部分，三是軍制部分。這三篇，基本上是以文字爲基礎，同時，透過對《雲夢秦簡》全篇釋文的解讀，再進行這三方面的考索。又本文在這三大主題的研究過程中，對於先秦之刑法、官制及軍制亦多所關涉。實際上亦可視爲對秦國或先秦制度的一種研究。

一、關於秦律部分

關於刑律部分本文著重於的刑罰體系上。基本上，《雲夢秦簡》在出土之後，大部分的學者都著力在法制史上的研究。《雲夢秦簡》所顯示出來的秦國的法律制度，雖然不是秦律的全部，但內容卻十分廣泛，它包括了刑法、民法、行政法、經濟法、訴訟法以及獄政方面的內容。它不僅爲我們了解商鞅變法後秦國的法制建設，提供了直接而豐富的資料，而且也爲先秦和秦漢之際的法制史研究，提供了可靠的佐證。使一些長期臆斷和模糊不清的問題得到澄清。

在秦律出現以前，文獻中記載過不少成文法典。以春秋時期而言，法律制度的變革的中心內容是各國諸侯所設立的成文法典，這些法令刑書的內容，基本上是以刑法爲主體的。如《左傳・昭公六年》曰：「三月，鄭人鑄刑書。」杜《注》曰：「鑄刑書於鼎，以爲國之常法。」《左傳・昭公七年》記載楚芋君說楚文王時曰：「吾先君文王，作僕區之法，曰盜所隱器，與盜同罪。

」杜《注》曰：「僕區，刑書也。」《左傳・昭公二十九年》曰：「冬，晉趙鞅、荀寅帥師城汝濱，遂賦晉國一鼓鐵，以鑄刑鼎，著范宣子所爲刑書焉。」《左傳・定公九年》曰：「鄭駟顓殺鄧析，而用其《竹刑》。」《韓非子・外儲說右上》曰：「楚莊王有茅門之法」。由上引可知在春秋時期鄭、晉、楚等國都有成文法公布。這些法律基本上都是單篇形式，缺乏系統性，不算是成熟的法規。①

至戰國時期，各國的刑法建設更加進步。這其中以魏國李悝所制定的《法經》最爲完備，可以說是各國法制建設的大成之作。《晉書・刑法志》曰：「悝撰次諸國法，著《法經》。以爲王者之政，莫急於盜賊，故其律始於《盜》、《賊》。盜賊須劾捕，故著《囚》、《捕》二篇。其輕狡、越城、博戲、借假不廉、淫侈、踰制以爲《雜律》一篇。又以其《具律》具其加減，是故所著六篇而已，然皆罪名之制也。」②由《晉書》所記《法經》六篇的內容是：《盜法》、《賊法》、《囚法》、《捕法》、《雜法》、《具法》。商鞅繼李悝《法經》之後，改法爲律，可以說是對《法經》的繼承和發展。這從《雲夢秦簡》中的《法律答問》的內容，可以看出秦律和《法經》的內容在基本上是相合的。③

以實際來看，《法經》其實就是一部分刑事法典，商鞅變法時改法爲律，事實上正是繼承了李悝的《法經》。在過去，由於商鞅所制定的秦律（或刑事法典）已失傳，其詳不可得而知。《雲夢秦簡》的出土正好彌補了這一缺憾，使我們得以藉此了解從商鞅變法到秦國統一，這一時期秦國刑法的梗概。在《雲夢秦簡》的五種法律文書中，《秦律十八種》、《效律》、《秦律雜抄》、《法律答問》、《封診式》等所包含的內容是相當廣泛的。它包括了刑法、民法、行政法、經濟法、訴訟法以及獄政方面的內容。但有關刑律的部分卻是居於主導地位的。尤其是《法律答問》和《封診式》的律文都和刑法有關，充分說明了這一點。

因此，本文在《刑律篇》部分，將主題放在秦律的刑罰體系上。不過在此必須說明的是：有關秦律的刑罰類別中，徒刑部分已有專門的論文。關於這一部分，林文慶先生有《秦律徒刑制度研究》一文，該文對刑徒及其徒刑的問題，有總結性的探討，有關徒刑方面可參閱該文，本文在此部分闕而不論。④另外，本文官制篇和軍制篇的內容中，事實上，也大都和秦律有關。如在官制方面，官史的任免、考課和獎懲等，都是秦律中行政法的範圍。軍制方面，有關軍爵予奪、傅籍制度、什伍制度及戶籍制度，大部分都在秦律範疇之內。但由於秦律在這一方面的內容實在太多了，本文僅就秦律中的「刑律」部分，作爲研究的主題。更確地說，本文是將主題限定在秦律中的刑罰體系上。

在刑律部分，即秦律的刑罰體系部分，本文分爲四部分討論：

其一：秦簡的死刑類別。《雲夢秦簡》中可見的死刑有五種，即戮刑、磔刑、棄市、定殺、生埋。這五種當然不是秦國死刑的全部面貌，從文獻上看，《史記》另記有車裂、腰斬、戮屍、梟首、坑（阬）、賜死；（參見第二篇）《漢書・刑法志》記有鑿顚、抽脅、鑊烹；《戰國策・秦策五》記有絞等死刑類別，可見秦的死刑用的十分廣泛。

其二：秦律的肉刑類別。《雲夢秦簡》中可見的肉刑：黥、劓刑、斬左趾、宮、笞、鋈足六種，（髡、耐、完亦可納入，但本文置於象徵性刑罰一節中討論）這六種肉刑中，大都以黥刑爲主，劓、刖並不多見，至於宮刑，則根本不見肉刑的常刑。笞刑和鋈足都是痛苦刑，屬於廣義的肉刑。其中「笞刑」被應用的最爲廣泛，這在《雲夢秦簡》中可以得到證實。

其三：秦律的象徵性刑罰。主要有三種，即髡、耐和頗富爭議的完刑。這三種象徵性刑罰，主要是由肉刑式微所發展出來的一種象徵性肉刑。

其四：秦律的遷、貲、贖和誶刑。遷刑就是流刑，相關的尚有「謫」和「逐」，本文著重於遷刑的討論，「謫」、「逐」則附於遷刑之後討論。另外，在《雲夢秦簡》有幾樣較寬容的刑罰，如貲、贖和誶刑。其中，貲刑是屬於經濟制裁的一種財產刑，它通過使犯人在經濟上受到一定的損失，以達到懲罰犯罪的目的，基本上它是由執法機關强制執行的。贖刑則是用交納一定數量的金錢、財物或者用服勞役來代替已經判處的刑罰，它同貲刑的區別在於贖刑是依法判處應繳納的財物的一種刑罰。「誶」刑是秦律中比較特殊的刑稱，通常秦律中把「誶」當做一種行政處罰，適用於一般犯有輕微罪責的官吏身上，是輕於貲刑的一種刑罰。

在秦的刑罰體系中，尚有徒刑這一部分。刑徒的種類繁多，適用範圍也頗廣，在《雲夢秦簡》可見的有：城旦、舂、鬼薪、白粲、司寇、隸臣、隸妾、候、傳堅及下吏。這些徒刑往往和肉刑及象徵性刑罰並科使用，而成爲一種「主從刑」，在《雲夢秦簡》中可見的有：黥城旦、黥劓城旦、刑城旦，斬以爲城旦、刑隸臣、刑鬼薪、耐鬼薪、耐司寇、耐隸臣、耐爲候、完城旦。在徒刑方面由於已有專文討論，本文不再作討論。至於在「主從刑」方面，屬於附加刑的，則融入各刑中一併討論，因此不另立章節。

二、關於官制部分

在官制部分，《雲夢秦簡》也提供了一些重要的資料。秦代的官制對我國的政治制度影響很深，惲敬《三代因革論》曰：「自秦以後，朝野上下，所行者皆秦制也。」譚嗣同《仁學》亦云：「二千年之政，秦政也。」又《漢書·百官公卿表》中，往往可以看到「某官，秦官」的記載，如：

・相國、丞相，皆秦官。
・太尉，秦官。
・御史大夫，秦官。
・奉常，秦官。
・郎中令，秦官。
・衛尉，秦官。
・太僕，秦官。
・廷尉，秦官。
⋮
⋮
⋮
・典屬國，秦官。
・郡守，秦官。
・郡尉，秦官。
・關都尉，秦官。
・縣令長，皆秦官。

由《漢書・百官表》可以看漢制多承秦制，可見秦的官制對漢以後影響至深。不過，由於秦祚過短，許多官制資料除了透過《漢書・百官公卿表》來考察外，其他方面的材料，幾乎毫無保留。而《漢書・百官表》中又有許多是不可靠的。是以自古以來學人便有「秦制無聞」⑤之嘆。本編擬就《雲夢秦簡》所見，結合文獻對秦國官制作一初步考察。

官制部分，本文分四個子題來探討。

其一，選官制度。所謂選官制度，其實就是仕進制度，是一個國家或政權選拔官吏的制度。秦的選官方式，黃留珠先生就能考見的，列有七項：㈠保舉；㈡軍功；㈢客；㈣吏道；㈤通法；㈥徵士；㈦世官遺存。另有一項是入仕特例。⑥本文是就《雲夢秦簡》中較爲明顯的「世官制度」、「學吏制度」及「法官法吏制度」（或云「通法制度」）三個選官形式來探討。「軍功制度」留在本文《軍制篇》討論；至於「徵召制度」和「客卿制度」，由於《雲夢秦簡》中所顯示的資料過少，故闕而不論。

其二，秦簡所見的嗇夫。《雲夢秦簡》全文提到嗇夫官稱的有一百多次，是秦國官吏出現率最高的一個職稱。可見的種類也有十餘種，如大嗇夫、縣嗇夫、離官嗇夫、田嗇夫、倉嗇夫、廐嗇夫、皀嗇夫、庫嗇夫、都亭嗇夫、髹園嗇夫、司空嗇夫、發弩嗇夫、采山嗇夫等，基本上，嗇夫是秦國的基層主管。嗇夫的起源甚早，但學者對嗇夫原始身分的看法頗爲分歧。

嗇夫的本義是指田夫，亦即農夫。由農夫而爲官稱，必有其實際發展的因素。因此，本文在首節即針對此點溯其源流；並在次節論其演化情形，同時在文獻和出土實物中，爲此一官職進行定位。又《管子·君臣》曰：「吏嗇夫任事，人嗇夫任教。教在百姓，論不在撓，賞在信誠，體之以君臣，其誠也以守戰。如此，則人嗇夫之事究矣。吏嗇夫盡有訾程事律，論法辟、衡權、斗斛，文劾不以私論，而以事爲正。如此，則吏嗇夫之事究矣。人嗇夫成教，吏嗇夫成律之後，則雖有敦悫忠信者不得善也，而戲豫怠傲者，不得敗也。」依《管子》的分類，嗇夫可分爲二類，一是「吏嗇夫」（亦即官嗇夫），一是「人嗇夫」。從《雲夢秦簡》來看，秦國的嗇夫，基本上，也是可以分爲這二大系統。因此，本文在這一部分的三、四節，專就《雲夢秦簡》所見的嗇夫做一全面性的探討。

其三，秦簡所見的上計制度。上計，是考核地方官吏的一種重要方式，同時也要戶口統計、財政、民政、調查的重要途徑。計，指計簿。所謂上計，就是下級向上級，地方向中央上報。亦即國家要求地方行政官員於每年年終將施政情形上報，《後漢書·百官志》曰：「凡郡國皆掌治民，進賢勸功，決訟檢奸。常以春行所主縣，勸民農桑，振救乏絕。秋冬遣無害吏案訊諸囚，平其罪，論課殿最。歲盡遣吏上計。」上計的情形大抵如是。但秦制和漢制亦有不同，又上計制度不始於秦，故本章先述秦以前的上計制度，其次就《雲夢秦簡》所見探析秦國上計的內容。又由於上計是對官吏的一種考課和督導，因此，在本文第三節就上計的基礎——計和計史加以分析。又上計之所以不列入第四章《官吏管理制度》部分，主要在於上計對官吏的考課是全面性的，不是一般的考課獎懲，是以獨立一章。

其四，秦簡所見的官吏管理制度。法家強調「因任而授官，循名而責實」，因任授官、循名責實；是君上之事；而奉法宣令，則為臣下之責。因此，統治者根據需要而設官任職，而官吏有執行其職務的義務。法家向重「吏治」，韓非所謂「明主治吏不治民」，⑦荀子亦謂「百吏畏法循繩，然後國不亂。」⑧秦王朝自商鞅變法以來，就深深體認官吏是治法的重點，因此，十分重視「吏治」。這由《雲夢秦簡》中的《語書》、《為吏之道》以及其他的各單行法規可以看出。關於官吏的行政管理法規，秦代並沒有成文法典。但秦國在整飾吏治以及以法治國的過程中，相應地制定並頒發了一系列單行的成文法規。這些法規見於《秦律雜抄》的有《除吏律》、《除弟子律》、《中勞律》、《公車司馬獵律》、《傅律》、《敦表律》、《捕盜律》、《戍律》、《游士律》、；見於《秦律十八種》的有：《置吏律》、《徭律》、《司空》、《軍爵律》、《傳食律》、《行書》、《內史雜》、《尉雜》、《屬邦》。它們的內容是多方面的，同時類型完全、結構嚴密，對於官吏的任免、考課、獎懲、爵制、秩祿，各方面都作了嚴格的規範，這說明了秦對「吏治」的管理十分重視。本章擬就秦代「官吏的任免」、「官吏的俸祿」、「官吏考課與獎懲」等幾方面進行討論。

三、關於軍制部分

秦國向重軍事，自商鞅變法以來，歷代國君都以獎勵耕戰爲基本國策，社會生產迅速發展，結果使秦國一躍而爲七國中實力最强的國家。同時，又由於商鞅是個十分重視軍事的政治家，除了本身帶過軍隊、上過戰場外，也有一些軍事著作。這些軍事著作雖然都已亡佚，但《商君書》中的《境內》、《立本》、《畫策》、《兵守》、《戰法》等篇，依然可以看到不少軍事思想及法規。由秦國重視農戰的政策來看，秦國應該有很完備的軍事法規才是，但由於軍事法規大都適用於軍隊內部，因此，在《雲夢秦簡》中只能看到一部分和軍事有關的法律規定。不過由文獻以及「兵馬俑」來看，仍然可以看出一些秦國軍事制度的梗概。本編擬就「軍功爵制」、「兵役制度」、「軍隊編制」、「供給制度」這幾方面加以探討。

在軍制部分，本文分四個子題來探討。

其一，軍功爵制在秦國的意義。所謂軍功爵制，就是因軍功而賜給爵位、田宅、食邑、封國的爵祿制度。朱師轍先生曰：「以爵賞戰功，故云軍爵。」⑨軍功爵制在商鞅變法之後，基本上，已經形成一種非常完備的制度，在秦代，人們的政治地位、生活待遇幾乎完全決定有爵無爵和爵位的高低。關於秦國的爵制，比較完整的記載是《漢書·百官公卿表》中的「二十種爵」，但這二十種爵制和商鞅時所確立的軍功爵制在內容上有一些出入，同時，由於這種爵制產生的背景是在春秋戰國，可以說是繼西周五種爵制之後所發展出來的一種新制度。因此，本章在談及秦國的軍功爵制之前，也準備簡單地說明春秋戰國軍功爵制的發展。

其二，兵役制度。秦國實行農戰政策，同時，也實施普遍征兵的制度。爲了適應這種情況，就相應地採取了「戶籍制度」。事實上，戶籍是徵兵和徭役的主要依據，秦爲了富國强兵和諸侯爭雄，因此，對戶籍的管理非常重視。兵役制度有一個最根本問題，就是「役齡」。而役齡的關鍵在於「傅籍」。秦漢時期關於兵役和徭役的服役和止役年齡到底是多少，役期有多長，過去一直存有各種不同的看法。而服役年齡又和傅籍制度有著不可分割的關聯性。因此，在兵役制度部分有必要談談「傅籍制度」的問題。關於秦國傅籍標準，過去一直是個懸而未決問題，同時秦人服役的年齡，長期以來認識也頗為模糊。《雲夢秦簡》的出土對於這些問題的探討有了比較清楚認識。「什伍制度」是秦國的一項重要制度。什伍制度在我國出現的早期，是民政、軍事合一的雙重性組織。《周禮・地官・司徒》曰：「五家為比，十家為聯。五人為五，十人為聯。」前者為地方基層組織，後者為軍事編制。⑩這種編制，首先在於於它是一種軍事編制，以利於戰時徵兵的需要。其次，這一編制在秦國建立了戶籍制度後，大力運用，「為戶籍相伍」（《史記・秦始皇本紀》）成為鄉里的重要組織，同時便於國家掌握人口的數字，以利於賦稅的征收和行政上的管理。⑪而不論是軍事方面或者地方基層的組織，什伍制度的實施和連坐是相互聯繫的。《史記・商君列傳》曰：「令民為什伍，而相牧司連坐。」相牧司，即相牧伺，是互相檢舉糾發。至於「連坐」，司馬貞《索隱》曰：「一家有罪而九家連舉發，若不糾舉，則十家連坐。」由《雲夢秦簡》來看，「連坐」在秦國的確有其實際的運作。但由於《索隱》引劉氏曰：「五家為保，十保相連。」又《正義》曰：「或為十保，或為五保。」同時，《索隱》亦云：「十家連坐」，致使歷來都將「什伍」看成是「五家為伍，十家為什」。⑫以資料來看，五家為「伍」，是沒有疑問的，但十家為「什」，在《雲夢秦簡》出土後，似乎有再檢討的必要。

其三，軍隊編制。這一部分《雲夢秦簡》的資料並不豐富，不過，結合文獻以及秦始皇兵馬俑坑的材料，尚可看出一些秦代的軍事面貌來。秦國軍隊向以訓練有素著稱，在戰國七雄中實力最強。如《荀子・議兵》曰：「齊之技擊，不可以遇魏氏之武卒，魏氏之武卒，不可以遇秦之銳卒。」由此，可以看出秦國的軍事訓練成果十分可觀，齊魏之武卒皆不是秦的敵手。在軍事訓練方面，以《雲夢秦簡》來看，秦國的確十分重視軍事訓練，同時，秦對訓練的考課也十分嚴格。秦國軍隊的指揮權在將帥，不過《雲夢秦簡》中並沒有完整的資料。秦國對於軍紀和士氣方面也都有嚴格的賞罰規定。這種嚴厲的規定，使得秦軍的戰鬥力遠遠超過山東各國軍隊的戰鬥力。

其四，軍隊的供給制度。軍事供給的種類很多，大凡軍隊所使用的各種武器和各種軍用物資，都在其供給範圍。本章著重於「兵器、鎧甲」、「士兵的服裝」、「軍馬的放牧和徵集」、「糧芻的供應」等四方面內容來討論。秦國軍隊所使用的兵器大部分由國家統一製作和保管，秦國設有這方面的倉庫，其主管即庫嗇夫。除了官方公有的兵器製作之外，從《雲夢秦簡》的資料顯示民間似乎也有兵器製造業。秦國士兵的衣服是自備還是國家供給？文獻沒有記載。《雲夢秦簡》中有幾條關於授衣的條文，但所指的是刑徒，並不包括軍隊在內。《雲夢秦簡》雖然沒有士兵衣服的任何規定，但由和《雲夢秦簡》一起出土的兩件木牘，可以看出秦國士兵的衣服是自備的。⑬關於馬的資料，《雲夢秦簡》中有不少。從《雲夢秦簡》來看，秦國馬匹的供應，主要是來自於官方的廏苑。另外，在秦始皇兵馬俑坑的出土也可以窺知秦國養馬規模的盛大。從資料來看，秦國在馬匹的供應上是十分充足的。另一方面，從《日書》來看，秦國民間的養馬事業也十分發達，這對秦馬的徵集也有一定的影響。至於糧芻的供應，從《雲夢秦簡》可以看出秦國軍隊的糧芻是由國家所供應的。同時對這方面的管理也十分嚴格。

以上是本文大體的研究範圍。必須說明的是這其中大部分用的是《雲夢秦簡》中的前八類簡，至於《日書》部分，本文徵引較少。本文原有一個論題《社會篇》，大部分是針對《日書》所作的主體研究，目前已割愛，留待他日再進行研究。本文雖然是以《睡虎地秦簡研究》爲名，所做的主題研究並沒有完全囊括，但凡所徵引則力求全面。

另外，本文另將自《雲夢秦簡》出土以來的各類相關資料和文獻輯成文獻目錄，附於文末爲附錄，以便學界查索。

至於有些和《雲夢秦簡》相關而不在本文主題範圍內的，置於緒論篇中加以敘述。其中《秦簡的形制》因與簡牘制度有關，故置於緒編篇。又由於《雲夢秦簡》的各簡內容對全篇內容的理解有益，因此在緒論篇，另闢一章，分述各簡內容。

【附註】

①《左傳・文公六年》曰：「春，晉蒐於夷，……宣子於是乎始爲國政，制事典，正法罪，辟獄刑，董逋逃，由質要，治舊洿，本秩禮，續常職，出滯淹。既成，以授大傅陽子與大師賈佗，使行諸晉國，以爲常法。」其中所記有刑法、獄政的內容，亦有行政法、民法的內容。很像一部完善的成文法。但「既成」之後，交給太傅、太師「使行諸晉國」這部「常法」雖然完備，但卻不算是成文法。陳顧遠先生曰：「成文法典之始當在此際，惟仍非公布者耳。」（參見氏著《中國法制史》頁九七。）

②李悝著《法經》實際上是攝取了戰國時各國立法的成果。除《晉書・刑法志》著錄外，《唐律議疏》卷一亦云：「周衰刑重，戰國異制，魏文侯師於里悝，集諸國刑典，造《法經》六篇。」《太平御覽》卷六三八引《唐書》亦曰：「悝撰攻諸國法著經。」清沈家《本歷代刑法志・律令》按語亦曰：「戰國時，各國各有刑法，悝不過集而自成爲一家之言。」

③關於《法律答問》和《法經》相合部分，請參考本編《秦簡內容分述》第六節《法律答問》部分。

④關於徒刑部分，林文慶先生《秦律徒刑制度研究》一文，對刑徒及

刑徒的徒刑問題作總結性的探討，有關徒刑方面可參閱該文，本文在此部分闕而不論。該文爲文化大學中文研究所碩士論文，一九八九年六月。

⑤參見「冊府元龜」。

⑥參見氏著《中國古代選官制度考略》，頁八二一八七。

⑦參見《韓非子・外儲說右下》。

⑧參見《荀子・王霸》。

⑨參見《商君書解詁》。

⑩參見羅開玉先生《秦國「什伍」「伍人」考》，文載《四川大學學報》，一九八一年第二期。

⑪參見黃中業先生《秦國法制建設》，頁二〇。

⑫如《後漢書・百官志》曰：「里有里魁，民有什伍，善惡以告。本注曰：里魁掌一里百家。人主十家，伍主五家，以相檢察。」陳傅良《歷代兵制》曰：「爲戶籍什伍，孝公用商鞅，初爲轅田，遂破井田，開阡陌，以前後漢參考秦法，五戶爲伍，十戶爲什。」都將「什」視爲十家。

⑬參見黃盛璋先生《雲夢秦墓兩封家信中有關歷史地理的問題》，文載《文物》一九八〇年第八期。

⑭本文另編寫的相關資料——《秦簡文篇》，乃《雲夢秦簡》的全文索引，可供學界作資料索引用。因與本文徵引有關，原附於文末爲附錄二。今與另作《秦簡文字字形表》，合爲《秦簡文字編》，收入另作《秦簡文字研究》一文中，故不附於本文。

第三章　秦簡內容分述

第一節　《編年記》

《編年記》由五十三支竹簡組成，每簡分上下兩欄書寫，各欄分別回行。簡文始自秦昭王元年（公元前三〇六年），止於秦始皇三十年（公元前二一七年），前後歷四王（昭王、孝文王、莊王、始皇）共九十年。係以年表形式記錄秦國之軍政大事，和墓主「喜」之生平及其親族有關事項。①

一、《編年記》的內容

《編年記》是墓主「喜」的私人記錄，簡文內容大抵可分爲三類。

甲、秦國對六國所進行的征伐之事，如：

昭王二年	攻皮氏
四年	攻封陵
五年	歸蒲反（坂）
六年	攻新城
七年	新城陷
九年	攻析

十三年	攻伊闕
十五年	攻魏
十六年	攻宛
十七年	攻垣、枳
十八年	攻蒲反
廿年	攻安邑
廿一年	攻夏山
廿四年	攻林
廿五年	攻茲氏
廿六年	攻離石
廿七年	攻鄧
廿九年	攻安陸
卅二年	攻啓封
卅三年	攻蔡、中陽
卅四年	攻華陽
卅七年	□寇剛

卅九年	攻懷
卌一年	攻邢丘
卌二年	攻少曲
卌四年	攻大（太）行
卌五年	攻大壄（野）王
卌六年	攻□亭
卌七年	攻長平
卌八年	攻武安
【五十年】	攻邯單（鄲）
五十一年	攻陽城
（今）十七年	攻韓
十八年	攻趙
廿二年	攻魏粱（梁）
廿三年	攻荆

乙、有關墓主「喜」家族之事，這一部分可算是個人的年譜，②如：

（昭王） 卅五年 卅七年	攻大野王。十二月甲午雞鳴時，喜產。 攻長平。十一月，敢產。
五十六年	後九月，昭死。正月，遬產。
今 元年	喜傅。
三年	卷軍。八月，喜揄史。
四年	□軍。十一月，喜□安陸□史。
六年	四月，爲安陸令史。
七年	正月甲寅，鄢令史。
十一年	十一月，獲產。
十三年	從軍。
十五年	從平陽軍。
十六年	七月丁巳，公終。
十八年	正月，恢生。
廿年	七月甲寅，嫗終。
廿七年	八月己亥廷食時，產穿耳。

其中「公」、「媼」爲墓主「喜」之父母，「敢」、「遬」爲墓主「喜」同輩，「獲」、「恢」、「穿耳」三人，爲墓主「喜」之子侄輩。除喜之生平事迹較詳外，他人事迹皆不詳。關於墓主的生平已見前章，不贅。

丙、其他大事，如：

（昭王）【五十二年】	王稽、張祿死
【五十】三年	吏推從軍
五十六年	昭死
孝文王元年	立，即死
莊王三年	莊王死
（始皇）十六年	自占年
十九年	南郡備敬（警）
廿年	韓王君居□山
廿一年	韓王死 昌平君居其虎 有（又）死其屬
廿三年	□□守陽□死 昌文君死
【廿八】年	今過安陸

二、《編年記》的作者

《編年記》的作者，向有四說。其一是墓主喜的父親；其二是喜的弟弟或同族兄弟；其三是墓主喜本人；其四是二人以上說。此四說，何者正確，分述如下。

㈠、作者是喜父說

陳直《略論雲夢秦簡》一文中，認爲《編年記》的作者「應爲喜父」，這是錯誤的。陳氏謂：「《大事記》應爲喜父所寫，兼附記喜等男女之出生年代，喜父共六男一女，穿耳當爲女名。七人出生前後相距有四十三年之久，當非同母所生，喜卒之年當在始皇三十年，疑喜之父其時尚存在。」③上文所引，錯誤有三：其一，《編年記》並非喜父所寫；其二，喜父死於秦王政十六年，早於喜之死年；其三，喜家族共三代，喜父有三男三孫。④

《編年記》有：「（王政）十六年，七月丁巳，公終。」的記載。「公終」，即「父終」。古人稱父爲公，《廣雅·釋親》曰：「公，父也。」是其證。《戰國策·魏策一》曰：「張儀欲窮陳軫，令魏王召而相之，……將行，其子陳應止其公之行。」是時人稱父爲公之證。十六年「公終」，即喜父去世於是年。喜父既死於始皇十六年，而《編年記》卻止於始皇三十年，足見喜父不是作者。此其一；

此外，《編年記》不載喜父生年，亦不載喜父事迹，喜父若是作者，豈有不書個人事迹之理。此其二；而《編年記》也應當葬於其墓，斷不可能葬在喜墓。此其三；又喜有弟二人，一爲敢，一爲遬，《編年記》對二人事迹隻字未提，卻獨詳喜的事迹，若是喜父所撰，何以如此偏頗？此其四。這些都足以證明喜父絕不是作者。

㈡、作者爲喜弟或同族兄弟說

高敏《〈大事記〉的性質與作者質疑》一文，認爲《編年記

》的作者「很可能是『喜』的弟弟或同族兄弟」。高氏謂：「從《大事記》的措辭來看，稱墓主『喜』及『喜』的弟弟都直呼其名，而稱『喜』父爲『公』，這就表明〈大事記〉的作者對『喜』父來說肯定是晚輩，對喜來說則可能是同輩。因此，這個人很可能是『喜』的弟弟或同族兄弟。」⑤

高氏又認爲「作者的政治觀點同『喜』是一致的」。其證有四：第一，《大事記》所列大事，絕大部分爲秦的軍事行動，這說明它的作者是擁護秦的統一戰爭的；第二，《大事記》不載秦的大臣之死，唯獨把張祿（即范睢）之死載入，可見作者對范睢是推崇的；第三，范睢入秦後，是秦國「遠交近攻」政策的制定者。《大事記》所載，既說明秦昭王確實採納了范睢的「遠交近攻」策略，也說明作者有意突出范睢「遠交近攻」政策的執行和成果，幾乎是按照范睢的戰略思想而把這些戰役載入《大事記》，所以作者傾向於范睢的「遠交近攻」策略；第四，《大事記》關於南郡的情況記述較多，這反映出它的作者對南郡比較重視。究其原因，這既與墓主「喜」曾在南郡所屬安陸做官有關，又應與作者憎恨當時各國貴族殘餘勢力的反秦活動有關。⑥高氏的四個論點，可以說與作者是有絕對的關係的。但由於高氏認定《編年記》是喜的家譜與墓誌，既然是墓誌，當然不會是墓主自己的作品。因此，得出了《編年記》必須是「喜的弟弟或同族兄弟」的結論。

事實上，這四個論點，作爲「墓主是作者」論據，也未嘗不可。（下面會論述，不贅）更何況要說「政治觀點同『喜』一致的」，除了喜自己外，還有誰比他自己更一致的呢？所以拿這四點來認定作者是「喜的弟弟或同族兄弟」，在邏輯上是很難成立的。再者，就出土資料來看，根本無法看出喜的弟弟或同族兄弟和《編年記》有何關聯。可見高氏此說也成問題。

㈢、作者爲墓主「喜」說

大部分的學者都認爲《編年記》的作是墓主「喜」。主張此說的有馬非百⑦、古賀登⑧、町田三郎⑨、啇慶夫⑩、馬雍⑪、楊劍虹⑫等人。

此說以啇慶夫、楊劍虹較具代表性。啇慶夫在《睡虎地秦簡〈編年記〉的作者及其思想傾向》一文中，提出七個主要依據，說：「我據簡文分析，認定〈編年記〉的材料來源是多方面的，或釆於先輩們的耳聞目睹，或取材於作者的親身經歷，或散見於當時的史志，而最後總其成者則是墓主喜。」楊劍虹在《睡虎地秦簡〈編年記〉作者及其政治態度》一文中，認爲「《編年記》雖然把秦討伐六國作爲主要內容，但是他個人活動卻十分突出，從他出生、傅籍、從軍、特別是對他的仕途經歷都作了較詳細的記敘。從簡文推算，喜終年四十六歲，據專家鑒定墓主的骨骼也是四十歲左右，可見墓主就是喜。在墓葬的殉葬品中，往往把最重要的東西放在頭部。《編年記》正好放置在頭部，也是喜撰寫《編年記》的有力證明。」

馬非百在《雲夢秦簡大事記集傳》一文中，雖然沒有直接說作者就是「喜」，但卻認爲作者本人擔任過「揄史」、「安陸□史」、「安陸令史」、「鄢令史」、「治獄鄢」等工作，揆諸《編年記》，擔任過這些職務的除了喜之外，還有誰呢？馬氏云：「這些都說明《編年記》不是在秦王朝的統一戰爭的全部歷史，而只是把者本人和他的先人所親身參加過的或所見所聞的一些戰役記載下來，也可以說就是作者的家譜。」馬氏又曰：「值得注意的，是作者除當過『揄史』和從過軍外，還擔任過『令史』和『治獄』的執行秦始皇法治主義的法治工作。」又曰：「始皇十六年有『公終』的記載，公就古人對父親的尊稱。作者是秦始皇十三年才開始參軍的。在此以前的各次戰役，大概都是根據他的父親的回憶加以追憶的。……同時，除了他本人是以『佐史』身份參軍外，他本人和他先人，似乎都是普通一兵，沒有什麼軍職。觀作者對於他本人當過『揄史』、『安陸□史』、『鄢令史』、『治獄鄢』『少吏』，都鄭重其事地把被任命的日子都記下來了。」細審馬文所說的《編年記》作者，不就是墓主喜麼！

㈣、作者二人以上說

《睡虎地雲夢竹簡》有關《編年記》說明部份，整理組提出了一個看法，即「從字體來看，從昭王元年到秦王政（始皇）十一年的大事，大約是一次寫完的；這一段內關於喜及其事的記載，和秦王政（始皇）十二年以後的簡文，字迹較粗，可能是後來續補的結果。」馬雍在《讀雲夢秦簡〈編年記〉書後》一文中，認爲這個分析是正確的。馬氏同時將秦王政十一年以前和以後記載私事的簡文加以分析比較，認爲前段「凡記私事的字迹的確較記國事的字迹粗，而且，在書寫的行氣上也不連屬，顯然不是同一時所寫。」「再就秦王政十二年以後的簡文來看，字迹大都較粗，與前一部份記國事的字迹的確不同。但是，在後一部份中，也出現記事與記年兩種字迹不相應的情況。」所以馬氏認爲「根據上述字迹參錯的情況來看，這部書是否成於一人的手筆，頗堪懷疑。」馬氏對於作者雖然未下定論，但卻肯定二點：第一、此書不是一次寫成的，也不是分兩次寫成的，而是多次寫成的。第二、在某些年下的記事也不是同一時所寫成的。馬氏的推測，證之《編年記》是可接受的。不過，馬氏有一保守的推測，他認爲「《編年記》的作者就是喜，或者至少說，續編者是喜。」馬氏云：「續編以喜爲中心人物，對他的出生和經歷記載頗詳，但未記死亡。按，喜生於昭王四十五年（西元前二六二年），至此編年結束時（始皇三十年，西元前二一七年），喜已四十六歲。據此墓的發掘工作者對墓主人骨的鑑定，死者的年齡恰爲四十多歲；此外，並據其他隨葬物推測，墓主很可能就是喜。我們根據同樣的理由，推斷此《編年記》的作者就是喜，或者至少說，續編者是喜。因爲，倘若是別人，應當會在始皇三十年下記載喜之死，才成爲有始有終的完整作品。今既未記喜之死，那麼，最可就是者爲喜本人。」⑬

江村治樹在《戰國・秦漢簡牘文字の變遷》一文中，根據書體推斷，作者至少在三人以上。氏云：「しかし、その書體をみてみると少なくも三人の手になっているようである。」⑭另外，間瀨收芳《論雲夢睡虎地秦漢墓被者的出身》一文中，推定作者爲一人或二人。⑮江村氏以書體作根據，但未做進一步的分析，難以令人信服；間瀨氏的推論亦不確定。

以上四說，關於作者是「喜父」以及「喜弟弟和同族兄弟」二說，根據《編年記》和同墓出土資料來看，是不足取信的，前已駁之，不贅。同樣的，根據《編年記》和同墓出土資料，以及前引時賢之說，本文認爲《編年記》的作者是喜。理由歸納如下：

第一，在墓葬的殉葬品中，往往把最重要的東西放在墓主頭部，《編年記》出土時，正好放在頭部。這說明《編年記》與墓主的關係十分密切。

第二，《編年記》的私人記載以墓主喜爲中心，對他的出生和經歷記載頗詳，對其他家屬則只記生年或死年，不記個人事迹。可見《編年記》與其他家屬的關係不大。又《編年記》只記墓主生年，未記墓主死年，正是墓主爲作者的有力佐證。

第三，出土的竹簡，有許多法律文書不但與墓主喜的身世相關，同時也與《編年記》中喜的經歷記載有關。如據《編年記》可知墓主喜曾在安陸擔任基層官吏，而安陸秦時屬於南郡，墓中恰好出土了《語書》（《南郡守騰文書》）。《編年記》記載墓主喜曾「治獄鄢」[illegible]法律簡，如《秦律十八種》、《效律》、《法律答問》、《秦律雜抄》、《治獄程式》。另外，墓中還出土《爲吏之道》一書，個基層官吏，擁有此書與其身分相符。由此可見《編年記》必然是墓主的自書年譜。

第四、從喜家族成員的條件看，喜最有資格完成此書。《編年記》記有許多軍政大事，這些大事不但多與史籍相合，且能補史籍之所闕和正史籍之誤。可見作者必然具備有相當的知識和閱歷。喜家族的成員的經歷中，似乎只有喜最具此一條件。喜除了擔任過基層官吏外，還曾經從軍，對軍政必然熟悉。另外，喜墓的殉葬品中，有二枝毛筆（參見圖一）和一把銅製削刀，置於棺內和頭箱之中，可見文書工具與墓主的生活必然有很密切的關係，這可以間接說明墓主喜經常抄寫書籍，可能也偶爾寫作，商慶夫先生認爲這也可以作爲墓主喜寫作《編年記》的物證。

第五、至於《編年記》前後書體字迹不同，我認爲這可以說明《編年記》不是同一時期寫成的，並不一定非是二人以上的作品不可。如果作者是陸續寫成，那麼前期的書迹與後期的書迹，自然可能不同。又後期部分（昭王五十四年以後）記事與記年字迹不相應，這跟續編補記有關係，亦即原先寫作時只書紀年，其後再補記他事，字迹自然容有不同。所以《編年記》書迹的差異，可以說明它是多次寫成，卻未可據以否定它是成於一人之手。

《編年記》的作者，與墓主喜的關係十分重要，因爲這牽涉到墓主的身世問題。本文基於以上理由，認爲《編年記》的作者就是墓主喜。同時在墓主生平資料部分，也是以《編年記》作爲墓主根據。

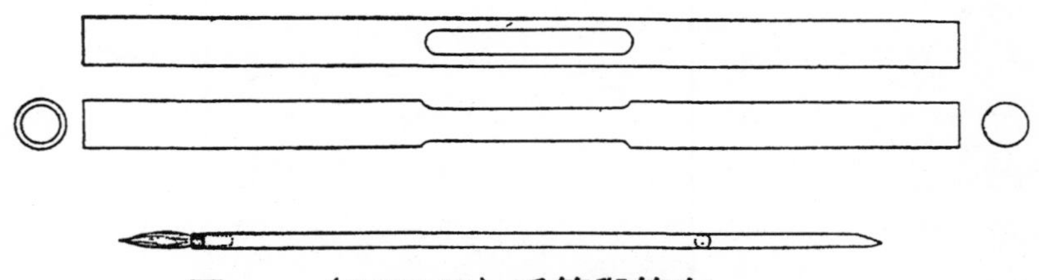

圖一：（M16:60）毛筆與筆套

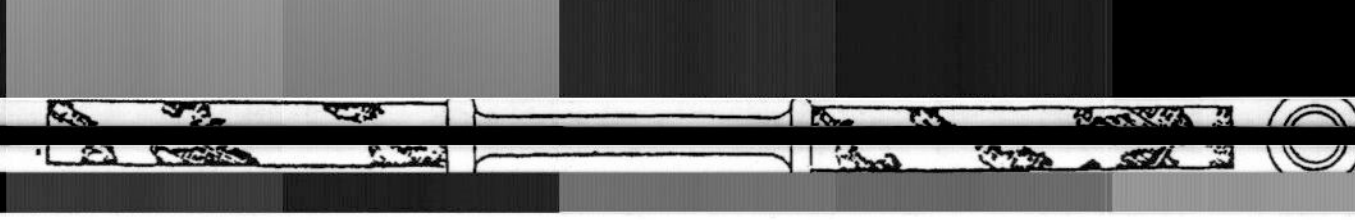

圖一：（M11:96）毛筆與筆套

（取自《雲夢睡虎地秦墓》）

【附註】

①參見《雲夢睡虎地秦墓竹簡》之《編年記釋文注釋》頁三，文物出版社，一九九〇年九月。

②關於《編年記》的性質，《雲夢睡虎地秦墓竹簡》謂：「有些像後世的年譜」，《簡報》謂：「類似後來的年譜」，韓連琪《睡虎地 [illegible] 記〉的性質與作者質疑》則認爲是：「『喜』的家譜和墓志的混合物」。本文認爲《編年記》對墓主家屬之生卒情況皆有載入，比較像「家譜」的性質，不完全是個人年譜，故採「家譜」一詞。

③文載《西北大學學報》，一九七一年第一期。

④關於喜之生平及家族從屬，本文《緒論篇》墓主生平部分已述及，不贅。

⑤參見氏著《雲夢秦簡初探》，頁十六。

⑥同註⑤。

⑦參見氏著《雲夢秦簡〈大事記〉集傳》，《中國歷史文獻研究集刊》一九八一年第二期。

⑧參見氏著《雲夢睡虎地某喜墓中秦律等法律文書殉葬情況巡視》，文載氏著《漢長安城と阡陌・縣鄉亭里制度》，雄山閣一九八〇年版。

⑨參見氏著《論雲夢秦簡〈編年記〉》，文載《九州中國學會報》一九七九年第二二卷。

⑩參見氏著《睡虎地秦簡〈編年記〉的作者及其思想傾向》，文載《文史哲》一九八〇年第四期。

⑪參見氏著《讀雲夢秦簡〈編年記〉書後》，文載《雲夢秦簡研究》，中華書局一九八一年版。

⑫《睡虎地秦簡〈編年記〉作者及其政治態度——兼與陳直、商慶夫同志商榷》，文載《江漢考古》一九八四年第三期。

⑬同⑪。

⑭文載《東方學報》，京都一九八一年第五十三冊，二五二頁。

第二節　《語書》

《語書》是秦始皇二十年（西元前二二七年）秦南郡守騰爲推行秦的政令和維護統治，而發給所屬各縣、道嗇夫的地方政府文告。它被放置在墓主腹下部，在右手的下面。共十四支簡，文字分爲前後兩段，凡五百四十字。（不含簡背書題）這十四支簡簡長和筆體一致，但後段六簡簡首組痕較前八簡位置略低，似乎原來是分開編的。篇題「語書」二字書於末一支簡簡背上端，出土時覆有一層物質，經長期浸泡除去，才得以發現。①

一、《語書》釋名

《語書》爲秦始皇統一全國過程中南郡地方政府所頒布的法律文告，屬於地方性公文法規。《語書》的「書」義爲政府公文檔案或官方教戒之文告，如《詩經・小雅・出車》曰：「畏此簡書」，毛亨《傳》曰：「簡書，戒命也。」其中「書」即爲政府教戒之文告。秦簡「書」字凡八十九見，除部分作動詞，如《語書》中的「別書江陵布」、「爭書」、「喜爭書」、「志千里使有籍書之」；《秦律十八種》中的「而書入禾增積者之名事邑里于廥籍」（《倉律》）、「必書其久」（《工律》）、「必書其起及到日月夙莫（暮）」（《行書》）；《效律》中的「欽書其縣料殹（也）之數」；《封診式》中的「治（笞）諒（掠）之必書曰」等「書」字作書寫或書寫公文，以及《法律答問》「有投書」、「毄（繫）投書者鞫審灋（讞）之」中的「投書」作「匿名書信」外，餘皆與此意有關。如：

- 發書 《語書》
- 移書 《語書》
- 移書曹 《語書》
- 輒以書言澍（澍）稼、…… 《秦律十八種・田律》
- 近縣令輕足行其書 《秦律十八種・田律》
- 爲用書 《秦律十八種・廄苑律》
- 以其診書告官論之 《秦律十八種・廄苑律》
- 程禾、黍□□□□以書言年 《秦律十八種・倉律》
- 到十月牒書數 《秦律十八種・倉律》
- 以書告其出計之年 《秦律十八種・金布律》
- 籍書而上内史 《秦律十八種・均工》
- 令縣及都官取柳及木楘（柔）可用書者 《秦律十八種・司空》
- 方之以書 《秦律十八種・司空》
- 以芇纏書 《秦律十八種・司空》
- 行命書及書署急者 《秦律十八種・行書》
- 行傳書、受書 《秦律十八種・行書》
- 毋敢以火入臧（藏）府書府中 《秦律十八種・内史雜》
- 毋依臧（藏）府書府 《秦律十八種・内史雜》
- 爲（僞）聽命書 《效律》

・發僞書　《法律答問》
・告盜書丞印以亡　《法律答問》
・亡久書、符券、公璽、衡贏（累）　《法律答問》
・能以書從迹其言　《封診式》
・到以書言　《封診式》
・命書時會　《爲吏之道》
・利以學書　《日書》甲種

此外，在《封診式》中，有大量的「爰書」，是秦簡中的司法文書。劉海年謂「爰書」有六義：一爲官方記錄或摘抄之訴辭；二爲官府記錄或摘抄的自首材料；三爲被告人的口供記錄；四爲現場勘查或法醫檢驗的記錄以及報告書；五爲司法官吏對案件判決或關於案件某一項決定執行的報告書；六爲案情綜合報告書。亦即認爲「爰書」是戰國時秦國和秦漢時司法機關通行「關於訴訟案件訴辭、口供、現場勘查、法醫檢驗的記錄以及其他有關訴訟的情況報告。」的一種文書形式。②

《語書》的「語」，去聲，作動詞用。有二義：一爲告也，或以言告人或以事告人，如《左傳・隱公元年》曰：「公語之故」，《禮記・雜記下》曰：「言而不語」鄭玄注云：「爲人說爲語」；二爲教戒之也，《國語・魯語下》曰：「主亦有以語肥也。」注曰：「語，教戒之也。」以此觀之，「語書」亦即對官吏或民衆曉諭或教戒之文告。又《語書》整理小組原題爲《南郡守騰文書》，內容分爲《案劾吏民犯法令》和《課吏令》兩部分（詳下文，內容部分），是南郡守騰的文書，因此，《語書》一名，或許可以是這兩部分內容的「文章類名」，甚或爲書籍名稱，與《尚書》爲「文件類篇」、「檔案彙存」的命意相似。如果這個說法是對的，則《語書》的「語」，也可以讀爲上聲ㄩˇ。

二、《語書》的年代及背景

《語書》發布年代，可據以斷者有二：

其一繫年。關於繫年，其首簡有一條線索，即「廿年四月丙戌朔丁亥，南郡守騰謂縣、道嗇夫：……。」二十年即秦王政（始皇）二十年。秦設南郡在秦昭襄王二十九年（西元前二七八年）。南郡原是楚國故地郢都，也是楚的政治中心。秦昭王二十九年，派白起攻楚，取郢爲南郡。《史記・秦本紀》曰：「（昭襄王）二十九年，大良造白起攻楚，取郢爲南郡，楚王走。」又《史記・白起列傳》謂：「後七年，白起攻楚拔鄢、鄧五城。其明年，攻楚，拔郢，燒夷陵，遂東至竟陵。楚王亡，去郢東走，徙陳。秦以郢爲南郡。」南郡既設於昭襄王二十九年間，則簡文中的「廿年」必是其後的秦王政二十年。③

其二避諱。《語書》中的避諱現象，亦可證其年代。如：

1.是以聖王作爲法度，以矯端民心，去其邪避（僻），除其惡俗。（〇五四—〇五五簡）

2.有（又）能自端毆（也），而惡與人辨治，是以不爭書。（〇六二—〇六三簡）

3.毋（無）公端之心，而有冒柢（抵）之治，是以善斥（訴）事，善爭書。（〇六四簡）

三處「端」字皆應作「正」。所謂「矯端民心」，即糾正人民思想也；「自端」，即自正也；「毋（無）公端之心」，即無公正之心也。以「端」易「正」，係避秦皇名諱。陳垣謂：「避諱爲中國特有之風俗，其俗起於周，成於秦，盛於唐。」④由上引諸例來看，秦時確已有避諱之實。秦王政之名一作「正」，《史記・秦始皇本紀》曰：「秦始皇帝者，秦莊襄王子也。……以秦昭王四十八年正月生於邯鄲。及生，名爲政，姓趙氏。」《集解》引徐廣曰：「一作『正』。」又引宋忠云：「以正月旦生，故名正。」《正義》曰：「正音政，『周正建子』之『正』也。始皇以正月旦生於趙，因爲政，後以始皇諱，故音征。」《史記・楚秦之際月表》秦二世二年、三年，正月皆作「端月」。二年端月表，《索隱》曰：「二世二年正月也，秦諱正，故云端月也。」又《史記・秦始皇本紀》瑯琊刻石有「端平法度，萬物之紀。」「端直敦忠，事業有常。」二句，《史記會注考證》云：「瑯琊頌曰：『端平法度』；曰：『端直敦忠』；盧生曰：『不敢端言其過』。皆避諱，史公亦仍其稱。」⑤循是以觀，秦在始皇時，諱「正」爲「端」，爲例不鮮。《語書》僅五百餘字，即有三處諱「正」爲「端」，足證其爲始皇時期文書。

三、《語書》的內容

《語書》由二部份組成。其一是前八簡，從「廿年四月丙戌朔丁亥，南郡守騰謂縣、道嗇夫：」至「以次傳：別書江陵布，以郵行。」爲第一部分。凡三百二十七字，是一篇完整的文書；其二是後六簡，從「凡良吏明法律令，事無不能殹（也）；」至「令、丞以爲不直，志千里使有籍書之，以爲惡吏。」爲第二部分。凡一百九十七字，亦爲完整文書，但文書體與文章風格和前組迥異。吳福助先生稱前者爲《案劾吏民犯法令》，後者爲《課吏令》，⑥頗爲允當。以下以此爲名，分別簡介《語書》的內容。

㈠、《案劾吏民犯法令》

《案劾吏民犯法令》爲《語書》之主件，乃南郡守騰爲貫徹秦法治而頒布的地方法規。其目的在於整齊鄉俗，矯端民心；同時要求吏民都要知法尊法，對違法失職之吏民，則依法論處，課以罪責。以下略分聖人制法之目的、法之公布令行、法之强制性（吏民共守）三事，粗陳梗概。

甲、聖人制法之目的

《語書・案劾吏民犯法令》曰：

古者，民各有鄉俗，其所利及好惡不同，或不便於民，害

> 於邦。是以聖王作爲法度，以矯端民心，去其邪避（僻），除其惡俗。法律未足，民多詐巧，故後有閒（間）令下者。凡法律令者，以教道（導）民，去其淫避（僻），除其惡俗，而使之之於爲善殹（也）。（〇五四一〇五六簡）

簡文强調：聖王制法乃爲矯正民心，使趨於善也。所謂鄉俗，是指地方之風俗習慣。人心所好，各有不同。故古來鄉俗厚薄不一，然而民衆則姦邪生，姦邪生則亂，因此，一般而言，民情是望治的。法家以爲聖王有見於此，乃立法度以禁邪止暴，信賞必罰，而後暴亂息。商鞅謂：「民衆而姦邪生，故立法制爲度量以禁之。」⑦又曰：「故治之於其治，則治；治之於其亂，則亂。民之情也治，其事也亂。」⑧人情無不好利害，而賞罰可使人發生利害關係，故爲治者可用賞罰以立禁令，禁而不此者則罰之，令而行者則賞之，故興利除害，則有賴於法律之措施。⑨因此聖人循察民情之所需，立法制之禁，治民之亂，法由是而生。《商君書・壹言》云：

> 故聖人之爲國也，不法古，不修今，因世而爲治，度俗而爲之法。故法不察民之情而立之，則不成；治宜於時而行之，則不干。故聖王之治也，愼爲察務，歸心於壹而已矣。

由商鞅所言可知：欲導群俗，使趨於善，必先制其民，而治民者，法也。故《語書・案劾吏民犯法令》所謂：「凡法律令者，以教道（導）民，去其淫避（僻），除其惡俗，而使之之於爲善殹（也）。」商君亦謂：「昔之能制天下者，必先制其民者也；能勝彊敵者，必先勝其民者也。故勝民之本在制民，若冶於金，陶於土也。本不堅，則民如飛鳥走獸，其孰能制之？民本，法也。故善治者，塞民以法。」⑩。管子亦云：「夫法之制民也，猶陶之於埴，冶之於金也。故審利害之所在，民之去就，如火之於燥溼，水之於高下。」⑪其理都在於此。且原始社會，未有君臣之分，民亂而不能治，故有待立君，立君之道，在於安國治民；欲治民之亂，則不可不操法以勝民。法勝民，則定分止爭，禁姦除暴，故法所以爲愛民治民之本也。商君云：「古者民藂生而群處亂，故有求於上也。……夫利天下民者，莫大於治；而治莫大於立君；立君之道，莫廣於勝法；勝法之務，莫急於去姦。」⑫再者，法家認爲：古來民情厚薄不一，德刑不可同道。民風樸厚，固可以德化之，巧僞之民，舍刑不足以相齊。《商君書・開塞》認爲：「古之民樸以厚，今之民巧以僞。故效於古者，先德而治；效於今者，前刑而法；……今世之所謂義者，將立民之所好，而廢其所惡；此其所謂不義者，將立民之所惡，而廢其所樂也。……立民所樂，則民傷其所惡；立民所惡，則民安其所樂。……夫民憂則思，思則出度；樂則淫，淫則生佚。」因此，商鞅主張「以刑治則民威，民威則無姦，無姦則民安其樂。」

儒家以爲治民以德爲主刑爲輔，《孔子家語・刑政》曰：

> 聖人之治化也，必刑政相參焉。太上以德教民，而以禮齊之；其次以政焉導民，以刑禁之，刑不刑也。化之弗變，導之弗從，傷義以敗俗，於是乎用刑矣。

可知所謂政刑者，所以輔教化之不足也。孔子以爲「爲政在人」，强調政治之推行，「得其人則存，失其人則亡。」此謂爲政在人，非謂爲政不需法度，惟於法度之外，更重視法度推行之人而已。然孔子之初衷，實以爲德禮乃能徹底改善民俗人心，使人民自知罪惡之可恥，而避邪歸正，如此即可達於治化。因此强調「道之以德，齊之以禮，有恥且格。」同時又認爲人心之轉化，實有賴其內心之反省。人民若能自恥於爲非，所謂政刑，都是虛設。故云：「聖人之設防也，貴其不犯也；制五刑而不用，所以爲至治也。」⑬當然孔子也知道人心民俗的轉化，非一蹴而就，惟賴潛移默化，積漸而成。因此也特別强調「禮樂」，用禮以安上治民，用樂來移風易俗。若禮樂不行，則君上不安，惡風不移，故有淫刑濫罰，不中於道理也。⑭《論語・子路》所謂：「禮樂不興，則刑罰不中。」大抵即為此義也。儒家既然主張「德主刑輔」，則必先教而後罰。所謂「示有好必賞之令，以引喻之，使其慕而歸善也；示有惡必罰之禁，以懲止之，使其懼而不為也。」《語書・案劾吏民犯法令》以為：法律旨在去其淫僻，除其惡俗，導民為善。而之所以有詐巧之民干擾法令者，在於法令之未足。以《語書》所謂「今法律令已具矣，而吏民莫用，鄉俗淫泆之民不止。」來看，可見秦法但求其禁其懼，並不用儒家所謂的德化禮教。

乙、法之公布令行

《語書・案劾吏民犯法令》曰：

今法律令已具矣，而吏民莫用，鄉俗淫失（泆）之民不止，是即法（廢）主之明法殹（也），而長邪避（僻）淫失（泆）之民，甚害於邦，不便於民。故騰為是而脩法律令、田令及為間私方而下之，令吏明布，令吏民皆明智（知）之，毋巨（歫）於辠（罪）。（〇五六一〇五八簡）

所謂「今法律令已具矣」，是指騰治理南郡時，秦國用來治民之法律已經頗完備了。秦國早期法制並不進步，但自商鞅以李悝《法經》六篇為藍本，改法為律，制定了秦國之盜律、賊律、囚律、捕律、雜律、具律等六篇刑律後，又採取一系列改革措施，因此，秦國法制得到很大的發展。惟秦代法律資料向來缺乏，只能靠古書零星輯佚，所得終究不多。⑮今從出土秦簡來看，秦代法規之數量及種類確實頗為可觀。

⑴、在「律」方面

見於《秦律十八種》的有：田律、廄苑律、倉律、金布律、關市、工律、工人程、均工、傜律、司空、軍爵律、置吏律、效、傳食律、行書、內史雜、尉雜、屬邦；

見於《秦律雜抄》的有：除吏律、游士律、除弟子律、中勞律、藏律、公車司馬獵律、牛羊課、傅律、敦表律、捕盜律、戍律。

⑵、在「式」方面

見於《秦簡》的有《封診式》，此爲「治獄」及「訊獄」之程式。有「封守」、「覆」、「有鞫」等方面之法律文書程式，亦有案發現場之勘驗和法醫檢驗之報告。

⑶、在「法律答問」方面

此爲官方以問答形式對秦國刑律所作之解釋。範圍包括定罪、量刑、適用和訴訟制度。《法律答問》另有「廷行事」之成例，亦可提供法官定罪量刑之補充依據。

這些法規，除個別外，大都以「律」爲名，決非偶然。可以推想當與商鞅所制訂之法律有關。⑯出土秦律雖然只是墓主「喜」個人所摘抄，並非秦律全貌，但仍可看出自商鞅變法至秦始皇統一天下之前，秦國已有一套完備之法規。

法律雖然完備，但南郡地區卻「吏民莫用」，習俗淫侈放恣之民亦未能因此而收斂。南郡守騰只好「爲是而脩法律令、田令及爲間私方而下之，令吏明布，令吏民皆明智（知）之，毋巨（歫）於辠（罪）。」有法而吏民不遵，是因法令著於竹帛，不易流傳，吏民皆不易知之故。是以南郡守騰將法律令、田令和懲辦奸私之法規加以修訂，「令吏明布」，其旨在使吏民明法，知所趨避，遵法而行。可見南郡守騰深知法宜公布之歷史經驗。

法既立，則貴在施行。而法之功用，當由公布始。王潔卿先生謂：「古代法律，採秘密主義，刑與法，皆王者馭民之術，而非齊民之具。」⑰陳顧遠先生謂：「周行封建，秘密爲法，議事以制，不爲刑辟。」⑱然《周禮・天官》已有太宰「縣治象之法於象魏，振木鐸以徇之，使萬民以觀。」之記載，孫詒讓氏謂此即「布憲」。又《周禮・秋官司寇・大司寇》曰：「正月之吉，始和布刑於邦國都鄙，乃懸刑象之法於象魏，使民觀刑象，挾日而斂之。」⑲可見古代之制定法是公布的，而非秘密爲法。⑳惟今可見的成文法之公布，卻遲至春秋晚期。

成文法之公布，在春秋晚期之後，已多成例。如：子產鑄刑書、晉鑄刑鼎、鄧析作竹刑。到戰國，李悝作《法經》、商鞅改法爲律，皆成文法也。

大抵而言，法家是主張法宜公布的。管子云：

> 正月之朔，百吏在朝，君乃出令，布憲於國。……首憲既布，然後可以布憲。（《立政》）

若法未公布，卻當刑而賞，不令而罰，易使功臣怨而民輕生，亂賊亦從此作矣。故管子又云：

> 令未布，而民或爲之，而賞從之，則是上妄予也；上妄予，則功臣怨；功臣怨，而愚民操事於妄作；愚民操事於妄作，則大亂之本也。令未布，而罰及之，則是上妄誅也；上妄誅，則民輕生；民輕生，則暴人興，曹黨起而亂賊作矣。……故曰：憲律制度必法道，號令必著明，賞罰必信密，此正民之經也。（《法法》）

商鞅亦主法律公布之精神。其云：

> 夫微妙意志之言，上智之所難也。夫不待法令繩墨而無不正者，千萬之一也。……故聖人爲法，必使之明白易知，正名，愚智遍能知之。爲置法官，置立法之吏，以爲天下師，令萬民無陷於危險。故聖人立，天下無刑死者，非不刑殺也，行法令，明白易知，爲置法官法吏爲之師以道之知，萬民皆知所避就，避禍就福，而皆以自治也。故明主因治而終治，故天下大治也。（《定分》）

韓非亦云：

> 法者，編著之圖籍，設之於官府，而布之於百姓者也。……故法莫如顯。……是以明主言法，則境內卑賤莫不聞知

也。（《難三》）法者，憲令著於官府。

「編著之圖籍」，「憲令著於官府」，是法之成文；「設之於官府」，而布之於百姓」是法之公布。法成文，則標準定；法公布，則知有所適從。

聖王立法，貴在蠲除煩苛，使民易知易行，而不致輕於犯禁。若「爲衆人法，而以上智之所難知，則民無從識之矣。」（《韓非子・五蠹》）故《商君書・定分》曰：「聖人爲民法，必使明白易知。」即强調法之平易特性。雖則如此，法令著於竹帛，終究不易流傳。即便流傳，亦未必「愚智遍能知之」，故須設法官法吏以爲天下師，爲吏民解說法令，使其知所趨避。可見法令公布之後，另有法官之設置，以爲吏民之師。法官教法，必使官吏先以身習，爲民示範，而後再以教民，使民知法而奉守之。㉑同時亦可使「吏不敢以非愚民，民不敢犯法以干官。」㉒《語書・案劾吏民犯法令》謂：「令吏明布，令吏民皆明智（知）之，毋巨（歫）於辠（罪）。」之用意當即在此。

丙、法之强制性（吏民共守）

儒家主以禮去亂，而法家則主以法定分止爭，禁姦除暴。然禮禁於未然之先，法治於已然之後。禮治與法治，同爲治國之法，皆所以防亂止爭。但禮不能治，則繼之以法。商鞅曰：「法令者，民之命也，爲治之本也，所以備民也。爲治而去法令，猶欲無饑而去食也，欲無寒而去衣也，欲東而西行也，其不幾亦明矣。」㉓管子云：「夫法者所以興功懼暴也；律所以定分止爭也；令所以令人知事也。法律政令者，吏民規矩繩墨也。」㉔準此而言，欲防亂止爭，法令有其存在之必要，同時也必須强制君臣吏民遵守者，亦即君臣吏民對法律有其共遵共守之義務。所謂「君臣上下貴賤皆從法，此大治。」㉕即是强調「法是君臣所共操」㉖的，有其絕對性和强制性。

因此，若欲使「民不敢試」（《商君書・賞刑》）、「官不敢枉法，吏不敢為私」（《韓非子·八說》），除必須設刑賞，以論功察罪外，更須制定課吏法規，以要求官吏盡責。《語書·案劾吏民犯法令》提到法令雖已經公布，但「吏民犯法為間私者不止，私好、鄉俗之心不變」。對於這種情形，縣令、丞以下之官吏，如果知道而「弗舉論」，則是公然違背國君大法，包庇邪惡之人。這是不忠的行為。縣屬令、丞如果不知道，則是不稱職，不明智。如果知道而不敢論處，則是不正直。這些都是大罪。亦即令、丞以下官吏，無論知情與否，只要是不肯或不敢檢舉論處犯罪行為，都是大罪。而這種規定，縣屬令、丞必須了解。若不了解，就是不應該。秦律規定：對於這些不服法令之人，必須依法論處；對於失職之令、丞亦須處分。故《案劾吏民犯法令》曰：「今且令人案行之，舉劾不從令者，致以律」，同時亦「論及令、丞」。《語書》雖然只是南郡守騰所訂定的地方性法規，但其立法基礎，卻是具體的顯現了秦王朝立法的精神。

法家強調「因任而授官，循名而責實」，循名責實，是君上之事；奉法宣令，則為臣下之職。因此，統治者根據統治需要而設官任職，而官吏有執行其職務之義務，同時官吏在執行職務時，亦有依法而行之義務。《為吏之道》把「受命不僂」（接受命令而不立即執行職務）視為官吏五失之一。而《法律答問》亦有解說官吏「犯令」、「廢令」的情形，《法律答問》曰：「何如為『犯令』、『廢令』？《律》所謂者，令曰勿為，而為之，是謂之『犯令』；令曰為之，弗為，是為『廢令』也。」可見法律之規定，官吏就必須依法執行，有法不依，即是「犯令」、「廢令」。《語書·案劾吏民犯法令》所謂的：「聞吏民犯法為間私者不止，私好、鄉俗之心不變，自從令、丞以下智（知）而弗舉論，是即明避主之明法殹（也），而養匿邪避（僻）之民。如此，則為人臣亦不忠矣。若弗智（知），是即不勝任、不智殹（也）；智（知）而弗敢論，是即不廉殹（也）。此皆大辠（罪）殹

（也）。」即是強調「廢令」的令、丞是「不忠」、「不勝任」、「不智」、「不廉」。可見秦代是有要求官吏依法去執行其職務的規定。如果官吏有法不依，則要追究其責任。《法律答問》曰：「廢令、犯令，遝（及）免、徙不遝？遝之。」這是問「廢令」、「犯令」的罪，對已經免職或調任的應否追究？顯然的，秦律規定是要追究的。此外，《語書・案劾吏民犯法令》還要考察各縣官吏，對於縣內「獨多犯令而令、丞弗得者」，要將令、丞上報處理。而《語書・課吏令》中另有「良吏」、「惡吏」之區分，《爲吏之道》列有官吏的「五善」、「五失」。由此三例，亦可推之秦代對官吏的管理是有很完備的法規的。

㈡、《課吏令》

《語書・課吏令》提出的其實就是爲「吏」之道，它提出了「良吏」和「惡吏」的標準與意義。法家向來對「吏治」就極爲重視，韓非謂：「明主治吏不治民」，㉗荀子曰：「百吏畏法循繩，然後國不亂。」㉘吏是治法所依靠的對象，因此，治民必先治吏。秦自商鞅以來，向重法治，對官吏的管理和要求自然嚴格。所謂「良吏」是指：

> 明法律令，事無不能殹（也）；有（又）廉絜（潔）敦慤而好佐上，以一曹事不足獨治殹（也），故有公心；有（又）能自端殹（也），而惡與人辨治，是以不爭書。（〇六二—〇六三簡）

亦即凡是「良吏」，必須通曉法律，廉潔、忠誠老實，有公正之心，又能夠端正自己。

所謂「惡吏」是指：

> 不明法律令，不智（知）事，不廉絜（潔），毋（無）以佐上，緰（偷）隨（惰）疾事，易口舌，不羞辱，輕惡言而易病人，毋（無）公端之心，而有冒柢（抵）之治，是以善斥（訴）事，喜爭書。爭書，因恙（佯）瞋目扼捾（

腕）以視（示）力，訏詢疾言以視（示）治，誈訊醜言麃斫以視（示）險（檢），阬閬強肮（伉）以視（示）強，而上猶智之毆（也）。（〇六三一〇六五簡）

亦即凡是「惡吏」，必是不懂法律，不通習事務，不廉潔，苟且偷懶，遇事推脫，容易搬弄是非，不知羞恥，輕率地口出惡言而侮辱別人，沒有公正之心，而有冒犯的行為，善於爭辯，喜歡在辦事時爭競。愛說假話，提高語音，顯示自己善於治理；說違背事理的話，裝作愧悔和無知，顯示能約束自己；自高自大，蠻橫倔強，顯示自己強幹。因此，這種人「不可不為罰」。《案劾吏民犯法令》中亦強調那些「不忠」、「不稱職」、「不明智」、「不正直」的官吏，要依法論處。

《語書・課吏令》將官吏分為「良吏」與「惡吏」，亦可與《為吏之道》所臚列的「五善」、「五失」，頗為類似。所謂「五善」，是指：

一曰中（忠）信敬上，二曰精（清）廉毋謗，三曰舉事審當，四曰喜為善行，五曰龔（恭）敬多讓。（六八五・二一六八九・二簡）

若「五善畢至，必有大賞」。此處所舉，可與《語書・課吏令》的「良吏」條件相互參證。所謂「吏有五失」，是指：

1.一曰夸以泄，二曰貴以大（泰），三曰擅裚割，四曰犯上弗智（知）害，五曰賤士而貴貨貝。（六九一・二一六九六・二簡）

2.一曰見民杲（倨）敖（傲），二曰不安其鼂（朝），三曰居官善取，四曰受令不僂，五曰安家室忘官府。（六九七・二一七〇一・二簡）

3.一曰不察所親，不察所親則怨數至；二曰不智（知）所使，不智（知）所使則以權衡求利；三曰興事不當，興事不

當則民惕指；四曰善言隋（惰）行，則士毋（無）所比；五曰非上，身及於死。（七〇二・二一七一〇・二簡）

《爲吏之道》所列的「惡吏」條件，共有三組，每組所列「五失」內容不全相同，但大體是一貫的。與《語書・課吏令》所列的「惡吏」情況，大抵相近。可互爲參證。

法家認爲法是治國之要，乃天下之程式，是以君臣必須共同操持。因此强調「君臣上下貴賤皆從法」、「執一以爲天下式」。韓非認爲：人主不僅要依法行事，人臣言行施政，更應奉行法律，不得怠忽背法。所謂「明主使其群臣不遊於法之外，不爲惠於法內，動無非法。」㉙「能法之士，必强毅而勁直。……案法而治官。」㉚「人主使人臣，雖有智能，不得背法而專制；雖有賢行，不得踰攻而先行；雖有忠信，不得釋法而不禁，此之謂明法。」㉛「明主之國，令者、言最貴者也。法者、事最適者也。言不二貴，法無兩適，故言行而不軌於法令者必禁。」㉜均强調法爲人臣行事準則，人臣絕不能因個人聰明才智或賢行忠信而任意妄爲。商君云：「法者，君臣之所共操也。……君臣釋法任私必亂。故立法明分，而不以私害法。」㉝準此而言，法家强調遵奉君王明法，對官吏之要求自然嚴格。因此法家主張循名而責實，所謂「循名責實」，亦即「綜覈名實」、「形名參同」、「審合形名」，是君主對任用官吏詳密考察，督責實效，使其言行相合，名實相符。並依法令使其職務與官位相配，賞罰與功過相當。所謂「循名實而定是非，因參驗而審言辭。是以左右近習之臣，知僞詐之不可以得安也。……百官之吏，亦知爲姦利之不可以得安也。必曰：『我不以清廉方正奉法，乃以貪污之心，枉法以取利，是猶上高陵之顛，墮峻谿之下而求生也，必不幾矣。』安危之道，若此其明也，左右安能以虛言惑主，而百官安敢以貪漁下？」㉞又「循名責實」，亦爲名家要旨。鄧析謂：「循名責實，察法立威，是明主也。」㉟又云：「循名責實，君之事也；奉

㉛說亦幾近法家。《語書‧課吏令》明定「良吏」、「惡吏」之標準，不但是官吏自勅的官箴，使官吏知所適從，亦是統治者循名責實的依據。

【附註】

①參見《睡虎地秦墓竹簡》頁十三，《語書》釋文說明部分。

②參見氏著《秦漢訴訟中的「爰書」》，文載《法學研究》一九八〇年第一期。

③昭襄王之後，孝文王「立，即死。」莊襄王在位亦三年，而秦始皇在位計三十七年，因此必是指秦王政二十年。又簡文中另「有四月丙戌朔丁亥」，《雲夢睡虎地秦墓竹簡》注曰：「朔，初一日。丙戌朔，即丙戌爲初一，則丁亥爲初二日。曆朔與汪士楨《歷代長術輯要》所推相合。」可爲始皇之時旁證。

④參見氏著《史諱舉例》序。

⑤參見瀧川龜太郎《史記會注考證》卷十六，《秦楚之際月表》二世二年端月之考證。

⑥參見氏著《睡虎地秦簡〈語書〉論究》，文載《簡牘學報》第十期。

⑦參見《商君書‧君臣》。

⑧參見《商君書‧說民》。

⑨參見王潔卿《中國法律與法治思想》，二五一頁。

⑩參見《商君書‧開塞》。

⑪參見《管子‧禁藏》。

⑫同註⑩。

⑬見孔子家語・五刑解》

⑭參見《韓非子・姦劫弒臣》。

⑮參見舒之梅《珍貴的雲夢秦簡》，文載《雲夢秦簡研究》頁四。

⑯由上列三形式的法規，再加上《語書》這種地方政府所發布的法律文告（也是法律內容）來看，秦代法律雖然尚無漢代的「科」、「比」、「例」和唐代的「律」、「令」、「格」、「式」那樣整齊的形式，但也具備了它們最初的雛形。（參見林劍鳴先生《秦代法律制度初探》，文載《法律史論叢》第一輯，一九八一年）。

⑰同⑨，頁三一八。

⑱參見陳顧遠《中國法制史》。

⑲參見《管子・首憲》。

⑳按《左傳》之說法，西周時期不但不公布法律，甚至連成文法都沒有。顯然，這和西周的實際情況是不相符合的。西周是否有公布成文刑書，目前尚無可靠之佐證資料，而單項法規的公諸於眾，金文、史籍均有實例可尋。如《兮甲盤》載：「淮夷舊我賁賄人，毋敢不出其責（積）、其進人。其賈毋敢不即次，即市。敢不用命，即用刑，扑伐；其唯我諸侯、百姓，厥賈毋敢不即市，毋敢或入蠻宄賈，則亦刑。」又《尚書・費誓》曰：「馬牛風，臣妾逋逃，勿敢越逐。祗復之，我商賚汝。乃越逐，不復，汝則有常刑；无敢寇攘，逾垣牆，竊馬牛，誘臣妾，汝則有常刑；魯人三效三遂，峙乃芻茭，无敢不多，汝則有大刑。」皆其例。（參見胡留元、馮卓慧合著之《西周法制史》，頁四九至五〇頁。）

㉑管子曰：「明智禮，足以教之，上身服以先之，審度量以閑之，鄉置師以說道之，然後申之以憲令，勸之以慶賞，振之以刑罰，故百姓皆說爲善，則暴亂之行無由至矣。」（《權修》）

㉒秦自商鞅變法以來，即公布成文法，並以熟諳法令之官吏之法官，以爲吏民之師。如《商君書・定分》曰：「天子置三法官，殿中置一法官，御吏置一法官及吏，丞相置一法官，諸侯郡縣，皆各爲置

即在使官吏用法無私，而不敢以非法愚民；使人民守法不渝，而不敢犯法以干官。

㉓參見《商君書・定分》。

㉔參見《管子・七臣七主》。

㉕參見《管子・任法》。

㉖參見《商君書・修權》。

㉗參見《韓非子・外儲說右下》。

㉘參見《荀子・王霸》。

㉙參見《韓非子・有度》。

㉚參見《韓非・孤憤》。

㉛參見《韓非子・南面》。

㉜參見《韓非子・問辯》。

㉝參見《商君書・修權》。

㉞參見《韓非子・姦劫弒臣》。

㉟參見《鄧析子・無厚》。

㊱同上註。

㊲參見《鄧析子・轉辭》。

第三節 《爲吏之道》

《爲吏之道》凡五十一簡，出土時與《語書》一起置於墓主腹下。原無篇題，學者大都以《爲吏之道》爲名，也有稱之爲《佚書》的。①今通行的篇題名稱——《爲吏之道》，爲「睡虎地秦墓竹簡整理小組」所擬。

《爲吏之道》簡長度約二十七・五公分，書寫形式分爲五欄，由右至左書寫。第一欄以四字、三字爲主；而五字、八字各兩見。第二欄以五字、六字、八字爲主；三字兩見，四字七見，七字六見，十字三見。第三欄以四字爲主；三字三見，六字二見。第四欄以四字爲主；二字二見，三字、五字、八字各一見，六字、七字各三見。第五欄不以句讀分簡，載字方面，各簡以十二字以上爲主。韻文部分，每首分載於二簡。其中單號皆寫封底編，字數由十三到十八字；雙號則寫到本首韻文結束，字數在六字至十二字之間。魏律部分，每簡皆直書到底，字數在十二至十五之間。戒慎言部分，除一簡只載二字之外，餘皆寫到本欄之半，字數在五至八字之間。②

一、內容概述

《爲吏之道》的內容，以法家思想爲主，並雜揉儒道兩家思想。《爲吏之道》全文並非一貫的，它是一種雜抄文書集。大致可分爲以下十個段落：

一、從「凡爲吏之道」起，至「過（禍）去福存」止，內容係爲吏者之政治倫理、處世哲學及道德規範，可用句首「爲吏之道」爲題名。

二、從「吏有五善」起，至「身及於死」止，內容係爲吏者之行爲準則，以「五善」勉吏，以「五失」戒吏。亦即此篇以「善」、「失」爲正反誡言。「五善」僅一組，「五失」部分則有三組，內容各不相同，當是出於拼集。③

三、從「戒之戒之」起，至「治之紀殹（也）」止，內容以「材（財）不可歸」、「謀不可遺」、「言不可追」、「食不可賞（償）」、「術（怵）愁（惕）之心，不可〔不〕長」等五不可，勉人君、人臣、人父、人子者審行之，以為政之本，治之紀。此篇多以「治紀」誡言為主，故以「治之紀」為篇名。

四、從「除害興利」起，至「法（廢）置以私」止，四字一句，內容多為官府煩雜瑣事，全篇文意不太連，可能是彙編來供為吏者學習的字書或蒙求書，如《急就章》之類的。以簡首「除害興利」一語為篇題。

五、從「處如資」起，至「民將姚去」止，是導為吏者收拾民心之法。以「從政之經」為篇題。

六、從「長不行」起，至「貨不可歸」止，內容反覆申言某些箴言。以簡首「長不行」為篇題。

七、從「凡治事」起，至「囷造之土久不陽」止，是八首韻文，其格式與荀子《成相篇》近似，可判定是當時民間流行曲調「相」的句式寫成。內容是指示為吏者治民之術。以簡首「凡治事」為篇題。

八、「●廿五年閏再十二月」之魏戶律。

九、「●廿五年閏再十二月」之魏奔命律。

十、最末段的「口舌」。④

由於《為吏之道》是雜抄性質，因此，其內容所體現的就不全是屬於秦國的。如《魏戶律》和《魏奔命律》就明確的是魏國文書。從「凡治事」到「囷造之土久不陽」止的句式與韻式同《荀子・成相》，顯然是當時民間流行的相辭調，《漢書・藝文志》《有成相雜辭》十一篇，究為何國歌調，舊所未詳，黃盛璋先生提出三個證據，認為：「荀子趙人，後居楚國，但《成相》篇和《楚辭》全不相同，故應是三晉歌調。」⑤又秦聲和三晉音樂不同，「凡治事」段既用三晉相調，這說明此段應屬三晉作品。此外，《為吏之道》中有許多思想並不完全是法家的，其中雜有儒、道、墨幾家的思想在內，尤其是儒家的思想特別明顯。總的來看，《爲吏之道》是一篇類似官箴的文章，既有爲吏者的政治倫理、處世哲學、道德規範，也有爲吏者的行爲準則和收拾民心的方法，以及事上待下，立功邀賞免罰術，當是一篇爲吏者必備的文書。

二、思想分析

《爲吏之道》雜揉儒、法、道三家思想。黃盛璋先生曰：

> 此五十簡雖爲雜抄集，除兩種《魏律》外，其餘四篇具有共同的中心思想：一是講求做吏從政，統治人民之術；二是講求做人治事，處世接物，去禍存福之術；三是講求事上待下，立功邀賞免罰之術。總的目的都是爲追求個人富貴安全。其所用方法、格言，基本上都屬於儒家思想體系。儘管《爲吏之道》中個別詞句中有「審悉勿私」，「審當賞罰」，那也是爲了爲吏得法，統治有方，並不是要推行法治。全篇使用的語言，是符合儒家的信仰和教條的，「正行修身，過（禍）去福存」就是總的追求目標。⑥

黃氏認爲《爲吏之道》可以說是以儒家思想爲主幹的雜抄文集，就《爲吏之道》來看，雖然未必都是儒家的思想，但全篇充滿了儒家思想卻是事實。如云：

> 寬俗（容）忠信，和平毋怨，悔過勿重。（六九〇・一—六九二・一簡）

> 以忠爲榦，愼前慮後。君子不病毆（也），以其病病毆（也）。同能而異。（七二〇・一—七二四・一簡）

> 戒之戒之，材（財）不可歸；謹之謹之，謀不可遺；愼之愼之，言不可追；綦之綦〔之〕食不可賞（償）。術（怵）愁（惕）之心，不可〔不〕長。以此爲人君則鬼，爲人臣則忠；爲人父則茲（慈），爲人子則孝；能審行此，无（無）官不治，无（無）志不徹，爲人上則明，爲人下則

聖。君鬼臣忠，父茲（慈）子孝，政之本殹（也）。志勶

其中「忠」、「信」、「慈」、「孝」等，都是儒家所重視的綱常。又「吏有五善五失」中所謂的：「一曰中（忠）信敬上，二曰精（清）廉毋謗，三曰舉事審當，四曰喜爲善行，五曰龔（恭）敬多讓。」（六八四・二一六八九・二簡）也都是儒家的信條。其他如「爲吏之道」中所謂的：

臨材（財）見利，不取句（苟）富；臨難見死，不取句（苟）免。欲富大（太）甚，貧不可得；欲貴大（太）甚，賤不可得。毋喜富，毋惡貧，正行脩身，過（禍）去福存。(七二八・一一七二九・一，六七九・二一六八三・二簡)

簡文中所主張的「安貧樂道」的精神，旨趣與儒家無異。其中「臨材（財）見利，不取句（苟）富；臨難見死，不取句（苟）免。」與《禮記・曲禮》所謂的：「臨財毋苟得，臨難毋苟免」如出一轍；「欲富大（太）甚，貧不可得；欲貴大（太）甚，賤不可得。毋喜富，毋惡貧」與《論語・里仁》所謂的：「富與貴，是人之所欲也，不以其道得之，不處也。貧與賤，是人之所惡也，不以其道得之，不去也。」精神旨趣幾乎完全一樣。至於簡文中所謂的「正行修身」的修身觀，與《大學》「正心、誠意、修身、齊家、治國、平天下」之說，也相當吻合。

由以上所引的這些資料，幾乎可以說《爲吏之道》是屬於儒家體系的文書。

除了儒家思想外，《爲吏之道》尚有許多道家的思想。如：

凡爲吏之道，必精絜（潔）正直，愼謹堅固，審悉毋（無）私，微密韱（纖）察，安靜毋苛，審當賞罰。嚴剛毋暴，廉而毋刖，毋復期勝，毋以忿怒夬（決）。寬俗（容）忠信，和平毋怨，悔過勿重。茲（慈）下勿陵，敬上勿犯

，聽間（諫）勿塞。（六七九・一一六九五・一簡）

在這段簡文中，不難看出其中雜有儒、道、法三家的思想在內。如「安靜毋苛」就是道家思想，高敏先生謂：「《史記・老莊申韓列傳》曰：『李耳無爲自化，清靜自正「精絜（潔）正直』，所以，『清靜無爲』是道家思想的重要內容。簡文中『安靜毋苛』，同『清靜無爲』如出一轍，有著明顯的道家思想因素。」⑦又「精絜（潔）正直」句中，「精絜（潔）」二字，實即《莊子・知北遊》中所謂的「澡雪」，《莊子》曰：

孔子問於老聃曰：「今日晏閒，敢問至道。」老聃曰：「汝齋戒疏瀹而心，澡雪而精神，掊擊而知！夫道，窅然難言哉！將爲汝言其崖略。

成玄英《注》曰：「澡雪，猶精潔」。上引文意爲必須內心經過齋戒，洗滌心靈，潔淨精神，捐除知識，才能了解「道」。而簡文意在作爲一個標準的官吏，須要澡雪洒渥內心，才能無私正直地瞭解外在微密的複雜環境。⑧其他如「怒能喜，樂能哀，智能愚，壯能衰，恿（勇）能屈，剛能柔，仁能忍，强良不得。」（七〇八・一一七一五・一簡）這些與《老子》「人之生也柔弱，其死也堅强。萬物草木之生也柔弱，其死枯槁。故堅强者，死之徒；柔弱者，生之徒。以兵强則不勝，木强則兵，强大處下，柔弱處下。」（七十六章）「柔弱勝剛强。」（三十六章）「天下之至柔，馳騁天下之至堅。」（四十三章）的柔弱自持的思想，有很明顯的契合，可見《爲吏之道》參雜了許多的道家思想在其中。

《爲吏之道》中當然也存在一些法家思想，如簡文所謂的「微密纖察」、「審當賞罰」、「毋以忿夬」，是明白告戒爲吏，當以法治爲本，毋可行私，毋因七情之忿而失法之準。《商君書・修權》曰：「法者，君臣之所共操也，君臣釋法任私必亂，故立法明分而不以私害法則治。」《爲吏之道》可說是也反映了這……總是主張按照時勢發展的需要去變更舊制。在思想方面，也雜揉了儒、道二家的某些思想以充實自己，成爲完備的統治思想。⑨由《爲吏之道》來看，這個說法是可以成立的。很顯然的，在這個時期的法家已經產生了某些變異，而主要的變異正是法家思想和儒、道有合流的傾向。

三、小結

綜上所述，可知《爲吏之道》是以法家爲骨架，而將儒家的忠信思想、三綱之常、正心修身及安貧樂道的觀念，雜揉其中。同時更以道家「以柔克剛」之說融合其間，以作爲爲吏者處世和行爲的一個準則。《爲吏之道》的出現，可以間接說明秦的法家路線，只要是有利治術的，諸家思想皆可酌予採用，不完全專走法家路線。同時也有力地說明了當時思想融合的趨勢。以實際來看，戰國時期的思想分派並不像漢以後的涇渭分明，尤其是戰國晚期，往往有兼容並蓄的雜家出現。以韓非子的思想而言，儒、道、名各家思想也都夾雜其間。⑩《爲史之道》混雜各家思想的現象，說明了各家思想雜揉的事實。此外，《爲吏之道》的出現，使我們在秦律以外，可以了解到法家對爲吏者的要求，以及爲吏者在當時的法治環境中自我進修的情況。《爲吏之道》的出現，實有助於我們對秦代法治思想發展的瞭解。

【附註】

①最早稱《爲吏之道》一名的是《湖北雲夢睡虎地十一號秦墓發掘簡報》一篇……

根據初步整理，這批竹簡主要內容有：秦始皇二十年南郡郡守騰的文書，秦代法律條文三種；秦代治獄案例一種；論「爲吏爲道」的書籍一種；秦昭王元年至秦始皇三十年大事記；「日書」等占卜一類書籍。

季勛《雲夢睡虎地秦簡概述》稱之爲曰：

竹簡原藏棺內，保存較好，字跡清晰，很少殘斷，目前經過初步整理，知道這批竹簡的內容有：（一）秦始皇二十年南郡守騰文書。（二）秦昭王元年至秦始皇三十年大事記。（三）秦法律三種。（四）秦治獄案例。（五）論「爲吏之道」的佚書。（六）「日書」等卜筮一類書籍。

《睡虎地秦墓竹簡》出版說明曰：

這批秦簡經科學保護、細心整理拼復後，總計有簡一千一百五十五支（另殘簡八十八片），內容計有下列十種：一「編年記。二、語書。三、秦律十八種。四、效律。五、秦律雜抄。六、法問答問。七、封診式。八、爲吏之道。九、「日書」甲種。十、「日書」乙種。其中「語書」、「效律」、「封診式」、「日書乙種」四種簡原有書題。其他幾種書題是整理後擬定的。

上三文是最早稱引本簡爲《爲吏之道》的，其他學者稱引本簡，也大都以此爲名。

稱本簡爲《佚書》的，僅《雲夢秦簡——佚書研究》一文。其曰：

披覽佚書全文，「爲吏之道」實斯簡之一節耳，謂之「爲吏之道」者，殆如論語、孟子各留之首句題名也。戊午年本「爲吏之道」說明中，亦有簡文「除害興利一節」之語，亦是以節首句云「除害興利」故也，與「爲吏之道」同爲篇中之一節耳！今以「佚書」稱此全簡以明是篇之出原無題名也。

②參見張永成《秦簡爲吏之道篇的版式及其正附文問題》，文載《簡牘學報》第十期，一九七二年。

③參見黃盛璋先生《雲夢秦簡辨正》，文載《考古學報》一九七九年第一期。黃氏的證據如下：

之歌也。」相辭也就是屬於舉重勸力之歌之一，只是鋪敘成爲較長的歌調而已，翟璜魏人，所說舉重勸力之歌必爲三晉民間流行歌曲。

二、《荀子・成相》篇下就是《賦》篇，兩篇的句式和與歌詞都不同。《賦》篇受楚調影響，並開漢賦的先河，《賦》篇中最後一篇亦見於《戰國策・楚策》，系荀子謝春申君所作，故用的楚調，句末押韻加用「兮」字，用於楚辭。楚調之「兮」，相當於中原之「也」或今語之「呀」，今《荀子》此篇皆改爲「也」，而《楚辭》則仍保存。凡此足以證明《成相》確非楚調。

三、從《治事》用韻看，韻部與《詩經》同，而與《楚辭》不盡一致。（請見該文列表）

④關於《爲吏之道》的段落，黃盛璋據其中心思想、文句格式和前後文句呼應情形，分爲六段（參見《雲夢秦簡辨正》），分別如下：

一、《爲吏之道》。從開首「凡爲吏之道」起，至「五曰非上，身及於死」止。

二、《從政之經》。從「戒之戒之，材（財）不可歸」起，至「慎之〔慎之〕，貨不可歸」止。

三、《治事》。從「凡治事，敢爲固」起，至「聽有方，辨短長，困造之土不可陽」止。

四、《魏戶律》。魏國法律篇名。

五、《魏奔命律》。魏國法律篇名。

六、《口舌》。最末一段，自成一篇。

蔣義斌據「●」符號分爲九段（參見《秦簡〈爲吏之道〉在思想史上的意義》），分別如下：

一、從「●凡爲吏之道」起，至「必有大賞」。

二、從「●吏有五失」起，至「身及於死」。

三、從「●戒之戒之」起，至「上明下聖，治之紀也」。

四、從「●除害興利」，至「廢置以私」。

五、從「●處如資，言如盟」起，至「從政之經」。

六、從「●凡治事，敢爲固」起，至困造之土久不易」。

七、「●廿五年閏再十二月」之魏戶律。

八、「●廿五年閏再十二月」之魏奔命律。

九、最末段的「口舌」。

張永成分爲九段，文分正附。其中第一至第六段爲正文，第七至第九段爲附文。（參見《秦簡爲吏之道篇的版式及其正附文問題》）段落分別如下：

一、【一壹】至【五貳】。

二、【六貳】至【三二貳】。

三、【三三貳】至【四九貳】。

四、【五〇貳】至【四六參】。

五、【四七參】至【四三肆】。

六、【一伍】至【一五伍】。

七、【四四肆】至【五〇肆】。

八、【一六伍】至【二八伍】。

九、【二九伍】至【三七伍】。

⑤參見氏著《雲夢秦簡辨正》，文載《考古學報》一九七九年第一期。

⑥同⑤。

⑦參見氏著《秦簡〈爲吏之道〉中所反映的儒法合流傾向》，文載《雲夢秦簡初探》頁二二六。

⑧參見蔣義斌《秦簡「爲吏之道」在思想史上的意義》一文，文載《簡牘學報》第十期。

⑨同⑦。

⑩參見王健文先生《秦簡〈爲吏之道〉與秦吏治》，文載《史原》第十七期，一九七九年五月。

第四節 《秦律十八種》

《秦律十八種》共二〇[illegible]簡，出土時放置在墓主的軀幹右側[illegible]原簡已經散亂，經[illegible]

[illegible]各分別是：1.《田律》、2.《廐苑律》、3.《倉律》、4.《金布律》、5.《關市律》、6.《工律》、7.《工人程》、8.《均工》、9.《徭律》、10.《司空》、11.《軍爵律》、12.《置吏律》、13.《效》、14.《傳食律》、15.《行書》、16.《內史雜》、17.《尉雜》、18.、《屬邦》。

- 《田律》共十二簡（〇六八—〇七九），是秦律中有關土地耕作和與農業生產的法令；
- 《廐苑律》共八簡（〇八〇—〇八七），是秦律中有關牲畜放牧和飼養的法令；
- 《倉律》共四十三簡（〇八八—一三〇），是秦律中有關倉庫管理方面的法令；
- 《金布律》共三十三簡（一三一——一六三），是有關貨幣、財物方面的法令；
- 《關市律》僅一簡（一六四），是有關管理「關」和「市」的稅收等事務的官名，關市則是關和市職務的法令；
- 《工律》共九簡（一六五——一七三），是關於官營手工業的法令；
- 《工人程》共三簡（一七五——一七七），是有關官營手工業生產定額的法律規定；

- 《均工》共三簡（一七八——一八〇），是有關調動從事手工業者的法律規定；
- 《徭律》共十簡（一八二——一九一），是有關徵調人民服徭役的法律規定；
- 《司空》共二十八簡（一九二—二一九），是有關司空官吏職務的法令；
- 《軍爵律》共四簡（二二〇—二二三），是有關軍功爵的法律規定；
- 《置吏律》共五簡（二二四—二二八），是有關任用官吏的法令；
- 《效》即《效律》，共十七簡（二二九—二四五），是有關檢覈官府物資財產的法律；
- 《傳食律》共四簡（二四六—二四九），是有關驛傳供給飯食的法律規定；
- 《行書》共三簡（二五〇—二五二），是有關文書傳送的法律規定；
- 《內史雜》共十三簡（二五三—二六五），是有關掌治京師的內史職務的法律規定；
- 《尉雜》共二簡（二六六—二六七），是有關廷尉的法律規定；
- 《屬邦》僅一簡（二六八），是有關管理少數民族的機構——「屬邦」的法律規定。

其中《效》的部分簡和同墓出土的《效律》的一部分簡相同，加以對照，可知《秦律十八種》中的《效》原是集中排的。整理小組在整理時對《秦律十八種》的其他各類法律條文，也都按照集中的方法加以排列。整理小組同時認為「對照《效律》和《十八種》現有各種法律的條文數量，可知《十八種》的每一種大約都不是該律的全文。抄寫的人只按其需要摘錄了十八種秦律的一部分。」②

以下分別簡述十八種律的內容。

一、《田律》

《田律》共十二簡（〇六八—〇七九簡），是秦律中有關土地耕作和與農業生產的法令。如：

> 雨爲湗〈澍〉，及誘（秀）粟，輒以書言湗〈澍〉稼、誘（秀）粟及豤（墾）田暘毋（無）稼者頃數。稼已生後而雨，亦輒言雨少多，所利頃數。早〈旱〉及暴風雨、水潦、蚤〈螽〉蚰、群它物傷稼者，亦輒言其頃數。近縣令輕足行其書，遠縣令郵行之，盡八月□□之。（〇六八—〇七〇簡）

律文規定：下了及時雨和穀物抽穗，應即書面報告受雨、抽穗的頃數和已開墾而沒有耕種的田地頃數。如有旱災、暴風雨、澇災、蝗蟲、其他害蟲等災害損傷了禾稼，也要告受災頃數。同時規定在八月以前送達。《田律》還維護山林、流水、農田作物和林產、水產的所有制。如：

> 春二月，毋敢伐材木山林及雍（壅）隄水。不夏月，毋敢夜草爲灰，取生荔、麛鷇（卵）鷇，毋□□□□□□□毒魚鱉，置穽罔（網），到七月而縱之。唯不幸死而伐綰（棺）享（槨）者，是不用時。邑之紤（近）皂及它禁苑者，麛時毋敢將犬以之田。百姓犬入禁苑中而不追獸及捕獸者，勿敢殺；其追獸及補獸者，殺之。河（呵）禁所殺犬，皆完入公；其它禁苑殺者，食其肉而入皮。（〇七一—〇七四簡）

律文規定：春二月以後，不許到山林砍伐木材，不許堵塞水道。不到夏季，不准燒草作肥料，不准採取剛發芽的植物，或捉取幼獸、幼鳥和取鳥卵，不准……毒殺魚鱉，不准設置捕捉鳥獸的陷阱和網罟，到七月才解除禁令。只有因死亡而需伐木作棺槨的，不受此限。另外並規定對禁苑幼獸的管理。由律文可知秦代對山林、水流的管制，以及山林、水流所出產的鳥獸魚鱉等物，都受到法令明文的保護。由於這些是生民之本，因此法律特加明文規定。這種對山林、水流和其所生產的動植物的保護，事實上，也是各國農業政策的重點之一。如《逸周書・大聚》曰：「春三月，山林不登斧，以成草木之長；夏三月，川澤不入網罟，以成魚鱉之長。」《管子・禁藏》曰：「當春三月，萩室熯造，鑽燧易火，抒井易水，所以去茲毒也。舉春祭，塞久禱，以魚爲牲，以蘗爲酒，相召，所以屬親戚也。毋殺畜生，毋拊卵，毋伐木，毋夭英，毋拊竿，所以息百長也。」由於這些都是「生民之本」，律文就以專條保護。至於違反此一禁令，會遭到何種處罰，律文並無規定，不過由《法律答問》所載盜採他人桑葉，其價值「不盈一錢」卻「貲徭三旬」③來看，秦律對侵犯山林、水流及其出產物的行爲，必定會有嚴厲的懲治的。④

《田律》其他有關的法律，尙有規定每頃田地應繳的芻稾數量，駕車牛馬的飼料領發，及居住農材的百姓不准賣酒等法令。尤其對於居田舍的百姓不准賣酒一事，規定田嗇夫和部佐應嚴加禁止，違反者有罪。

同時，《田律》所規定的許多事宜情況，負責農業的縣級官吏都須向郡報告，距郡較近的縣，文書由走得快的人專程遞送，距郡遠的縣，由驛站傳送。可見秦代的土地所有權是屬於國家的。否則國家不必對基層官吏作這些法律規定。在《田律》中，有一條律文謂：「入頃芻稾，以其受田之數，無豤（墾）不豤（墾），頃入芻三石、稾二石。」律文中提到「受田之數」，可見秦國一定是採取「受田」的方式直接支配土地，亦即秦國的土地是掌握在國家手中的。⑤《商君書・徠民》曰：「山陵處什一，藪澤處什一，溪谷流水處什一，都邑蹊道處什一，惡田處什二，良田處什四。」這是對全國土地的處置所作的一個「爲國任地」的理想方案。《徠民》成於商鞅死後，當時能夠提出這一利用土地的計劃，說明那時秦國的土地基本上是由國家所控制。戰國和秦始皇時期，這種情況大體上沒有改變。而秦律中的《田律》所出現的法律條文，正好說明了土地是國有的。

二、《廄苑律》

《廄苑律》共八簡（〇八〇—〇八七簡），是秦律中有關牲畜放牧和飼養的法令。可耕土地國有之外，秦國控制不少苑囿，秦國的國家苑囿主要分爲兩種，其一是禁苑，其二是馬牛苑。⑥而《廄苑律》是因應管理這些飼養牲畜的廄圈和苑囿的律文。《廄苑律》共有三條律文，其中二條是有關耕馬牛的考課制度，一是：

> 以四月、七月、十月、正月膚田牛。卒歲，以正月大課之，最，賜田嗇夫壺酉（酒）束脯，爲旱〈皂〉者除一更，賜牛長日三旬；殿者，誶田嗇夫，罰冗皂者二月。其以牛田，牛減絜，治（笞）主者寸十。有（又）里課之，最者，賜田典日旬；殿，治（笞）卅。（〇八〇—〇八一簡）

律文規定：每年四月、七月、十月和正月評比耕牛。期滿一年，於正月舉行大考核，飼養成績優秀的，賞賜田嗇夫一壺酒、十條乾肉，免除飼牛者一次更役，賞賜飼養人員的負責人資勞三十天；成績差的，斥責田嗇夫，懲罰飼養人員資勞兩個月。如果使用牛來耕田，牛的腰圍減瘦了，每瘦一寸，笞打主事人十下。又在鄉里中舉行考核，成績優秀的，賞賜里典資勞十天；成績差的，笞打三十下。另一條律文則是：

> 將牧公馬牛，馬〔牛〕死者，亟謁死所縣，縣亟診而入之。其入之其弗亟而令敗者，令以其未敗直（值）賞（償）之。其小隸臣疾死者，告其□□之；其非疾死者，以其診

書告官論之。其大廄、中廄、宮廄馬牛殹（也），以其筋、革、角及其賈（價）錢效，其人詣其官。其乘服公馬牛亡馬者而死縣，縣診而雜買（賣）其肉，即入其筋、革、角及宿（索）入其賈（價）錢。錢少律者，令其人備之而告官，官告馬牛縣出之。今課縣、都官公服牛各一課，卒歲，十牛以上而三分一死；不〔盈〕十牛以下，及受服牛者卒歲死牛三以上，吏主者徒食牛者及令、丞皆有辠（罪）。內史課縣，大（太）倉課都官及受服者。（○八三一○八七簡）

律文規定放牧時牛死了，要立即報告縣官吏，由縣加以檢驗後把死牛上繳。如果處理不及時，而使死牛馬腐敗，則令按未腐爛的價格賠償。如係大廄、中廄、宮廄的牛馬，應以其筋、皮角和肉的價錢呈繳，由放牧的負責人送抵該官府。如係駕用官有牛馬而牛馬死於某縣，應由該縣將肉全部賣出，然後上繳其筋、皮、角，並將所賣價錢全部上繳。同時規定所賣價錢少於規定數目，令該駕用牛馬的人補賠而向主管官府報告，由主管官府通知賣牛馬的縣銷帳。現在每年對各縣、各都官的官有駕車用牛考核一次，對於死牛超過規定數目，主管牛的吏、飼養的徒和令、丞都有罪。由內史考核各縣，太倉考核各都官和領用牛的人。

這樣律文雖然只有二條，但其規定卻非常細密而具體，同時對於違反規定的罰責也很明確，由此推斷秦國對於廄苑的管理是很重視的。

另一條的內容和鐵製農具的報廢有關。律文爲：

叚（假）鐵器，銷敝不勝而毀者，爲用書，受勿責。（○八二簡）

叚，假也，意爲借用。律文是說借用鐵製農具，因破舊不堪使用而損壞的，以文書上報損耗，收下原物而不令賠償。一般而言，秦律的規定，損壞借用的公物是需要按價賠償的，由《廄苑

律》的這條律文來看，秦國生產用的鐵製農具是由國家所掌握的[illegible]

《倉律》共四十三簡（〇八八－一三〇簡），是秦律中有關倉庫糧食管理方面的法令。《倉律》是《秦律十八種》中保存條文最多的一種，共有二十六條，其內容也頗豐富，顯示秦國對倉庫和糧食的管理十分重視。以下分糧倉管理、種籽收藏和分配、口糧分配三方面簡述其內容。

㈠、糧倉的管理

在秦國的物資管理中，糧食的收存和保管占有極爲重要的地位。基本上，其收存和保管是由國家統一管理，地方分工保管的原則。因此，秦國糧倉頗爲普遍，秦政府也就特別針對糧倉的管理，用法律加以明文規定。《倉律》曰：

> 入禾倉，萬石一積而比黎之爲户。縣嗇夫若丞及倉、鄉相雜以印之，而遺倉嗇夫及離邑倉佐主稟者各一户以氣（餼），自封印，皆輒出，餘之索而更爲發户。嗇夫免，效者發，見雜封者，以隄（題）效之，而復雜封之，勿度縣，唯倉自封印者是度縣。出禾，非入者是出之，令度之，度之當堤（題），令出之。其不備，出者負之；其贏者，入之。雜出禾者勿更。入禾未盈萬石而欲增積焉，其前入者是增積，可殹（也）。其它人是增積，積者必先度故積，當堤（題），乃入焉。後節（即）不備，後入者獨負之；而書入禾增積者之名事邑里于廥籍。萬石之積及未盈萬石而被（柀）出者，毋敢增積。櫟陽二萬石一積，咸陽十萬石一積，其出入、增積如律令。長吏相雜以入禾倉及發，見屡之粟積，義積之，勿令敗。（〇八八－〇九四簡）

律文明文規定穀物入倉、出倉和增積的手續，以及管理失當的賠償問題。穀物的封緘由縣嗇夫或丞和倉、鄉主管人員共同行事。另外對核驗也有規定。同時在發現有小蟲到了糧堆上，應重加堆積，不要使穀敗壞。

對糧倉的管理，「內史」是最高的主管。《倉律》曰：「入禾稼、芻稾，輒爲廥籍，上內史。芻稾各萬石一積，咸陽二萬一積，其出入、增積及效如禾。」（〇九五簡）廥籍，指穀倉的簿籍。穀物、芻稾入倉之後，要登記入倉簿籍，同時上報內史。又「稻後禾孰（熟），計稻後年。已穫上數，別粲、穤（糯）穤（黏）稻。別粲、穤（糯）之襄（釀），歲異積之，勿增積，以給客，到十月牒書數，上內〔史〕。」（一〇二一一〇三簡）律文規定稻如在穀子之後成熟，應把稻計算在下一年帳上。收穫後要上報產量，同時在十月要用牒寫明數量，上報內史。由此看來，內史是掌全國糧食的收存、保管、分配和使用的最高機關。由《秦律十八種》來看，內史的職務，不只掌穀物、芻稾，還管公器。（請參看本節《內史雜》部分，及本文官制篇部分。）地方政府通常只負責收取保存。

其他有關糧食管理的律文尙有不少，（〇九六一〇九七簡、〇九八一〇九九簡、一〇〇簡、一〇一簡、一〇四簡、一〇八一一〇九簡、一一〇簡等）大都和出倉、入倉、上報、廥籍及舂米、麥等有關。情形也大都如上例。糧倉管理另有一則養畜生必須遠離糧倉的規定。律文爲：「畜雞離倉。用犬者，畜犬期足。豬、雞之息子不用者，買（賣）之。別計其錢。」（一三〇簡）律文規定養雞應離開糧倉。用狗的，所養狗數以夠用爲原則。豬、雞生的小豬、小雞不需用的，必須賣掉，單獨記帳。由《倉律》的法律條文看來，秦對糧倉的管理可以說是十分重視的。

㈡、種籽的保存和分配

關於種籽收藏分配的規定，在種籽的收藏方面，如：「縣遺齋以爲種用者，殽禾以臧（藏）之。（一〇一簡）所謂殽，《禮記‧禮運》曰：「殽以降命」，《釋文》曰：「殽，法也」「殽禾以藏之」，即「法禾以藏之」，亦即各縣所留作種籽的麥子，應和穀子一樣收藏。至於種籽分配方面，《倉律》有播種數量的規定，如：

> 種：稻、麻畝用二斗大半斗，禾、麥畝一斗，黍、荅畝大半斗，叔（菽）畝半斗。利田疇，其有不盡此數者，可殹（也）。其有本者，稱議種之。（一〇五—一〇六簡）

律文規定：種籽的分配是：稻、麻每畝用二又三分之二斗，穀子、麥子每畝一斗，黍子、小豆每畝三分之二斗，大豆每畝半斗。如是良田，用不到這樣數量，也是可以的。如果田中已有作物，可以酌情播種。

㈢、口糧的分配

《倉律》中關於口糧分配的律文也不少，大致可分二類。一是官吏的口糧分配，二是奴隸的口糧分配。

甲、官吏的口糧分配

《倉律》規定：「宦者、都官吏、都官人有事上爲將，令縣貣（貸）之，輒移其稟縣，稟縣以減其稟。已稟者，移居縣責之。」（一一一簡）宦者、都官的吏或都官的一般人員爲朝廷辦事而來督送，所到的縣要墊發口糧，同時用文書通知原縣必須扣除這些人員的糧食。如果在原發縣已領，應以文書通知所到的縣責令賠償。又「月食者已致稟而公使有傳食，及告歸盡月不來者，止其後朔食，而以其來日致其食；有秩吏不止。」（一一三簡）這是指按月領取口糧的人員，糧食已經發給而因公出差，由沿途驛站供給飯食，同時規定休假到月底不歸，停發下月口糧，直到回來再行發給。有秩吏則不停發。也有規定要自帶口糧的，如：「事軍及下縣者，齎食，毋以傳貣（貸）縣。」（一一二簡）亦即到軍中和屬縣辦事的，應自帶口糧，不得以符向所到的縣索取。

出差傳馬的餵飼也有規定，如：

> 駕傳馬，一食禾，其顧來有（又）一食禾，皆八馬共。其數駕，毋過日一食。駕縣馬勞，有（又）益壺〈壹〉禾之。（一一四簡）

律文規定駕用傳馬，餵飼一次糧食，回程再餵飼一次，八匹馬要一起餵。餵食次數不得超出規定，如果路遠馬疲才可加飼一次。傳馬是郵傳的交通工具，有關傳馬的其他問題，與郵傳制度有關，另文討論，不贅。

乙、奴隸的口糧分配

《倉律》具體的規定了奴隸的口糧分配。如：

> 隸臣妾其從事公，隸臣月禾二石，隸妾一石半；其不從事，勿稟。小城旦、隸臣作者，月禾一石半石；未能作者，月禾一石。小妾、舂作者，月禾一石二斗半斗；未能作者，月禾一石。嬰兒之毋（無）母者各半石。雖有母而與其母冗居公者，亦稟之，禾月半石。隸臣田者，以二月月稟二石半石，到九月盡而止其半石。舂，月一石半石。隸臣、城旦高不盈六尺五寸，隸妾、舂高不盈六尺二寸，皆爲小；高五尺二寸，皆作之。（一一六——一九簡）

律文規定了隸臣妾、隸臣、小城旦、小隸妾、舂等奴隸在爲官府服役時，每月發糧的標準。其中「嬰兒之無母者」也各半石，律文規定隸臣和城旦身高不滿六尺二寸，都屬於小的，但若已達五尺二寸以上，（以身高判定年齡大小）仍要參與勞作。另有律文對小隸妾借用時，其衣食配屬的規定，如：「妾未使而衣食公，百姓有欲叚（假）者，叚（假）之，令就衣食焉，吏輒柀事之。」（一一五簡）妾（隸妾）未到使役年齡而由官府給予衣食，如有百姓要借，可以借給，叫妾到他那裡取得衣食，此後官方就不再役使。另外規定：「小隸臣妾以八月傅爲大隸臣妾，以十月益

《倉律》對奴隸參與築牆或與之相等工作、站崗和爲它事者，有病的、作土工和不作土工的，其飯食都有特別規定，如：

1. [illegible]事者，參食之。其病者，稱議食之，令吏主。城旦舂、舂司寇、白粲操土攻（功），參食之；不操土攻（功），以律食之。（一二一～一二三簡）
2. 免隸臣妾、隸臣妾垣及爲它事與垣等者，食男子旦半夕參，女子參。（一二六簡）
3. 日食城旦，盡月而以其餘益爲後九月稟所。城旦爲安事而益其食，以犯令律論吏主者。減舂城旦月不盈之稟。（一二四簡）

另外，給受飢餓懲罰的囚犯口糧，「日少半斗」（一二七簡）。關於「餓囚」，睡虎地秦墓竹簡整理小組《注》曰：「本條所述是以飢餓作爲懲罰囚犯的手段。」由律文中可以看出這種懲罰（餓囚）的糧食供應標準。

㈣、其他

《倉律》有一條和奴隸有關，但與糧倉管理和糧食分配並無直接關係的律文，其內容是：

隸臣欲以人丁粼者二人贖，許之。其老當免老、小高五尺[illegible]

其贖爲隸臣，女子操敃紅及服者，不得贖。邊縣者，復數[illegible]

必須是男子，同時用以贖人的人要作爲隸臣。4.從事文繡女工和製作衣服的女子，不准贖。5.原籍在邊遠縣的，被贖回後應遷回原縣。

四、《金布律》

《金布律》共三十三簡（一三一——一六三），是有關貨幣、財物方面的法令。所謂金布者，《漢書・蕭望之傳》曰：「令篇名也，其上有府庫金錢布帛之事，因以名篇。」秦時布也是一種貨幣，《漢書・食貨志》曰：「凡貨，金錢布帛之用，夏、殷以前其詳靡記云。太公爲周立九府圜法，……布帛廣二尺二寸爲幅，長四寸爲幅，長四丈爲匹。」又《詩經・氓》曰：「氓之蚩蚩，抱布貿絲。」傳曰：「布，幣也。」箋曰：「幣者，所以貿買物也。」可見古時以布爲一種貨幣。秦的《金布律》就是與貨幣、財物有關的法令。

《金布律》共有十五條，內容有：

官府受錢以及封錢的規定（一三一簡）；

布質差不得流通的規定（一三三簡）；

錢折換布和黃金的規定（一三四簡）；

不准選擇貨幣種類（錢或布）的規定（一三五簡）；

買賣應繫標籤的規定（一三六簡）；

物品輸送收受的記帳規定（一三七簡）；

都官有秩吏及其分支機構的嗇夫的車牛、僕、養配額規定（一三九——一四一簡）；

官府索債的規定（一四三簡）；借用官府器物和畜生的收回和賠償規定（一四四——一四六簡）；

會計有罪賠償盈餘上繳少內的規定（一四七——一四八簡）；

官嗇夫和吏坐貲償債的規定（一四九——一五二簡）；

縣都官廢棄公器和上繳大內的規定（一五三——一五五簡）；

，二、公器借用和修補等處置規定，三、各類財貨建帳規定，四、怠忽職守的賠償和懲罰規定；五、發放領取衣物的規定。基本上，可以歸納為貨幣管理和物資管理兩方面。這兩方面之所以有這麼多律文規範，主要是商品交換流通的發展和社會財富累積，以及農業和手工業生產的發展的結果，由於秦國在這方面規範得很嚴密，在穩定的貨幣制度和物資管理制度之下，使得秦國很快就發展成為一個富强的國家。

五、《關市律》

《關市律》僅一簡（一六四），是有關管理「關」和「市」的稅收等事務的官名，關市則是關於關市職務的法令。律文內容為：

> 為作務及官府市，受錢必輒入其錢缿中，令市者見其入，不從令者貲一甲。

作務是指手工業方面的生產，市是指市貿，即官府所經營的商業。律文規定從事手工業和為官府出售產品，收錢時必須立即投入受錢器中，同時要讓買者看見投入，違反法令的要接受一甲的貲罰。由於秦國的官府手工業十分發達，[7]因此需要以法律特別規定，以免有舞弊的情事。《關市律》雖然只有一簡，但律文卻說明了秦國官府的一部分現金收入乃來自於「作務」和「市」。由此推知，《關市律》是秦國官府收入的一大來源，其相關的規定，一定也不少。

六、《工律》

《工律》共九簡（一六五——七三），是關於官營手工業的法令，共六條律文。其內容有規定：「爲器同物者，其小大、短長、廣亦必等。」（一六五簡）意即製作同一種器物，其大小、長短和寬度必須相同。「爲計，不同程者毋同其出。」（一六六簡）即計帳時，不同規格的產品不得列於同一項內出帳。還有衡器中的權、斗桶和升校正的規定，如：「縣及工室聽官爲正衡石贏（累）、斗用（桶）、升，毋過歲壺〈壹〉。有工者勿爲正。」（一六七簡）另外三條是公器借用的規定和處罰、賠償的原則。如：

> 邦中之繇（徭）及公事官（館）舍，其叚（假）公，叚（假）而有死亡者，亦令其徒、舍人任其叚（假），如從興戍然。（一六七——六八簡）

律文規定：在都邑服徭和因其官府事務居於官舍，如借用官有器物，借者死亡，應令服徭役的徒衆或其舍人負責，和參加屯戍的情形一樣。

> 公甲兵各以其官名刻久之，其不可刻久者，以丹若髼書之。其叚（假）百姓甲兵，必書其久，受之以久。入叚（假）而毋（無）久及非其官之久也，皆沒入公，以齎律責之。（一六九——七〇簡）

律文規定：官有武器均應刻記其官府的名稱，不能刻記的，用丹或漆書寫。百姓領用武器上的標記，按照標記收還。繳回所領武器而上面沒有標記和該官府標記的，均沒收歸官，並依《齎律》責令賠償。

> 公器官□久，久之。不可久者，以髼久之。其或叚（假）公器，歸之，久必乃受之。敝而糞者，靡蚩其久。官輒告叚（假）器者曰：器敝久恐靡者，遝其未靡，謁更其久。其久靡不可智（知）者，令齎賞（償）。叚（假）器者，其事已及免，官輒收其叚（假），弗亟收者有辠（罪）。

其叚（假）者死亡、有辠（罪）毋（無）責也，吏代賞（償）。毋擅叚（假）公器，者（諸）擅叚（假）公器者有辠（罪），毀傷公器及□者令賞（償）。（一七一——一七三簡）

律文規定：官有的器物由官府……加上標記。不能刻記的，用漆書標記。有借用官有器物的，歸還時，標記相符才能收還。器物破舊而加處理的，應磨去上面的標記。官府應告知借用器物的人：器物用舊而恐標記磨滅，報請重新標記。器物的標記已經磨滅無法辨識的，令以錢財賠償。借用器物的，其事務已完和免除時，官府應即收回所借的器物，不及時收回的有罪。如借用者死去或犯罪而未將器物追還，由吏代爲賠償。不得擅自借用官有器物，凡自借官有器物的有罪，毀損官有物和……的令之賠償。

七、《工人程》

《工人程》共三簡（一七五——一七七），是有關官營手工業生產定額的法律規定，秦簡所有的《工人程》內容有三條律文，其一是冬季放寬標準的規定，如：

隸臣、下吏、城旦與工從事者冬作，爲矢程，賦之三日而當夏二日。（一七五簡）

律文規定：隸臣、下吏、城旦和工匠在一起生產的，在冬季工作時，得放寬其標準，三天收取相當夏季兩天份的產品。其二是規定不同性別和年齡要完成的定額不同。如：

冗隸妾二人當工一人，更隸妾四人當工〔一〕人，小隸臣妾可使者五人當工一人。（一七六簡）

律文規定：做雜活的隸妾兩人相當工匠一人，更隸妾四人相當工匠一人，可役使的小隸臣妾五人相當工匠一人。其三是比較特殊的刺繡生產，則女子一人相當男子一人。如：

隸妾及女子用箴（針）爲緡繡它物，女子一人當男子一人

。（一七七簡）

由《工人程》可以看出，秦代手工業生產，規定工人的產品產量按季節不同而規定不同，其生產定額也因年齡和性別不同而有差異。

八、《均工》

《均工》共三簡（一七八——八〇），是有關調度從事手工業者的法律規定，共有二條律文。其一是對工匠的培養和訓練，如：

> 新工初工事，一歲半紅（功），其後歲賦紅（功）與故等。工師善教之，故工一歲而成，新工二歲而成。能先期成學者謁上，上且有以賞之。盈期不成學者，籍書而上內史。

律文規定：新工匠開始工作，第一年要求達到規定生產定額的一半，第二年所收產品數額應與過去做過工的人相等。工師好好教導，過去做過工的一年學成，新工匠兩年學成。能提前學成的，向上級報告，上級將有所獎勵。滿期仍不能學成的，應記名而上報內史。其二是重視手工藝技藝，如：

> 隸臣有巧可以爲工者，勿以爲人僕、養。（一八〇簡）

律文規定隸臣有技藝可作工匠的，不要叫他給人作趕車、烹炊的勞役。由此看來，秦代十分重視手工業技藝的要求，連隸臣中技藝好的，都可以得到較佳的技術性工作。

九、《傜律》

《傜律》共十簡（一八二——九一），總爲一條，是有關徵調人民服傜役的法律規定。管理傜役方面的法律，除了《傜律》，尙有《傅律》。《傜律》的內容爲：

> 御中發徵，乏弗行，貲二甲。失期三日到五日，誶；六日

到旬，貲一盾；過旬，貲一甲。其得殹（也），及詣。水雨，除興。興徒以爲邑中之紅（功）者，令結（姱）堵卒歲。未卒堵壞，司空將紅（功）及君子主堵者有辠（罪），令其徒復垣之，勿計爲繇（傜）。縣葆禁苑、公馬牛苑，興徒以斬（塹）垣離（籬）散及補繕之，輒以效苑吏，苑吏循之。未卒歲或壞陕（決），令縣復興徒爲之，而勿計爲繇（傜）。卒歲而或陕（決）壞，過三堵以上，縣葆者補繕之；三堵以下，及雖未盈卒歲而或盜陕（決）道出入，令苑輒自補繕之。縣所葆禁苑之傅山、遠山，其土惡不能雨，夏有壞者，勿稍補繕，至秋毋（無）雨時而以繇（傜）爲之。其近田恐獸及馬牛出食稼者，縣嗇夫材興有田其旁者，無貴賤，以田少多出人，以垣繕之，不得爲繇（傜）。縣毋敢擅壞更公舍官府及廷，其有欲壞更殹（也），必讞（讞）之。欲以城旦舂益爲公舍官府及補繕之，爲之，勿讞（讞）。縣爲恆事及讞（讞）有爲殹（也），吏程攻（功），贏員及減員自二日以上，爲不察。上之所興，其程攻（功）而不當者，如縣然。度攻（功）必令司空與匠度之，毋獨令匠。其不審，以律論度者，而以其實爲繇（傜）徒計。（一八二——一九一簡）

歸納律文，大約有五個重點：

1.徵發徭役不按時報到和逃避者，將受到嚴厲懲罰；

2.築牆要擔保一年，不滿一年而牆壞，主時工程的司空和負責該牆的君子有罪；

3.縣應維修禁苑及養官有牛馬的禁苑，禁苑附近的農夫應酌量徵發爲禁苑築牆修補，不得作爲徭役；

4.縣不准擅自拆改官有的房舍衙署，如需拆改，必須呈報；

5.每次徵發更卒人數及時間長短，視工程量來決定，由司空和匠人一起估算。

由秦律和文獻來看，更卒所從事的都是強度較高的工程，舉凡修城築邑，架橋修路，修建苑囿，建造宮室、陵寢，修建官舍，以及郡縣中經常性的繕修工程。

十、《司空》

《司空》共二十八簡（一九二一二一九簡），有十三條律文，是有關司空官吏職務的法令。《司空》的內容可分三方面來看，一是管理公器；二是管理建築工程；三是管理刑徒的服役。

㈠、管理公器

司空的職務與車有關。《司空律》曰：「官長及吏以公車牛稟其月食及公牛乘馬之稟，可殹（也）。官有金錢者自為買脂、膠，毋（無）金錢者乃月為言脂、膠，期𧾷。為鐵攻（工），以攻公大車。（一九五－一九六簡）所謂「為鐵工，以攻公大車」，就是設立鐵工作坊，以修繕大車。另外，律文還規定車輛必須時常保養，如果有所疏忽，使得車翻軲扭，或是車圍、車傘斷裂，則負責的官吏都有罪。如：

> 官府叚（假）公車牛者□□□叚（假）人所。或私用公車牛，及叚（假）人食牛不善，牛訾（胔），不攻間車，車空失，大車軲紩（盭）；及不芥（介）車，車蕃（藩）蓋強折列（裂），其主車牛者及吏、官長皆有辠（罪）。（一九三－一九四簡）

由《司空律》可知秦國對各種公器製作的質量、產量、規格上均有極嚴格的規定和考課。因此，在產品製作上都有極嚴厲的要求，如有缺失，則負責生產的勞役，往往要受到處罰。如公車在製作時毀損，律文規定「城旦舂毀折瓦器、鐵器、木器，為大車折䡅（輮），輒治（笞）之。直（值）一錢，治（笞）十；直（值）廿錢以上；孰（熟）治（笞）之，出其器。弗輒治（笞），吏主者負其半。」（二一四－二一六簡）

司空主持築城造邑的事務，在《司空律》只有一條，其中提到築城用具損壞上報的規定曰：

> 縣、都官用貞（楨）、栽爲傰（棚）牏，及載縣（懸）鐘虡〈虞〉隔（鬲），皆不勝任而折；及大車轅不勝任，折軲上，皆爲用而出之。（一九二簡）

關於司空在建築方面的職務，散見於《秦律雜抄》和《秦律十八種·徭律》，由於司空之職源起於「營窟穴以居人」⑧在徭律中，可以看到不少司空主持營城起邑的工作，請參照前文。

㈢、司空與刑徒

司空除了管百工製作外，尚管刑徒。從秦簡《司空律》中，的確可以看到不少有關的刑徒。除前面所提到的「城旦舂」外，還有「城旦」（免城旦勞三歲以上者，二一三簡）、「仗城旦」（仗城旦勿將司，二一四簡）、「城旦司寇」（城旦司寇不足以將，二一二簡）、「鬼薪」（二〇一簡）、「白粲」（二〇一簡）、「隸臣妾」（二〇八簡」、「隸妾」（百姓有母及同牲爲隸妾，二一八簡）、「司寇」（司寇勿以爲僕、養、守官府及除有爲〇，二一七簡）、「城旦舂司寇」（城旦舂之司寇，二〇八簡）、「居貲贖債者」（毋令居貲贖責將城旦舂，二一二簡）、及

「葆子以上居贖刑以上至死者」（二〇二簡）、「公士以下居贖刑辠、死辠者」（二〇一簡）等刑徒。這些刑徒都歸司空管理和役使。

由以上看來，司空的職掌甚多，其所役使的，大部分是刑徒。在司空職掌的事務如果考課不夠完善，通常其主管——司空嗇夫也須受連坐處分。

十一、《軍爵律》

《軍爵律》共四簡（二二〇—二二三），是有關軍功爵的法律規定，軍功爵是秦國軍制很重要的一個制度。秦自商鞅變法，即實行按軍功授爵，其具體辦法在《商君書‧境內篇》有詳細的記載。秦簡的軍功爵資料散見於其他律文中，其中有二條見於《軍爵律》。其一是：

> 從軍當以勞論及賜，未拜而死，有辠（罪）法耐䙴（遷）其後；及法耐䙴（遷）者，皆不得受其爵及賜。其已拜，賜未受而死及法耐䙴（遷）者，鼠（予）賜。（二二〇—二二一簡）

律文規定從軍有功應授爵和賞賜的，如果尚未拜爵本人已死，而其後嗣有罪依法應耐遷的；以及本人依法應耐遷的，都不能得到爵和賞賜。如已經拜爵，但還沒有得到賞賜，本人已死及依法應耐遷的，仍給予賞賜。其二是：

> 欲歸爵二級以免親父母爲隸臣妾者一人，及隸臣斬首爲公士，謁歸公士而免故妻隸妾一人者，許之，免以爲庶人。工隸臣斬首及人爲斬首以免者，皆令爲工。其不完者，以爲隱官工。（二二二—二二三簡）

律文規定：要求退還爵兩級，用來贖免現爲隸臣妾的親生父母一人，以及隸臣斬獲敵首應授爵爲公士，而請求退還公士的，爵以用來贖免現爲隸妾的妻一人，可以允許，所贖的都免爲庶人。工主要的目的，當然是爲了提升戰力。這一點秦國施行的十分徹底，《封診式》記有爭爵敵首的案例，可以想見一般庶民也十分重視軍功爵位的獲得，否則不會如此。

十二、《置吏律》

《置吏律》共五簡（二二四—二二八），是有關任用官吏的法令，秦律對官吏的任免有特別的法律規定。《置吏律》共有三條內容。一是規定每年任官的時間；二是官吏必須任命才算生效；三是官嗇夫不在，代理人必須審慎選擇。如：

> 縣、都官、十二郡免除吏及佐、群官屬，以十二月朔日免除，盡三月而止之。其有死亡及故有夬（缺）者，爲補之，毋須時。置吏律（二二四—二二五簡）

律文規定縣都官和十二個郡，任免吏和佐以及各官府屬，員都從十二月一日起任免，到三月底截止。補充缺員，可以不按照上述規定時間。又如：

> 除吏、尉，已除之，乃令視事及遣之；所不當除而敢先見事，及相聽以遣之，以律論之。嗇夫之送見它官者，不得除其故官佐、吏以之新官。（二二六—二二七簡）

律文對吏或尉的任命，必須有正式的任命，才可令其行使職權和就任，否則就是違法。又如：

> 官嗇夫節（即）不存，令君子毋（無）害者若令史守官，毋令官佐、史守。（二二八簡）

所謂：「毋（無）害」即辦事沒有疵病，《史記・蕭相國世家》

曰：「以文無害爲沛主吏掾」，其中「無害」即此意。⑨陳槃先生曰：「今按『無害』，有積極之辭，有勝善之義。諸解作『無比』、『最能』、『能最高』者，並可通。」⑩律文規定：官嗇夫不在，必須以不出差錯有爵者和令史代理，不可叫下級的佐、史代理。

秦的官僚體系十分龐大，對官吏的任免一定有許多規定，秦律所見雖然不多，但相信一定有一個十分完密而嚴整的任免制度。

十三、《效》

《效》即《效律》，共十七簡（二二九—二四五），是有關檢覈官府物資財產的法律，在《秦律十八種》之外，另有《效律》。《秦律十八種·效律》也見於《效律》，可見《秦律十八種·效律》只是《效律》中的一部分。效律的產品檢驗和物價管理範圍大都是以官府所掌的經濟生產部門爲主，尤其是糧倉方面的檢核。《秦律十八種》中的法規可見的監督和檢驗，大都與糧倉有關，如：

1.實官佐、史被免、徙，官嗇夫必與去者效代者，節（即）官嗇夫免而效，不備，代者〔與〕居吏坐之。故者弗效，新吏居之未盈歲，去者與居吏坐之，新吏弗坐；其盈歲，雖弗效，新吏與居吏坐之，去者弗坐，它如律。（二二九—二三〇簡）

2.倉扁（漏）死（朽）禾粟，及積禾粟而敗之，其不可食者不盈百石以下，誶官嗇夫；百石以上到千石，貲官嗇夫一甲；過千石以上，貲官嗇夫二甲；令官嗇夫、冗吏共賞（償）敗禾粟。禾粟雖敗而尚可食殹（也），程之，以其秏（耗）石數論負之。（二三一—二三二簡）

3.度禾、芻稾而不備十分一以下，令復其故數；過十分以上

，先索以稟人，而以律論其不備。（二三四簡）

4.入禾，萬〔石一積而〕比黎之爲户，籍之曰：「其廥禾若干石，倉嗇夫某、佐某、史某、稟人某。」是縣入之，縣嗇夫若丞及倉、鄉相雜以封印之，而遺倉嗇夫及離邑倉佐主稟者各一户，以氣（餼）人。其出禾，有（又）書其出者，如入禾然。（二三五—二三七簡）

5.嗇夫免而效，效者見其封及隄（題），以效之，勿度縣，唯倉所自封印是度縣，終歲而爲出凡曰：「某廥出禾若干石，其餘禾若干石。」倉嗇夫及佐、史，其有免去者，新倉嗇夫，新佐、史主廥者，必以廥籍度之，其有所疑，謁縣嗇夫，縣嗇夫令人復度及與雜出之。禾贏，入之，而以律論不備者。（二三八—二四〇簡）

6.禾、芻稾積廥，有贏、不備而匿弗謁，及者（諸）移贏以賞（償）不備，群它物當負賞（償）而僞出之以貱（破）賞（償），皆與盗同法。大嗇夫、丞智（知）而弗辠（罪），以平辠（罪）人律論之，有（又）與主廥者共賞（償）不備。至計而上廥籍内史。入禾、發屚（漏）倉，必令長吏相雜以見之。芻稾如禾。（二四一—二四三簡）

其中對檢驗的官員、官員交接、應負罪責有以及穀物的缺補，發放、封緘、登記，都有具體的規定。另外檢驗官有器物也有規定，如：

1.效公器贏、不備，以齎律論及賞（償），毋（無）齎者乃直（值）之。（二四四簡）

2.公器不久刻者，官嗇夫貲一盾。（二四五簡）

官有器物的檢驗原則和標準，大致和倉庫的管理檢驗相同。

由《秦律十八種・效律》可以看出，秦代十分重視監督和檢查，亦即秦通過檢查實現其對經濟管理的監督，以提升經濟生產的品質。

十四、《傳食律》

《傳食律》共四簡（二四六—二四九），三條，是有關驛傳供給飯食的法律規定，如：

1.御史卒人使者，食粺米半斗，醬駟（四）分升一，采（菜）羹，給之韭葱。其有爵者，自官士大夫以上，爵食之。使者之從者，食糲（糲）米半斗；僕，少半斗。（二四六—二四七簡）

2.不更以下到謀人，粺米一斗，醬半升，采（菜）羹、芻稾各半石。宦奄如不更。（二四八簡）

3.上造以下到官佐、史毋（無）爵者，及卜、史、司御、寺、府，糲（糲）米一斗，有采（菜）羹，鹽廿二分升二。（二四九簡）

由律文看，《傳食律》具體規定了過往官吏人員供應食物的各項標準，其中包括糧食的種類和數量，乃至蔬菜和醬、鹽等佐料，同時還規定了供應牲口的飼料。可見秦的郵傳制度中對於公差行旅之人還提供飲食，另由史籍資料知秦的驛還供應館舍給公差行旅之人，這是所謂的「傳舍」，或叫館舍。⑪不過在秦簡中並不見傳舍的名稱，秦簡另有所謂的「公館」，即是傳舍。

十五、《行書》

《行書》共三簡（二五〇—二五二）二條，是有關文書傳送的法律規定，秦代郵傳制度已經頗爲完密，但因文獻缺載，始終無法系統地了解。秦簡除了《行書律》的二條資料外，另有《南郡守騰文書》及《秦律雜抄》等資料，可以粗略地了解其梗概。《行書律》所收大都與保證郵傳的速度有關。如：

行命書及書署急者，輒行之；不急者，日觱（畢），勿敢留。留者以律論之。（二五〇簡）

律文規定：傳送命書和標明急字的文書，應立即送達；不急的，當天送完，不准擱壓。擱壓的依法論處。又規定：

> 行傳書、受書，必書其起及到日月夙莫（暮），以輒相報毆（也）。書有亡者，亟告官。隸臣妾老弱及不可誠仁者勿令。書廷辟有曰報，宜到不來者，追之。（二五一一二五二簡）

律文要求傳送或收到文書，必須登記發文或收文的月日朝夕，以便及時回覆。文書如有遺失，應立即報告官府。隸臣妾年老體弱不足信賴的，不要派任。徵召文書上必須寫明急到的，該人已應來到而沒有到達，應加追。

由這二條看，秦的郵傳十分注重效率，同時也注重文書郵傳的保證制度。

十六、《內史雜》

《內史雜》共十三簡（二五三一二六五），是有關掌治京師的內史職務的法律規定。《秦律十八種》中有關內史的資料，不只在《內史雜》中，在《廄苑律》、《倉律》、《金布律》、《均工律》、《效律》也有內史記事，另外《法律答問》中也有一條關於內史的記事。內史是周司掌王八枋之法的官吏，在秦漢則是掌治京師的官吏。。《周禮・春官・宗伯》曰：「內史掌王八枋之法，以詔王治。一曰爵，二曰祿，三曰廢，四曰置，五曰殺，六曰生，七曰予，八曰奪。」可知周官內史的職務甚廣。《漢書・百官公卿表》曰：「內史，周官，秦因之，掌治京師。」根據《漢書》，秦的內史與周內史似乎相近，但以秦簡來看，可以確認秦代內史掌管財政。⑫

由《秦律十八種》中來看內史掌穀倉的廥籍（即簿籍），⑬亦即縣入芻、稾於倉，必須將其詳細記載於簿籍上，致送給內史。另外，對倉庫和收藏物或文書的府庫，對倉庫的管理和滅火規定，及倉庫的周邊管制等，也都在內史的職權範圍。如：

1.有實官高其垣墻。它垣屬焉者，獨高其置芻廥及倉茅蓋者。令口勿紤（近）舍。非其官人殹（也），毋敢舍焉。善宿衛，閉門輒靡其旁火，慎守唯敬（儆）。有不從令而亡、有敗、失火，官吏有重辠（罪），大嗇夫、丞任之。（二六一一二六三簡）

2.毋敢以火入臧（藏）府書府中。吏已收臧（藏），官嗇夫及吏夜更行官。毋（無）火，乃閉門户。令令史循其廷府。節（即）新爲吏舍，毋依臧（藏）府、書府。（二六四一二六五簡）

前條律文規定：貯藏穀物的官府要加高垣牆。有其他墻垣和它連接的，可單獨加高芻草的倉和用茅草覆蓋的糧倉。令人不得靠近居住。不是本官府的人員，不准在其中居住。夜間應嚴加守衛，關門時即應滅掉附近的火，謹慎警戒。有違反法令而有遺失、損壞或失火的，其官吏有重罪，大嗇夫、丞也須承擔罪責。後條律文規定：不准把火帶進收藏物或文書的府庫。吏將物品收藏好後，由官府的嗇夫和吏輪番值夜看守。經檢查沒有火，才可以關閉門戶。叫令史巡察其衙署的府庫。如果新建吏的居舍，不要靠近收藏器物、文書的府庫。

此外，內史還管公器，如《金布律》曰：

縣、都官以七月糞公器不可繕者，有久識者靡蚩之。其金及鐵器入以爲銅。都官輸大內，內受買（賣）之，盡七月而觱（畢）。都官遠大內者輸縣，縣受買（賣）之。糞其有物不可以須時，求先買（賣），以書時謁其狀內史。凡糞其不可買（賣）而可以爲薪及蓋蘙（蘙）者，用之；毋（無）用，乃燔之。（一五三一一五四簡）

《內史雜》曰：「都官歲上出器求補者數，上會九月內史。」（二五四簡）這是要都官每年按規定將上報已注銷而要求補充的器物數量，在九月把帳報到內史。這是公器方面的管理。其他衡石的權、斗桶等器具的管理和校正，也是由內史掌理，如《內史雜》曰：

> 有實官縣料者，各有衡石羸（累）、斗甬（桶）、期踐。計其官，毋叚（假）百姓。不用者，正之如用者。（二六二簡）

貯藏的官府需要進行稱量的，都應備有衡石的權、斗桶，以足用爲度。這些器具應在官府中量用，不要借給百姓。當時不使用的器具，也要和使用的一樣校正準確。

《內史雜》其他各簡大都和用人和一般規定有關，規定各縣應分別通知設在該縣的都官，抄寫該官所遵用的法律。（「縣各告都官在其縣者，寫其官之用律。」二五三）簡有事請示，必須用書面請示，不要口頭請示，也不要託人代爲請示。（「有事請殹（也），必以書，毋口請，毋羈（羈）請。」二五五簡）官府的嗇夫免職，……該官府趕快任命嗇夫。如超過兩個月仍未任命嗇夫，令、丞就是違反法令。（「官嗇夫免，□□□□□□□其官亟置嗇夫。過二月弗置嗇夫，令、丞爲不從令。」二五六簡）任命佐必須用壯年以上的人，不要任用剛傅籍的而沒有爵位的人。苑囿的嗇夫不在，由縣安排代理其職務的人員，依《廄律》行事。（「除佐必當壯以上，毋除士五（伍）新傅。苑嗇夫不存，縣爲置守，如廄律。」二五七簡）同時也規定：犯過罪而經赦免的史不能再在官府中供職。不是史的兒子，不准在學室中學習，違反這一法令的有罪。（「令敓史毋從事官府。非史子〇（也），毋敢學學室，犯令者有辠（罪）。」二五八簡）下吏即使能夠書寫，也不准作史的事務。（「下吏能書者，毋敢從史之事。」二五九簡）候、司寇以及眾下吏，都不准作官府的佐、史、和禁苑的憲盜。（「侯（候）、司寇及群下吏毋敢爲官府佐、史及禁苑憲盜。」二六〇簡）

由秦簡來看，秦內史的職掌並不如周官內史的廣泛，但所掌大都和財政經濟有關，此正和秦漢「治粟內史」的職掌類似。

十七、《尉雜》

《尉雜》共二簡（二六六—二六七），是有關廷尉的法律規定；其中一條缺字過多，不能釋讀。（「□其官之吏□□□□□□□□□□□□法律程籍，勿敢行，行者有辠（罪）。」）另一條爲：

歲讎辟律于御史。

律文當是規定廷尉每年都要到御史處去核對刑律。

十八、《屬邦》

《屬邦》僅一簡（二六八），「屬邦」是管理少數民族的機構，其內容是有關「屬邦」職務的法律規定。如：

道官相輸隸臣妾、收人，必署其已稟年日月，受衣未受，有妻毋（無）有。受者以律續食衣之。

道是少數民族聚居的縣。簡文要求各道官府在輸送隸臣妾或因罪被收捕的人，必須寫明已領口糧的年月日數，有沒有領過衣服，有沒有妻室。如係領受者，根據法律規定，應繼續給予衣食。「屬邦律」從未見於記載，但由出土的簡文來看，還有三條關於少數民族的律文，這三條雖未標明爲屬邦律，但從內容看，是屬於屬邦律的條文，可見秦代當有專屬一章的屬邦律，而其條文也必然不少。⑭

【附註】

①參見《睡虎地秦墓竹簡》頁十九，有關《秦律十八種》釋文注釋的說明部分。

②同註①。

③參見《睡虎地秦墓竹簡》頁九五，《法律答問》部分。

④參見劉海年《睡虎地秦簡中有關農業經濟法規的探討》，文見《中國古代史論集》頁一九五——九六。《社會科學戰線》編印，吉林大學出版，一九八一年，三月。

⑤參見吳樹平《雲夢秦簡所反映的秦代社會階級狀況》，文載《雲夢秦簡研究》頁九六。

⑥《雲夢秦簡・徭律》曰：「縣葆禁苑、公馬牛苑，興徒以斬（塹）垣離（籬）散及補繕之，輒以效苑吏，苑吏循之。」《田律》曰：「邑之新（近）皂及它禁苑者，麛時毋敢將犬以之田。百姓犬入禁苑中而不追獸及捕獸者，勿敢殺；其追獸及捕獸者，殺之。河（呵）禁所殺犬，皆完入公；其它禁苑殺者，食其肉而入皮。」可見秦的苑囿主要是禁苑和馬牛苑兩種，禁苑是專門畜養禽獸的，而馬牛苑則是牧養國家馬牛的地方。

⑦參見吳榮曾先生《秦的官府手工業》，文載《雲夢秦簡研究》。

⑧司空之職始終與水土之事有關，也因古人穴居，而「洪水之後莫急於奠民居」（顧炎武《日知錄》卷二「司空條」）。

⑨參見《睡虎地秦墓竹簡》頁五六一五七。

⑩參見氏著《漢晉遺簡識小七種》上「文無害」條。文載《中央研究院歷史語言研究專刊》之六十三。

⑪《史記・白起傳》曰：「武安君既行，出咸陽西門十里，至杜郵。」《正義》引《說文》云：「郵，境上行書舍，道路所經過。」行書舍即郵舍、傳舍。《漢書・酈食其傳》曰：「沛公至高陽傳舍」注云：「傳舍者，人所止息，前人已去，後人復來，轉相傳也。」因此，郵傳的館舍就是傳舍。又《史記・藺相如傳》曰：「舍相如廣成傳舍」，《左傳・定公四年》曰：「申包胥求救於秦，秦伯使辭曰：寡人聞命，子姑就館。」館就是就是止宿旅客的傳舍。

⑫參見工藤元男《秦內史——依睡虎地簡爲主之研究》，文載《簡牘學報》第十期。

⑬參見《秦律十八種》：「入禾稼、芻稾，輒爲廥籍，上內史。芻稾各萬石一積，咸陽二萬一積，其出入、增積及效如禾。」（一〇七——一一〇簡）

⑭參見于豪亮《秦王朝關於少數民族的法律及其歷史作用》，文載《雲夢秦簡研究》頁三九一。

第五節　《效律》

《效律》一共有六十六簡，和《語書》、《秦律雜抄》、《爲吏之道》三種簡書一起發現於人骨腹下。《效律》的第一支簡，背面寫有「效」字標題，整理小組認爲應是一篇首尾完具的律文。①其中第二八七—三〇八簡，共七條與《秦律十八種》中的《效律》重複。《效律》與《秦律十八種》重複的七條：二八七—二八九簡、二九〇—二九二簡、二九三簡、二九五簡、三〇〇—三〇三簡、三〇五—三〇六簡、三〇七—三〇八簡。由這七條，可以看出《秦律十八種》中的《效》，實際上是《效律》的一部分，亦即《秦律十八種》只是摘錄了《效律》的中間一部分，這也可以看出《秦律十八種》是墓主爲了實務需要所作的一種摘記式的筆記。

《效律》詳細規定了核驗縣和都官物資帳目的一系列制度。對於在軍事上有重要意義的物品，如兵器、鎧甲和皮革等，規定尤爲詳盡。特別是對於度量衡器、律文明確規定了誤差的限度，這是貫徹統一度量衡政策的法律保證，對鞏固國家的經濟有很大的作用。

《效律》中說明制定都官和縣核驗物資財產的法律：如有超出或不足數的情形，每種物品均應估價，按其中價值最高的論罪，不要把各種物品價值累計在一起論罪。如：「爲都官及縣效律

：其有贏、不備，物直（值）之，以其賈（價）多者辠（罪）之，勿贏（累）。」（二六九簡）同時也規定官府的嗇夫和眾吏都應共同賠償不足數的財貨，而上繳多餘的財貨。如：「官嗇夫、冗吏皆共賞（償）不備之貨而入贏。」（二七〇簡）

在度量衡的核驗和監督方面，《效律》規定了合理的誤差度，超過限度，就加以處罰。如：

> 衡石不正，十六兩以上，貲官嗇夫一甲；不盈十六兩到八兩，貲一盾。甬（桶）不正，二升以上，貲一甲；不盈二升到一升，貲一盾。（二七一—二七二簡）

律文規定衡石不準確，誤差在十六兩以上，罰該官府嗇夫一甲；不滿十六兩，在八兩以上，罰一盾。桶不準確，誤差在二升以上，罰一甲；不滿二升而在一升以上，罰一盾。又如：

> 斗不正，半升以上，貲一甲；不盈半升到少半升，貲一盾。半石不正，八兩以上；鈞不正，四兩以上；斤不正，三朱（銖）以上；半斗不正，少半升以上；參不正，六分升一以上；升不正，廿分升一以上；黃金衡贏（累）不正，半朱（銖）〔以〕上，貲各一盾。（二七三—二七五簡）

此條律文規定斗不準確，誤差在半升以上，罰一甲；不滿半升而在三分之一以上，罰一盾。半石不準確，誤差在八兩以上；鈞不準確，誤差在四兩以上；斤不準確，誤差在三銖以上；半斗不準確，誤差在三分之一升以上；參不準確，誤差在二十分之一以上；稱黃金所用天平法碼不準確，誤差在半銖以上，均罰一盾。

衡　　制	誤　　差	貲罰
石	十六兩以上	一甲
	八兩以上	一盾
半石	八兩以上	一盾
鈞	四兩以上	一盾
斤	三銖以上	一盾
黃金衡累	半銖以上	一盾

量　　制	誤　　差	貲罰
桶	二升以上	一甲
	一升以上	一盾
斗	半升以上	一甲
	三分之一升以上	一盾
半斗	三分之一升以上	一甲
參	六分之一升以上	一甲
升	二十分之一升以上	一甲

以上兩條律文，將衡制和量制的合理誤差以及處罰標準，規定的十分明確。可見秦國對度量衡的管理十分嚴格，如有差失，對官吏則追究其行政責任。

律文規定稱量物資而有不足數的，都要記明稱量出的數量。同時清點物品而有超過或不足的情形，依清點數目的誤差多寡而定有不同的罰責；（二七六一二七八簡）稱量物資的情形也是一樣；（二七九一二八三簡）所處罰的對象則是該官府的嗇夫。

關於罪責方面，《效律》特別規定：同在一個官府中任職而所掌管的方面不同，分別承擔所管方面的罪責。如：「官嗇夫免，縣令令人效其官，官嗇夫坐效以貲，大嗇夫及丞除。縣令免，新嗇夫自效殹（也），故嗇夫及丞皆不得除。」（二八五一二八六簡）由此看來，秦律雖然規定有許多罰責，有許多連坐的情形，但基本上，仍是強調「同官而各有主殹（也），各坐其所主」的原則。其他則依其職務採取相關的貲罰。

關於軍用物資的管理核驗，核驗的對象有甲旅、皮革、牛馬、殳、戟和弩等方面。這方面大都是登記和錯標次第的問題，如規定甲的旅札數超過或不足簿籍登記數的，多餘的應上繳，不足的責令補賠。（三〇九簡）殳、戟和弩，塗黑色和塗紅色的調換了，不要認爲是超過或不足數的問題，應按標錯次第的法律論處。（三一三簡）器物標記編號與簿籍不合的，「大者貲官嗇夫一盾，小者除。」（三一一簡）牛馬和不能調換的器物錯標了次第，「貲官嗇夫一盾」（三一二簡）同時也規定官府收藏的皮革，「數穖（煬）風之，有蠹突者，貲官嗇夫一甲。」（三一〇簡）由《效律》來看，秦是十分重視軍用物品方面的管理。

《效律》尙有規定會計方面的核驗，如規定會計不合法律規定而有出入，「以效贏、不備之律貲之，而勿令賞（償）。」（三一八簡）同時也規定了官嗇夫、丞、主管該事的吏以及「其它冗吏、令史掾計者，及都倉、庫、田、亭嗇夫坐其離官屬于鄉者」（三一九—三二一簡）的罪責。《效律》尚規定縣尉的會計以及縣尉官府中的吏，如犯有罪行，「其令、丞坐之，如它官然。」（三二二簡）司馬令史掾管理苑囿的會計如有罪，「司馬令史坐之，如令史坐官計劾然。」（三二三簡）。

《效律》規定會計經過核對發現差誤或會計帳目不足或多過實有數而超出法律的限定，亦即依其會計差誤的多寡來定其罰責，其中「直（值）其賈（價），不盈廿二錢」（三二六簡）可免罪，如係自行查覺錯誤，可「減辠（罪）一等」（三二六—三二八簡）

《效律》另有二條，一是針對工匠到它縣領漆，漆的質量和黍的量數不足所定的罰責。如：

> 工稟鬃它縣，到官試之，飲水，水減二百斗以上，貲工及吏將者各二甲；不盈二百斗以下到百斗，貲各一甲；不盈百斗以下到十斗，貲各一盾；不盈十斗以下及稟鬃縣中而負者，負之如故。（三一四—三一六簡）

另一則是朝庭如徵發運輸的勞役，百姓有到縣裡雇車或轉交給別人運送的，「以律論之」（三一七簡）的規定。

由《效律》來看，秦國是十分重視監督和檢查，對於公器的保管和國家財產的保護，秦國都定有監督管理的原則，對於因個人疏忽而可能國家的損失方面，秦律規定給與必要的懲罰。

【附註】

①參見《睡虎地秦墓竹簡》，頁六九，《效律》部分的說明。

第六節　《秦律雜抄》

《秦律雜抄》和《語書》等一起在墓主腹下發現，共四十二支。簡文各條，有的有律名，有的沒有律名，內容也比較龐雜。它大約是根據應用需要從秦律中摘的一部分律文，有一些在摘錄時還可能將律文作了簡括和刪節，因而較難理解。①

《秦律雜抄》摘錄的範圍相當廣泛，存在的律名計有《除吏律》、《游士律》、《除弟子律》、《中勞律》、《藏律》、《公車司馬律》、《牛羊課》、《傅律》、《敦表律》、《捕盜律》、《戍律》等十一種。值得注意的是，除了《除吏律》與《秦律十八種》中的《置吏律》名稱相似外，和《秦律十八種》並無重複。這表明秦律的種類非常繁多，睡虎地十一號的秦墓只能反映其中的一小部分。《秦律雜抄》中與軍事有關的律文占了大半，如《傅律》關於傅籍的法律；《中勞律》是關於從軍勞績的法律規定；《敦表律》是關於邊防的法律；《戍律》是關於行戍的法律。其他佚名律中有軍需品管理的問題，如軍糧、馬匹領放；警衛規定；寇降作爲隸臣的規定等等。這些內容大都是軍官任免、軍隊和後備人員訓練、戰場紀律、警衛規定、戰勤供應以及戰後賞罰獎懲的法律條文，是研究秦代軍制的重要材料。

《秦律雜抄》的內容大約有以下幾類：

一、任用官吏的法律

《除吏律》內容是關於任用官吏的法律，和《秦律十八種》中的《置吏律》性質相似而內容不同。律文曰：

> 任法（廢）官者爲吏，貲二甲。有興，除守嗇夫、叚（假）佐居守者，上造以上不從令，貲二甲。除士吏、發弩嗇夫不如律，及發弩射不中，尉貲二甲。發弩嗇夫射不中，貲二甲，免，嗇夫任之。駕騶除四歲，不能駕御，貲教者一盾；免，賞（償）四歲繇（徭）戍。除吏律（三二九一三三二簡）

由律文看，這當是一篇和軍事官吏任免有關的法規。其一、不得保舉曾被撤職永不敘用的人爲吏；其二、戰爭時徵發軍隊，任命留守的代理嗇夫和佐，爵在上造以上的人不服從命令，應受罰；其三、任用士吏或發弩嗇夫不合法律規定，以及發弩射不中目標，縣尉應受罰；發弩嗇夫射不中目標，應罰二甲，免職，由縣嗇夫另行保舉；其四、駕騶已任用四年，仍不能駕車，罰負責教練的人一盾；駕車本人應免職，並補服四年內應服的徭役。關於第三點牽涉到地方軍隊和後備人員的訓練，這說明秦的地方政府（縣級（的有關官員，在平時有依法爲軍隊訓練射手和駕御戰車後備人員的職責。

秦律對官吏的任用和管理已有專門的法律，如《秦律十八種》的《置吏律》和《秦律雜抄》的《除吏律》就是兩篇關於任免官吏的專門法。《置吏律》的內容是任免行政部門官吏、財政部門官吏的法規；而《除吏律》則是有關軍事官吏任免的法規。這說明秦律的官吏任免制度已很完備。另有一條內容與《除吏律》近似，律文之末沒有小標題，不知屬於那種律文，由內容看，則與官吏的管理有關。其內容爲：

> ●爲（僞）聽命書，法（廢）弗行，耐爲侯（候）；不辟（避）席立，貲二甲，法（廢）。（三三二簡）

裝作聽朝廷的命書，實際廢置不予執行，應耐爲候；聽命書時不下席站立，罰二甲，撤職永不敘用。《秦律雜抄》另有一條與限制官吏假公濟私的規定，如佚名律曰：

> 吏自佐、史以上負從馬、守書私卒，令市取錢焉，皆䙴（遷）。（三三八一三三九簡）

律文規定自佐、史以上的官吏有馱運行李的馬和看守文書的私卒，用以貿易牟利，均加以流放。據秦律，秦常以廢、免、貲、䙴，甚至刑罰（如耐爲候）作爲管理和處分官吏的手段。關於官吏的管理在秦律部分及官制部分會有專文討論，不贅。

二、任用弟子的法律

《秦律雜抄》有一條關於任用弟子的法律，即《除第子律》。其內容爲：

當除弟子籍不得，置任不審，皆耐爲侯（候）。使其弟子贏律，及治（笞）之，貲一甲；決革，二甲。除弟子律。（三三四—三三五簡）

這是關於「學吏弟子」的規定。律文規定：如有不適當地將弟子除名，或任用弟子不當者，均耐爲候。役使弟子超出法律規定，及加以笞打，應罰一甲；打破皮膚，罰二甲。由律文看，學室子有專門的名籍，弟子在學吏完成後，即可除去弟子籍，如果不得，主管官員，要受罰。而保舉任用弟子也應謹慎，如有不當，一樣要受罰。役使弟子也有法律的具體規定，不能任意超出。《秦律雜抄》另有一條和軍事有關的律文也有關於「包卒爲弟子」要受罰的規定，律文爲：

縣毋敢包卒爲弟子，尉貲二甲，免；令，二甲。（三三五簡）

律文規定：縣不准把卒藏爲弟子，違者縣尉二甲，免職。這是限制把即將服役的下級軍士藏爲弟子，以逃避兵役的規定。由律文看，秦時的學吏弟子在兵役上享有某些特權。②

三、對游士管理和限制的法律

游士是專門從事游說的人。《游士律》是對游士管理和限制的法令。《游士律》所能見到的內容是：

游士在，亡符，居縣貲一甲；卒歲，責之。有爲故秦人出，削籍，上造以上爲鬼薪，公士以下刑爲城旦。游士律。（三三二—三三三簡）

律文規定：其一、游士居留而無憑證，所在的縣罰一甲；居留滿一年，應加誅責；其二、有幫助秦人出境，或除去名籍的，上造以上罰爲鬼薪，公士以下刑爲城旦。秦國對游士的管理向來嚴格《商君書・農戰》曰：「夫民之不可用也，見言談游士事君之可以尊身也。」《商君書・算地》曰：「故事詩書游說之士，則民游而輕其君。」顯然對游士並不滿意，因此主張對游士加以限制。《游士律》當是專門管理和限制游士的一種法律。

四、與軍制有關的法律

《秦律雜抄》中與軍事有關的律文占了大半，如《傅律》關於傅籍的法律；《中勞律》是關於從軍勞績的法律規定；《敦表律》是關於邊防的法律；《戍律》是關於行戍的法律。其他佚名律中有軍需品管理的問題，如軍糧、馬匹領放；警衛規定；寇降規定等等。這些內容大都是軍官任免、軍隊訓練、戰場紀律、戰勤供應以及戰後賞罰獎懲的法律條文，是研究秦兵制的重要材料。

㈠、關於傅籍的法律規定

所謂傅籍，就是成年男子向政府登記名籍，以備征發徭役和兵役之謂。《傅律》只有一條，其內容爲：

> 匿敖童，及占㾓（癃）不審，典、老贖耐。百姓不當老，至老時不用請，敢爲酢（詐）僞者，貲二甲；典、老弗告，貲各一甲；伍人，户一盾，皆䙴（遷）之。傅律。（三六〇一三六一簡）

律文規定：1.隱匿成童，及申報癈疾不確實，里典、伍老應耐贖；2.百姓不應免老，或已應免老而不加申報，敢弄虛作假的，罰二甲；里典、伍老不加告發，各罰一甲；同伍的人每家各罰一盾，都加以流放。律文牽涉服兵役的年齡及服兵役期限的問題，關於傅籍的問題，本文軍制篇另有討論，不贅。本條律文主要是防犯弄虛作假的罰則。另外佚名律規定：「縣毋敢包卒爲弟子，尉貲二甲，免；令，二甲。」（三三五簡）對於應服役的軍士，規定縣不准包藏爲弟子以逃避兵役，否則，負責軍事的的縣尉要貲罰和免職，縣令也要貲罰。

㈡、關於從軍勞績的法律規定

《中勞律》是關於從軍勞績的法律規定。其內容爲：

> 敢深益其勞歲數者貲一甲，棄勞。中勞律。（三四三—三四四簡）

律文規定：擅敢增加勞績年數的，罰一甲，並取消其勞績。勞績牽涉軍功，而軍功是秦代鼓勵士氣、提供戰力的一項措施，同時也是秦人爭取更高社會地位的途徑。因此，難免會有作假的情形。《秦律雜抄》中有關《中勞律》的內容，雖然只有一條，但以秦代重視軍功的制度來看，這類的法律條文應是不少。

㈢、關於軍需品管理的法律規定

《秦律雜抄》有好幾則，其中有關軍糧和軍器的管理，如佚名律曰：

> 不當稟軍中而稟者，皆貲二甲，法（廢）；非吏殹（也），戍二歲；徒食、敦（屯）長、僕射弗告，貲戍一歲；令、尉、士吏弗得，貲一甲。軍人買（賣）稟稟所及過縣，貲戍二歲；同車食、敦（屯）長、僕射弗告，戍一歲；縣司空、司空佐史、士吏將者弗得，貲一甲；邦司空一盾。軍人稟所、所過縣百姓買其稟，貲二甲，入粟公；吏部弗得，及令、丞貲各一甲。稟卒兵，不完善（繕），丞、庫嗇夫、吏貲二甲，法（廢）。（三三九—三四三簡）

律文規定：不應自軍中領糧而領取的，都要貲罰，同時撤職不敘用；如不是官吏，罰戍邊二年。一起吃軍糧的軍人、屯長和僕射不報告，罰戍邊一年；縣令、縣尉、士吏沒有發覺，罰一甲。軍人在領糧地方和路經的縣出賣軍糧，罰戍邊二年；同屬一軍一起吃軍糧的軍人、屯長和僕射不報告，罰戍邊一年；縣司空、司空佐吏、士吏監率者沒有察覺，罰一甲；邦司空罰一盾。軍人領糧的地方和所經的縣的百姓買了軍糧，罰二甲，糧食沒收；該管的官吏沒有察覺，和縣令、丞各罰一甲。發給軍卒兵器，質量不好，丞及庫的嗇夫和吏均罰二甲，撤職永不敘用。法律規定不准盜領和盜賣軍糧，否則是屬嚴重犯罪。可見在軍糧的管理是十分嚴格的。至於軍器則必須依法保證其品質。另一條佚名律規定：

> 輕車、赾張、引強、中卒所載傅〈傳〉到軍，縣勿奪。奪中卒傳，令、尉貲各二甲。（三三六簡）

律文規定縣不得截奪輕車、赾張、引强、中卒用傳車運送到的軍物資。若有截奪之事，縣令和縣尉都要貲罰。

軍用馬匹的管理，法律也有規定，如：

> 驀馬五尺八寸以上，不勝任，奔摯（縶）不如令，縣司馬貲二甲，令丞各一甲。先賦驀馬，馬備，乃粼從軍者，到軍課之，馬殿，令、丞二甲；司馬貲二甲，法（廢）。（三三七—三三八簡）

律文規定驀馬體高不在規定以上，而又不堪使用，在奔馳和羈縶時不聽指揮，縣司馬、縣令、丞各要受罰。先徵取驀馬，馬數已足，即在從軍人員中選用騎士。到軍後進行考核，馬被評爲下等，縣令、丞貲罰；司馬貲罰外，同時革職永不敘用。這說明地方政府有爲軍隊訓練和選送軍馬的義務。另有佚名律對馬匹也設有特別的管理原則。如：

> 傷乘輿馬，夬（決）革一寸，貲一盾；二寸，貲二盾；過二寸，貲一甲。課駃騠，卒歲六匹以下到一匹，貲一盾。志馬舍乘車馬後，毋（無）敢炊飭，犯令，貲一盾。已馳馬不去車，貲一盾。（三五五—三五七簡）
>
> 膚吏乘馬篤、辈（胔），及不會膚期，貲各一盾。馬勞課殿，貲廏嗇夫一甲，令、丞、佐、史各一盾。馬勞課殿，貲皂嗇夫一盾。（三五七—三五八簡）

第一條律文規定：其一、傷害乘輿馬，馬皮破傷，負責人要受罰。其二、考核駃騠，滿一年所訓教數在規定的六匹以下要受罰。其三、特馬應養於駕車的馬的後面，不准加以鞭打，違反這一法令的要受罰。其四、已經駕車奔馳過的馬，不及時卸套，也要受罰。第二條律文規定：其一、評比的乘馬，馬行遲緩、馬體瘠瘦，以及評比時不來參加，主管人員均罰一盾。其二、馬服役的勞績被評爲下等，廐嗇夫、令、丞、佐、吏各依規定受罰。其三、馬服役的勞績被評爲下等，貲罰邑嗇夫。這二條基本上是屬於經濟法規定範圍，雖然沒有直接談到與軍事的關係，但這些馬匹除了提供一般公用外，相信大部分當是提供作軍事用途才對。

㈣、值宿警衛的法律規定

《秦律雜抄》關於值宿警衛的法律規定，只有一條，其內容爲：

> 徒卒不上宿，署君子、敦（屯）長、僕射不告，貲各一盾。宿者已上守除，擅下，人貲二甲。（三六二簡）

律文規定：徒卒不到崗位值宿警衛，署君子、屯長、僕射不報告，各罰一盾、宿衛者已上殿階警衛，擅自下崗，每人罰二甲。

㈤、邊防的法律規定

《敦表律》是關於邊防的法律。本律只有一條，其內容爲：

> 冗募歸，辭曰日已備，致未來，不如辭，貲日四月居邊。軍新論攻城，城陷，尚有棲未到戰所，告曰戰圍以折亡，叚（假）者，耐；敦（屯）長、什伍智（知）弗告，貲一甲；伍二甲。敦（屯）表律。（三六三—三六四簡）

律文規定：1.應募的軍士回鄉，聲稱服役期限已滿，但是證明其服役期滿的文券未到，這種情況與本人所說不符，罰居邊服役四個月；2.軍中就最近政城的功績論賞，如有城陷時遲到沒有進入戰場，報告說在圍城作戰中死亡而弄虛作假的，應處耐刑；屯長、同什的人知情不報，罰一甲；同伍的人，罰二甲。

㈥、行戍的法律規定

《戍律》是關於行戍的法律。《戍律》與《捕盜律》的標題一樣，都是置於律文前頭。本律只有一條，其內容爲：

戍律曰：同居毋并行，縣嗇夫、尉及士吏行戍不律，貲二甲。戍者城及補城，令結（嫴）堵一歲，所城有壞者，縣司空署君子將者，貲各一甲；縣司空佐主將者，貲一盾。令戍者勉補繕城，署勿令爲它事；已補，乃令增塞埤塞。縣尉時循視其攻（功）及所爲，敢令爲它事，使者貲二甲。（三六七—三七〇簡）

律文規定㈤同居者不要同時徵服邊戍，縣嗇夫（縣令）、縣尉和士吏如不依法徵發邊戍，罰二甲；㈥服邊戍者築城和修城，都要叫他們擔保城垣一年，所築如有毀壞，率領戍者的縣司空署君子各罰一甲；主管率領的縣司空佐罰一盾；要命服邊戍者全力修城，所屬地段不得叫他們做其他事務；城已修好，就命他們把要害處加高加厚。縣尉應經常巡視工程和他們在做什麼，有敢叫他們做其他事務的，役使他們的人應罰二甲。

㈦、以爲隸臣的法律規定

戰死事不出，論其後。有（又）後察不死，奪後爵，除伍人；不死者歸，以爲隸臣。（三六五簡　）

寇降，以爲隸臣。（三六六簡）

律文規定在戰爭中死事不屈，應將爵授予其子。如果後來發現其人未死，應褫奪其子的爵位，並懲治其同伍的人，未死的人回來，則作爲隸臣。另一條律文規定：敵寇投降的，也作爲隸臣。秦的奴隸有官奴隸和私奴隸之分，而官奴隸的主要來源有兩方面，其一是罪犯其其家屬；其二是俘虜。③《秦律雜抄》雖然只有兩條與奴隸有關的資料，但卻足說明這個論點是正確的。

五、關於公車司馬出獵的法律

公車司馬是朝廷的一種衛隊。《公車司馬獵律》是關於公車司馬出獵的法律。其內容爲：

射虎車二乘爲曹。虎未越泛蘚，從之，虎環（還），貲一甲。虎失（佚），不得，車貲一甲。虎欲犯，徒出射之，弗得，貲一甲。豹旞（遂），不得，貲一盾。公車司馬獵律。（三五三—三五四簡）

律文規定：射虎和誘虎的原則以及失誤的罰則，同時也規定射豹的相關原則。這當是與衛隊訓練有關。

六、緝捕盜賊的法律

《捕盜律》是關於緝捕盜賊的法律。《捕盜律》的標題置於律上端，與前面所引的律文不同。本律只有一條，其內容爲：

捕盜律曰：捕人相移以受爵者，耐。求盜勿令送逆爲它，令送逆爲它事者，貲二甲。（三六六—三六七簡）

律文規定：其一、把所捕的人轉交他人，借以騙取爵位的，處以耐刑；其二、不准命亭中專司捕盜的人員（求盜）去做送迎或其他事物，如有這種情形的，罰二甲。此條法律基本上是對求盜或亭中負責緝捕盜賊的人員所作的規定。

七、與經濟生產管理有關的法律

《秦律雜抄》與經濟有關的法律有：㈠、關於府藏的法律；㈡、關於考核牛羊的畜養和管理的法律；㈢、關於生產考課方面的法律。

㈠、關於府藏的法律，《秦律雜抄》只有一條，即《藏律》，其內容爲：

臧（藏）皮革橐（蠹）突，貲嗇夫一甲，令、丞一盾。臧（藏）律。（三四四簡）

律文規定貯藏的皮革被蟲咬壞，該府庫的嗇夫、令、丞要受罰。

《效律》有一條律文也規定官府收藏皮革，應經常曝晒風吹。有被蟲咬壞的，該官府的嗇夫要受貲罰。④

㈡、關於考核牛羊的畜養和管理的法律，《牛羊課》和佚名律有一些資料，如《牛羊課》曰：

> 牛大牝十，其六毋（無）子，貲嗇夫、佐各一盾。羊牝十，其四毋（無）子，貲嗇夫、佐各一盾。牛羊課。（三五九簡）

律文規定：成年母牛、母羊生產不足，嗇夫、佐各要受罰。另外對馬匹也設有特別的管理原則。如佚名律曰：

> 傷乘輿馬，夬（決）革一寸，貲一盾；二寸，貲二盾；過二寸，貲一甲。課駃騠，卒歲六匹以下到一匹，貲一盾。志馬舍乘車馬後，毋（無）敢炊飭，犯令，貲一盾。已馳馬不去車，貲一盾。（三五五一三五七簡）

律文規定：其一、傷害乘輿馬，馬皮破傷，負責人要受罰。其二、考核駃騠，滿一年所訓教數在規定的六匹以下要受罰。其三、特馬應養於駕車的馬的後面，不准加以鞭打，違反這一法令的要受罰。其四、已經駕車奔馳過的馬，不及時卸套，也要受罰。另有佚名律規定：

> 膚吏乘馬篤、辈（胔），及不會膚期，貲各一盾。馬勞課殿，貲廄嗇夫一甲，令、丞、佐、史各一盾。馬勞課殿，貲皂嗇夫一盾。（三五七一三五八簡）

律文規定：其一、評比的乘馬，馬行遲緩、馬體瘠瘦，以及評比時不來參加，主管人員均罰一盾。其二、馬服役的勞績被評爲下等，廄嗇夫、令、丞、佐、吏各依規定受罰。其三、馬服役的勞績被評爲下等，貲罰皂嗇夫。

㈢、關於生產考課方面的法律，大都在佚名律。其中規定：

> 省殿，貲工師一甲，丞及曹長一盾，徒絡組廿給。省三歲比殿，貲工師二甲，丞、曹長一甲，徒絡組五十給。（三

四五一三四六簡）

非歲紅（功）及毋（無）命書，敢爲它器，工師及丞貲各二甲。縣工新獻，殿，貲嗇夫一甲，縣嗇夫、丞、吏、曹長各一盾。城旦爲工殿者，治（笞）人百。大車殿，貲司空嗇夫一盾徒治（笞）五十。（三四六一三四八簡）

桼園殿，貲嗇夫一甲，令、丞及佐各一盾，徒絡組各廿給。猷園三歲比殿，貲嗇夫二甲而法（廢），令、丞各一甲。（三四八一三四九簡）

采山重殿，貲嗇夫一甲，佐一盾；三歲比殿，貲嗇夫二甲而法（廢）。殿而不負費，勿貲。賦歲紅（功），未取省而亡之，及弗備，貲其曹長一盾。大（太）官、右府、左府、右采鐵、左采鐵課殿，貲嗇夫一盾。（三四九一三五一簡）

律文規定：1.考察時產品被評爲下等，工師、丞和曹長及徒絡各依規定受罰。若三年連續被爲下等，則加重處罰。2.律文又規定：不是本年度應生產的產品，又沒有朝庭的命書，而擅敢製作其他器物的，工師和丞各罰二甲。各縣工官新上交的產品，評爲下等，該工官的嗇夫及縣嗇夫（縣令）、丞、吏和曹長各依規定受罰。城旦做工而被評爲下等，每人受笞刑一百下。所造大車被評爲下等，司空嗇夫受貲罰，徒各受笞刑。3.對漆園的管理亦然，律文規定：漆園被評爲下等，漆園的嗇夫及縣令、丞、佐和徒絡組各依規定受罰。漆園三年連續三年被評爲下等，漆園的嗇受貲罰，並撤職永不敘用；縣令、丞亦各受貲罰。4.採礦的情形亦然，律文規定：採礦二次被評爲下等，罰其嗇夫一甲，佐一盾；三年連續評爲下等，罰其嗇夫二甲，並撤職永不敘用。評爲下等並無虧欠的，則不加責罰。收取每年規定的產品，在尙未驗收時就丟失了，以及不能足數的，曹長各罰一盾。太官、右府、左府、右採鐵、左採鐵在考評中評爲下等，其嗇夫均受罰。由上舉律文可知秦律十分重視經濟部生產門的管理。

由於《秦律雜抄》是雜抄性質，所摘錄的法律內容，大都視抄者所需。因此部分律文可能加以簡括或刪節，可能不是完整的法律條文，不過，由律文種類的廣泛可以看秦律出的種類必然非常繁多。

【附註】

①參見《睡虎地秦墓竹簡》頁七九，《秦律雜抄》說明部分。

②參見本文第四篇第一章《秦簡所見的秦代選官制度》。

③參見于豪亮《秦簡中的奴隸》，文載《雲夢秦簡研究》，頁一五五。

④參見《睡虎地秦墓竹簡》的《效律》部分第三一〇簡。

第七節　《法律答問》

《法律答問》位於墓主頸右，計有簡二百一十支，內容共一百八十七條，大多採用問答形式，對秦律某些條文、術語以及律文的意圖作出明確的解釋。從《法律答問》的內容範圍來看，《法律答問》所解釋的是秦律的主體部分，即刑法。據《晉書・刑法志》和《唐律疏議》等書，商鞅制訂的秦法係以李悝《法經》爲藍本，分《盜》、《賊》、《囚》、《捕》、《雜》、《具》六篇。《法律答問》解釋的範圍，與這六篇大體上相符。由於竹簡已經散亂，整理小組在整理時就六篇的次第加以排列，並將簡文中可能是律本文的文句用引號括，以供讀者分析研究。①

關於《法經》，《晉書・刑法志》曰：「悝撰次諸國法，著《法經》。以爲王者之政，莫急於盜賊，故其律始於《盜》、《賊》。盜賊須劾捕，故著《網》、《捕》二篇。其輕狡、越城、博戲、借假不廉、淫侈、踰制，以爲《雜律》一篇。又以《具律》具其加減。是故所著六篇而已，然皆罪名之制也。」以下將《法律答問》的內容，分別以《法經》六篇的次序簡述之。

一、屬於盜律方面的答問

《法律答問》首先編排的《盜》律，內容有捕盜吏自盜，如「害盜別徼而盜」（二七一—二七二簡）、「求盜盜」（二七三簡）指使別人盜竊，如「甲謀遣乙盜」（二七四簡）、家奴彼此串通盜主人牛，如「人臣甲謀遣人妾乙盜主牛」（三七五簡）、盜牛，如「甲盜牛」（三七六簡）、盜羊，如「士五（伍）甲盜一羊」（三九九簡）、盜採桑葉，如「或盜採人桑葉」（三七七簡）、「司寇盜錢」（三七八簡）、盜祭祀用品，如「公祠未堍，盜其具」（三九五—三九六簡）、抉鑰（撬門鍵），如「抉鑰，贖黥。」（四〇〇—四〇一簡）、盜用公款，如「府中公金錢私貣用之，與盜同法。」（四〇二簡）。尚有一些「告人盜」、「誣人盜」、「誣人盜……未斷，又有它盜」、「分贓」、「坐贓」等的法律解釋內容，以及「父盜子，不爲盜」，但如果是盜竊義子的東西，則應以盜竊論的法律規定。其中《法律答問》所引用的某些律文的形成年代是很早的。例如律文說「公祠」，解釋的部分則說「王室祠」。看來律文應形成於秦稱王之以前，很可能是商鞅時期訂定的原文。②

二、屬於賊律方面的答問

《法律答問》的第二部分是《賊》律，內容有罪人殺求盜，如「求盜追捕辠（罪）人，辠（罪）人挌（格）殺求盜。」（四三六簡）、甲教唆未成年殺人，如「甲謀遣乙盜殺人……乙高未盈六尺，甲可（何）論，當磔。」（四三七簡）、擅殺子，如「擅殺子，黥爲城旦舂。」（四三九—四四〇簡）、擅殺、刑、髡其後子，如「擅殺、刑、髡其後子，潚（讞）之。」（四四二簡）、私家奴隸擅自殺子，如「人奴擅殺子，城旦黥之。」（四四三簡）、私家奴隸過失致子於死，如「人奴妾治（笞）子，子以貼（枯）死。」（四四四簡）、男奴強姦主人，如「臣強與主奸，比毆主。」（四四五簡）、奴婢謀殺主人，如「臣妾牧殺主」（四四六簡）、毆打祖父母，如「毆大父母，黥爲城旦舂。」（四四八簡）、還有一些傷害罪，這些傷害基本上都是一些肢體殘害，如鬬傷人耳（四四八一四四九簡）、夬人耳（四五〇簡）、拔人鬚眉或拔人髮（四五一簡，四五二簡）、齧人頯若顏（四五八簡）、夬人脣（四五七簡）、折人齒（四五九簡）、以針、鉥、錐傷人（四五六簡）、邦客以兵刃、棍棒、拳頭傷人（四六〇簡），《法律答問》的這一部分，有殺人和傷人的區分，傷人部分，甚至將所傷的部位，特別標示出來，以用來定其罪責的輕重。

三、屬於囚律方面的答問

《法律答問》的第三部分是《囚》律，內容大部分和司法責任有關，如「論獄不直、縱囚（四六三簡）、贖罪不直（四六四簡）、誣人以某罪，當以其罪論處誣告者，如「伍人相告，且以辟辠（罪），不審，以所辟辠（罪）辠（罪）之。」（四六六簡）「賊入甲室，賊傷甲，甲號寇，其四鄰、典、老皆出不存，不聞號寇。」法律解釋四鄰不在可以不論處，但里典和伍老雖不家，仍應論罪。（四六八簡）「有賊殺人衝術，偕旁人不援」，其距離在百步以內，應與在郊外同樣論處，應罰二甲。（四七一簡）老人控告不孝，要求判以死刑，法律解釋不須經過三宥的手續，要立即拘捕，勿令逃走。殺傷或盜竊他人，法律上叫「公室告」（四七三簡）；家主擅自殺死、刑傷、髡剃其子或奴婢，法律上叫「非公室告」（四七四簡）；父殺傷人以及奴婢，在父死後才有人控告，不予理會，法律上叫「家罪」（四七六簡）。葆子以上有罪未經審判而死或已埋葬，才有人控告，也不應受理，不加拘捕，都和家罪同例。（四七七簡）另外，葆子案件尚未判決而誣告他人，其罪當刑爲隸臣或鬼薪的，稱爲「當刑爲隸臣」、「當刑爲鬼薪」（四七九、四八一簡）另有一條「乞鞫」的解答。「乞鞫」就是要求重審，要求重審及爲他人要求重審的，必須在案件判決之後受理。（四八五簡）「失刑罪」也在《囚》律的範圍，如「失鋈足」，如失刑辠（罪）。（四八五簡）

四、屬於捕律方面的答問

《法律答問》的第四部分是《捕》律，內容有捉拿應判處貲罪的犯人，卻故意用劍以及兵刃將之刺殺，問如何論處？答是「殺之，完爲城旦，傷之，耐爲隸臣。」（四九四簡）、監領人犯逃亡而自行捕獲及親友代爲捕獲，「除毋（無）罪。」（四九五簡）大夫鞭打鬼薪，鬼薪逃亡，大夫「當從事官府，須亡者得。」（四九七簡）、捕拿逃亡者，「亡者操錢，捕者取錢。」（五〇〇簡）攜帶借用的官有物品逃亡，被捕獲以及自首，「自出，以亡論。其得，坐臧（贓）爲盜；盜罪輕於亡，以亡論。」（五〇一簡）隸臣妾拘禁城旦舂勞役，逃亡，「已奔，未論而自出，當治（笞）五十」，仍拘繫直到滿期。看守官府的廢疾者，逃亡而被捕獲的論處情形（五〇三簡）、還有一些捕獲犯罪者獎賞的答問。

五、屬於雜律方面的答問

《法律答問》的第五部分是《雜》律，內容有犯令，如「令曰勿爲，而爲之，是謂犯令」（五一二簡）、廢令，如「令曰爲之，而不爲」（五一二簡）、保舉他人爲丞，被保舉者免官且又有罪，保舉者可以不受牽連。（五一五簡）、丟失「久書、符券、公璽、衡羸（累），已坐以論，後自得所亡。」也要論罪。（五一六簡）官吏不給遷居者變更戶籍，遷居者若犯罪，官吏要受貲罰。（五一七簡）官吏管理倉庫、糧食發放及徵收田賦有差失的論處情形，這其中有不少是以「廷行事」作爲其判案的根據的。以上是關於行政法規方面。「擅興奇祠，貲二甲」（五三一簡）、「毋敢履錦履」（五三二簡）等答問。在徵發徭役時，「不會，治（笞），」「未盈歲而得」，以「游蕩罪」罪名，應再笞打。（五三三簡）另外還有關於「逋事」、「乏徭」（五三四簡）和「匿戶」（五三五簡）的法律解釋。另外，有一些關於家庭婚姻的解釋，如女子爲人妻，私逃，被捕或自首，應如何論處的法律解釋（五三六簡）；也有私逃而與其他男子結爲夫婦，生子以後被捕，法律解釋論處的情形（五三七、五三八簡）；「棄妻不書」，夫妻皆罰的解釋（五三九簡）；「夫有罪，妻先告」，不沒收爲官奴婢，妻所陪嫁的奴婢、衣物也不應沒收。（五四〇簡）；妻有罪被收，妻所陪嫁的奴婢、衣物給其丈夫。（五四一簡）有一條違反人倫的重罪，即同母異父的人通奸，「棄市」。（五四二簡）另外有幾條針對少數民族及其他諸侯國的一些法律解釋，如臣屬於秦的少數民族的人，對其主長不滿而想去夏的，「勿許」。所謂去夏就是離開秦的屬境。（五四六簡）母都是少數民族的子女稱爲「眞」；父親爲少數民族，母爲秦人的子女稱爲「夏子」。（五四七簡）諸侯國有來客入境時，要用火燻其車上的衡軛，法律解釋是要將寄生在車的橫軛和駕馬的皮帶上的騷馬蟲消除。（五四九簡）出使到諸侯、臣服於秦的屬國，如果隨同出使的邦徒和僞使不歸來，使臣不連坐。（五五〇簡）逃亡出境的人向國內行賄，數目超過萬錢，已得到寬免，後來回國，又因盜竊被捕，法律解釋應以行賄罪論處。（五五一簡）邦客尚未布吏，就和他交易，罰一甲；所謂「布吏」，就是把通行證送交官吏。（五五四簡）。以上就是《雜》律方面，內容較繁雜，但仍可以看出它的重點：一是屬於行政法規方面的解釋；二是禮儀風俗方面；三是屬於兵役徭役方面的解釋；四是家庭婚姻方面的解釋；五是與少數民族、諸侯國，國境有關的法律解釋。

六、屬於具律方面的答問

《法律答問》的第六部分是《具》律，內容包括刑罰的適用、與刑罰有關的人身名稱、刑罰的加減。如「宮均人」（五五七簡）即宮中管巡查的人；「宮更人」（五五八簡）即宮內奴隸曾受肉刑者；「宮狡士」、「外狡士」（五五九簡）都是管理秦王的狗人；「甸人」（五六〇簡）即看守孝公、獻公墓的人；「爨人」（五六二簡）即古時管燒灶的人；「集人」（五六三簡）即採集薪柴的人；「耐卜隸」、「耐史隸」（五六四簡）即應處耐刑的卜、史都加耐刑而作爲卜、史隸；「人貉」（五六五簡）即其子應去奉養主人，而不去奉養主人，即應沒收歸官；雖然不奉養主人，但卻向主人繳納糧食的，不予沒收，給予主人；「署人」、「更人」（五六六簡）假設牢獄中有六處看守崗位，囚犯經過一處崗位的地段出入，經由出入的崗位名爲「署人」，其他的都是「更人」；一說看守囚犯的就是「更人」，進行督察的是「署人」；「竇署」（五六七簡）即去署；「率敖」（五六八簡）即是充當里典；「逵卒」（五六九簡）即是在大徭役時，聚衆打群架；「旅人」（五七〇簡）即寄居和外來作客的人；「室人」、「同居」（五七一簡）同居即同一戶中同母的人，室人即一家，都應因罪人而連坐。「臧（贓）人」（五七五簡）栽別人贓的人；「介人」（五七六簡）即管理公家錢糧，在不應借給錢的，借給了；不應發給糧食的，錯發了，就是「介人」。「大誤」（五七九簡）即錯算人戶、牛馬以及價值超過六百六十錢的財貨，就是「大誤」。

《法律答問》共有一百八十七條，除去二十六條關於法律概念、術語的解釋，其餘一百六十一條中，有關懲治盜竊的四十五條。屬於懲治所謂「賊」的有四十一條。這正體現了李悝的「王者之政，莫急於盜賊」的主張。③為了使法令得到貫徹實行，秦律規定了相應的審判制度和刑罰原則。審訊原則在《封診式》中有很多的資料，《法律答問》在這方面倒是提供了要求重審及為他人要求重審的，必須在案件判決之後，亦即在案件判決後，允許當事人或委託人上訴。《法律答問》的刑罰原則很多，刑名也不少。先看刑名，有城旦、贖、黥、刑城旦、完城旦、傜、耐為隸臣、黥為城旦舂、耐等。至於《法律答問》的刑罰原則，內容很廣，基本上，秦律的刑罰原則幾乎是從《法律答問》所反映的。《法律答問》的刑罰原則，大約有以下幾種：一是規定有犯罪人應負刑責的年齡；二是把有無犯罪意識作為認定是否犯罪的重要因素；三是區分故意和過失；四是教唆從重，唆未成年犯罪刑加重；五是集團犯罪加重；六是同謀加重；七是累犯從重；八是二罪從重；九是自首減免；十是自行捕獲逃犯，可以減免罪責；十一是同居、鄰伍、上下級官吏間相互連坐；十二是誣告反坐；十三是犯罪人的身分是定罪判刑的重要標準；十四是侵犯財產罪按數量大小劃分為不同的等級。④

《法律答問》中很多地方以「廷行事」，即判案成例，作為依據，可見秦律允許在有適用法律時，可以依照判例。如：

1.告人盜百一十，問盜百，告者可（何）論？當貲二甲。盜百，即端盜駕（加）十錢，問告者可（何）論？當貲一盾。貲一盾應律，雖然，廷行事以不審論，貲二甲。（四〇八—四〇九簡）

2.甲告乙盜直（值）□□，問乙盜卅，甲誣駕（加）乙五十，其卅不審，問甲當論不當？廷行事貲二甲。（四一二簡）

3.盜封嗇夫可（何）論？廷行事以僞寫印。（四二六簡）

4.廷行事吏爲詛僞，貲盾以上，行其論，有（友）法（廢）之。（四二九簡）

5.廷行事有皋（罪）當署（遷），已斷已令，未行而死若亡，其所包當詣署（遷）所。（四三〇簡）

6.求盜追捕皋（罪）人，皋（罪）人挌（格）殺求盜，問殺人者爲賊殺人，且斵（鬥）殺？斵（鬥）殺人，廷行事爲賊。（四三六簡）

7.「百姓有責（債），勿敢擅強質，擅強質及和受質者，皆貲二甲。」廷行事強質人者論，鼠（予）者不論；和受質者，鼠（予）者□論。（五一八簡）

8.實官户關不致，容指若抉，廷行事貲一甲。（五一九簡）

9.實官户扇不致，禾稼能出，廷行事貲一甲。（五二〇簡）

10.空倉中有薦，薦下有稼一石以上，廷行〔事〕貲一甲，令史監者一盾。（五二一簡）

11.倉鼠穴幾可（何）而當論及誶？廷行事鼠穴三以上貲一盾，二以下誶。鼷穴三當一鼠穴。（五二二簡）

廷即官廷，如廷縣、郡廷等，行事，《漢書·翟方進傳》注引劉敞曰：「漢時人言『行事』、『成事』，皆已行已成事也。」所謂「廷行事」，就是國家司法機關辦案的成例。⑤由《法律答問》這些「廷行事」，可以反映出執法者根據以往判處的成例審理案件，當時已成爲一種制度。這種制度表明，秦代司法實踐中是廣泛地用例的，這說明秦的統治者決不讓法律束縛自己的手腳。當法律中沒有明文規定，或雖有規定，但有某種需要時，執法者可不依規定，而加以判例辦案。

《法律答問》中還有一些和訴訟有關的材料，如「辭者辭廷」、「州告」、「公室告」、「非公室告」等，是研究秦訴訟制度的重要材料。如《法律答問》曰：

公室告何也？非公室告何也？賊殺傷、盜他人爲公室告；子盜父母，父母擅母擅殺、刑、髡子及奴妾，不爲公室告。

可以看出秦律在訴訟上把犯罪分成兩大類，其一是對家庭以外的其他成員的人身、生命及財產的侵犯行爲，視爲是對社會或公共利益的一種危害罪行，因此，被視爲「公訴罪」。其二是與「家罪」相當接近的「非公室告」，以秦律的規定「家罪」是「非公室告」的。《法律答問》曰：「子告父母，臣妾告主，非公室告，勿聽。」（四七四簡）又「主擅殺、刑、髡其子、臣妾，是謂「非公室告」，勿聽。而行告，告者罪。告〔者〕罪已行，它人又襲其告之，亦不當聽。」（四七四—四七五簡）對於這種「非公室告」，秦律是堅持不予受理的原則態度。《雲夢秦簡》的訴訟材料，大都在《封診式》中，但也有一部分在《法律答問》的律文和律說中，這些對於秦代的訴訟制度的探索是有很大的價值的。

秦自商鞅變法，實行「權制獨斷於君」，主張由國君制訂統一政令和設置官吏統一解釋法令。同時，《法律答問》有許多法律制度和法律觀念和商鞅所定的秦律是相當接近的。如（一）《法律答問》所收的律文，不僅和《法經》六篇的篇目相符，同時也偏重《盜》、《賊》二律，與李悝、商鞅的法治思想完全相合；（二）《法律答問》中關於盜採他人桑葉或盜一錢而嚴懲的法律規定，體現了商鞅「輕罪重罰」和「以刑去刑」的法治原則；（三）《法律答問》中關於賞告奸、罰匿奸的規定，本於商鞅「不告奸者腰斬，告奸者與斬敵首同賞，匿奸者與降敵同罰」的主張。這是秦自商鞅以來所採用的重要手段；（四）《法律答問》中關於懲治私鬥的大量律文，是商鞅嚴禁私鬥政策的實證；（五）《法律答問》中有關官吏瀆職罪的法律條款，與商鞅整肅吏治的思想脈胳吻合；（六）《法律答問》中關於一人有罪，株連里典、伍老的法律條款，源於商鞅什伍連坐之制；（七）《法律答問》中關於男子犯罪、妻子隨之沒爲隸妾的規定，出自商鞅的「收孥」之法；（八）《法律答問》中關於嚴密戶口管理制度的法律措施，是商鞅「使民不得擅徙」，「生者著，死者削」這一政策的延續。⑥因此，《法律答問》對於了解秦代的法律制度以及社會政治經濟狀況，具有很重的史料價值。

【附註】

①參見《睡虎地秦墓竹簡》，頁九三，《法律答問》的說明部分。

②同①。

③參見劉海年《從雲夢出土的竹簡看秦代的法律制度》，文載《學習與探索》一九八〇年第二期。

④同③。

⑤參見劉海年《雲夢秦簡的發現與秦律研究》，文載《法學研究》一九八二年一期。

⑥參見啇慶夫《秦刑律的淵源及其演進》，文載《歷史論叢》第五輯，頁一五一三九。齊魯書社，一九八五年一月。

第八節　《封診式》

《封診式》是一部秦代司法文書的結集，共有九十八支簡（五八一——六七八簡），二十五篇，和《日書》甲種一同放在墓主頭部右側。從位置看，兩書原來都是成卷的，但由於年久積壓，竹簡已經散亂。現在的排列次序主要是整理小組根據其內容，並參考出土位置圖所試定的。《封診式》全書的標題在最後一支簡反面。二十五篇的篇首第一支簡的簡首寫有小標題。《治獄》和《訊獄》兩篇，根據出土位置圖，應當居於卷首，內容是對官吏審理案件的要求。其餘各條都是對案件進行調查、檢驗、察訊等程序的文書程式，其中包括了各種案例，以供有關官吏學習，並在處理案件時參照執行。①

一、《封診式》的內容

《封診式》共有二十五篇，分別是1.《治獄》、2.《訊獄》、3.《有鞫》、4.《封守》、5.《覆》、6.《盜自告》、7.《□捕》、8.《□□》、9.《盜馬》、10.《爭牛》、11.《群盜》、12.《奪首》、13.《□□》、14.《告臣》、15.《黥妾》、16.《䙴（遷）子》、17.《告子》、18.《厲（癘）》、19.《賊死》、20.《經死》、21.《穴盜》、22.《出子》、23.《毒言》、24.《奸》、25.《亡自出》。其中：

- 《治獄》和《訊獄》是審理訴訟案件的原則；
- 《有鞫》、《封守》及《覆》，是取證調查的文書；
- 《盜自告》是盜錢自首的供辭；
- 《□捕》是盜牛自首並扭送另一犯人的供辭；
- 《□□》是扭送偷鑄錢者的訴辭文書；
- 《盜馬》是盜馬公訴的訴辭；
- 《爭牛》是爭牛自訴辭；
- 《群盜》是群盜公訴辭及問訴筆錄；
- 《奪首》、《□□》是爭奪首級的訴辭；
- 《告臣》是懲罰私人奴隸的自訴辭及官方查證判決的文書；
- 《黥妾》是懲罰私人女婢的代訴辭及查證函；
- 《䙴（遷）子》及《告子》是父告子的自訴辭及判決；
- 《厲（癘）》是對痲瘋病人的公訴辭及檢驗報告；
- 《賊死》凶殺無名屍案的告詞及驗屍報告；
- 《經死》是自殺吊死案的公訴辭及現場勘驗報告；

- 《穴盜》是穴盜案告辭現場勘查報告；
- 《出子》是流產自訴辭及檢驗報告；
- 《毒言》是口舌有毒案及供辭；
- 《奸》是通姦案的訴辭；
- 《亡自出》是逃亡自首的供辭及審訴記錄。

從二十五篇中可以看出大部分是各類案例的司法文書程式。整體看來，《封診式》是對案件進行調、查審訴、檢驗及報告等程序的司法文書程式。所收的治獄案例，內容很廣，在有關刑事案例中，大部分是關於盜牛、盜馬、盜錢、盜衣物、逃亡、逃避徭役及殺傷等方面的內容。也有關於告子、遷子、以及黥妾、告臣等要求懲罰的案例，其他像自殺、流產及傳染病等案例，也收在《封診式》中。可以看出《封診式》所收的案例中，有關《盜律》和《賊律》的比例很重，這說明《盜律》和《賊律》是秦律很重要的一部分內容。這些治獄程式，收入《封診式》中，應是用來當作承理案件的參考案例，是帶有補充法律條文的性質的。這種帶有補充法律條文性質的「式」，事實上，也已具備有漢律中的「科」、「比」以及唐律中的「律」、「令」、「格」、「式」等法律形式的雛形。②

二、《封診式》中的爰書及其性質

由《封診式》的內容來看，除了二個治獄原則外，其餘二十三個都是案例。而這些案例大都是以「爰書」的形式出現。因此，《封診式》對秦國的審判制度，特別是審判程序，提供了非常可貴的資料。而這些資料，都具體的展現在《封診式》的「爰書」中。

首先，得先了解什麼是「爰書」？文獻中最早出現「爰書」的記載是《史記・酷吏列傳》。其內容是：

張湯者，杜人也。其父爲長安丞，出，湯爲兒守舍。還而鼠盜肉，其父怒，笞湯。湯掘窟得盜鼠及餘肉，劾鼠掠治，傳爰書，訊鞫論報，并取鼠與肉，具獄磔堂下。其父見之，視其文辭如老獄吏，大驚，遂使書獄。

《漢書・張湯傳》的記載大體的《史記》所記相同。③上引文中可以看出張湯審訊盜鼠的程序是通過劾、掠治、傳爰書及訊鞫論報。而所謂的「爰書」，歷來頗有爭論。《史記集解》曰：「蘇林曰：『爰，易也。以此書易其辭處。』張晏曰：『爰書，自證不如此言，反受其罪，訊考三日復問之，知與前辭同不也。』」《史記索隱》曰：「韋昭云：『爰，換也。古者重刑，嫌有愛惡，故移換獄書，使他官考之，故曰傳爰書也。』」又《漢書》顏師古注曰：「爰，換也。以文書代換其口辭也。」由上看，「爰」字，蘇林注爲「易」，韋昭與顏師古釋爲「換」，都有「改換」之意。但易、換何人口辭，蘇、顏二說並未明確指出。另外，王先謙《漢書補注》認爲「傳爰書者，傳囚辭而著之文書。」根據這一說法，爰書當與「囚」有關。因此，有學者把「爰書」解釋爲「錄囚辭之文書」。」日人大庭脩認爲「爰書」的內容不僅是口供，同時似乎包括整個案情的文書。氏謂：

蘇林和顏師古將「爰」字解釋爲「以文書代換口辭」，而韋昭認爲「爰」就是爲了避免承審官員徇私舞弊而移換獄書，責成其他官員核實案情。按照蘇林和顏師古的解釋，是改換爲犯人的供辭，所以「爰書」可以說是口供。而據韋昭的解釋，「爰」是改換承審官的意思，如果把這一觀點加以補充，那麼他的意思似乎是說只憑文書來重新審判，所以爰書的內容不僅是口供，似乎包括整個案件的所有文書。此外，還有張晏的解釋，但他沒有提及「爰」字是什麼意思。他認爲：「爰書自證（即自供），不如此言，反受其罪，訊考三日，復問之，分與前辭同不也。」按照這種說法，可以把「爰書」解釋爲口供之類。從這個意義上説，張晏的解釋接近於蘇林和顏師古的解釋，只是他對爰書使用方法説得含糊不清。舉「反受其罪」爲例，所謂「其罪」是指僞證或是指假供，都不太明確。④

關於《史記》、《漢書》有關「爰書」的注解中，還有一個問題是：「傳爰書」的「傳」字究何所解？蘇林認爲是「傳囚也」，張晏認爲是「考驗證也」，顏師古謂「傳謂傳逮，若今之追逮赴對也」，劉奉先認爲是「傳囚辭」，錢大昕則認爲是「傳」字之訛。認爲「傳」是「傳囚」的說法是有問題的，至於認爲「傳」是「傅」之訛的，也是「各本無有」的。⑤韋昭認爲是「移換獄書，使他官考實之」，這個說法則比較可信。

當然這些都是前人的注解，對於漢代甚或秦代有關爰書的一些審判制度多少都是有距離的。以顏師古而言，他所謂的「傳謂傳逮，若今之追逮赴對也」，把「傳」解釋成將犯人逮捕歸案，就是以唐人的觀點來看秦漢的這一制度。這當然是有問題的。《雲夢秦簡》的出土，以及《居延漢簡》中一些有關爰書的簡文，對於秦漢爰書的性質與制度，提供了可靠的原始資料。

《封診式》的爰書種類很多，意義也較爲廣泛，其內容包括訴訟案件的訴辭、口供、證辭、現場勘查、法醫檢驗的記錄以及其他有關訴訟的情況報告。大致可歸納爲六種類型：一是官方記錄或摘抄的訴辭，如《黥妾》爰書是一份起訴記錄，《告子》爰書請求官府殺死兒子的起訴記錄，其他像《告臣》、《遷子》、《奸》等爰書都是這一類案例；二是官府記錄或摘抄自首材料，如《盜自告》是自首和揭發共犯；三是被告人的口供記錄，如《訊獄》中要求聽取被告口供，並作成記錄；四是現場勘查或法醫檢驗的記錄以及報告書，如《賊死》、《經死》、《穴盜》等爰書之前，大都有現場勘驗，或法醫檢驗的記錄或報告；五是司法官吏對案件判決或關於案件某一項決定執行情況的報告書，如《遷子》爰書中記載官府按照士伍甲的訴狀，要求「謁鋈親子同里士五（伍）丙足，遷蜀邊縣的執行情形；六是案情綜合報告書，《封診式》中大部分的案例，都屬於這一類。⑥由此可見，爰書在秦簡中意義較爲廣泛。漢簡的爰書種類，根據大庭脩先生的歸納，有五類：一、自證爰書；二、秋射爰書；三、疾病爰書；四、貰賣衣財物爰書；五、軍□□爰書。⑦可見漢代爰書的種類也不少。不過，漢簡的爰書大都是殘片，記載並不完整，從名稱看也大都與刑訟有關。

總括爰書的特徵，可以看出它是戰國的秦國和秦漢時司法機關通行的一種文書形式。其內容則是關於訴訟案件的訴辭、口供、證辭、現場勘查、法醫檢驗的記錄以及其他有關訴訟的情況報告。

三、《封診式》所見的秦司法審訊原則及程序

爰書的種類和性質，大致如上所述。以下就《封診式》見的治獄案例加以解說。《封診式》的前二條《治獄》和《訊獄》，提出了官吏審理案件的原則，同時也要求官吏審理案件時必須要遵循此一原則。如《治獄》曰：

> 治獄，能以書從迹其言，毋治（笞）諒（掠）而得人請（情）爲上；治（笞）諒（掠）爲下；有恐爲敗。（五八一簡）

式中強調官吏審理案件，要能根據記錄的口供，來進行追查。如果能夠以「毋笞掠」的方式獲得案情的眞相是最好的。這是秦代的制法機構已經初步意識到逼供的不可靠性，因此不同意對罪犯採取逼供的方式。由秦代「不許拷打被告」的審訊原則來看，秦律已經有所謂的審訊制度，甚至有十分明確而具體的審訊程序。如《訊獄》曰：

> 凡訊獄，必先盡聽其言而書之，各展其辭，雖智（知）其訑，勿庸輒詰。其辭已盡書而毋（無）解，乃以詰者詰之

。詰之有（又）盡聽書其解辭，有（又）視其它毋（無）解者以復詰之，詰之極而數訑，更言不服，其律當治（笞）諒（掠）者，乃治（笞）諒（掠）。治（笞）諒（掠）之必書曰：爰書：以某數更言，毋（無）解辭，治（笞）訊某。（五八二一五八五簡）

簡文說明在秦代審訊案件，是有一定程序的。首先要聽取口供，加以記錄，先讓被告各自陳述，即使明知其口供是假的，也不要中途打斷。等到記錄完畢，再訊問沒有交待清楚的問題。對這個訊問，仍要記錄。然後再看是否還有不清楚的問題。如有，再繼續審訊。等到被審訊人辭窮時，才根據他不如實招供和改變口供或拒不認罪的情況，需要加刑拷問時，再依法刑訊（採笞刑的方式⑨）。對於拷打刑求，也必須加以記錄。然後作成報告書，亦即是「爰書」。爰書的內容寫到：因某多次改變口供，無從辯解，因此，對某拷打訊問。從這條規定可以看出秦代的審訊程序有三個步驟，一是聽取被告口供，作出審訊記錄；二是根據所供，看是否認罪，如不認罪，再施刑訊；三是根據審訊結果，作成法律規定的法律文書，同時寫明刑求的理由。這麼謹慎地記錄刑訊，主要也是因爲有「笞掠爲下」的體認。《訊獄》所規定的審訊程序可以說是非常具體而明確。從其他各類案件的各種文書看來，秦代的審訊基本上是遵循這一格式的。

此外，秦代的審訊也强調證據和調查。《訊獄》的簡文透露了秦的司法審理十分重視社會的口供。但口供也不是絕對的。因此，秦的司法也相當重視與案情有關的人證、物證等旁證，同時爲取得人證、物證而規定受理機關必須對所審理的案件進行現場調查和函件調查。在《封診式》中的《穴盜》、《賊死》、《經死》、《出子》、《癘》等案例中，都保留有許多審理機關對現場勘驗和法醫檢驗的實況記錄。在現場調查筆錄中，首先寫明參與現場調查的人員，一般是由縣令派遣「丞」或「令史」之類的官吏，率領有專門偵訊技術和經驗的「牢隸臣」進行調查，有時根據案情的需要，也讓控告的地方官吏和當事人的妻女、隸妾數字者（多次生育的隸妾）、醫生、里典等人員，參與現場查驗。不同性質的案情，參與勘驗的官吏和人員也不同。例如在《癘》（傳染病）和《經死》（自殺）的案件，隨從的就必須有醫生；《出子》（流產）的案件，則需有多次生產經驗的隸妾（隸妾數字者）參與。

函件調查主要是以文書形式向有關機關或主管查明例證。在《告臣》、《黥妾》、《有鞫》三有個案例中，都可看見函件查證的記錄。如《告臣》例中，丞在聽取原告的訴狀和傳訊被告之後又致函某鄉主對案件涉及的事實進行查證。內容爲：「丞某告某鄉主：男子丙有鞫，辭曰：「某里士五（伍）甲臣。」其定名事里，所坐論云可（何），可（何）辠（罪）赦，或覆問毋（無）有，甲賞（嘗）身免丙復臣之不〇（也）？以律封守之，到以書言。」（六一九—六二一簡）《有鞫》爲了查核罪犯「男子某」而致書某縣負責人，請對方就其「名事里，所坐論云可（何），可（何）辠（罪）赦，或覆問毋（無）有，遣識者以律封守，當騰，騰皆爲報，敢告主。」（五八六—五八七簡）《黥妾》的文書格式與上二例大致相同，可見書面的函件調查也是秦代審訊的方式之一。

綜上可知，秦代的司法審訊的制度已經十分具體而進步。

四、《封診式》的文書表現形式

秦簡《封診式》中的爰書已具備文書完整的程式，一般而言，爰書有標題，如《盜自告》、《爭牛》、《封守》、《黥妾》、《遷子》、《告子》、《經死》、《穴盜》、《毒言》等等。標題在一篇文書之首，空出地位，其下再寫「爰書」，爰書以後便是正文。如：

- 盜馬爰書：（正文）。
- 爭牛爰書：（正文）。
- 出子爰書：（正文）。
- 告臣爰書：（正文）。
- 封守鄉某爰書：（正文）。
- 亡自出鄉某爰書：（正文）。
- 盜自告□□□爰書：（正文）。
- 奪首軍戲某爰書：（正文）。⑩

這些幾乎固定的文書形式，反映了秦代在整個司法文書程式中有其客觀規律的格式。而這個格式是由爰書的形式來具體呈現的。

此外，《封診式》中有許多文書已有公文習慣用語（常語）和運用格式。如「敢告某縣主」、「敢告主」、「敢告」、「敢言之」、「丞某告某鄉主」、「告廢丘主」、「到以書言」、「毋它坐」等的用法。這些格式大都用在函件調查的文書上，或相關機關的行文，這些習慣用語有時還反映出上下級隸屬的關係。如對上級用「敢告」，對下級行文用「告」；縣級官對鄉級官員則寫「丞某告某鄉主」。上下等級頗為分明。這種等級觀念在《遷子》中表現得特別突出，同時也形成了使用習慣用語的有趣現象。如：

> 爰書：某里士五（伍）甲告曰：「謁鋈親子同里士五（伍）丙足，䙴（遷）蜀邊縣，令終身毋得去䙴（遷）所，敢告。」告法（廢）丘主：士五（伍）咸陽才（在）某里曰丙，坐父甲謁鋈其足，䙴（遷）蜀邊縣，令終身毋得去䙴（遷）所論之，䙴（遷）丙如甲告，以律包。今鋈丙足，令吏徒將傳及恆書一封詣令史，可受代吏徒，以縣次傳詣成都，成都上恆書太守處，以律食。法（廢）丘已傳，為報，敢告主。（六二六—六二九簡）

簡文中，一會兒是「敢告」，一會兒是「告」，一會兒又是「敢告」，將公文用語應用得十分頻繁。文中某里士五（伍）甲告親子丙，要求對親子丙械足並流放到蜀郡邊遠縣份，在告詞中對官員用「敢告」，士五（伍）甲的告詞「轉換」爲官方的爰書形式後，咸陽官府派員解送犯人到蜀郡邊地區，給路經的廢丘縣的解送文書，開頭用「告廢丘主」，解送的吏和徒隸，把犯人押送到廢丘縣後，廢丘縣要以回報文書，而文書則用「敢告主」來回報。所謂「敢告主」，就是謹告負責人。⑪一般而言，「敢告」是上行（或上呈）文書的一種習用語。「敢」字是謙恭用語或自卑詞，這在漢簡中，可以看到許多這類文書，如建武三年的「燧長病牒書」（出土於破城子遺址第二十二號房內），其文書內容爲：

> 建武三年三月丁亥朔己丑，城北燧長黨敢言之：迺二月壬午病加兩脾臃種胸脅支滿，不耐飲食，不能視事，敢言之。三月丁亥朔辛卯，城北守候匡敢言之：謹寫移燧長黨病書，如牒，敢言之。今言府請令就醫。

牒書是一種專用文書，主要用於與人事有關的公文來往，如任免、鞫訊、罪責、債務、傷病、驗問、舉賢等，⑫「敢言之」則是上呈文書的謙恭用語。由《封診式》中的「告」和「敢告」，大致也可以分出前者是上對下的爰書（或法律文書）用語，而後者則是下對上的謙詞。

五、小結

《封診式》是秦代各類案例的司法文書的程式，從中可以看到不少反映秦代的法律面貌的問題。同時，也解決了爭論頗久的「爰書」問題。總括《封診式》有以下幾個特點：

一、《封診式》具有法律補充性質。《封診式》的各類司法文書案例，是用來補充秦律條文的一些參考範例，本身帶有補充法律的性質。而其中所謂的「式」與漢律中的「科」、「比」，以及唐律中的「律」、「令」、「格」、「式」等法律形式，基本上是一樣的。

二、《封診式》說明《盜律》和《賊律》是秦律的重點。《封診式》刑事的案例中，大部分是關於盜牛、盜馬、盜錢、盜衣物、殺傷，⑬屬於《盜律》和《賊律》的比例很重，這說明《盜律》和《賊律》在秦律中仍是很重要的一部分。

三、爰書是戰國的秦和秦漢時司法機關通行的一種法律文書形式。其內容是關於訴訟案件的訴辭、口供、證辭、現場勘查、法醫檢驗的記錄以及其他有關訴訟的情況報告。以秦簡而言，它是官府或官吏使用的司法文書的一種形式，也是下級對上級或官吏對官府之間所使用的一種文書形式，它同時也有一定內容要求與格式。

四、《封診式》具體展現了秦司法審訊制度的原則和程序。《訊獄》對審訊規定有一定的程序，雖然法律並不提倡刑訊，但若作爲一種手段，法律也不禁止。不過，卻要按規定作成爰書報告。另外，審訊也十分重視證據和調查。在這一點上，秦所採取的態度是「無罪推定」原則的。⑭

【附註】

①參見《睡虎地秦墓竹簡》頁一四七，《封診式》釋文說明部分。

②參見邱世華《簡論雲夢秦簡的司法文書》，文載《西北政法學院學報》一九八六年第二期。

③《漢書・張湯傳》曰：「張湯者，杜陵人也。父爲長安丞，出，湯爲兒守舍。還，鼠盜肉，父怒，笞湯。湯掘熏得盜鼠及餘肉，劾鼠掠治，傳爰書，訊鞫論報，并取鼠與肉，具獄磔堂下。父見之，視其文辭如老獄吏，大驚，遂使書獄。」文與《史記》所載大體相同。

④參見氏著《秦漢法制史研究》頁五〇三。

⑤王先謙認爲蘇林和顏師古把「傳」解釋爲解送囚犯是錯誤的。又謂「各本無有作傅者，錢說非」。參見王先謙《漢書補注》。

⑥參見劉海年《秦漢訴訟中的「爰書」》，文載《法學研究》一九八〇年第一期。

⑦同④，五〇八頁。陳槃先生的《漢晉遺簡識小七種》曰：「案『爰書』者，辨訴之書，同時亦爲證書。」陳氏引的「自證爰書」亦是漢簡中的一類。

⑧同⑥。

⑨笞刑是鞭笞犯罪人身體的一種刑罰，以傳統的見解，笞刑也是肉刑的一種。從秦簡來看，見於秦律的笞刑有笞十、笞五十、笞百和「熟笞之」等。所謂「熟笞之」，就是打夠了才算罷休。《治獄》規定「毋治（笞）諒（掠）而得人請（情）爲上。」，可見秦代一般並不提倡刑訊拷打，但《訊獄》又規定：「其律當治（笞）諒（掠）者，乃治（笞）諒（掠）。」審訊時用笞刑，是不得已的辦法，但若作爲一種手段，畢竟是法律所允許的，至於其輕重當是以得到眞相或具體結果爲止。可見秦的笞刑任意性很大。

⑩其實例如下：

封守　　鄉某爰書：以某縣丞某書，封有鞫者某里士五（伍）甲家室、妻、子、臣妾、衣器、畜產。甲室、人：一宇二內，各有戶，內室皆瓦蓋，木大具，門桑十木〈朱〉。妻曰某，亡，不會封。子大女子某，未有夫。子小男子某，高六尺五寸。臣某，妾小女子某。牡犬一。幾訊典某某、甲伍公士某某：「甲黨（倘）有〔它〕當封守而某等脫弗占書，且有辠（罪）。」　某等皆言曰：「甲封具此，毋（無）它當封者。」　即以甲封付某等，與里人更守之，侍（待）令。（五八八一五九二簡）

奪首　　軍戲某爰書：某里士五（伍）甲縛詣男子丙，及斬首一，男子丁與偕。甲告曰：「甲，尉某私吏，與戰刑（邢）丘城。今日見丙戲旞，直以劍伐痍丁，奪此首，而捕來詣。」診首，已診丁，

亦診其痍狀。（六一一—六一四簡）

盜馬 爰書：市南街亭求盜才（在）某里曰甲縛詣男子丙，及馬一匹，騅牝右剽；緹覆（複）衣，帛里莽緣領褎（袖），及履，告曰：「丙盜此馬、衣，今日見亭旁，而捕來詣。」（六〇一—六〇二簡）

⑪同②。

⑫參見薛英群《漢簡官文書考略》，文載《漢簡研究論集》，甘肅人民出版社一九八〇年版。

⑬杜正勝先生《傳統法典始原》曰：「賊律的內容比較複雜，論手段有賊、鬥、戲之分，張裴上律表曰：『兩訟相趣謂之鬥，兩和相害謂之戲，無變斬擊謂之賊。』（《晉書・刑法志》論結果有殺、傷、痍之別。死謂之「殺」，有創見血謂之「傷」，（《周禮》禁殺戮注）毆人皮膚腫起曰「痍」，毆傷曰「痏」。」（文載《編戶齊民》）故《封診式》的殺傷案例可歸於《賊律》。

⑭所謂「無罪推定」，是指訴訟過程中，只有在事前掌握足夠的犯罪證據，才可以對刑事被告人採取逮捕繫獄的強制措施。至於秦簡中父親或主人有「擅殺、髡子及奴妾」的特權，如《封診式》中的《告子》、《告臣》、《黥妾》等案例中，父親或主人只要將子或奴妾告官，官府就以其罪治人，這是採「有罪推定」的原則。不過，秦代雖然給予父親或主人這項權利，但仍採取必要的限制，即秦律規定父親和主人在「擅殺、髡子及奴妾」時，必須報官，並由官府執行。（參見栗勁《秦律通論》，頁二九八—三〇五。）

第九節 《日書》

《日書》共有二種，《睡虎地秦墓竹簡》整理小組爲了便於區分，將之稱爲《日書》甲種和《日書》乙種。《日書》乙種最後一支簡的背面有《日書》標題。其中《日書》甲種發現於墓主頭部右側，《日書》乙種發現墓主足下。《日書》甲種共有一百六十六支簡，本文將之編爲總號七三〇一八九五簡。甲種簡的正面和背面都有字，讀簡時，先讀正面，後讀背面，字寫得又小又密。《日書》乙種共有二百五十九支簡（殘簡未計算在內），只有正面有字，字比甲種大些。因此，《日書》甲種雖然簡數比乙種少，字數卻遠較乙種多，內容也要複雜一些。由於兩種《日書》在抄寫時都有脫漏，所以在內容相同而文字有出入處，可以互校。①

《日書》主要的內容是選擇時日，如出行、見官、裁衣、修建房屋等都要選擇時日。其它如房屋的布局、井、倉、門等應該安排在什麼方向才會吉利，遇到鬼怪應如何應付等等，也是重要內容。這類趨吉避凶的迷信方術在《日書》中有很豐富的材料，是研究社會學難得的資料，在秦漢人的著述中，如《韓非子・亡徵》說：「用時日、信鬼神，可亡也。」王充《論衡》的《四諱》、《讕時》、《譏日》、《辨祟》、《難歲》諸篇也都多次提到這類迷信方術。但是他們所批判的具體內容，以及和後代的這一類書籍的記載有什麼不同，人們卻無從詳知。《日書》的出現，正好彌補了這個缺陷。

《日書》還有一些寶貴的記載，如將一日分爲十二時，以子、丑、寅、卯等十二時辰記時，說明這種記時法在秦代即已流行；它還記載了楚國使用的月份名，並將這些月份名一一同秦國各個月份的名稱加以對照，是研究楚國曆法的重要的資料。所有這些，都足以說明《日書》的價值。

壹、《日書》的內容

《日書》的內容，大致可以分爲三部分。一是正文，二是表，三是圖。

一、正文：《日書》的正文都有標題，內容則在標題之後。《日書》甲種可見的標題有四十八個，分列如下：

1.「除」 2.「秦除」
3.「禾良（忌）日」 4.「困良日」
5.「稷辰」 6.「●衣」
7.「玄戈」 8.「歲」
9.星 10.「病」
11.「祠父母良日」 12.「祠行良日」
13.「人良日」 14.「馬良日」
15.「牛良日」 16.「羊良日」
17.「豬良日」 18.「市良日」
19.「犬良日」 20.「雞良日」
21.「金錢良日」 22.「蠶良日
23.「啻」 24.「室忌」
25.「土忌」 26.「作事」
27.「毀棄」 28.「直置室」
29.「行」 30.「歸行」
31.「到室」 32.「生子」
33.「人字」 34.「取妻」
35.「作女子」 36.「吏」
37.「入官良日」 38.「夢」
39.「詰」 40.「盜者」
41.「禹須臾」
42.「衣良日」「衣媚人」「衣忌日」
43.「土忌」 44.「門」
45.「田亳」 46.「五種忌」
47.「反枳（支）」 48.「馬禖」

《日書》乙種可見的標題計有五十個，分列如下：

1.「徐」　2.「秦」
3.「木良（忌）日」　4.「馬良（忌）日」
5.「牛良（忌）日」　6.「羊良（忌）日」
7.「豬良（忌）日」　8.「犬良（忌）日」
9.「雞良（忌）日」　10.「祠室中日」
11.「祠戶日」　12.「祠門日」
13.「祠行日」　14.「祠□日」
15.「祠五祀日」　16.「五種忌日」
17.「五穀良日」　18.「五穀龍日」
19.「人日」　20.「男子日」
21.「女子日」　22.「室忌」
23.「蓋屋」　24.「蓋忌」
25.「垣牆日」　26.「除室」
27.「裚」　28.「初冠」
29.「穿戶忌」　30.「寄人室」
31.「行日」　32.「行者」
33.「行忌」　34.「行祠」
35.「行行祠」　36.「□祠」
37.「祠」　38.「亡日」
39.「亡者」　40.「見人」
41.「有疾」　42.「病」
43.「夢」　44.「囷良日」
45.「家子□」　46.「不可取妻」
47.「入官」　48.「生」
49.「失火」　50.「盜」

以上是《日書》甲乙種可見的標題，其中有些標題完全相同，內容也相同或相近。西北大學《日書》研習班《〈日書〉：秦國社會的一面鏡子》一文中，所收的標題較少，大致歸納爲二組。第一組是總綱類，第二組爲行事吉凶類。③

第一組、總綱：共七類。

1.「除」，2.「秦除」，3.「稷辰」，4.「玄戈」，5.「歲」，6.「星」，7.「毀棄」。

第二組、行事吉凶：共五十五類。

㈠土木建築：

8.「啻」，9.「室忌」，10.「土忌」，11.「作事」，12.「直室」，13.「宇」，14.「反枳」，15.「蓋屋」，16.「蓋忌」；17.「垣牆日」；18.「除室」；19.「穿户日」；

㈡出門歸家：

20.「行」；21.「歸行」；22.「到室」；23.「見日」；24.「行日」；25.「行者」；26.「行忌」；27.「行祠」；28.「祠」；29.「亡日」；30.「亡者」；

㈢娶嫁生育：

31.「生子」；32.「人字」；33.「取妻」；34.「作女子」；35.「嫁子□」；36.「不可取妻」；37.「生」；

㈣六畜飼養：

38.「馬」；39.「馬日」；40.「牛日」；41.「羊日」；42.「豬日」；43.「犬日」；44.「雞日」；

㈤日常生活：

45.「衣」；46.「裚（制衣）」；47.「初寇（冠）」；

㈥疾病災異：

48.「夢」；49.「盜者」；50.「盜」；51.「病」；52.「有疾」；53.「詰」；54.「失火」；

㈦其他：

55.「吏」；56.「木日」；57.「見人」；58.「人日」；59.「男子日」；60.「寄人日」；61.「入官」；62.「視羅」。

「除」、「秦除」、「稷辰」、「玄戈」、「歲」、「星」

、「毀棄」的內容，主要是曆法及天象與人事的關係。其中「除」和「秦除」，甲種爲天象與月份的關係，乙種爲曆表；「稷辰」、「玄戈」以二十八星占爲綱，講天象與人事的關係；「星」也是以二十八星占爲綱，講天象與人事的關係；「歲」爲秦楚曆法對照表；「毀棄」爲秦楚曆法對照表。以上可以說是《日書》最重要的部份。

其他內容所涉的範圍極廣，舉凡土木建築、出門歸家、嫁娶生育、六畜飼養、農業、日常生活、疾病災異及爲吏入官等其他行事的吉凶。從整個《日書》來看，《日書》是屬於《漢書・藝文志》所列的數術一類。它反映了秦國的社會經濟、思想文化以及風俗習慣。

二、表：《日書》甲乙種各有三個表。《日書》甲種的三表，㈠是《除表》；㈡是《秦楚月份對照表》；㈢是《五行表》。

㈠《除表》：是以濡、贏、建、陷、彼、平、寧、空、坐、蓋、成、甬爲經；以子、丑、寅、卯、辰、巳、午、未、申、酉、戌、亥十二地支爲緯，所組成的曆表。（七三一──七四二簡）

甬	成	蓋	坐	空	寧	平	彼	陷	建	贏	濡	
亥	戌	酉	申	未	午	巳	辰	卯	寅	丑	子	十一月斗
子	亥	戌	酉	申	未	午	巳	辰	卯	寅	丑	十二月須
丑	子	亥	戌	酉	申	未	午	巳	辰	卯	寅	正月營
寅	丑	子	亥	戌	酉	申	未	午	巳	辰	卯	二月奎
卯	寅	丑	子	亥	戌	酉	申	未	午	巳	辰	三月胃
辰	卯	寅	丑	子	亥	戌	酉	申	未	午	巳	四月

												畢
巳	辰	卯	寅	丑	子	亥	戌	酉	申	未	午	五月東
午	巳	辰	卯	寅	丑	子	亥	戌	酉	申	未	六月柳
未	午	巳	辰	卯	寅	丑	子	亥	戌	酉	申	七月張
申	未	午	巳	辰	卯	寅	丑	子	亥	戌	酉	八月角
酉	申	未	午	巳	辰	卯	寅	丑	子	亥	戌	九月氐
戌	酉	申	未	午	巳	辰	卯	寅	丑	子	亥	十月心

㈡《秦楚月份對照表》

秦	楚	簡號
十月	楚冬夕，日六、夕十	（793一）
十一月	楚屈夕，日五、夕十一	（794二）
十二月	楚援夕，日六、夕十	（795二）
正月	楚刑夷，日七、夕九	（796二）
二月	楚夏杘，日八、夕八	（793三）
三月	楚紡月，日九、夕七	（794三）
四月	楚七月，日十、夕六	（795三）
五月	楚八月，日十一、夕五	（796三）
六月	楚九月，日十、夕六	（7933四）
七月	楚十月，日九、夕七	（794四）
八月	楚爨月，日八、夕八	（795四）
九月	楚鬳馬，日七、夕九	（796四）

簡文中所謂「四月，楚七月」；「五月，楚八月」；「六月，楚九月」；「七月，楚十月」，其中前者四、五、六、七月，是指

秦曆；後者七、八、九、十月，是指楚曆。依此推算，則秦、楚曆的月序及月名，秦以十月爲歲首，其月序爲「十月、十一月、十二月、正月、二月、三月、四月、五月、六月、七月、八月、九月」；楚曆以冬夕爲歲首，其月序爲「冬夕、屈夕、援夕、刑夷、夏尿、紡月、七月、八月、九月、十月、爨月、獻月」。其對照如下：

秦曆	楚曆
十月	正月冬夕
十一月	二月屈夕
十二月	三月援夕
正月	四月刑夷
二月	五月夏尿
三月	六月紡月
四月	七月
五月	八月
六月	九月
七月	十月
八月	十一月爨月
九月	十二月獻月

㈢《五行表》

金勝木	火勝金	水勝火	土勝水	木勝土
東方木	南方火	西方金	北方水	中央土

（*八一三・三－*八〇九・三簡）
（*八〇八－*八〇四簡）

《日書》乙種的三表，㈠是《地支表》；㈡是《十六時分表》；㈢是《建除表》。

㈠《地支表》：是以十二地支按月份排列而成。（八九六—九〇八簡）

亥	戌	酉	申	未	午	巳	辰	卯	寅	丑	子	十一月
子	亥	戌	酉	申	未	午	巳	辰	卯	寅	丑	十二月
丑	子	亥	戌	酉	申	未	午	巳	辰	卯	寅	正月
寅	丑	子	亥	戌	酉	申	未	午	巳	辰	卯	二月
卯	寅	丑	子	亥	戌	酉	申	未	午	巳	辰	三月
辰	卯	寅	丑	子	亥	戌	酉	申	未	午	巳	四月
巳	辰	卯	寅	丑	子	亥	戌	酉	申	未	午	五月
午	巳	辰	卯	寅	丑	子	亥	戌	酉	申	未	六月
未	午	巳	辰	卯	寅	丑	子	亥	戌	酉	申	七月
申	未	午	巳	辰	卯	寅	丑	子	亥	戌	酉	八月
酉	申	未	午	巳	辰	卯	寅	丑	子	亥	戌	九月
戌	酉	申	未	午	巳	辰	卯	寅	丑	子	亥	十月
復秀	成決	盍絕	跬外	空外	成外	平達	作陰	窞羅	建交	贏陽	惌結	

㈡《十六時分表》（九一三・二一九二四・二簡）

五〈正〉月	日七、夕九。
二月	日八、□□。
三月	日九、夕七。
四月	日十、夕六。
五月	日十一、夕五。
六月	日十、夕六。
七月	日九、夕七
八月	日八、夕八。
九月	日七、夕九。
十月	日六、夕十。
十一月	日五、夕十一。
十二月	日六、夕十。

㈢《建除表》

八月 酉	西方	九月 戌	十月 亥
七月 申	三月 辰	二月 卯	北 方
南 方	四月 巳	正月 寅	十一月 子
六月 未	五月 午	東方	十二月 丑

三、圖：《日書》甲種有三圖。㈠是《朔初日圖》；㈡是《直（置）室門・圖》；㈢是《人字圖》。

㈠《朔初日圖》（七七六－七八六簡）

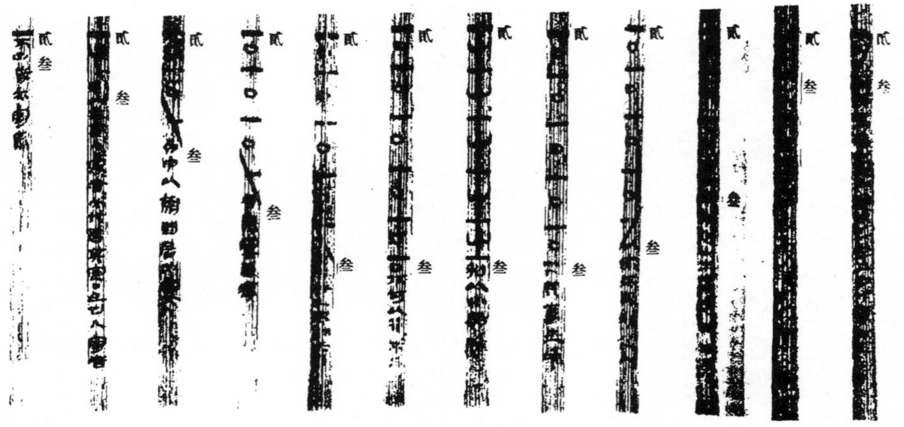

此所胃（謂）艮山，禹之離日也。從上右方數朔之初日及枳各一日數之，而復從上數□□枳刺艮山之胃（謂）離日，離日不可以家（嫁）女、取（娶）婦及入人民、畜生（牲），唯利以分異。離日不可以行，行不反。（七七六・二－七八二・二簡）

㈡《直（置）室・門圖》（八四三・一－八五五・一簡）

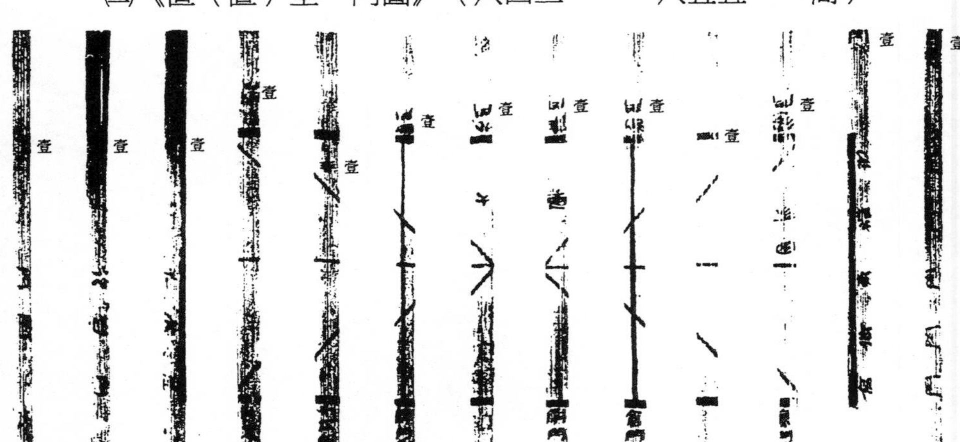

圖上標有二十二個門，各爲寡門、倉門、南門、辟門、大伍門、則光門、屈門、失行門、云門、不周門、食過門、曲門、大門、顧門、起門、徙門、刑門、獲門、東門、貨門、高門、大吉門。《直（置）室・門圖》主要是講建築造門時的二十二個門的吉凶。因此，圖後有文字作吉凶的解說。如：

寡門：興，興毋定處，凶。（843二）

倉門：富井居西南，囷居北鄉（向）廥，廥毋絕縣肉。（844二）

南門、將軍門：賤人弗敢居。（845二）

辟門：成之即之，蓋廿歲必富，大吉。廿歲更。（846二）

大伍門：命曰吉恙門，十二歲更。（847二）

則光門：其主昌，柁衣常（裳），十六歲弗更乃狂。（848二）

屈門：其主昌富，女子爲巫，四歲更。（849二）

失行門：大凶。（850二）

云門：其主必富，三渫，八歲更，利毋（無）爵者。（851二）

不周門：其主富，八歲更。（852二）

食過門：大凶。五月弗更，其主瘵。（853二）

曲門：前富後貧，五歲更，凶。（854二）

大門：利爲邦門，賤人弗敢居。（855二）

顧門：成之。三歲中日入一布；三歲中弗更，日出一布。（843三）

起門：八歲昌，十六歲弗更，乃去。（844三）

徙門：數富、數虛，必幷人家，五歲更。（845三）

刑門：其主必富，十二歲更，弗而耐，乃刑。（846三）

獲門：其主必富，八歲更，左井、右囷，囷北鄉（向）廥。（8-47三）

東門：是胃（謂）邦君門，賤人弗敢居，居之，凶。（848三）

貨門：所利賈市、入貨，吉。十一歲更。（849三）

高門：宜豕，五歲弗更，其主且爲巫。（850三）

大吉門：宜錢金，而入易虛，其主爲巫，十二歲更。（851三—852三）

㈢《人字圖》

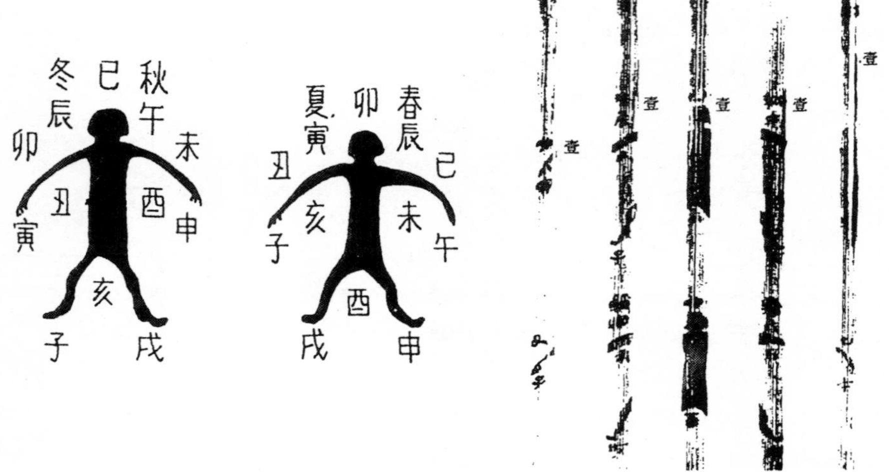

《人字圖》

人字，其日在首，富，難勝○。夾頸者貴。在奎者富。在掖者愛。在手者巧盜。在足下者賤。在外者奔亡。戊子以有求也，必得之。雖求額啻必得。丙寅以求人，得之。女子以巳字，不復字。（879一—879三）

從上可知正文、表和圖是《日書》的重要組成部分。三者間彼此互爲經緯。其主要內容在正文，而以表和圖做輔助的解說。尤其是其中幾個表，除可用來對照檢索的工具外，有的也是正文的總結。

貳　《日書》的成書年代

《日書》在最後一簡的背面，有「日書」的標題。從《日書

》的整個內容來看，當是日者所用以占候時日宜忌的書。由於《日書》與《編年記》同墓出土，因此《日書》的年代絕不會晚於秦始皇三十年。但由《日書》中不避始皇諱來看，④《日書》絕不會是秦王政時期的作品。另外，《日書》中有不少曆法資料，可藉以推算其成書的年代。如《日書》中有《秦楚月份照表》（參見上節），另外，甲種的「毀棄」部分亦有一份秦楚曆法：

> 八月、九月、十月，毀棄南方。爨月、膚馬、中夕，毀棄西方。●屈夕、援〔夕〕、刑尿，毀棄北〔方〕。●夏尸、紡月，毀棄東方。皆吉。援夕、刑尿，作事南方。●紡月、夏夕（尸）、八月，作事西方。●九月、十月、爨月，作事北方。●膚馬、中夕、屈夕，作事東方。皆吉。
>
> 正月、五月、九月之丑，二月、六月、十月之戌，三月、七月、十一月之未，四月、八月、十二月之辰，勿以作事。大祠：以大生，大凶；以小生，小凶；以臘古，吉。（八四〇・——八四二・一簡）

《日書》之所以要用秦楚曆來對照，主要原因在於《日書》的出土地雲夢爲秦時的南郡。南郡原是楚地，秦昭王二十九年（西元前二七八年），秦國攻占楚國都郢，並在其地設置南郡。秦統一全國後，楚國的習慣不會很快就消除，它總是要保存相當長的一段時間。對於初到楚地的秦人來說，很需要熟悉楚地某些不同於秦人的事務的名稱。《秦楚月名對照表》正是爲了適合這種需要而寫下的。⑤又由於此時南郡一帶仍然通行楚曆，爲了推行秦曆也只好二種曆法同時對照使用。曾憲通先生在《楚月令初探》一文中對照秦楚曆法，認爲：「一、秦以十月爲歲首應屬顓頊曆，但未改月次及四季搭配。所以，秦曆歲首與顓頊曆同，而月次及四季搭配則與夏曆同。二、楚用夏曆，本應以一月爲歲首。但從《日書》對照表上看，楚卻以「冬夕」爲一月，而冬夕恰爲秦曆十月。從而可知：楚曆在當時已將夏曆的月次改爲顓頊曆。」⑥

其《秦簡日書歲篇講疏》考察《日書》中有關月次排列的幾種情況，認爲：「《日書》幾乎都用始正月終十二月的月序看來，秦簡《日書》的用曆，正是正月建寅的夏曆。」⑦春秋戰國各國所使用的曆法主要有三種，即夏曆、殷曆和周曆。而秦國所使用的則是夏曆的變種——顓頊曆。⑧

秦國使用顓頊曆的年代，當在秦昭襄王時期。顓頊曆的特點是以十月爲首。《史記・秦本記》記秦昭王以後事，月份都以十月爲歲首。如「四十二年，安國君爲太子。十月，宣太后薨，葬芷陽酈山。九月，穰侯出之陶。」又如：「四十八年十月，韓獻垣雍。秦軍分爲三軍。……正月，兵罷，復守上黨。」可見秦昭王時期已用顓頊曆。饒宗頤先生謂：

> 編年簡內有「喜」之名字，其人嘗官安陸及鄢之令史。如墓主即喜，豈其人亦兼通日者之術歟？又據M7槨室門楣上陰刻「五十一年，曲陽士五邦」九字。《漢書・地理志》：常山郡有上曲陽，恒山北谷在西北。《隋書・地理志》，恒陽今曲陽，縣治（屬定州）。北岳恒山即在曲陽縣西北百四十里。其人原官曲陽縣士五（伍）。五十一年乃秦昭王之紀年，可據以定墓中《日書》之年代，或在秦昭時，蓋戰國晚期之物。

饒先生並未刻意考證，但所云「可據以定墓中《日書》之年代，或在秦昭時，蓋戰國晚期之物。」以前面所舉諸證來看，當是可信的。

【附註】

①：參見《睡虎地秦墓竹簡》，《日書》甲種釋文注釋說明部分，頁一七九。

②此部分依《睡虎地秦墓竹簡》一九九〇年版排定，以該書所列先後爲次，不特別分類。日人工藤元男《睡虎地秦墓竹簡「日書」につ

いて》（文載《史滴》第七號，一九八六年一月）一文，也有內容標題的匯整，可參看。

《日書》甲種標題：

1.「除」2.「秦除」3.「稷辰」4.「反枳」5.「玄戈」6.「歲」7.「星」8.「啻」9.「生子」10.「人字」11.「取妻」12.「吏」13.「夢」14.「詰」15.「盜者」16.「馬」17.「病」18.「室忌」19.「土忌」（「土良日、土忌日）20.「直室門」21.「門」22.「作事」23.「作女子」24.「毀棄」25.「行」26.「禹須臾」27.「歸行」28.「到室」29.「祠行良日」30.「祠父母良日」31.「人良（忌）日」32.「馬良（忌）日」33.「牛良（忌）日」34.「羊良（忌）日」35.「豬良（忌）日」36.「犬良（忌）日」37.「雞良（忌）日」38.「禾良（忌）日」39.「囷良日」40.「蠶良〔日〕」41.「田毫主」42.「田忌〔日〕」43.「五種忌〔日〕」44.「市良日」45.「金錢良（忌）日」46.「衣（『衣良日』、『衣良日』、『衣媚日』）」

《日書》乙種標題：

1.「徐」2.「秦」3.「有疾」4.「病」5.「室忌」6.「蓋屋」7.「蓋忌」8.「垣牆日」9.「除室」10.「穿戶忌」11.「寄人室」12.「行日」13.「行者」14.「行忌」15.「行祠」16.「行行祠」17.「□祠」18.「祠」19.「祠室中日」20.「祠戶日」21.「祠門日」22.「祠行日」23.「祠□日」24.「祠五祀日」25.「五種忌日」26.「五穀良日」27.「五穀龍日」28.木良（忌）日」29.「馬良（忌）日」30.「牛良（忌）日」31.「羊良（忌）日」32.「豬良（忌）日」33.「犬良（忌）日」34.「雞良（忌）日」35.「圂良日」36.「人日」37.「男子日」38.「女子日」39.「裚」40.「初冠」41.「入官」42.「夢」43.「生」44.「家子□」45.「不可取妻」46.「亡日」47.「亡者」48.「見人」49.「失火」50.「盜」

③文載《文博》一九八六年第五期。

④《日書》中不諱「正」的字頗多，如「正月」，凡數百見，「生子

爲正」（八一六簡）、「女子爲正」（八八一簡）、「正東」、「正南」、「正西」、「正北」、「正端貍」（九五八簡）。可見《日書》絕不是秦王政時期的作品。

⑤參見于豪亮《秦簡〈日書〉記時記月諸問題》，文載《于豪亮學術文存》頁一五七——六二。

⑥文載《中山大學學報》一九八〇年第一期，頁三〇三—三二〇。

⑦文載饒宗頤・曾憲通合著之《雲夢秦簡〈日書〉研究》。

⑧參見《〈日書〉：秦國社會的一面鏡子》，文載《文博》一九八六年第五期。

《編年紀》　圖版之一

《編年紀》 圖版之二

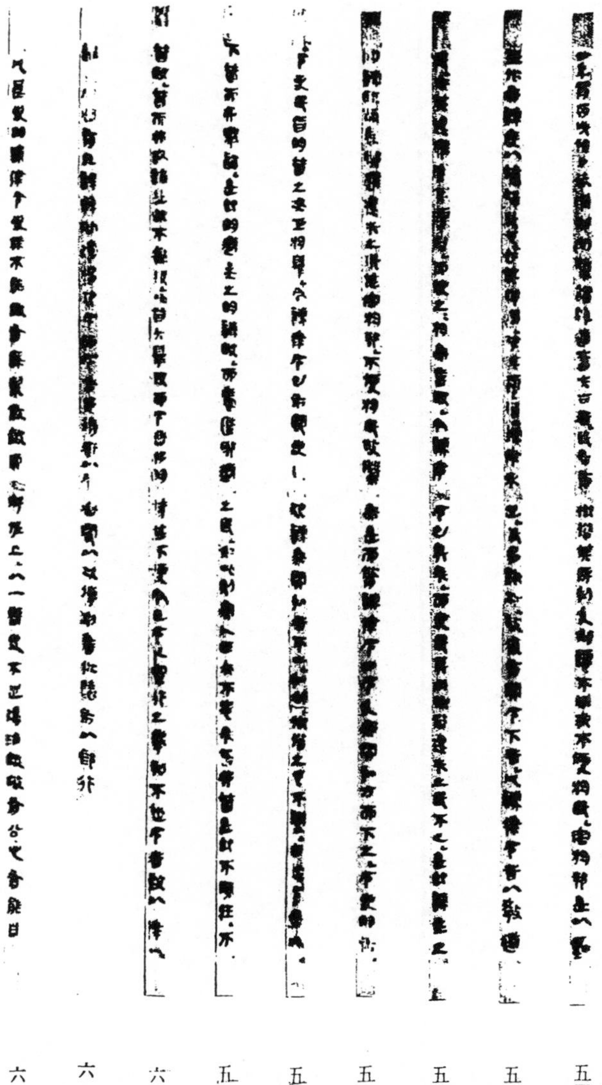

五四　五五　五六　五七　五八　五九　六〇　六一　六二

《語書》　圖版之一

《語書》 圖版之二

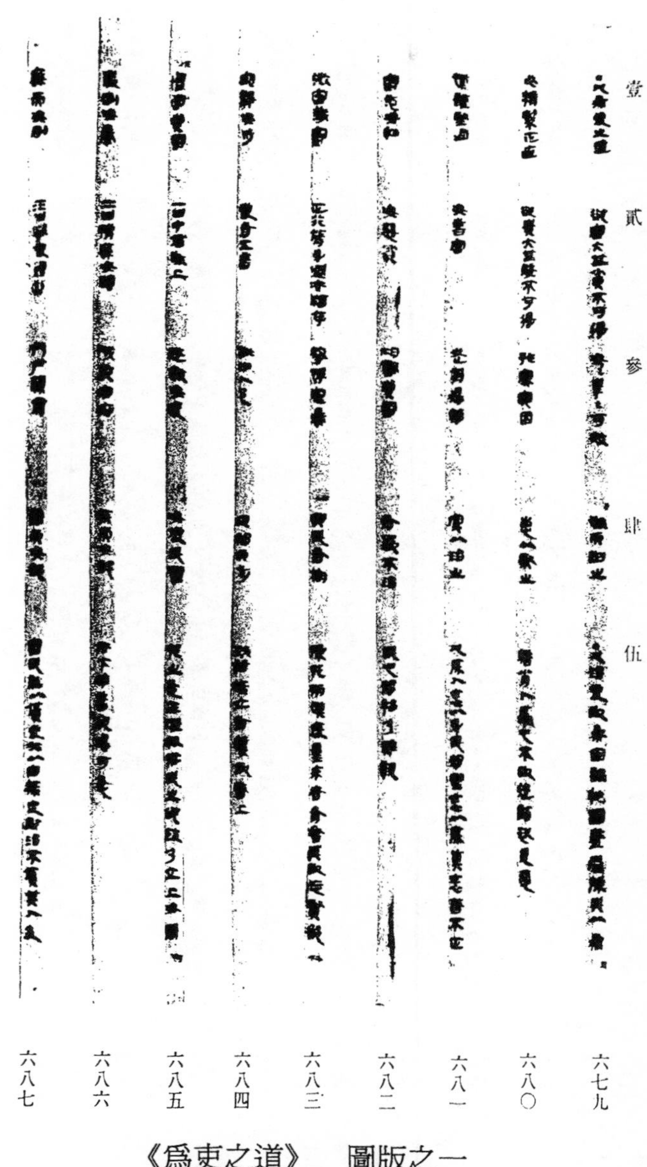

《爲吏之道》　圖版之一

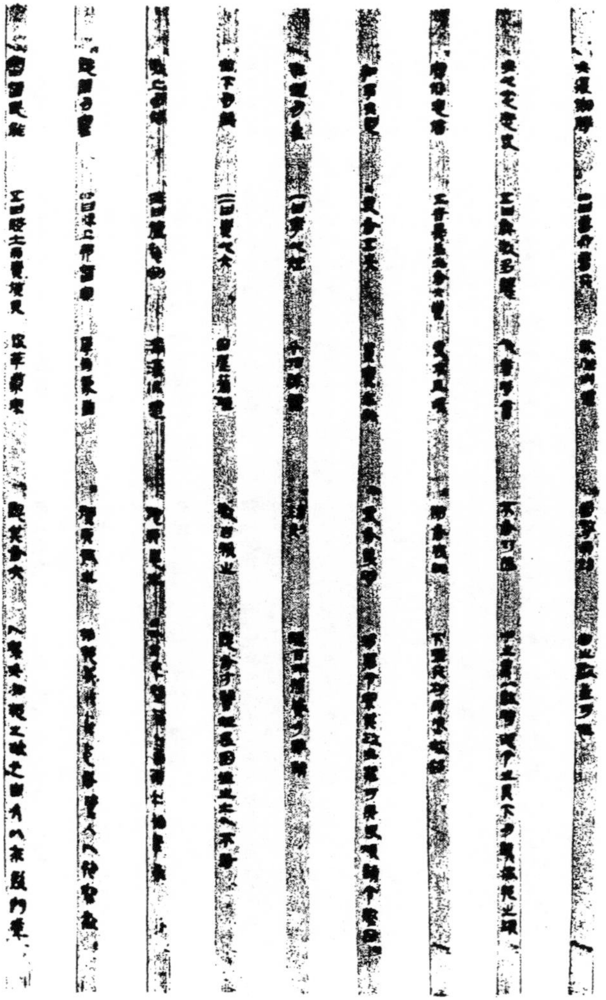

壹　貳　參　肆　伍

六八八　六八九　六九〇　六九一　六九二　六九三　六九四　六九五　六九六

《爲吏之道》　圖版之二

《秦律十八種》 圖版之一

《秦律十八種》 圖版之二

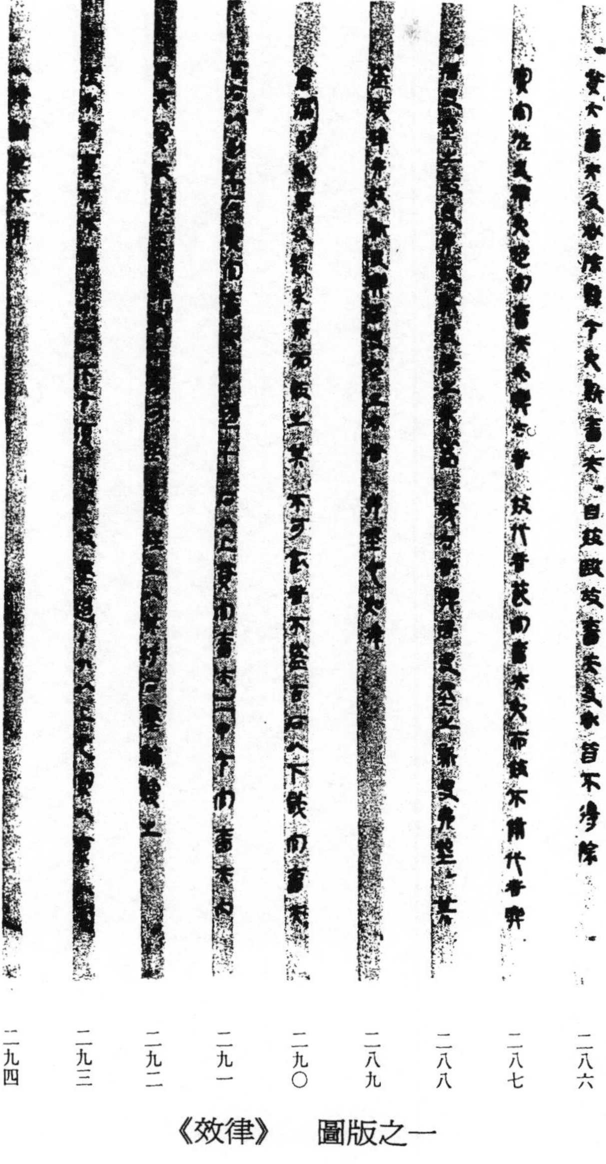

《效律》 圖版之一

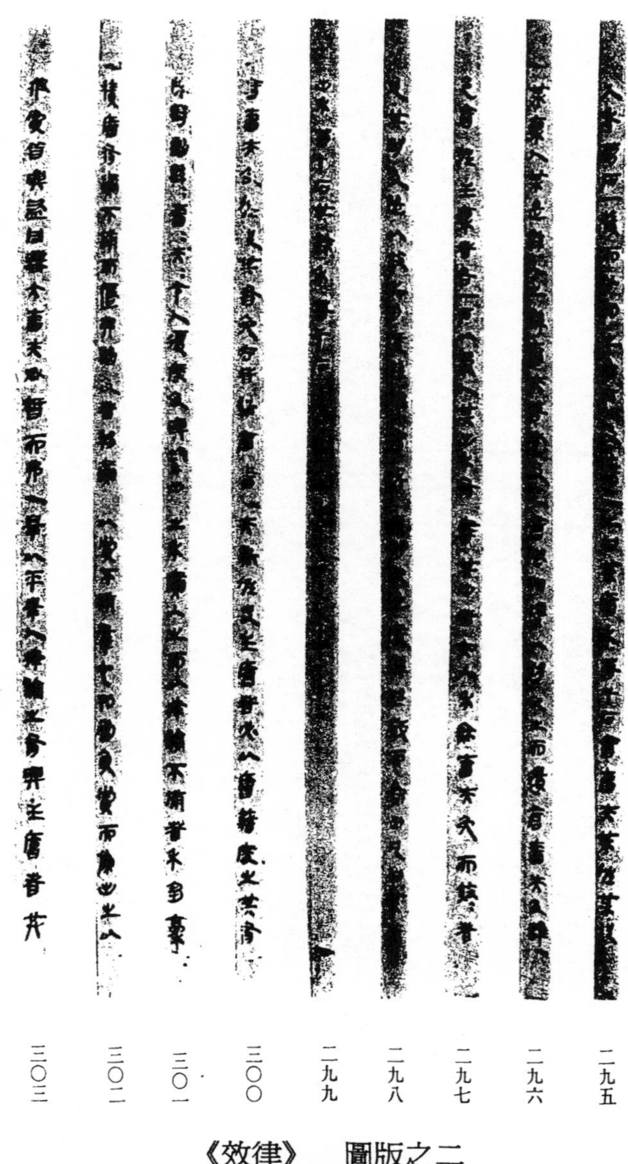

《效律》 圖版之二

《秦律雜抄》　圖版之一

《秦律雜抄》 圖版之二

五一五　五一六　五一七　五一八　五一九　五二〇　五二一　五二二　五二三

《法律答問》　圖版之一

五二四　五二五　五二六　五二七　五二八　五二九　五三〇　五三一　五三二

《法律答問》 圖版之二

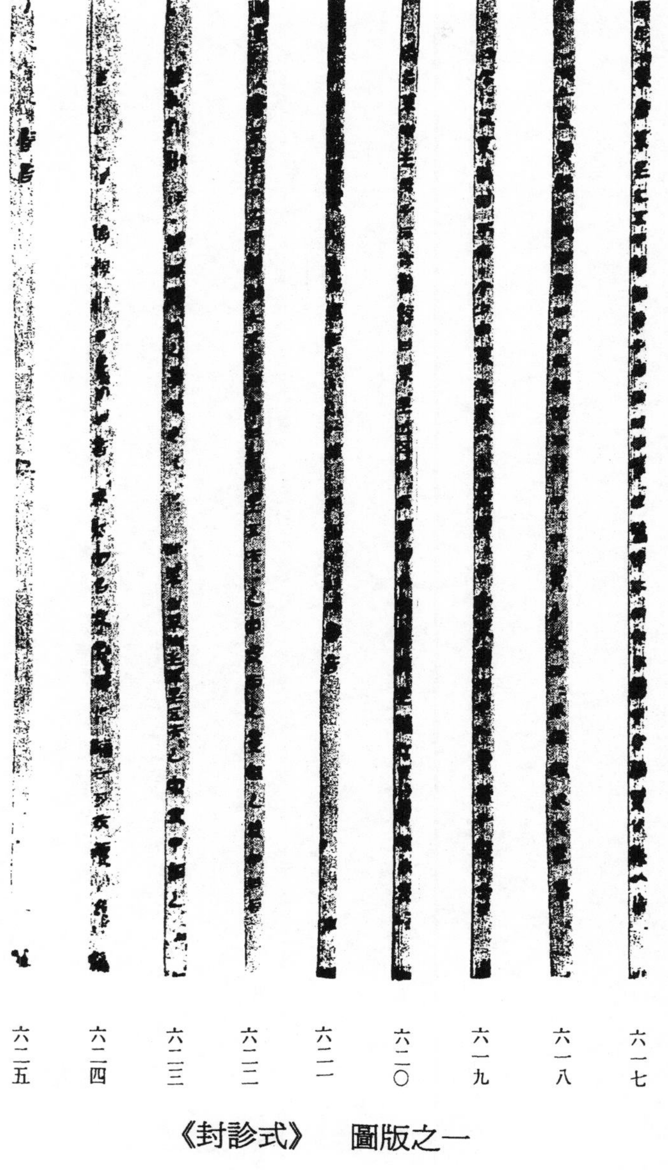

《封診式》 圖版之一

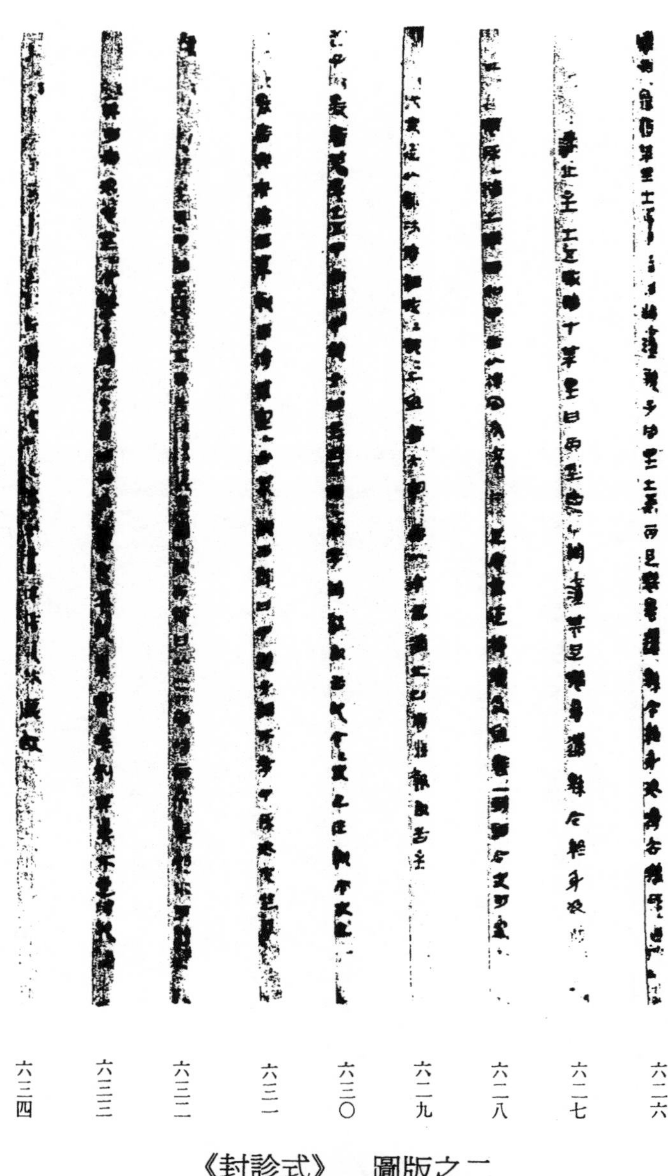

《封診式》 圖版之二

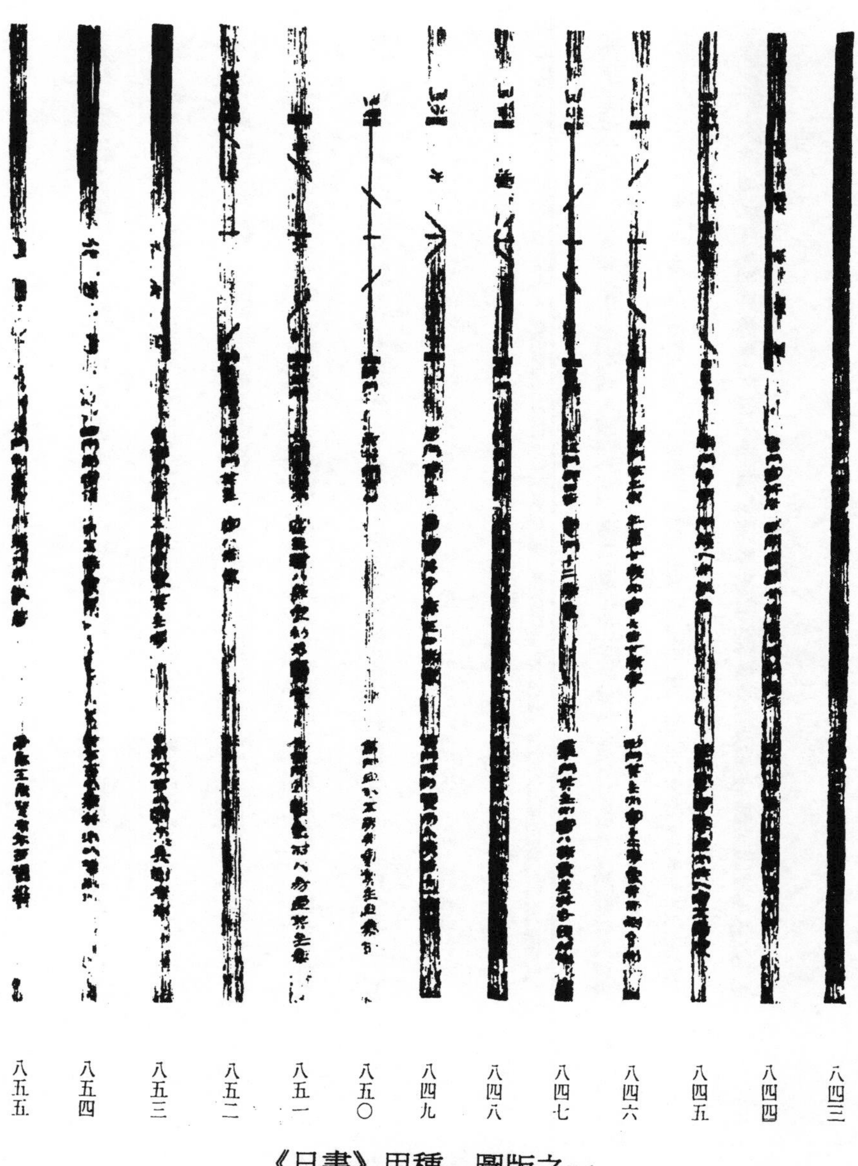

《日書》甲種　圖版之一

《日書》甲種 圖版之二

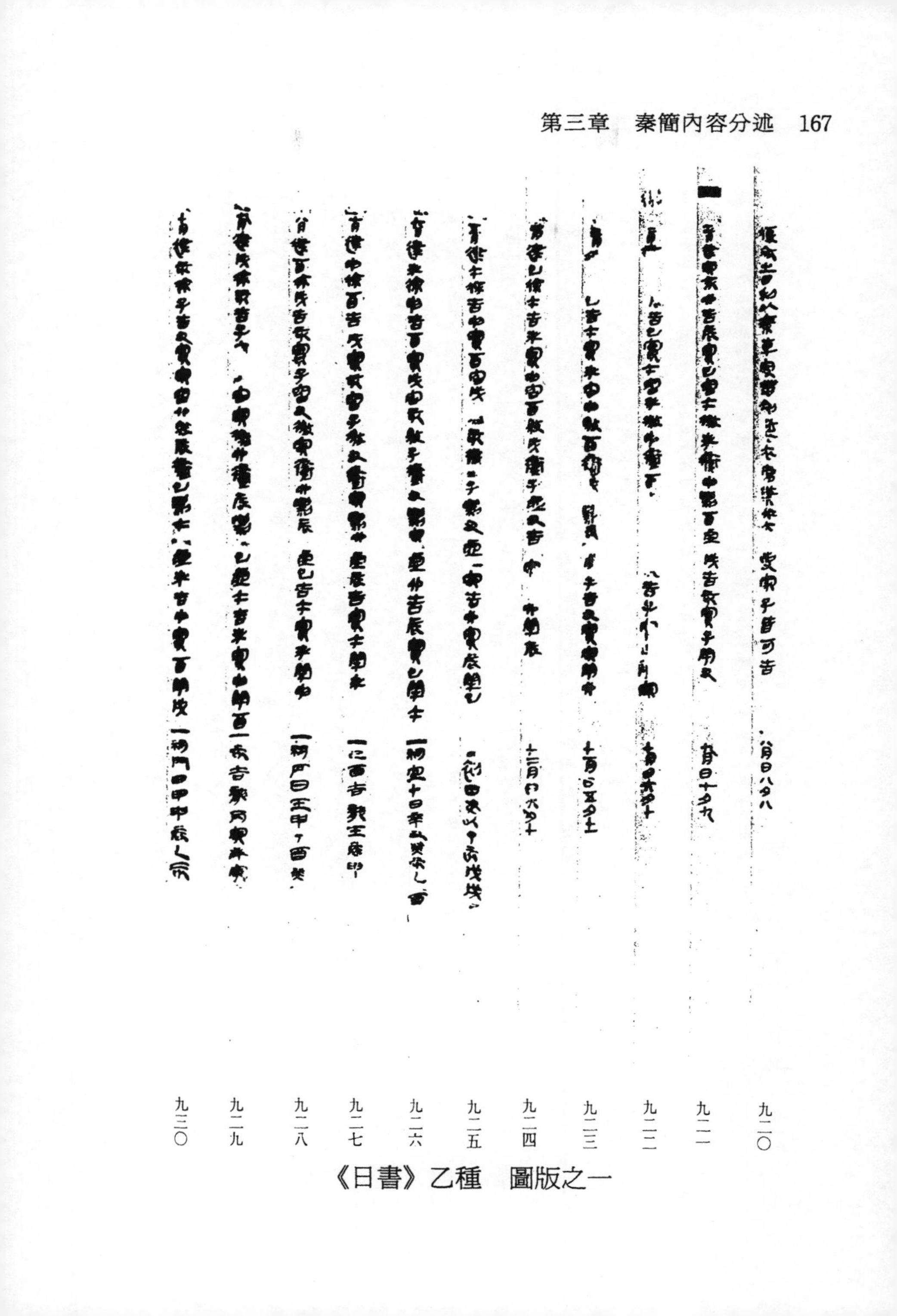

九二〇

九二一

九二二

九二三

九二四

九二五

九二六

九二七

九二八

九二九

九三〇

《日書》乙種　圖版之一

九三一 九三二 九三三 九三四 九三五 九三六 九三七 九三八 九三九 九四〇 九四一

《日書》乙種 圖版之二

第四章　秦簡的形制

簡牘的形制，一般而言，有五方面可以討論。一是質材，二是整治，三是編聯，四是長度，五是符號。以下分五部分簡述《雲夢秦簡》的形制。

第一節　秦簡的質材及相關問題

《雲夢秦簡》的質材都是竹片製成，以現今出土的簡牘來看，是少數屬於竹材的簡牘。一般而言，簡牘的質材是有竹有木的。簡是指竹簡，是將竹片解析而成的長狹條；牘是木札，是板或槧木片而成的長狹片。《論衡・量知》曰：

> 截竹爲筒，破以爲牒。加筆墨之跡，乃成文字。大者爲經，小者爲傳記。斷木爲槧，片木爲板。力加刮削，乃成奏牘。

可知簡牘的質材是有竹木之分的。大抵而言，書籍眞正的起源，當追溯到竹木簡牘。王國維，《簡牘檢署考》曰：

> 書契之用，自刻畫始。金石也，甲骨也，竹木也。

甲骨卜辭，重在貞卜之契刻；銅器銘文，重在銘刻範鑄。二者都不利書寫。因此，先秦以前，大凡經傳、冊命、律令、書檄及曆譜、簿籍，都以竹木爲其書寫的主要質材。由是之故，王氏又曰：「三者不知孰爲後先，而以竹木之用爲最廣。」①

竹木簡牘的使用雖早，論其先後，竹的應用又先於木。因此，早期的簡乃單指竹簡而言，其後竹木混用，簡乃廣義的泛指竹簡和木牘。竹簡應用於書寫的歷史，已不可考，但其時間必然很早，這由載籍中的「簡」、「策」、「冊」、「符」、「籍」等字全係用竹一例可以看出。

關於簡的記載，《詩經・小雅・出車》寫遠征軍人所以遲歸乃因「畏此簡書」；《左傳・廿五年傳》載「南史氏執簡以往」；《禮記・王制》載「太史典禮執簡記」，都有簡的資料。簡字从竹，《說文》段《注》曰：「簡，竹爲之。」朱駿聲《說文通訓定聲》曰：「竹謂之簡」，《爾雅・釋器》曰：「簡謂之畢」，邢昺《疏》曰：「簡，竹簡也。」根據上說，可知簡都是剖竹而成。《儀禮・聘禮》賈公彥《疏》曰：「簡謂一片而言」又曰：「是以《左傳》云：南史氏執簡以往，是簡者未編之稱。」因此，簡的初義，當是指單一竹片可以書寫者。不過，後來把編綴若干簡以成冊的，也稱爲簡。《禮記・王制》鄭玄《注》曰：「簡記，策書也。」策即冊，古籍中冊字往往假鞭策的策字來用。關於冊，《尚書・多士》載「有惟殷先人，有冊有典。」《尚書・金縢》有「史乃冊祝」，《尚書・顧命》有「命作冊度」。關於策，《儀禮・聘禮》曰：「有百名以上書於策」，所謂「百名」，就是百字，一簡容字有限，字多則編連諸簡成冊。故賈公彥《疏》曰：「編連成冊，不編成簡。」大抵而言，冊、策所載多爲一事。其他類如從如的簿、篇、箋、箔等，大都是由竹材作爲書寫材料所演變而來。

木牘的應用稍晚，但在先秦典籍中，亦多記載。如《莊子・列禦寇》載「小夫之知，不離苞苴竿牘」，《戰國策・齊策》曰：「不及百名書於方」，《儀禮・既夕禮》曰：「書賵於方」，《周禮・天官・宮伯》曰：「掌王宮之士庶子凡在版者」，《周禮・天官・司書》曰：「掌邦中之版」，「周禮・春官・大胥》曰：「掌學士之版」，《周禮・秋官・司民》掌民之數，自生齒以上，皆書於版。」上引所引的「牘」、「方」、「版」三者，實一物而異名。《說文》曰：「牘，書版也，从片，賣聲。」又曰：「版，片也。从片，反聲。」牘、版二者皆从片，而《說文》釋片爲「判木」，从半木。可見牘、版皆是判木爲片的。亦即凡寬而薄的木片都可以說是牘或版。又《周禮·秋官·誓簇氏》鄭玄《注》曰：「方，版也」，孔穎達《春秋左氏傳序疏》曰：「牘乃方版」，可見牘、版、方三者都是寬薄木片的異名。不過，孔穎達《春秋左氏傳序疏》又曰：「簡之所容一行字耳，牘乃方版，版寬於簡，可以並容數行，凡爲書，字有多少，一行可盡者，書之於簡，數行乃盡者，書之於方，方所不容，乃書於策。」又法人沙畹（E. CHAVANNES）曰：「觀字形，簡及策爲竹製，方版爲木製。顧竹中空，徑圓，不大可用，以製簡之平版必甚狹，至木版則不然，其式可寬，其名曰方，其形必方，即不然，必爲長方形。」②則稱方又因其形制而來。③

簡牘雖有竹木之分，但形制用途則類同。因此，自來竹木大都混用不分。如《說文》曰：「簡，牒也。」又曰：「牒，札也。」以牘訓簡，以札訓牒，竹木顯然混用不分。又《漢書·郊祀志》顏師古《注》曰：「札，木簡之薄小者也。」《急就篇》顏師古《注》曰：「牘，木簡也。」《文心雕龍·書記》曰：「短簡編牒」，又曰：「故短牒咨謀」，《漢書·路溫舒傳》顏師古《注》曰：「小簡曰牒」，都以札、牒爲短小的木簡。④另外，《漢書·元帝紀注》引應劭曰：「籍者爲二尺竹牒」，可知自來簡牘或稱竹簡，或稱木簡，原無嚴格分際。簡牘單稱竹木之外，也有以「竹木簡」合稱的，⑤可見簡牘確是竹木不分的。因此，近代所出的秦漢簡牘，不論竹木，都以「簡」稱之。

竹簡的使用雖多於木牘，但近代出土的簡牘數量卻以木質爲多。如西北邊陲所出土的《敦煌漢簡》和《居延漢簡》，前者二千餘枚，後者約近三萬枚，幾乎全是木質，絕少竹材。又如《武威漢簡》中的《儀禮簡》，雖然竹木並出，仍是木簡多於竹簡。故傅振倫先生曰：

> 刀契以後有紙以前，其間千有餘年，載文之具，幾盡用木簡。徵之載籍，驗之實物，信而不誣。⑥

以量而言，傅氏此說，尙稱允當。若以出土的次數來看，則竹簡出土的次數較多。不過，竹簡大都出土自江域內地（即中原）如《仰天湖戰國楚簡》、《江陵藤店戰國楚簡》、《長沙五里牌四〇六號墓漢簡》、《馬王堆一號墓漢簡》、《臨沂銀雀山漢墓竹簡》《江陵鳳凰山一六八號漢簡》，都是竹簡。其他如馬王堆三號漢墓、鳳凰山八、九、十號墓，都是竹木兼出。可見竹材作爲書寫的材料，仍是相當普遍的。⑦由上所述，可知在出土總數上，木簡多於竹簡，但卻大都出自西北邊地。而中原內地墓葬所出的簡牘，次數雖多，但爲數卻較少。不過，出土質材卻是以竹簡爲主。這種竹木使用的差異，究其原因，不外時間和空間二大因素。

以時間來說，前面已經說到竹材的使用早於木材，王國維先生《簡牘檢署考》亦曰：

> 《續漢書・百官志》亦云：「凡居宮中者，皆有口籍於門之所屬，宮名兩字，爲鐵印文符，案省符乃內之。」《注》引胡廣曰：「符用木，長尺二寸，⑧蓋始用竹而後改用木也。

以實物來看，王氏「始用竹而後改爲木」的說法是十分正確的。如同屬律令，秦代用竹，漢代用木；同屬殉葬遣策，戰國用竹，漢代用木。⑨可見竹先於木。

以空間來看，中國本土的華北、河南、山東、山西、陝西等地，多係用竹；而邊陲的新疆、甘肅則多用木，這是因爲受限於當地物產的關係。⑩邊陲之地多用木，而本土竹材復以氣候變遷，竹林斬伐，逐漸南移，因此，近代所出土的簡牘是木多於竹。

秦簡的質材是竹，這除了因時代有關外，當亦與其所處的雲夢，地屬湖南，是產竹之地有關。秦簡所的竹材，是以何種竹子做成，整理小組並未說明，無由得之。據陳夢家先生《由實物所見漢代簡冊制度》一文針對《武威漢簡》的竹材加以推論，認爲其竹材不像是習見的毛竹和慈竹，而近似短穗竹或苦竹。⑪這種竹材幹細，因此，簡寬只能容字一行，而且大都是一面書寫。這個意見也許可以做爲參考。不過，最好是整理小組能根據實物加以鑑定。

【附註】

①《簡牘檢署考》收入《王觀堂先生全集》第六冊。又王氏雖云三者不知孰爲後先，今以甲、金文都有典冊的記載來看，竹材的使用當不會晚於甲骨、金文的年代。（又參見拙著《竹簡漫談》，文載《商工日報・春秋副刊》，一九八三年有月八日。）

②參見氏著《紙未發明以前之中國書》，向達譯。文載《圖書館學季刊》五卷一期。

③參見拙著《漢簡文字研究》，頁一四六－一四七。一九八四年，政治大學中文研究所碩士論文。

④參見陳夢家先生《由實物所見漢代簡冊制度》，文見氏著《漢簡綴述》（中華書局一九八〇年版），並見《武威漢簡》第一章緒論（文物出版社一九六四年版。）

⑤《東觀餘論》曰：「政和初人於陝西發地得木竹簡一瓮」，即竹木合稱。

⑥參見氏著《簡策說》，文載《考古學報》一九三七年第六期。

⑦參見拙著《簡牘的質材》，文載《青年日報》一九七四年十二月八日，第十版。

⑧王氏所錄胡廣曰：「符用竹，長尺二寸」，校勘記據汲本、殿本，已改爲「長（可）〔尺〕二寸」。

⑨參見馬先醒先生《簡牘學要義》中〈簡牘質材〉一文及簡牘形制表。又錢存訓先生《中國古代書史》第五章舉出三點論據，證明竹的

使用先於木，錢氏論之甚詳，可參看，不贅。

⑩錢存訓先生《古國古代書史》曰：「中國大部分地區，除極北的區域外，竹叢處處可見。古籍所載竹材，亦可見華北地區，如魏、晉、秦、齊、相當於現今黃河流域的河南、山西、陝西、山東等省。」（頁九三）。又法人沙畹（E. CHAVANNES）《紙未發明之中國書》（向達譯）曰：「中國本部多用竹，而新疆多用木。此蓋爲斯地土地所限，不足爲異也。」

⑪參見氏著《漢簡綴述》頁二九三。又見《武威漢簡》頁五五。另外，關於木簡所使用的木材，不像竹材的不明確，見於載籍的木材有：松、楊、柳及黃櫨，間亦有用草本的蒲。近世出土的漢簡，則以松、柳居多，斯坦因所獲的《敦煌漢簡》，質材多爲白楊木（松柏科）；夏鼐所獲的《敦煌漢簡》，據中央研究院鑑定，則有青杆、毛白楊、水柳和聖柳。（參見夏鼐《新獲之敦煌漢簡》附錄二；《史語所集刊》第十九本，頁二六〇一二六一；又見森鹿三《東洋學研究居延漢簡研究序說》頁三一四。日本同朋舍出版社，昭和五十年版。）《武威漢簡》的質材與《敦煌漢簡》亦多相同，不外雲杉、青松、杆兒松、甚至白楊、重柳、紅柳都有。（參見拙著《漢簡文字研究》頁一四七。）

第二節 秦簡的整治及相關問題

《雲夢秦簡》的質材是竹子。在竹子製作成竹簡之前，必先加以整治，使其簡面平滑，才能用以書寫。同時，在整治中也必須使其質材乾燥堅實以利保藏。關於簡牘的製作，王充《論衡・量知》曰：

> 截竹爲筒，破以爲牒。加筆墨之跡，乃成文字。大者爲經，小者爲傳記。斷木爲槧，片木爲板。力加刮削，乃成奏

牘。

由這段說明，可知竹木的製作有別。竹簡的製作，首先要截成筒狀，然後再將筒狀破開成薄小的牒。而木牘的製作，先要截斷成槧，然後再「析木爲板」，槧是木筒截斷後未加製作者。《說文》曰：「槧，牘樸也」段《注》曰：「樸，素也，猶坯也。牘，書版也。槧謂書版之素，未書者也。」段氏以牘的粗坯爲素，說法與王充相合。

竹木的製作，雖然都要經過截斷成筒或槧的手續，但經過這一階段之後的整治，繁簡卻有差別。大抵木的整治比較容易，在「斷木爲槧，析木爲板」後，只要加以刮削到平整可書即可，因此，西北邊地的文書，大都採用這種手續簡便，可隨刮隨用的質材。

竹的整治較繁，在「截竹爲筒，破以爲牒」之後，還需經過「汗青」或「殺青」的手續，才可加「筆墨之跡」於其上。關於「汗青」和「殺青」的方法，未詳始於何時，現存較早的文獻都和劉向有關。《太平御覽》卷六〇六引《風俗通》曰：

劉向別錄云：殺青者，直治竹作簡書耳。新竹有汁，善折蠹，凡作簡者皆於火上炙乾之，陳楚之間謂之汗，汗者去其汗也。吳越曰殺，亦治也。

別錄所載的「汗青」或「殺青」，乃是整治竹簡的必要手續，但劉向所說的：吳越謂殺青，陳楚曰汗青，似明有二法，二者容或有別，而論者多混爲一談，如《後漢書．吳祐傳》曰：

父恢，爲南海太守，欲殺青簡，以寫經書。

《注》謂：「殺青者，以火炙簡令汗，取其青易書。復不蠹，謂之殺青，亦謂汗簡，義見劉向《別錄》也。」馬先醒先生認爲此《注》對劉向《別錄》恐有誤解，馬氏認爲劉向《別錄》所說的修治之法，據其文意，應有下列三點可言：

㈠汗青、殺青之法，初似興於江淮南國；至劉向而引進中原，並廣事運用於漢廷中秘書整理工作。

(二)汗青、殺青雖同爲治簡之法，二者的方式和作用卻有不同。前者系以火炙之令汗，旨在使免蟲蠹；後者係以刀削青皮，旨在免於皮滑改抹。

(三)劉向似集當時一切治簡之大成，中原的技術外，旁及陳楚的炙汗法，吳越的殺青法。①

關於第二點，明代姚福《青溪暇筆》曰：

> 古者著書以竹，初稿書於汗青。汗青者，竹皮浮滑如汗，以其易於改抹，既正則殺青而書於竹素。殺，削也，言去青皮而書竹白，不可改易也。

在竹簡上繕寫，都是書於竹素、竹白的，要取竹素、竹白，則有待於殺青的手續。陳夢家先生《武威漢簡》一書記載出土《儀禮》乙本謂其：

> 書於竹裏（笨）的一面，經久未有蟲蛀傷，出土後風化劈裂，裂處暴起成絲。此可證書寫以前一定經過殺青的手續。②

另外，劉向在每校完一書後，往往條其篇目，而他所奏的《序錄》中往往載有：

> 皆定以殺青書可繕寫也。（《戰國策》）
> 皆已定以殺青青簡書可繕寫。（《孫卿書》）
> 殺青而書可繕寫也。（《管子》）
> 皆定殺而書可繕寫也。（《鄧析子》）

可知殺青乃是繕寫前的必要工作。至於汗青，雖然也是繕寫前的手續之一，但其旨在防止蟲蛀罷了。竹簡木牘的整治，在刮削、汗青或殺青之後，仍有一道手續，就是在簡牘編聯之前，在其編繩過處，預一個刀削的小三角形契口，以容編繩，使簡冊固定而不致脫落或上下移動。這種形制，見於出土簡冊的很多，如《武威儀禮漢簡》乙本，凡是繩編過處都刻有三角形契口，再如《武威醫藥簡》的第一類和第二類簡文中，有二枚刻有刀削契口；再如長沙楊家灣七十二簡也各在其上下兩端刻有容繩契口；部分居延和敦煌漢簡也都留有預刻的小契口。③目前雖不能看到《雲夢秦簡》的原簡，但細審一九九〇年版《睡虎地秦墓竹簡》中的圖版，其中《編年記》、《語書》、《秦律十八種》、《效律》、《秦律雜抄》、《法律答問》、《封診式》、《爲吏之道》都有這一類的小契口，至於《日書》甲種的契口部分可以明顯看出，有些則不太清楚。《日書》乙種雖然有許多斷簡，但每簡的刀削契口，卻清楚可見。可見這一道整治手續也是很重要的。

大抵而言，竹木簡牘的整治，是以刮削和火炙等方式進行，刮削是爲了便利於書寫和整編，而火炙是爲了防止蟲蠹，以利保藏而已。

【附註】

①參見氏著《簡牘學要義》頁七九一八〇，《筆削與汗青》一文，簡牘學會一九八〇年版。

②參見該書頁五七。

③參見拙著《漢簡文字研究》。又見拙著《簡牘書寫之探索》，文載《青年日報》一九七四年十二月廿二日。

第三節　秦簡編聯及相關問題

前面提到，簡的初義，殆指單一竹片可以用來書寫的。但是百字以上，一簡不可盡書，字多只好編聯成冊，《儀禮・聘禮》曰：「百名以上書於策」，殆即此義。而這編綴成冊的，後來也稱爲簡。此外，《儀禮・聘禮疏》曰：「簡謂據一片而言，策是編連之稱。」又《春秋左傳序疏》曰：「單執一札，謂之簡；連編諸簡，乃名爲策。」可見百字以上的簡札，在寫用之前，必先綴合若干同長的簡札以編聯成冊。

《說文》曰：「編，次編也。」段《注》曰：「以絲次第竹簡而排列之，曰編。」《玉編》引《聲類》曰：「編，以繩編次物也。」①《漢書・張良傳》曰：「出一編書」，師古《注》曰：「編謂聯次之也，聯簡牘以爲書，故云一編。」又《漢書・諸葛豐傳》曰：「編書其罪」，師古《注》曰：「編謂聯次簡牘也」；《後漢書・蔡倫傳》曰：「自古書契多編以竹簡」，《釋名・釋書契》曰：「簡，間也，編之篇篇有間也」，「札，櫛也，編之如櫛齒相比也」，可知冊書都需加以編聯，以便編寫展讀及編捲典藏。

冊的編法，以二編爲常。《說文》冊下曰：「象其札一長一短，中有二編之形。」《獨斷》亦曰：「策者，簡也。……其次一長一短，兩編下附。」王國維《簡牘檢署考》曰：「策之編法，用韋用絲。……至編次之狀，則《說文》中所謂有二編，《獨斷》所謂二編者是。觀篆文□字之形可悟矣。」可見二編是冊的常形。②

《雲夢秦簡》大部分是三編的編聯，如《睡虎地秦墓竹簡》出版說明曰：「從簡上殘存的組痕考察，竹簡係以絲繩分三道編組。」③馬先醒先生認爲秦簡的編連方式相當單純，除《爲吏之道》外，均爲三編。馬氏並謂：

> 三編之簡牘，無不以中編居簡牘之中央部位，將之分成二等分，另二編分居簡牘上、下兩端，將簡文分括成二段，通常上、下繩編之外無文字，唯秦簡中有例外，即《封診式》中之小篇題均位於第一道編繩之上，因此其第一道編繩並非編於簡的最上端，而是離簡端約一公分處，相對的第三道繩編亦然。或者此乃秦簡通習。睡虎地秦簡八大類，除《秦律十八種》之外，莫不如此；即使六編之《爲吏

之道》，其上、下編亦編於距簡端一公分處；尤其《效律》，上、下繩編距簡端一・五公分以上，由於其「天地」較大，故一般而言，秦簡上、下編編繩甚少壓字現象；其中編則不然，如《法律答問》中第一五九、一六四、一六七等簡，《封診式》中第一三、五六、七六等簡，其中段文字密集，間不容繩，編繩過處，字體難免爲之所掩。但不能證明秦簡係先寫後編；反之，或可用以證明其先編後寫，蓋既已編連，書寫之時，避開編繩即足。若編繩細窄，自然出現前列諸簡間不容繩之現象。④

由引文中可以看出馬氏基本上是主張簡冊是「先編後寫」的，其根據並不在編繩壓字與否，而在一般的書寫省力和好逸惡勞的心理。這個意見恐怕仍需商榷。

馬氏認爲《爲吏之道》是六編，甚至說是七編（亦見前文），同時說這是簡牘書寫制度上的特例，亦爲簡牘編連上的特例。關於這一點，要先看《爲吏之道》的版式。一般而言，簡牘文書大都是「豎寫，直讀」，一簡書竟，方及次簡。但《爲吏之道》卻是分欄橫寫。《爲吏之道》共分五欄，內容由右至左書寫。五欄文字全寫的，計有三十七簡；書寫四欄，計有五十簡；最後的第五十一簡，僅寫三欄。基本上，《爲吏之道》是以每欄爲基準，在欄中是直寫，第一簡的第一欄寫完，則寫第二簡的第一欄，依次再寫第三簡的第一欄。如此類推。如：

	上	——————→			下
右	679一	679二	679三	679四	679五
	680一	680二	680三	680四	680五
|	681一	681二	681三	681四	681五
|	682一	682二	682三	682四	682五
|	683一	683二	683三	683四	683五
|	684一	684二	684三	684四	684五

	685一	685二	685三	685四	685五
	686一	686二	686三	686四	686五
	687一	687二	687三	687四	687五
↓	688一	688二	688三	688四	689五
	689一	689二	689三	689四	689五
左	690一	690二	690三	690四	690五

（阿拉伯數字是簡號，國字數字是欄位）

分五欄書寫是否表示簡冊本身一定要編成六編呢？這是值得思索的。

一般而言，二編、三編的簡冊是常見的，四編以上的簡冊較少。出土的簡冊，屬於四編的有《武威儀禮漢簡》甲本、乙本及臨沂漢武帝《元光元年曆譜》。其一、四道編繩近簡端和簡末，第二、三道編繩將一、四編繩之間截爲三段。屬於五編有僅有《武威儀禮漢簡》丙本，其編綸方式，第一、五道距簡端、簡末很近。第三道居中，第一、二道距離等於第四、五道間的距離，短於第二、三道或第三、四道間的距離。四編或五編的簡冊大都是屬於比較長的經書或曆譜。經典簡冊長度爲二尺四寸（詳下文），因爲較長，因此需要多道編綸使冊葉穩定，且有利於翻閱。一尺二寸或所謂的尺籍，一般而言，是不需要四道以上編綸的。根據《睡虎地秦墓竹簡》的出版說明，可知「秦簡的長度在二十三厘米至二十七點八厘米之間，即約秦尺一尺至一尺二寸。」⑤其中《爲吏之道》和《語書》的形制最長，約有二七・五一二七・八厘米。以這樣的長度是不需要多道編綸的。此其一。

《雲夢秦簡》中除《爲吏之道》分爲五欄，《編年記》分爲二欄書寫外，《日書》的分欄從一欄到八欄不等，其複雜超過《爲吏之道》。但《日書》的編聯並不複雜，全簡前後都是三編。在此可以看出一個現象，就是分欄書寫並不能當作編聯的依據，否則以《日書》分欄的不定性，在編聯上又將如何處理呢？可見分欄並不是編聯的依據。此其二。

準此而言，《爲吏之道》根本不可能是六編或七編。

另外，《睡虎地秦墓竹簡》出版說明認爲「竹簡係以絲繩三道編組」，作者無緣親睹，無法證實。不過，由新出版的《睡虎地秦墓竹簡》一書中的圖版來看，除了《日書》甲種部分容繩的小三角形契口不太清楚外，其餘諸簡都有明顯的契口。同時這個契口的大小看來也大致是合於絲繩的。出版說明並未說明是否有絲繩實物，其依據爲何，並不可知。不過，從文獻和出土的實物來看，編冊的繩，大致有絲、麻、韋幾種。其中以絲的使用最多。如：晉代出土的《穆天子傳》荀勗序曰：「皆竹簡，素絲編。」⑥南齊襄陽所出土的《考工記》則是「竹簡書，青絲編。」⑦《太平御覽》卷六〇六引「劉向《別傳》曰：孫子書以殺青篇，編以縹絲繩。」《文選》卷三八《爲范始興作求立太宰碑表注》曰：「劉歆《七略》云：《尙書》有青絲編目錄」，另外，臨沂銀雀山《漢元光元年曆譜》「簡上存絲綸痕四道」⑧以麻繩作編繩的，以西北邊地出土的簿籍簡冊較多，如《居延漢簡》的《永元兵物簿》《勞邊使者過界中費》及《敦煌漢簡》的簡冊，都是用麻繩編聯的。用韋的，僅見於《史記・孔子世家》謂孔子「讀《易》韋編三絕」，韋是什麼呢？《說文》曰：「韋，獸皮之韋，可以束。」以實物來看，目前爲止韋編的簡冊未見出土。

【附註】

①參見《玉篇零卷》二七卷，系部第四百廿五。

②秦簡不見二編的編捲，不過，出土的漢簡中有不少是二編的，如《長沙楊家灣七十二簡》、《居延勞邊使者過界中費冊》（圖一）、《長沙馬王堆一號墓遣策》（圖二）、《永元兵物簿》（圖三）、《居延五七・一AB》（圖四）、《鳳凰山一六八號墓竹簡遣策》、《武威日忌雜占》第六、七簡，都是二道編繩。由附圖可以看出

二編的簡冊，通常都是分上、中、下三段，而二道繩編在中間穿過。

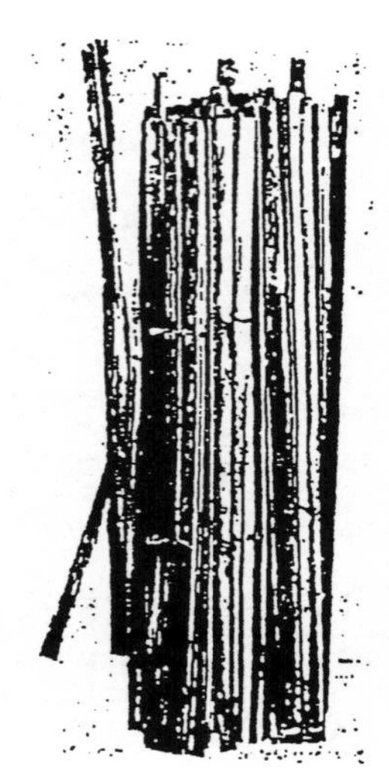

（圖一）勞邊使者過界中費　（圖二）馬王堆一號墓遣策

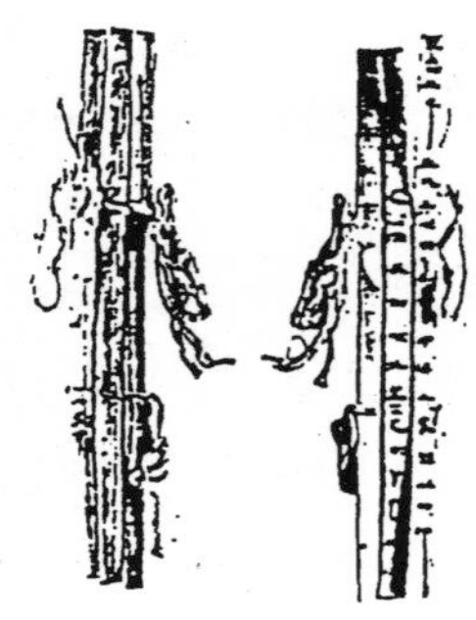

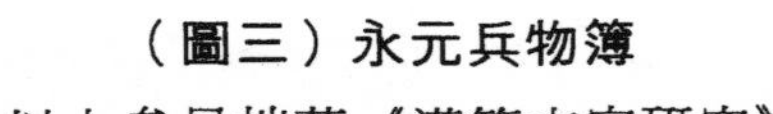

（圖三）永元兵物簿　（圖四）居延57.1AB

以上參見拙著《漢簡文字研究》頁一五三——一五四。

③參見《睡虎地秦墓竹簡》出版說明，頁二。

④參見氏著《就簡牘學觀點略論睡虎地秦簡》（上），文載《簡牘學報》第十期，頁六。

⑤參見拙著《漢簡文字研究》　。

⑥參見荀勗《穆天子傳序》又《晉書・束晳傳》曰：「初太康二年，汲郡人不準盜發魏襄王墓，或言安釐王冢，得竹書數十車。有《紀年》十三篇，素絲篇。」《穆天子傳》亦爲此墓所發。

⑦參見《南齊書・文惠太子傳》（卷廿一）。

⑧參見羅福頤《臨沂漢簡概述》，文載《文物》一九七四年第二期。

第四節　秦簡的長度及相關問題

《湖北雲夢睡虎地十一號秦墓發掘報告》曰：

> 整簡一般長爲二三・一——二七・八厘米，寬爲〇・五—〇・八厘米。①

又《睡虎地秦墓竹簡》出版說明曰：

> 秦簡的長度在二十三厘米至二十七點八厘米之間，即約秦尺一尺至一尺二寸之間。②

這二項秦簡長度的報導十分籠統而簡略。對於各簡的長度和形制都沒有詳細記載。胡四維（A. F. P. HULSEWR　）《一九七五年睡虎地出土之秦代文獻》一文中③，除當時因《日書》尚未發布，沒有具體資料外，其餘諸簡都有比較詳細的尺度，錄之於下：

簡　　別	簡長（公分）
《編年記》	23
《南郡守騰文書》	27.5
《秦律十八種》	27－27.5
《效律》	27
《秦律雜抄》	27－27.5
《法律答問》	25.3
《治獄程式》	25－25.3
《爲吏之道》	27.5

胡四維氏此表的根據並未說明，而所載尺制與《湖北雲夢睡虎地十一號秦墓發掘報告》及《睡虎地秦墓竹簡》的出版說明略有出入。馬先醒先生，根據圖版，分類量度，得尺寸如下：④

簡　　別	簡長（公分）
《爲吏之道》	27.5－27.8
《語書》	27.5－27.8
《秦律十八種》	27.1－27.6
《秦律雜抄》	27.5
《效律》	26.7－27
《法律答問》	25－25.3
《封診式》	24.9－25.2
《編年記》	23.1

以上是關於《雲夢秦簡》各類簡的尺寸長度的幾種著錄，這些說法是否正確，其實只要請整理小組對各簡作一次詳細的丈量即可。本文不擬討論。但依《湖北雲夢睡虎地十一號秦墓發掘報告》可知秦簡「整簡一般長爲二三・一－二七・八厘米。」又《睡虎地秦墓竹簡》出版說明所謂：「秦簡的長度在二十三厘米至二十七點八厘米之間，即約秦尺一尺至一尺二寸之間。」以後者的說明來看，似乎二三・一厘米爲秦制一尺，二七・八厘米等於一尺二寸。由於此中牽涉秦尺問題，本文擬簡單說明。

關於秦簡形制，法人沙畹（E.CHAVANNES）曰：

> 秦代經書制爲二尺四寸，漢因之，東漢之經簡長二尺四寸也。⑤

王國維先生曰：

> 周末以降，經書之策，皆用二尺四寸。不獨古六經策爲二尺四寸也，……周時國史記注策亦二尺四寸也，禮制法令之書亦然。
>
> 古策有長短，最二尺四寸，其次二分而取其一，其次三分而取一，最短四分而取一。
>
> 秦漢簡牘之長短，皆有比例存乎其間，簡自二尺四寸，而再分之，三分之，四分之。牘則自三尺（槧），而二尺（檄），而尺五寸（傳信），而一尺（牘），而五寸（門關之傳）。一均爲二十四之分數，一均爲五之倍數，此皆信而可徵者也。
>
> 簡之長短皆二十四之分數，牘皆五之倍數。意簡者秦制，牘者漢制歟？⑥

沙畹氏提到「秦代經書二尺四寸」，王國維氏也認爲「簡之長度二十四之分數」「簡者秦制」的說法。這二個說法是否正確，目前出土的秦代簡牘無法證明。關於簡冊經書的長度，載籍有不少著錄。如王充《論衡・謝短》曰：

> 二尺四寸，聖人文語，朝夕講習，義類所及，故可務知。漢事未載於經，名爲尺籍短書，比之小道，其能知，非儒者之貴也。

又《論衡・宣漢》曰：

> 唐、虞、夏、殷，同載在二尺四寸。

《儀禮・聘禮》賈《疏》引鄭玄《論語序》曰：

> 易、詩、書、禮、樂、春秋策皆二尺四寸。

《後漢書・周磐傳》曰：

> 編二尺四寸簡，寫堯典一篇，幷刀筆各一，以置棺前。

《後漢書・曹褒傳》曰：

> 撰次天子至於庶人冠婚吉凶終始制度，以爲百五十篇，寫

以二尺四寸簡。

《春秋左傳序》孔《疏》曰：

鄭玄注《論語序》，以鈎命決云：春秋二尺四寸書之，《孝經》一尺二寸書之，故知六經之筆，皆稱長二尺四寸。

這些著錄大都是强調經書的尺寸是二尺四寸的。另外，還有一些其他尺制，如前引《論衡・謝短》「漢事未載於經，名爲尺籍短書」。又《論衡・書解》曰：

秦雖無道，不燔諸子，諸子尺書，文書具在。

這是所謂的「尺籍」、「尺書」。又蔡邕《獨斷》曰：

其命令，一曰策書，二曰制書，三曰詔書，四曰弁書。……策者，簡也。禮曰：不滿百文，不書於策。其制長二尺，短者半之；其次一長一短，兩編。下附篆書，起年、月、日，稱皇帝曰，以命諸侯三公。其諸侯薨於位者，亦以策書誄諡其行而賜之，如諸侯之策。三公以罪死，亦賜策，文體如上策而隸書，以尺一木兩行，唯此爲異者也。

又《後漢書・陳蕃傳》曰：

尺一選舉，委尚書三公。

《注》曰：「尺一，謂板長尺一，以寫詔書也。」《後漢書・李雲傳》曰：

尺一拜相，不經御省。

《注》曰：「尺一之板，謂詔策也。見《漢官儀》。以上這是「尺一」之說。前引《春秋左傳序》孔疏曰：

春秋二尺四寸書之，孝經一尺二寸書之。

這是一尺二寸的記載。以上的簡牘制有二尺四寸、一尺二寸及一尺一寸。

關於簡冊的長短尺制，除了沙、王二者外，尙有一些近代學者的看法。如傅振倫先生曰：

簡札長短，因事而異。……經之簡，長二尺四寸。……古之律令，其事甚尊，簡之長與經並，亦爲二尺四寸。⑦

外馬衡先生認爲簡冊的長短分爲好幾種，氏曰：

簡冊的長短，也分好幾種：有長二尺四寸的，有長一尺二寸的，有長八寸的。……凡此所，言皆周時寫六經、紀、傳及國史的簡，是用二十四的分數。到了漢以後，其制又略有變更。

每簡所容的字數，多少也不一定，……有四十字的，有三十字的，九二十五字的，有二十二字的，有八字的。那容字多的，都是二尺四寸的簡；……然同是二尺四寸的簡，最多容字到四十字，最少的祇容二十二字，可見是沒有一定了。⑧

劉國鈞先生曰：

簡的長度有一定。最長的二尺四寸用於寫經典、法律和國史。其次一尺二寸，用以寫傳記和子書。這是以簡的長短來表示書籍的重要性。⑨

陳夢家先生曰：

先秦經書長二尺四寸，傳記一尺二寸或八寸，謂之短書。⑩

陳氏又曰：

各種簡牘，有一定的尺度和製作、寫作過程。

漢人所述經典簡策長短，是因其內容而分別的。……民間經典以下傳記諸子和書信，則用一尺簡。⑪

錢存訓先生曰：

古代簡牘的長度似有一定的規律，因其用途和重要性而異。經典著作的竹簡，常爲二尺四寸，一尺二寸。……長簡常用於較爲重要的典籍，而短者用於次要之書。

除經典外，其他重要著作，亦載於二尺四寸簡。

漢代木牘的尺寸，皆爲五寸的倍數，而戰國竹簡爲二尺四寸的分數。⑫

勞貞一先生曰：

> 最普通的一種，大約長二十三公分左右，寬一公分至一公分半，厚約三、四公厘。其上寫一行或二行字。……這是在漢簡中最常見的，我們叫它做簡。⑬
>
> 簡：這是窄而長的一種，大約長漢尺一尺左右，寬約漢尺五分左右，厚約一分左右，普通一行或兩行字。⑭

諸家之說，或同或異。其同者，大都認爲簡牘的形制長短，隨其用途而有其定數，也就是其大小長度和其性質成正比。大者爲經，恒二尺四寸；小者爲傳記尺籍，尺度在一尺二寸下至八寸不等。另外，大部分的論者都只論及長度，對於簡牘的寬厚，除勞貞一先生外，都沒有論及。其異者，沙畹、陳夢家二氏主張經書二尺四寸；馬衡、錢存訓二氏則認爲二尺四寸之外，尙有長一尺二寸和八寸的；同時又認爲二尺四寸的，不獨經書如此，「律令」、「國史」亦然。這個說法，王國維、傅振倫、劉國鈞三氏也都持相同的看法。總的來說，諸家所論，相互援引，其間雖不盡相同，但大抵不出沙畹、王國維二氏的影響。

前面提到以《睡虎地秦墓竹簡》和《湖北雲夢睡虎地十一號秦墓發掘報告》來看，秦簡的實際長度大約等於載籍所謂的尺籍或一尺二寸，和所謂的二尺四寸相距甚遠。有些學者認爲律令也和經書一樣都是二尺四寸，以此看來，這些說法也不全然可靠。因此，所謂「簡者秦制」的說法，可能也有商榷的必要。另外，馬先醒先生主張「二十三厘米乃後漢尺度，未經漢武、新莽改制前的秦尺，當有別於此，長度二十七・六厘米之《爲吏之道》及《語書》，當即秦代的『尺籍』，易言之，即秦尺長度。」⑮馬氏之說是否正確，由於文獻沒有載錄，難以證明。

不過有一個現象，就是漢初的一些簡牘，如銀雀山《孫子兵法簡》、《孫臏兵法簡》、馬王堆一、三號墓遣策的長度也在二七・四、二七・六、二七・九厘米之間，和《雲夢秦簡》中的二七・五上下的長度相近。以此而言，或許秦制確是一尺約等於二七・五、六厘米左右。

關於出土簡牘的實際長度，拙著《漢簡文字研究》一書中，有一個著錄表，可供簡牘長度的研究參考，茲列於下，作爲本節之結。⑯

種類名稱	尺度（厘米）	材質
武威儀禮》甲本	55.5－56	木
武威儀禮》乙本	50.5	竹
武威儀禮》丙本	56.5	木
阜陽漢簡・蒼頡篇》	已殘，現存最長爲18.6，據推原原簡當在25左右	木
《流沙墜簡・急就篇》	一尺五寸	木
《銀雀山・孫子兵法》	27.6	竹
《銀雀山・孫臏兵法》	27.6	竹
《定縣・儒家者言》	11.5	木
《武威醫藥簡》	簡23－23.4 牘22.7－23.9	木
《流沙墜簡・醫方》	23.3	木

《元光元年曆譜》	69	木
《元康三年曆譜》	一尺五寸	
《神爵三年曆譜》	一尺	
《永光五年曆譜》	一尺	
《永興元年曆譜》	一尺	
《馬王堆一號遣策》	27.6	竹
《馬王堆三號遣策》	①27.4－27.9 ②28	竹 木
《鳳凰山八號墓遣策》	22.4－23.8	竹
《鳳凰山十號墓簿冊》	23	竹
《鳳凰山一六七墓遣策》	23	竹
《鳳凰山一六八墓遣策》	23.2	竹
《鳳凰山九號墓木牘》	16.5	木
《鳳凰山十號墓竹牘》	27.3	竹
《鳳凰山十號墓木牘》	23－23.5	木
《雲夢木方遣策》	24.6－23.8	木

《武昌任家灣木簡》	18－21.5	木
《盱眙東陽木札》	23.6	木
《羅泊灣一號墓木牘》	38	木
《海州罔童衣物劵》	23.6	木
《長沙徐家灣被降函》	18.8	木
《武威王杖》	23	木
《武威日忌雜占》	23	木
《永元兵物簿》	23	木
《流沙墜簡・相馬經》	23.3	木
《湖北江陵楚簡遣策》	64	竹
《信陽長台關楚簡贈冊》	58.6－68.6	竹
《長沙仰天湖楚簡贈冊》	22	竹
《長沙五里牌楚簡贈冊》	13.2（已殘）	竹
《秦簡・爲吏之道》	27.5	竹
《秦簡・南郡守騰文書》	27.5	竹
《秦簡・秦律十八種》	27－27.5	竹

《秦簡・秦律雜抄》	27－27.5	竹
《秦簡・效律》	27	竹
《秦簡・法律答問》	25.3	竹
《秦簡・治獄程式》	25－25.3	竹
《秦簡・編年記》	23	竹

【附註】

①參見《文物》一九七六年第六期。

②同《睡虎地秦墓竹簡》頁二。

③胡氏此文，由詹泓隆、詹益熙先生合譯，刊於《簡牘學報》第七期。譯自《通報》六四期　A.F.P. Hulsew'e，《The Chin documents discovered in Hupei in 1975》。本文只採其表中局部內容。

④參見氏著《就簡牘學觀點略論睡虎地秦簡》（上），文載《簡牘學報》第十期，頁六。

⑤參見氏著《紙未發明以前之中國書》，向達譯。文載《圖書館學季刊》五卷一期。

⑥參見氏著《簡牘檢署考》。

⑦參見氏著《簡策說》，文載《考古學報》一九三七年第六期。

⑧參見氏著《中國書籍制度變遷之研究》，文載《圖書季刊》一卷二期。

⑨參見氏著《中國古代書籍史話》。

⑩參見氏著《汲冢竹書考》，文載《圖書季刊》新第五卷第二、三期。

⑪參見氏著《武威漢簡敘論》。

⑫參見氏著《中國古代書史》。

⑬參見氏著《居延漢簡圖版之部序文》。

⑭參見氏著《說簡牘》，文載《幼獅學報》第一卷第一期。

⑮同④。又見氏著《簡牘形制研究》（中央研究院「國際漢學會議」論文）。

⑯參見拙著《漢簡文字研究》。

第五節 秦簡的符號及相關問題

《雲夢秦簡》中的標點符號，有「●」、「▬」 、「＝」、「∨」等符號。其中以中圓點「●」和 「＝」的使用最為普遍。

一、秦簡「●」符釋義

「●」符號大都用在篇題或用以表示章句的符號。一般有二兩種，一是置於簡端，二是置於簡中。前者《雲夢秦簡》未見，後者的使用十分普遍。不過《雲夢秦簡》另有擺在置於簡末的「律名」之前的。這類符號的使用漢簡也很廣泛。漢簡的篇和章句句讀以及尾題或章題目，往往都以圓點表示。漢簡的圓點使用分大、中、小三種。《雲夢秦簡》一般而言，只用中圓點。

《雲夢秦簡》的「●」符，大都置於簡中，用來代表一個章句。在《秦律雜抄》可以看到很多例子。如：

1.任法（廢）官者為吏，貲二甲。●有興，除守嗇夫、叚（假）佐居守者，上造以上不從令，貲二甲。●除士吏、發弩嗇夫不如律，及發弩射不中，尉貲二甲。●發弩嗇夫射不中，貲二甲，免，嗇夫任之。●駕騶除四歲，不能駕御

，貲教者一盾；免，賞（償）四歲繇（傜）戍。除吏律（三二九—三三二簡）

2.游士在，亡符，居縣貲一甲；卒歲，責之。●有爲故秦人出，削籍，上造以上爲鬼薪，公士以下刑爲城旦。●游士律。（三三二—三三三簡）

3.●故大夫斬首者，䙴（遷）。●分甲以爲二甲蒐者，耐。●縣毋敢包卒爲弟子，尉貲二甲，免；令，二甲。●輕車、赿張、引強、中卒所載傅〈傳〉到軍，縣勿奪。奪中卒傳，令、尉貲各二甲。（三三五—三三六簡）

4.●敢深益其勞歲數者貲一甲，棄勞。●中勞律。（三四三—三四四簡）

5.臧（藏）皮革槖（蠹）突，貲嗇夫一甲，令、丞一盾。●臧（藏）律。（三四四簡）

可以很明顯看出《秦律雜抄》的中圓點是用來當作章句號和尾題用的。如第一條《除吏律》中有五段內容段落，除了最前端沒有用中圓點外，其餘四個段落之前都以中圓點隔開。另外，在篇尾律名之前也加上中圓點，如「●游士律」、「●中勞律」、「●臧（藏）律」。《法律答問》中也可以看到很使用中圓點的情形。如：

1.「父盜子，不爲盜。」　●今叚（假）父盜叚（假）子，可（何）論？當爲盜。（三八九簡）

2.「府中公金錢私貣用之，與盜同法。」●可（何）謂「府中」？●唯縣少內爲「府中」？其它不爲。（四〇二簡）

3.「臣妾牧殺主。」●可（何）謂牧？●欲賊殺主，未殺而得，爲牧。（四四六簡）

4.「將司人而亡，能自捕及親所智（知）爲捕，除毋（無）辠（罪）；已刑者處隱官。●可（何）辠（罪）得「處隱官」？●群盜赦爲庶人，將盜戒（械）囚刑辠（罪）以上

，亡，以故辠（罪）論，斬左止爲城旦，後自捕所亡，是謂「處隱官」。●它辠（罪）比群盜者皆如此。（四九五一四九六簡）

5.可（何）謂「宮均人」？●宮中主循者殹（也）。（五五七簡）

6.可（何）謂「宮更人」，●宮隸有刑，是謂「宮更人」。（五五八簡）

7.可（何）謂「宮狡士」、「外狡士」？●皆主王太者殹（也）。（五五九）

8.可（何）謂「宦者顯大夫？」 ●宦及智（知）於王，及六百石吏以上，皆爲「顯大夫」。（五六一）

9.可（何）謂「耐卜隸」「耐史隸」？卜、史當耐者皆耐以爲卜、史隸。●後更其律如它。（五六四）

10.可（何）謂「逵卒」？●有大繇（徭）而曹門相趣，是謂「逵卒」。（五六九）

11.可（何）謂「旅人」？●寄及客，是謂「旅人」。（五七〇）

12.●可（何）謂「爨人」？古主爨竈者殹（也）。（五六二）

由上舉十二例中可以看出，《法律答問》在《律說》解釋之前，通常都會加上中圓點，（必須說明的是：《法律答問》不是全篇如此，但比例很高）《律說》部分，可以說是新的章句段落，因此特以中圓點隔開。若整條答問過長，在《律說》部分需分段說明的，也會以中圓點隔開。同時律文發問部分也會以中圓點和律文隔開。如上舉例四：「●可（何）辠（罪）得『處隱官』？」即是在律文之後的發問。第一例律文發問部分：「●今叚（假）父盜叚（假）子，可（何）論？」也是以中圓點隔開。這說明「●」符是用來表示段落的。關於中圓點在簡中或行中使用，陳槃先生及王關仕先生都認爲是句讀符號，①以《雲夢秦簡》來看，的確是句號或節表識的意味。《封診式》中也可以看到不少中圓點，如：

1.鄉某爰書：以某縣丞某書，封有鞫者某里士五（伍）甲家室、妻、子、臣妾、衣器、畜產。●甲室、人：一宇二內，各有户，內室皆瓦蓋，木大具，門桑十木〈朱〉。●妻曰某，亡，不會封。●子大女子某，未有夫。●子小男子某，高六尺五寸。●臣某，妾小女子某。●牡犬一。●幾訊典某某、甲伍公士某某：「甲黨（倘）有〔它〕當封守而某等脱弗占書，且有辠（罪）。」　某等皆言曰：「甲封具此，毋（無）它當封者。」　即以甲封付某等，與里人更守之，侍（待）令。（五八八—五九二簡）

2.爰書：某里士五（伍）甲縛詣男子丙，告曰：「丙，甲臣，橋（驕）悍，不田作，不聽甲令。謁買（賣）公，斬以爲城旦，受賈（價）錢。」●訊丙，辭曰：「甲臣，誠悍，不聽甲。甲未賞（嘗）身免丙。丙毋（無）病殹（也），毋（無）它辠（罪）。」　令令史某診丙，不病。●令少內某、佐某以市正賈（價）賈丙丞某前，丙中人，賈（價）若干錢。●丞某告某鄉主：男子丙有鞫，辭曰：「某里士五（伍）甲臣。」　其定名事里，所坐論云可（何），可（何）辠（罪）赦，或覆問毋（無）有，甲賞（嘗）身免丙復臣之不殹（也）？以律封守之，到以書言。（六一七—六二一簡）

由《封診式》的中圓點來看，主要還是不同段落分段。《爲吏之道》也是如此。如：

1.●凡爲吏之道，……（六七九・一簡）

2.●吏有五失：……（六九一・二簡）

3.●戒之戒之，……（七一一・二簡）

4.●除害興利，……（七二八・二簡）

5.●處如資（齋），……（七二五・三簡）

6.●凡治事，……（六七九・五簡）

7.●廿五年閏再十二月丙午朔辛亥，◯告相邦：……魏户律（六九四・五一六九九簡）

8.●廿五年閏再十二月丙午朔辛亥，◯告將軍：……魏奔命律。（七〇〇・五一七〇六簡）

《爲吏之道》在許多不同主題段落之前，通常都會加上中圓點，如上舉八例即是如此。蔣義斌先生《秦簡〈爲吏之道〉在思想史上的意義》一文，就是據中圓點「●」將《爲吏之道》分爲九段的。（最後一段「口舌」之前並沒有中圓點，《爲吏之道》的分段，請參考本編《秦簡的內容》第三節）很顯然的，中圓點「●」是段落、尾題（或篇題）的重要表識。

二、秦簡「▬」符釋義

《雲夢秦簡》中「▬」符的使用並不多見，僅有七例見於《法律答問》。其他各類簡並沒有使用這個符號的情形。這七例如下：

1.甲告乙盜牛，今乙盜羊，不盜牛，問可（何）論？爲告不審。▬貲盾不直，可（何）論？貲盾。（四一七簡）

2.當貲盾，沒錢五千而失之，可（何）論？當誶。▬告人曰邦亡，未出徼闌亡，告不審，論可（何）殹（也）？爲告黥城旦不審。（四一八簡）

3.人奴妾治（笞）子，子以貼（枯）死，黥顏頯，畀主。▬相與鬥，交傷，皆論不殹（也）？交論。（四四四簡）

4.臣強與主奸，可（何）論？比毆主。▬鬥折脊項骨，可（何）論？比折支（肢）。（四四五簡）

5.「辭者辭廷。」●今郡守爲廷不爲？爲殹（也）。▬「辭

者不先辭官長、嗇夫。」▬可（何）謂「官長」？可（何）謂「嗇夫」？命都官曰「長」，縣曰「嗇夫」。（四六五簡）

6.當耐司寇而以耐隸臣誣人，可（何）論？當耐爲隸臣。▬當耐侯（候）……辠（罪）誣人，可（何）論？當耐爲司寇。（四八七簡）

7.完城旦，以黥城旦誣人，可（何）論？當黥。▬甲賊傷人，吏論以爲鬥傷人，吏當論不當？當誶。（四八九簡）

由上引七條簡文來看，「▬」符的用法和「●」符的用法，並沒有什麼不同。中圓點「●」主要的用途在於作段落章句，而「▬」的作用完全一樣。上引第一條資料，在「▬貲盾不直，可（何）論？貲盾。」句處，《睡虎地秦墓竹簡》注曰：「此句上面原簡有黑線，表示自此以下爲另一條。下面類似情況同例。」②整理小組的看法是正確的。由此亦可見「▬」符的作用和「●」符相同。如上引第五例「●」符和「▬」符同時使用，而二者即使互換，也沒什麼差異。

漢簡簡文，往往因爲分段、分項或分類的需要，在簡端標上「▬」符或「▌」符。這兩種符號，除了用作分段、分項和分類之外，同時也用小結（即小結簡）若在簡端標上「▬」符或「▌」符，表示是上一項或上一類的結尾，同時也是下一項或下一類簡的起行。③

如《武威醫藥簡》往往數簡相聯成爲一個病方，當上方結尾的簡末，下方起頭次簡時，於是在次簡的簡端標上「▌」符，將上下二個病方隔開，同時表示下個病方的起頭。如：

▌治魯氏青行解＝腹方麻黃卅分大黃十五分厚朴石膏苦參各六分烏喙付子各二分凡七物

▌治心腹大積上下行如蟲狀大恿方班髦十枚地□一枚桂一寸凡三物皆并

也有用作簡冊尾題的，如：

▌右治百病方

簡端上「▌」符，下書「右治百病方」，即是簡冊的尾題，以用來說明全冊乃是記百病的醫方。這和《居延漢簡·永元兵物簿》中的「▌右破胡墜兵物」、「▌右澗上墜兵物」及《馬王堆一號墓遣策》中的「▂」右方白羹七鼎」、「▂右方席七其四莞」的尾題小結相類似。而這和《雲夢秦簡》在篇尾律名之前加上的中圓點，如「●游士律」、「●中勞律」、「●臧（藏）律」也相似。

在漢簡中，「▂」符的，只《馬王堆一號墓遣策》的小結簡。馬王堆一號墓共有遣策三百一十二簡，其中小結簡計有五十五簡。其簡端都標有「▂」符。如：

▂右方巾羹三鼎（二二簡）

▂右方苦羹一鼎（二九簡）

▂右方苴五牒∨資五（一五七簡）

▂右方献畫勻二（二〇〇簡）

▂右方献畫木器八牒（二一九簡）

▂右方履二兩姦（纍）一兩（二六三簡）

這些小結簡，正是遣策所記隨葬器物的分項小結，亦即所謂的尾題。④

以上漢簡所使用的「▂「符、「▌」符和《雲夢秦簡》所使用的「▂」符其作用是相同的。基本上，這些符號和「●」符的作用也相同。（漢簡方面也是如此，即「·」或「●」的作用和「▂」、「▌」的作用相同。）

三、秦簡「＝」符釋義

「＝」是重文符或合文符。「＝」符最常見的用法是作爲重文符，用來表示上下重複出現的字、句。如「子子孫孫」可在子字和孫字之下各加「＝」符，成「子＝孫＝」；又如「鬼薪，鬼薪」可在鬼字和薪字之下各加「＝」符，成「鬼＝薪＝」。秦簡在「＝」符的使用上十分普遍。約可分爲四類，一是單字重文，二是複詞重文，三是成句重文，四是表合文。

※｛　｝號內文爲重文內容。

㈠、單字重文

1.發書，移書曹＝｛曹，曹｝莫受，以告府＝｛府，府｝令曹畫之。（〇六六簡）

2.「盜＝｛盜盜｝人，買（賣）所盜，以買它物，皆畀其主。」今盜｛盜盜｝甲衣，買（賣），以買布〔衣〕而得，當以衣及布畀不當＝｛當？當｝以布及其它所買畀甲，衣不當。（三九三—三九四簡）

3.士五（伍）甲盜一羊＝｛羊，羊｝頸有索＝｛索，索｝直（值）一錢，問可（何）論？（三九九簡）

4.法（廢）令、犯令，遝免、徙不遝＝｛遝？遝｝之。（五一三簡）

5.空倉中有薦＝｛薦，薦｝下有稼一石以上，廷行〔事〕貲一甲，令史監者一盾。（五二一簡）

其中「曹＝｛曹，曹｝」、「府＝｛府，府｝」「盜＝｛盜盜｝」、「當＝｛當？當｝」、「羊＝｛羊，羊｝、「索＝｛索，索｝」、「遝＝｛遝？遝｝」「薦＝｛薦，薦｝」。這種重文的形式不但《雲夢秦簡》有很多例子，先秦典籍也經常使用。

㈡、複詞重文符

複詞（或疊字）重文符在《雲夢秦簡》中佔的比例很高。如：

1.當居曹奏令＝、丞＝｛令、丞，令、丞｝以爲不直，志千里使有籍書之，以爲惡吏。語書。（〇六六—〇六七簡）

2.將牧公馬＝牛｛馬牛，馬〔牛〕｝死者，亟謁死所縣，縣

亟診而入之。（〇八三簡）

3.出禾，非入者是出之，令度＝之＝｛度之，度之｝當堤（題），令出之。（〇九〇簡）

4.宦者、都官吏、都官人有事上爲將，令縣貣（貸）之，輒移其稟＝縣＝｛稟縣，稟縣｝以減其稟。已稟者，移居縣責之。（一一一簡）

5.祠固用心腎及它支（肢）物，皆各爲一＝具＝｛一具，一〔具〕｝之臧（贓）不盈一錢，盜之當耐。（三九五—三九六簡）

6.可（何）謂「抉＝籥＝」｛抉籥（鑰）」？抉籥（鑰）｝者已抉啓之乃爲抉，（四〇〇簡）

7.可（何）謂四＝鄰＝？｛「四鄰」？「四鄰」｝即伍人謂殹（也）。（四六九簡）

8.子盜父＝母＝｛父母，父母｝擅殺、刑、髡子及奴妾，不爲「公室告」。（四七三簡）

9.可（何）謂家＝辠＝？｛「家辠（罪）」？「家辠（罪）」｝者，父殺傷人及奴妾，父死而告之，勿治。（四七六簡）

10.「癘者有辠（罪），定＝殺＝｛定殺。」「定殺」｝可（何）如？生定殺水中之謂殹（也）。或曰生貍（埋），生貍（埋）之異事殹（也）。（四九一簡）

11.大夫甲堅鬼＝薪＝｛鬼薪，鬼薪｝亡，問甲可（何）論？（四九七簡）

12.亡久書、符券、公璽、衡羸（累），已坐以論，後自得所亡，論當除不＝當＝｛不當？不當｝。（五一六簡）

13.有稟叔（菽）、麥，當出未出，即出禾以當叔＝麥＝｛叔（菽）、麥，叔（菽）、麥｝賈（價）賤禾貴，其論可（何）殹（也）？（五二三簡）

14.問安置其子？當畀。或入＝公＝｛入公，入公｝異是。（五三八簡）

15.戒＝之＝｛戒之戒之｝，材（財）不可歸；謹＝之＝｛謹之謹之｝，謀不可遺；愼＝之＝｛愼之愼之｝，言不可追；綦＝之＝｛綦之綦〔之〕｝食不可賞（償）。（七一一・二一七一四・二簡）

其中令＝、丞＝，即是｛令、丞，令、丞｝；
馬＝牛，即是｛馬牛，馬〔牛〕｝；
度＝之＝，即是｛度之，度之｝；
稟＝縣＝，即是｛稟縣，稟縣｝；
一＝具＝，即是｛一具，一〔具〕｝；
抉＝籥＝，即是｛抉籥（鑰）？抉籥（鑰）｝；
四＝鄰＝？即是｛「四鄰」？「四鄰」｝；
父＝母＝，即是｛父母，父母｝；
家＝辠＝？即是｛「家辠（罪）」？「家辠（罪）」｝；
定＝殺＝，即是｛定殺。」「定殺」｝；
生＝貍＝，即是｛生貍（埋），生貍（埋）｝；
鬼＝薪＝，即是｛鬼薪，鬼薪｝；
不＝當＝，即是｛不當？不當｝；
叔＝麥＝，即是｛叔（菽）、麥，叔（菽）、麥｝；
入＝公＝，即是｛入公，入公｝。
戒＝之＝，即是｛戒之戒之｝；
謹＝之＝，即是｛謹之謹之｝；
愼＝之＝，即是｛愼之愼之｝；
綦＝之＝，即是｛綦之綦〔之〕｝。

㈢、成句重文符

一般而言，成句重文符的使用較少。《雲夢秦簡》能見的例子也不多，茲舉兩例，說明之。

1.捕盜律曰：捕人相移以受爵者，耐。求盜勿令＝送＝逆＝爲＝它＝，｛令送逆爲它，令送逆爲它｝事者，貲二甲。（三六六一三六七簡）《秦律雜抄》

2.一曰不＝察＝所＝親＝｛不察所親，不察所親則怨數至｝；二曰不＝智＝所＝使＝｛不智（知）所使，不智（知）所使｝則以權衡求利；三曰興＝事＝不＝當＝｛興事不當，興事不當｝則民傷指；（七〇二・二一七〇六・二簡）《爲吏之道》

第一例「令＝送＝逆＝爲＝它＝」每字下都有重文符，連結成句則爲｛令送逆爲它，令送逆爲它｝；第二例連續三句都使用重文符，「不＝察＝所＝親＝」即｛不察所親，不察所親｝；「不＝智＝所＝使＝｛不智（知）所使，不智（知）所使｝；「興＝事＝不＝當＝」即｛興事不當，興事不當｝。

㈣、表合文的「＝」符

合文書寫的歷史很久，早在殷商時代就已產生。⑤合文的產生，此處姑且不論。《雲夢秦簡》中用重文符來代表合文的，也有一些例子。如：

1.可（何）謂「宦者顯夫＝｛大夫｝？」 宦及智（知）於王，及六百石吏以上，皆爲「夫＝｛大夫｝」。（五六一簡）

2.故夫＝｛大夫｝斬首者，罨（遷）。（三三五簡）

3.告曰：某里五夫＝｛大夫｝乙家吏。（六二二簡）

4.某里五夫＝｛大夫｝乙家吏甲詣乙妾丙，（六二三簡）

5.驀＝｛驀馬｝五尺八寸以上，不勝任，奔摯（縶）不如令，縣司馬貲二甲，令丞各一甲。先賦驀＝｛驀馬｝，馬備，乃粼從軍者，到軍課之，馬殿，令、丞二甲；司馬貲二甲，法（廢）。（三三七一三三八簡）

6.甲旅札贏其籍及不備者，入其贏旅＝｛旅衣｝札，而責其

不備旞＝｛旞衣｝札。（三〇九簡）

前四例，都是以夫字下加「＝」符來代表「大夫」二字的合文，第五例是以驀字加「＝」符代表「驀馬」二字；第六例是以旞字下加「＝」符來代表「旞衣」二字的合文。基本上，合書形式的通常二字一定有一個共同的字，合書時省去其中一字，而以「＝」符代替。另外《日書》有一個合文例：

裚（製）寇（冠）帶（九一〇簡）

蓋絕紀之日：利以裚（製）衣常（裳）、説孟詐。（九一八・一簡）

裚（製）衣常（裳），丁巳衣以必敝□□不可以裚（製）□。（一〇二四簡）

其中「裚衣」作「ᵛ」形，即是合文字。二字的共同字是「衣」，因此省去一個衣字，而以「＝」符代替。綜上可知，「＝」符，通常表示有重疊、合書等多重意義。《雲夢秦簡》的大量使用，可以説明「＝」符在戰國時被廣泛地使用。

四、秦簡「ᵛ」符釋義

《雲夢秦簡》在「ᵛ」符的使用上並不多，不過仍然可以看到例子。如：

1.衡石不正，十六兩以上，貲官嗇夫一甲；不盈十六兩到八兩，貲一盾ᵛ。甬（桶）不正，二升以上，貲一甲；不盈二升到一升，貲一盾。（二七二簡）

2.鈞不正，四兩以上；斤不正，三朱（銖）以上ᵛ；半斗不正，少半升以上ᵛ；參不正，六分升一以上ᵛ；升不正，廿分升一以上；黃金衡羸（累）不正，半朱（銖）〔以〕上，貲各一盾。（二七四一二七五簡）

3.過二千二百錢以上，貲官嗇夫一甲ᵛ。百分一以到不盈十分一，直（值）過千一百錢以到二千二百錢，誶官嗇夫；

（二八三—二八三簡）

4.故吏弗效，新吏居之未盈歲，去者與居吏坐之，新吏弗坐∨；其盈歲，雖弗效，新吏與居吏坐之，去者弗坐。它如律。（二八一八二八九簡）

5.可（何）謂「贖鬼薪鋈足」∨？可（何）謂「贖宮」？（四八三簡）

6.鄉某爰書：以某縣丞某書，封有鞫者某里士五（伍）甲家室、妻、子、臣妾、衣器、畜產。●甲室、人：一宇二內，各有戶，內室皆瓦蓋，木大具，門桑十木〈朱〉。●妻曰某，亡，不會封。●子大女子某，未有夫。●子小男子某，高六尺五寸。●臣某∨，妾小女子某。●牡犬一。●幾訊典某某、甲伍公士某某：「甲黨（倘）有〔它〕當封守而某等脫弗占書，且有辠（罪）。」（五八八—五九一簡）

「∨」符，先師金祥恆教授認爲是簡牘的標號，猶今之頓號（「、」）；⑥陳夢家先生則認爲是鉤識號。⑦所謂標號，即是書手在簡牘上所作的標識；所謂鉤識，及書手或讀者所作的記識。《說文》曰：「、，有所絕止，、而識之也。」此處當指句讀。《說文》曰：「乀，鉤識也」，《史記・滑稽列傳》褚少孫所補《東方朔傳》曰：「朔初入長安，至公車上書，凡用三千奏牘。……人主從上方讀之，止，輒乀其處。」《太平御覽》卷六〇六引作「輒記其處」，又《史記會注考證》引《風俗編》曰：「輒乙其處，謂止絕處乙而記之，如今人讀書以朱識其所止作レ形，非甲乙之乙也。」可知「乀」其實即鉤識，亦即今之句也。⑧陳夢家先生綜合《武威儀禮簡》的「∨」符，歸爲三例：一、相當於句讀；二、鉤識某一章句；三、作爲平列重文名詞的間隔。⑨

由上可知簡牘中「∨」符和「乀」符作用相同，同時也可與「、」符相通，都是用來作標識用的。

《雲夢秦簡》的「∨」符使用較少，但漢簡用這個標號的卻很多，如《馬王堆一號墓遣策》、廣西貴縣《羅泊灣一號墓木牘》、《武威儀禮簡》、《敦煌漢簡》《居延》都有不少這個標號。其中如《馬王堆一號墓遣策》竹簡，在遣策書寫器物名稱時，往往會在不同類的物件下標上「∨」符或「、」符，注而記之，以示其別。例如：

▌右方濯牛胃∨豚∨雞∨笥二合∨卑遞三（33）

▌右方卵∨羊∨凫昔∨笥三合（84）

▌右方米卅石∨（鞠）二石∨布囊十三（147）

▌右方土珠∨金∨錢（295）

此外，《敦煌漢簡》烽燧類第四十五簡有在人名之下加「∨」以爲標識的。如：

隧長常賢∨充世∨綰∨□等雜受廩郡界……

簡文在三隧長名右下標上「∨」符以爲記識，可見「∨」符多有鉤識和標界之意。綜上引例，可知「∨」符多具識和句讀之意，至於常見的「乀」符及「、」符，乃是書寫之異都是用作鉤識、句讀之用。又歐陽修《詩譜補亡後序》曰：「增損圖乙，不知何以爲圖，何以爲乙？答曰：圖者，塗抹也；乙者勾止也。」⑩所謂「勾止」，即有所絕止，勾而識之。這當是「∨」符的原義。

【附註】

①參見陳槃先生《漢晉遺簡識小七種》（下），頁一〇〇——〇一簡）；王關仕先生《儀禮漢簡本考證》頁一五〇。

②參見《睡虎地秦墓竹簡》頁一〇四。

③參見《漢簡文字研究》頁二九一。

④「▌」也有有標於簡中和簡末的，它們可以用來代表花押，也可以用來表示分項的結尾。請參見拙著《漢簡文字研究》頁二九七一二九八。

⑤參見林素清先生《戰國文字研究》頁一二九。臺灣大學中文研究所博士論文。一九七四年六月。

⑥參見師著《長沙漢簡零釋》，文載《中國文字》第四十六期。

⑦參見氏著《漢簡綴述》頁三〇九。

⑧參見《漢簡文字研究》頁二五四。

⑨同⑦。

⑩參見陳槃先生《漢晉遺簡七種識小》冊上，頁八。

圖二：━符圖版

圖一：●符圖版

圖四：v符圖版

圖三：二符圖版

第二篇　刑律篇

從《雲夢秦簡》看可以看到的秦代刑名有：一、死刑：戮刑、磔刑、棄市、定殺、生埋。二、肉刑：黥、劓刑、斬左趾、宮、笞、鋈足、耐、髡。三、徒刑（勞役刑）：城旦、舂、鬼薪、白粲、司寇、隸臣、隸妾、候、傳堅。四、主從刑：黥城旦、黥劓城旦、刑城旦，斬以爲城旦、刑隸臣、刑鬼薪、耐鬼薪、耐司寇、耐隸臣、耐爲候、完城旦。五、流刑：謫、遷。六、貲、贖。另外，還有一個特殊的名稱，即誶刑。其中，屬於「徒刑」部分已有專文討論（參見本文第一編第二章本文《研究範圍和旨趣》部分），本文不擬再作討論。「主從刑」屬於附加刑，融入各刑中討論，因此不另立章節。以下分四部分作爲本文討論的主題：一秦律死刑類別；二、秦律肉刑類別；三、秦律的象徵性刑罰；四、秦律中的遷、貲、贖和誶刑。

第一章　秦律死刑類別

死刑是生命刑，是刑罰之最重者，其目的在置人於死地。依據《雲夢秦簡》和《史記・秦本記》來看秦的刑罰，秦的刑罰是非常殘酷的，這主要是表現在所適用的死刑方面。其所以如此殘酷，是由於秦國在戰國初期還遠處於落後的狀態，保留著封建法制殘酷的刑罰方法。從秦簡來看，秦律中出現的死刑有五種：一是「戮」、二是「磔」、三是「棄市」、四是「定殺」、五是「生埋」。

第一節　戮　刑

戮刑是對處斬刑的人，在行刑前先刑辱示衆，然後再斬首。《法律答問》曰：「『譽適（敵）以恐衆心者，翏（戮）。』翏（戮）者可（何）如？生翏（戮），翏（戮）之已乃斬之之謂殹（也）。」（四二一簡）這則答問，是說明對於贊揚敵人而動搖軍心的犯罪行爲，法律規定應處以戮刑。而所謂「戮」，就是活著的時候先讓他受到侮辱以後再斬。前一句是引用秦刑律的原文，後一句則是對「戮」這種刑罰的解釋說明。通過《法律答問》，頗有助於我們對「戮」刑的了解，對戮的理解有很大的幫助。

戮過去主要的解釋有二層意思，一是殺，二是辱。但這些解釋都不是很具體。

㈠、戮即是殺。

如《說文》曰：「戮，殺也」。《尚書・甘誓》：「不用命，戮于社」注曰：「天子親征，又載社主謂之社。不用命奔北者，則戮之於社主前。」又《尚書・湯誓》：「爾不從誓言，予則拏戮汝，罔有攸赦」，由上引文獻來看，夏、商之際，當即有戮刑。至於戮刑是如何執行的，則不可考，但以《說文》的解釋來看，戮刑有殺的意思。《左傳・僖公三十三年》：「孟明稽首曰：『君之惠，不以纍臣釁鼓，使歸就戮於秦。寡君之以爲戮，死且不朽；若從君之惠而免之，三年將拜君賜。』敗軍之將，回國領死。是戮即爲殺。又《周禮・秋官・掌戮》：「斬殺刑戮」。注曰：「戮，謂膊焚辜肆」《禮記・月令》：「材乃祭獸戮禽」。注曰：「戮，猶殺也」可見戮就是殺。是死刑的一種。

㈡、戮即是辱。

戮亦含有辱意。如《左傳・文公六年》：「夷之蒐，賈季戮臾駢。」《國語・晉語七》：「魏將戮寡君之弟」。注曰：「戮，辱也。」《廣雅・釋詁》：「戮，辱也。」這些解釋都是說明戮有辱的意思，但對斬殺這一層意思卻沒有多作解說。倒是《周禮・秋官・司寇》的注解頗爲可取，如云：「掌戮，下二士人，史一人，徒十有二人」注曰：「戮，猶辱也，既斬殺之，又辱之。」

綜上所述，可知「戮」，包含殺、辱二層意思。其執行的情形雖然不是很明確。但由《法律答問》來看，戮的執行情形是「生翏（戮），翏（戮）之已乃斬之之謂殹（也）。」這裡所說的處戮刑方法實際上和春秋各國所執行的情形，大致是一致的，如《史記・鄭世家》曰：「祭仲反殺雍糾，戮之於市。」在執行程序上，當是「先辱之，而後斬殺之」。另外，《左傳・昭公四年》所載的楚王戮慶封的過程也是一致的，如楚靈王「執齊慶封而盡滅其族。將戮慶封，椒舉曰：『臣聞無瑕者可以戮人，慶封惟逆命，是以在此，其肯從於戮乎？播於諸侯焉用之？』王弗聽。負之斧鉞以循於諸侯。使言曰：『無或如齊慶封弒其君，弱其孤，以盟其大夫。』慶封曰：『無或如楚王子庶子圍，弒其君兄之子麇而代之，以盟諸侯。』王使速殺之。」楚靈王原是要慶封背著斧鉞到諸侯面前當眾承認自己的罪行，然後再將之斬殺，結果慶封反而揚露了楚王室篡奪弒殺的醜聞，楚王不得不叫人將他「速殺之」。由此可見，《法律答問》中所載的戮刑方式，和《左傳》及《史記・鄭世家》的記載一致，是先辱後斬。而秦律中的戮刑，事實上是由周的刑罰中繼承下來的。

第二節　磔　刑

磔又稱爲「矺」，是以分裂肢體的方法將人處死，也有將之視爲「車裂」的。《法律答問》曰：

> 甲謀遣乙盜殺人，受分十錢，問乙高未六尺，甲可（何）論？當磔。」（四三七簡）

甲派未成年的乙盜劫殺人，甲分到十錢，應處磔刑。由此可見，教唆未成年盜殺人的刑罰很重。磔刑的內容，《法律答問》並未具體說明。《史記・李斯列傳》曰：「殺大臣蒙毅等，公子十二人僇死咸陽市，十公主矺死於杜。」《索隱》曰：「矺音宅，與磔同，古今字異耳。磔謂裂其支體而殺之。」可見磔是將犯人肢體碎裂分解的一種酷刑。不過，也有將磔刑當作「車裂」的。如《荀子・宥坐》曰：「伍子胥不磔姑蘇東門外乎？」又《荀子・正論》曰：「斬斷枯磔」楊倞都注曰：「磔，車裂也。」另有將磔釋爲「張其尸」的，如《漢書・景帝紀》曰：「中元二年，改磔曰棄市，勿復磔」。師古注曰：「磔，謂張其尸也」《說文》曰：「磔，辜也。从桀，石聲。」段《注》曰：「辜之言枯也，謂磔之。……言磔者，開也，張也，刳其胸腹而張之，令其乾枯不收。」《周禮・秋官》曰：「殺王者之親者辜之。」注曰：「辜之言枯也，謂磔也。」由這資料看來，磔刑當是由「刳其胸腹而張之」，進而演變爲一種分裂肢體的死刑，再由分裂肢體進而演變「車裂」的方式，而車裂之後又「張其尸」，「令其乾枯不收」。栗勁先生就認爲：「在《史記》中所記載的「車裂以徇」，實際上就是執行磔刑。」①他認爲「張其尸」就是車裂犯人的尸體。「張其尸」是「車裂」的結果，「車裂」是「張其尸」的手段。

第三節 棄　市

所謂棄市，是在市中當眾處死。《釋名》曰：「市死曰棄市，市，眾所聚，與眾人共棄之也。」棄市見於秦簡的有二條，《法律答問》曰：

> 士五（伍）甲毋（無）子，其弟子以爲後，與同居，而擅殺之，當棄市。（四四一簡）

同母異父相與奸，可（何）論？棄市。（五四二簡）

這二條都和人倫有關，前者是士伍甲無子，以其侄爲後嗣，在一起居住，而擅自將他殺死，後者是同母不同父的人通奸，二者都應棄市。另外，《史記》也有關於棄市的資料，如：《秦始皇本紀》三十四年「有敢偶語詩書者，棄市」；《六國年表》昭襄王五十二年「王稽棄市」。棄市作爲一種死刑，其處死方式如何，秦簡並沒有說明。《漢書・景帝紀》曰：「中元二年，改磔曰棄市，勿復磔」應劭曰：「先此諸死刑皆磔於市，今改曰棄市，自非妖逆，不復磔也。」師古注曰：「棄市，殺之於市也。謂之棄市者，取刑人於市，與衆棄之也。」顯然棄市是在闤市中執行死刑的。《周禮・掌戮》鄭玄注曰：「殺以刀刃，若今棄市。」以鄭注來看，漢代的棄市是「殺以刀刃」的。沈家本謂：「此秦法也，秦法棄市爲何等刑？書無明文，以漢法推之，當亦斬刑。」②漢法是「殺以刀刃」，用刀則和斬刑有很密切的關係，以漢法上推秦法雖然很可能接近實況，但也未必就是以斬刑的方式當衆處決。《史記・高祖本紀》司馬貞《索隱》曰：「按禮云：刑人於市，與衆棄之。故今律謂絞刑爲棄市。」司馬貞是唐人，今律就是唐律，可見唐代的棄市是絞刑。以唐律上推秦律當然是不太可能。不過，仍然可以看出棄市的特性是「殺之於市」、「與衆棄之」、「刑人於市」的。這種刑罰孔穎達以爲殷代已有，《禮記・王制》：「刑人於市，與衆棄之」，孔穎達注曰：「刑人於市，與衆棄之者，亦謂殷之法，謂貴賤皆刑於市。」《周禮・秋官》曰：「加明梏以適市，而刑殺之。」又曰：「凡殺人者，踣諸市。」「刑盜於市」，可見周也有刑人於市之法。又《史記・李斯列傳》曰：「殺大臣蒙毅等，公子十二人僇死咸陽市，十公主矺死於杜。」可見刑人於市的傳統由殷至秦都有。

「刑人於市」，起源雖早，但棄市一詞，起於何時，則不可考。案《漢書・景帝紀》中元二年有「改磔曰棄市，勿復磔」之措施，則棄市一詞漢景帝時已有。但以《法律答問》中的二條「棄市」的資料來看，棄市本爲秦法甚明，亦即秦時早已有此刑名。③此外，由「改磔曰棄市」，而此事又爲景帝之德政來看，二者雖同爲死刑，很顯然棄市刑輕於磔刑。

第四節 定殺

定殺是秦簡中死刑中很特別的一種處死方式，以秦簡來看，這種刑罰是將人活活投入水中淹死。就刑罰來說，「定殺」雖然是死刑，但應不是秦律中的常刑。《法律答問》有二條關於「定殺」的資料，其一是：

> 「癘者有辠（罪），定殺。」「定殺」可（何）如？生定殺水中之謂殹（也）。或曰生貍（埋），生貍（埋）之異事殹（也）。（四九一簡）

其二是：

> 甲有完城旦辠（罪），未斷，今甲癘，問甲可（何）以論？當䙴（遷）癘所處之；或曰當䙴（遷）䙴（遷）所定殺。（四九二簡）

第一條「癘者有辠（罪），定殺」是秦律的律文，以下則是對律文中「定殺」一詞的解釋。由律文來看，這個刑罰是對特定犯人——癘者所設的刑罰。律文規定痲瘋病人犯罪，應採投入水中的死刑。癘者在未觸犯法律的情況下，也有罪嗎？秦律何以會有「癘者有罪，定殺」的法律規定呢？依《睡虎地秦墓竹簡》整理小組的解釋，癘是痲瘋病，④《封診式》有一條對「癘」有關的描述：

> 厲（癘） 爰書：某里典甲詣里人士五（伍）丙，告曰：「疑厲（癘），來詣。」訊丙，辭曰：「以三歲時病疕，麋（眉）突，不智（知）其可（何）病，毋（無）它坐。

> 」令醫丁診之，丁言曰：「丙毋（無）麋（眉），艮本絕，鼻腔壞。刺其鼻不疐（嚏）。肘厀（膝）□□□到□兩足下奇（踦），潰一所。其手毋胈。令8.（號），其音氣敗。癘（癘）殹（也）」（六三二一六三四簡）

「癘」的病徵，從醫丁的診斷報告來看，有下列幾項：一是無麋（眉），即眉毛脫落；二是艮本絕，鼻腔壞，即鼻樑斷絕，鼻腔壞損；三是肘厀（膝）□□□到□兩足下奇（踦），即兩腳不能正常行走；四是潰一所，即潰瘍；五是其手毋胈，即手上無汗毛；六是刺其鼻不疐（嚏）、令謼（號），其音氣敗，即呼吸器官失去知覺、氣道不通或受損。林富士先生《試釋睡虎地秦簡中的「癘」與「定殺」》一文中認爲「這六種病徵和現代醫學所指稱的『痲瘋病』病徵並無不合，所以將『癘』釋爲『痲瘋病』似無不妥。」⑤除此之外，林文並認爲「癘」還有三個含意，一是「病」，做爲一種疾病，它可能是「癩」和「癘疫」（瘟疫）；二是「鬼」，是一種由鬼神作祟而引起的疾病；三是「惡」，癘在中國古代社會，常被視爲是鬼神對人的一種「降罰」。因此，癘是一種「惡疾」，是一種帶有「貌醜之惡」、「行爲之惡」、「惡鬼之惡」、「惡氣之惡」的惡疾。對於患有這樣惡疾的癘者，即使在法律上，並沒有違法行爲，然而，由於這種疾被視爲是鬼神對人惡行的一種懲罰，故而癘者或被認爲犯了「陰譴之罪」、「天棄之疾」，這種犯了陰譴之罪而爲鬼神所降祟、所遺棄的人，若再觸犯法律，就是「惡上加惡」，故加處以死刑。⑥這是很合理的解釋。

從秦簡來看，患有癘者，只要不犯罪，或是先犯罪才罹患癘病，也不會被處死，只受到隔離的處置。如上引第二條，律文對犯有城旦的罪，尚未判決，而患有痲瘋病的犯人，律說認爲應遷往痲瘋病隔離區居住；律說另有「或曰：當遷遷所定殺」，即遷到隔離區再以水淹死。第二個解說，當是受到「癘者有罪，定殺」的律文的影響，但這種判處應該不是秦律的常態，而且也不太可靠。《法律答問》另有一條罪犯患癘病的處理情形：

城旦、鬼薪癘，可（何）論？當䙴（遷）癘䙴（遷）所。（四九三簡）

城旦、鬼薪患痲瘋病，只是遷往隔離區隔離，並未處以定殺之刑，這說明僅是患了帶有傳染痲瘋病，罪不至死。法律所採取的是「遷癘所」，而不是定殺。但若已患了痲瘋病，卻又再犯罪，這是「惡上加惡」，秦律的規定很嚴苛，其所採行的刑罰方式是以水死淹的「定殺」形式。

第五節　生　埋

生埋當是以活埋的方式將人處死。《法律答問》在對患有痲瘋病的癘者採取「定殺」的刑罰，律說在對「定殺」做解說時，說道：

「定殺」可（何）如？生定殺水中之謂殹（也）。或曰生貍（埋），生貍（埋）之異事殹（也）。（四九一簡）

律說的意思是「定殺」就是把患有痲瘋病的犯人活活的投入水中淹死。有的人認爲「定殺」是「活埋」，但活埋和律文所規定的定殺是兩回事，若將定殺解釋活埋是不合律文本意的。《法律答問》既然認爲活埋不是定殺，顯然的，在定殺之外另有「生埋」的法定刑罰。

在秦代另有一種將人活埋的死刑——坑（阬）。《史記・秦始皇本紀》曰：「嘗與王生趙時母家有仇怨，皆阬之。三十四年使御史悉案問諸生，相傳告引，乃自除犯禁者四百六十餘人，皆阬之咸陽。」阬，當是生埋的一種，秦簡雖然只有一條「生埋」的資料，但以史籍來看，秦是有生埋，即「坑」的傳統。因此，這種「生埋」或「坑」成爲秦律中的法定刑罰，應是可以確定的。另外，《史記・黥布傳》曰：「上召諸將問曰：『布反，爲之奈何？』皆曰：『發兵擊之，阬豎子耳，何能爲乎！』」由此看來，漢初仍沿續了這種活埋的傳統。

見於史籍的死刑尚有腰斬、⑦車裂、⑧梟首、⑨賜死、⑩絞死、⑪坑、⑫鑿顚、抽脅、鑊亨⑬等。

【附註】

①參見氏著《秦律通論》，頁二三九。

②參見《沈寄簃先生遺書・律令考・總考》。

③參見馬非百《秦集史・法律志》，頁八四〇。

④參見《睡虎地秦墓竹簡》頁一二二。

⑤文載《史原》第十五期，一九八六年。林文另列有現代醫學對「痲瘋病」的臨床病徵，請參考該文第二一四頁。

⑥同⑤。

⑦腰斬見於史籍的有：《史記・商君列傳》曰：「商君卒下變法之令。令：民不告奸者腰斬。」《史記・李斯列傳》曰：「二世二年七月，具李斯五刑，論腰斬咸陽市。

⑧車裂的資料見於《史記》。《史記・商君列傳》曰：「惠王立，公子虔之徒告商君欲反，發吏捕之，卒車裂以徇秦國，曰：』莫如商鞅反者』」又《史記・秦始皇本紀》曰：「始皇九年，盡得毒等，衛尉竭……二十人，皆車裂以徇。」

⑨梟首的資料見於《史記》。《史記・秦始皇本紀》曰：「始皇九年，盡得毒等，衛尉竭……二十人，皆梟首。」又《集解》曰：「懸首於木上曰梟。」

⑩賜死。《戰國策・秦策》曰：「秦攻邯鄲，十七月不下。軍吏惡王稽、杜摰以反。秦王大怒，而欲兼誅范睢，睢曰：「臣願請藥賜死。」《史記・白起列傳》曰：「昭王五十年，免武安君白起，遷之陰密。既行，出咸陽西門十里，至杜郵，王使使者賜之劍自裁，武

安君遂自殺。」《史記・太史公自序》曰：「司馬靳與武安君阬趙長平軍，還而與之俱賜死杜郵。」《史記・蒙恬列傳》曰：「二世即位，公子扶蘇、蒙恬、蒙毅皆賜死。」

⑪絞死。《戰國策・秦策》曰：「應候欲伐趙，武安君難之，去咸陽七里，絞而殺之。」

⑫坑。參見本文（五）生埋部分。

⑬《漢書・刑法志》曰：「秦用商鞅，連相坐之法，造參夷之誅；增加肉刑、大辟，有鑿顚、抽脅、鑊亨之刑。」

第二章　秦律肉刑類別

肉刑又叫身體刑，是殘害人的肌膚、肢體、生理機能的一種刑罰，亦即沈家本所謂的「斬人肢體，鑿其肌膚」的刑罰①。上古五刑中，除大辟奪人生命外，其餘都是斷切肢體割裂肌膚的肉刑。所謂五刑，是墨、劓、剕（臏、刖）、宮、大辟。不過，五刑刑名古書的傳述略有出入。《尚書・呂刑》曰：

> 王曰：「若古有訓，蚩尤惟始作亂，延及平民。罔不寇賊，鴟義奸宄，奪攘矯虔。曲民弗用靈，制以刑。惟作五虐之刑曰法，殺戮無辜，爰始淫爲劓、刵、椓、黥。越茲麗刑并制，罔差有辭。民興胥漸，泯泯棼棼，罔中于信，以覆詛盟。虐威庶戮，方告無辜于上。上帝監民，罔有馨香德刑，發聞惟腥。皇帝哀矜庶戮之不辜，報虐以威，遏絕苗民，無世在下。

其中苗民的「五虐之刑」是殺、劓、刵、椓和黥。《尚書・呂刑》又曰：

> 墨辟疑赦，其罰百鍰，閱實其罪。劓辟疑赦，其罰惟倍，閱實其罪。剕辟疑赦，其罰倍差，閱實其罪。宮辟疑赦，其罰六百鍰，閱實其罪。大辟疑赦，其罰千鍰，閱實其罪。墨罰之屬千，劓罰之屬千，剕罰之屬五百，宮罰之屬三百，大辟之罰屬二百。五刑之屬三千。

其中周的五刑之法是墨辟、劓辟、剕辟、宮辟與大辟。《周禮・秋官司寇・司刑》曰：

> 司刑，掌五刑之法，以麗萬民之罪。墨罪五百，劓罪五百，宮罪五百，刖罪五百，殺罪五百。若司寇斷獄弊訟，則

以五刑之法詔刑罰，而以辨罪之輕重。

其中五刑之法是墨罪、劓罪、宮罪、刖罪和殺罪。以上這些先秦典籍五刑刑名略有出入，而漢代經說的五刑內容與先秦經典也有一些出入。杜正勝先生謂：

大辟即殺；黥即墨；椓即宮；刵當是割耳，金文作聝，文獻作馘，通常是對俘虜的刑戮。五刑有割耳，除《呂刑》引述苗民五虐外，他書未見，兩漢經師亦無說。關於五刑的內容，漢代經說又與先秦典籍有些出入。伏生《尚書大傳・呂刑傳》以臏、宮觸、劓、墨、死爲五刑，鄭玄以臏、宮割、劓、墨以及大辟爲五刑（《孝經釋文》），《春秋元命包》（《公羊傳》襄二十九《注》、《疏》）同之。②

一般而言，五刑和肉刑是有區別的。《公羊傳》襄二十九年《注》曰：「古者肉刑，墨、劓、臏、宮與大辟而五」何休將五刑視爲肉刑。但嚴格來說，刑和死是有區別的。杜氏又認爲：「一般分別刑與殺，而將死刑排除在肉刑之外。《晏子春秋・雜下》曰：『弛刑罰：若死者刑，若刑者罰，若罰者免。』同書《諫下》曰：『犯槐者刑，傷之者死。』《荀子・正論》曰：『殺人者死，傷人者刑』。《呂氏春秋・去私》引墨者之法亦同。刑與死截然分屬兩個範疇，所以嚴格說，『刑』專指肉刑而言。唐人陳叔達云：『古者肉刑乃在死刑之外』（《舊唐書・刑法志》），是正確的。」③肉刑的種類各代也是略有差異，但大體上是一致的。秦漢以後的肉刑在種類上，也較墨、劓、臏（刖、剕）、宮這四種多。這些肉刑基本上都是透過破壞人的肢體，以達到殘害犯人某種生理機能的目的，報復主義的氣息很濃厚。

《雲夢秦簡》的肉刑有黥、劓、刖（斬左趾）、宮（腐）、笞（掠）、耐（完）、髡、鋈足。其中黥、劓、刖（斬左趾）、宮（腐）四種，在內容上當是繼承自先秦五刑中屬於肉刑的部分。不過，秦簡的肉刑大部分都和徒刑（自由刑）結合使用，如「黥爲城旦」、「黥爲城旦舂」、「城旦黥之」、「黥城旦辠」、「黥劓（劓）以爲城旦」、「斬左止（趾）爲城旦」、「刑爲鬼薪」、「刑爲隸臣」等，這和先秦的肉刑是有區別的。

第一節　黥　刑

黥刑又稱墨刑，是在犯人額部或臉面刺字塗墨的刑罰，也是古代五刑中之最輕者。在秦律中也是肉刑中較輕的刑罰。關於黥刑的施刑方式，《尚書・呂刑》曰：「墨罰之屬千。」孔安國《傳》曰：「刻其顙而涅之曰墨刑。」《周禮・秋官・司刑》鄭玄《注》曰：「墨，黥也，先刻其面，以墨窒之。言刻額爲瘡，以墨窒瘡孔，令變色也。」《國語・周語》韋昭《注》曰：「刀墨，謂以刀刻其顙，而以墨窒之。」《說文》曰：「黥，墨刑，在面也。」《雲夢秦簡・法律答問》曰：「女子爲隸臣妻，有子焉，今隸臣死，女子北其子，以爲非隸臣子毆（也），問女子論可（何）毆（也）？或黥顏頯爲隸妾，或曰完，完之當毆（也）。（五四四簡）其中顙是額頭，面是臉部，顏是眉目之間，指的是額中央，頯，即權，通顴，指的是額兩側（兩顴）。由此看來，墨黥的施刑方式是在犯人的額頭、額兩側或臉面上刻字塗墨。這種刑罰對受刑人既是一種肉體折磨，也是一種精神上的侮辱。因爲這種刑罰會在刑罰部位留下深色傷疤，終身不褪，成爲一種刑罰和恥辱的象徵。

一、與盜有關的黥刑。

《法律答問》曰：

「害盜別徼而盜，駕（加）辠（罪）之。」可（何）謂「駕（加）辠（罪）」？五人盜，臧（贓）一錢以上，斬左止，有（又）黥以爲城旦；不盈五人，盗過六百六十錢，黥劓（劓）以爲城旦，不盈六百六十到二百廿錢，黥爲城旦；不盈二百廿以下到一錢，罨（遷）之。求盗比此。（三七一—三七二簡）

「害盜」即《秦律十八種・內史雜》中的「憲盜」，是捕盜的職名。「徼」也是求盜之屬。④即游徼的省稱。《漢書・百官公卿表》謂鄉有游徼，「徼循禁盜賊」，可知徼也是捕盜的官吏。律文規定捕盜的害盜背著游徼去盜竊，應當加罪。律說解釋：五人共同行盜，贓物但在一錢以上，「斬左止，有（又）黥以爲城旦」；不滿五人，所盜超過六百六十錢，「黥劓（劓）以爲城旦」；不滿六百六十錢，而在二百二十錢以上的，「黥爲城旦」；不滿二百二十錢而在一錢以上的，加以流放。由律說來看，秦律對執法人員「知法犯法」的罪責十分重視。尤其是「結夥」作案，贓物在一錢以上，罪責很重。刑罰是由肉刑中的刖刑（斬左止）和黥刑結合徒刑中的城旦使用。不足五人，依其所盜贓數，刑罰有由肉刑中的劓刑和黥刑結合徒刑中的城旦使用，有「黥爲城旦」及「罨（遷）」。其中除了較輕的處流放刑外，其他都是以「黥刑」爲主刑，再與其他刑罰結合使用。

《法律答問》曰：

士五（伍）甲盜，以得時直（值）臧（贓），臧（贓）直（值）過六百六十，吏弗直（值），其獄鞫乃直（值）臧（贓），臧（贓）直（值）百一十，以論耐，問甲及吏可（何）論？甲當黥爲城旦；吏爲失刑辠（罪），或端爲，爲不直。（四〇三—四〇四簡）

士五（伍）甲盜，以得時直（值）臧（贓），臧（贓）直（值）百一十，吏弗直（值），獄鞫乃直（值）臧（贓），臧（贓）直（值）過六百六十，黥甲爲城旦，問甲及吏可（何）論？甲當耐爲隸臣，吏爲失刑辠（罪）。甲有辠

（罪），吏智（知）而端重若輕之，論可（何）殹（也）？爲不直。（四〇五—四〇六簡）

這二條都與吏的「不直」和「失刑」有關。第一條是士伍甲盜竊被捕，吏低估贓物價值，甲因而處較輕的「耐刑」。律說解釋：甲應改判「黥爲城旦」。吏則以「用刑不當」論處；如果是故意的，以「不公」論罪。第二條正好相反。士伍甲盜竊被捕，吏高估贓物所值，甲因而處較重「黥爲城旦」。律說解釋：甲有應判「耐爲隸臣」，吏以「失刑」罪論處；甲有罪，吏知道而故意從重或從輕判刑，都以「不公」論處。

《法律答問》曰：

人臣甲謀遣人妾乙盜主牛，買（賣），把錢偕邦亡，出徼，得，論各可（何）殹（也）？當城旦黥之，各畀主。（三七五簡）

人臣是男奴，人妾是女婢。男奴甲主謀叫女婢乙偷主人的牛，把牛賣掉，帶著錢逃越國境，出邊塞時被捕獲。律說解釋：二者「當城旦黥之」，這是說應按黥城旦的方法施以黥刑，然後分別交還主人。由於秦代有私家奴婢的制度，人臣人妾犯罪，爲顧及主人的權益，處刑之後仍應發還主人。一般庶民犯罪，大都是「黥爲城旦」，也就是黥刑和徒刑同時結合使用。但私人奴隸可以省去徒刑。這在其他的簡文還可以找到證據。如《法律答問》：

人奴擅殺子，城旦黥之，畀主。」（四四三簡）

私家奴婢擅自殺子，應按黥城旦的方法，對他施加黥刑，然後再將這個奴隸交還給他的主人。《法律答問》另有一條是：

人奴妾治（笞）子，子以胋（枯）死，黥顏頯，畀主。（四四四簡）

這是私家奴婢笞打己子，子因此患病死亡，只在人奴妾額上和顴部施以黥刑，然後交還主人。並未加處徒刑。可見私家奴婢的判刑和一般庶人不同，另外，由律文中的規定中强調按「黥城旦」

的方式來看，似乎還有其他施黥刑的方式。準此而言，秦律中對犯人處黥刑時，很可能還按犯人的身份地位和所犯罪的輕重，而有不同的施黥方式（如施黥部位）。

在偷盜方面，秦律有贖黥的制度。如《法律答問》曰：

> 甲謀遣乙盜，一日，乙且往盜，未到，得，皆贖黥。（三七四簡）

甲主謀派乙盜竊，還沒走到，就被捕獲。二者都應判處贖黥。

> 「抉籥（鑰），贖黥。」可（何）謂「抉籥（鑰）」？抉籥（鑰）者已抉啓之乃爲抉，且未啓亦爲抉？抉之弗能啓即去，一日而得，論皆可（何）殹（也）？抉之且欲有盜，弗能啓即去，若未啓而得，當贖黥。抉之非欲盜殹（也），已啓乃爲抉，未啓，當貲二甲。（四〇〇—四〇一簡）

律文規定「抉籥（鑰）」應「贖黥」。律說解釋：「抉籥（鑰）」的目的在盜竊，未能撬開就走，或者未撬開而被拿獲，都應處「贖黥」。所謂贖黥，就是判處黥刑而允許以錢贖罪。《秦律十八種》中的《司空》有「有罪以貲贖及有責（債）于公」、「居貲贖責（債）」的法律規定。⑤秦自商鞅變法後，創立了「官作居貲贖責（債）」的制度。這一制度，雖然文獻闕文，但《雲夢秦簡》卻有不少資料。以《雲夢秦簡》來看，有三種人可以官作居代。其一是貲——有罪被罰款或被罰物者，秦簡中有大量的「貲甲」、「貲盾」、「貲布」者都屬此類。這些可以官作居役來代償貲款或物。這是「居貲」。其二是贖——犯法而按法律被判爲「贖」一類的罪者，包括「贖耐」、「贖刑」、「贖遷」、「贖死」等，凡贖一類都可以居代，這是「居贖」。上引《法律答問》二條律文的「贖黥」，即屬此類。其三是債——因種種原因損壞公物、虧欠公款或借貸官府公債者，亦可以居代。這是「居債」。三種合起來，即是所謂的「居貲贖債」。⑥關於「貲」、

「贖」，秦律是有區別的，二者斷非一事。《法律答問》中多次使用了「當貲」、「當贖」、「貲罪」、「贖罪」等法律概念，二者雖然都屬於罪罰類，不過，一是「贖刑」，一是經濟懲罰，顯見二者在性質上是不同的。

秦律中的居贖，名目有「贖黥」、「贖耐」、「贖宮」、「贖鬼薪鋈足」、「贖死」。這些贖刑罪，顯然不是表明秦的肉刑和死刑都是可贖的，同時，法律並非先判「黥」、「耐」、「宮」、「死」之後，再令贖之。而是以這些肉刑和死刑作爲判贖刑的一個標準和名目。至於這些贖刑的標準如何，什麼罪適用什麼贖刑，贖額各是多少，秦律應有官定標準。不過，在秦律中無法找到具體的資料。

二、與傷害有關的黥刑。

因傷人而處黥刑的，秦簡有二條資料。《法律答問》曰：

> 「毆大父母，黥爲城旦舂。」今毆高大父母，可（何）論？比大父母。（四四八簡）

這條律文和人倫有關。大父母即大父、大母，亦即祖父母。大父，《墨子・節葬下》曰：「其大父死。」《史記・封禪書》曰：「坐中有九十餘老人，少君乃言與其大父共游射處，一坐皆驚。」《史記・留侯世家》曰：「大父開地，相韓昭侯宣惠王襄哀王。」《集解》引應劭曰：「大父，祖父。」大母，《墨子・節葬下》曰：「負其大母而棄之。」《漢書・文三王梁共王傳》曰：「李太后，親平王之大母也。」師古《注》曰：「大母，祖母也。」可知大父即祖父，大母，即祖母。又《漢書・宣帝紀》曰：「諸有大父母，父母喪者。」大父母，即祖父母。高大父母，據簡文，當指曾祖父母。秦律規定毆打祖父母，應黥爲城旦舂（意即男子黥爲城旦，女子黥爲舂）。毆打曾祖父母與毆打祖父母同樣論處。

《法律答問》曰：

鬥以箴（針）、鉥、錐，若箴（針）、鉥、錐傷人，各可（何）論？鬥，當貲二甲；賊，當黥為城旦。（四五六簡）

律文規定：以針、鉥、錐相鬥應罰二甲，用針、鉥、錐傷害人，應黥為城旦。由這二條簡文來看，以凶器傷人，要處肉刑和徒刑。而涉及亂倫者，即使不用凶器，罪同持器傷人。可見秦律對人倫也十分重視。

三、與殺子有關的黥刑。

因殺子而處黥刑的，秦簡有三條資料。一條是庶民殺子，二條是奴隸殺子，二者都處黥刑，但輕重有別。

《法律答問》曰：

「擅殺子，黥為城旦舂。其子新生而有怪物其身及不全而殺之，勿辠（罪）。」今生子，子身全毆（也），毋（無）怪物，直以多子故，不欲其生，即弗舉而殺之，可（何）論？為殺子。（四三一九四四〇簡）

律文規定：「擅殺子，黥為城旦舂。」但如果小兒生下時身上長有異物，以及肢體不全，因而殺死，不予治罪。律說補充說：如果身體完好，沒長異物，只是由於孩子太多，「不欲其生」，而把他殺死。應以「殺子」論處。殺子的刑罰是黥刑和徒刑中的城旦舂的結合刑。《法律答問》另有士伍擅殺一起居住且為其後嗣的侄子，而處「棄市」之刑的。⑦比較起來，「殺子」要比「殺後子」刑輕的多。主要原因是在秦律中，父母對子女擁有某種程度的生命權，但法律規定只准「謁殺」（如「甲親子同里士伍丙不孝，謁殺，敢告」（《封診式》六三〇簡），不准「擅殺」。擅殺則要以殺子「黥為城旦舂」論處。對後子而言，父母就沒有這項權利。

《法律答問》曰：

人奴擅殺子，城旦黥之，畀主。（四四三簡）

人奴妾治（笞）子，子以胋（枯）死，黥顏頯，畀主。（四四四簡）

這二條是奴隸殺子的資料，已見前述。一般士伍殺子，處肉刑加徒刑，而奴隸殺子，只處肉刑。其主要的原因是在法律上，臣妾可以作爲商品。在秦代社會，買賣臣妾是極其普遍的現象。《雲夢秦簡》的《封診式》中有「告臣」的爰書，從爰書中可以看出一些秦代買賣奴隸的情形。⑧可見在秦代非常維護奴隸的主人的所有權，因此，秦律規定，奴隸犯某些罪行，僅施一定的肉刑，然後交還給他的主人，並不判處爲刑徒，爲官府服務。

不過，也有部分私人奴婢在犯了罪之後，需服勞役的，同時在服勞役時，要受到特別的監管。如《秦律十八種・司空律》曰：

公士以下居贖刑辠、死辠者，居於城旦舂，毋赤其衣，勿枸櫝欙杕。鬼薪白粲群下吏毋耐者，人奴妾居贖貲債於城旦，皆赤其衣，枸櫝欙杕，將司之。其或亡之，有辠。（二〇一—二〇二簡）

「公士以下」無爵的一般庶人，雖因贖刑罪、死罪，而服城旦舂的勞役，也無需穿赤衣，和繫「枸櫝欙杕」的刑具。而「人奴妾居貲債於城旦」，則要穿赤衣，帶刑具。奴隸成爲服勞役的刑徒，其實，主要還是來自於秦律規定：奴隸主人可用牛馬和臣妾代服勞役，以贖罪或抵償所欠官府的債務。如《秦律十八種・司空律》曰：「百姓有貲、贖、責（債），而有一臣一妾，有一牛一馬，而欲居者，許。」（二〇七簡）因此，單就奴隸犯罪來說，除非是死刑，一般而言，只是以一定的肉刑相加，而不處徒刑的。

四、處罰奴婢驕悍的黥刑。

《封診式》的「黥妾」爰書曰：

爰書：某里公士甲縛詣大女子丙，告曰：某里五大夫乙家吏。丙，乙妾殹（也）。乙使甲曰：丙悍，（六二二簡）謁黥劓丙。」 訊丙，辭曰：「乙妾殹（也），毋（無）它坐。」 丞某告某鄉主：某里五大夫乙家吏甲詣乙妾丙，（六二三簡）曰：「乙令甲黥劓丙。」 其問如言不然？定名事里，所坐論云可（何），或覆問毋（無）有，（六二四簡）以書言。（六二二—六二五簡）

爰書內容是某里五大夫的家吏乙，因爲婢女丙驕悍，請求對丙施以黥刑和劓刑。《封診式》的「告臣」爰書，也是因爲臣妾「驕悍」，而要求「謁賣公，斬以爲城旦」。可見秦時奴隸驕悍是一個普遍的問題。因此，秦律允許奴隸的擁有者可以「驕悍」爲由，對奴婢採取「謁殺」、「謁賣公」、「謁黥劓」的措施。

五、與誣人有關的黥刑。

《法律答問》曰：

完城旦，以黥城旦誣人，可（何）論？當黥。（四八九簡）

當黥城旦而以完城旦誣人，可（何）論？當黥劓（劓）。（四九〇簡）

第一條是應判處完城旦的人，以「黥城旦」的罪名誣賴他人，誣賴者應處黥刑。第二條是應判黥城旦的人，以完城旦的罪名誣賴他人，誣賴者應處黥刑和劓刑，同時還要服城旦徒刑（當黥劓，是「當黥劓城旦」之省）。可以看出，本身刑輕而誣人以重罪者，以重罪處罰之；本身刑刑重而誣人以輕刑者，除本身的刑罰之外，另加其他肉刑處罰之。《法律答問》另有一條「告不審」的律文，其內容是：

> 當貲盾，沒錢五千而失之，可（何）論？當誶。告人曰邦亡，未出徼闌亡，告不審，論可（何）殹（也）？為告黥城旦不審。（四一八簡）

告人逃出國境，實際上並沒有私出邊界，所控告不實，法律規定作為控告應判黥城旦的罪而不實。以秦律的誣告處理原則，「告黥城旦不審」，當以「黥城旦」反坐。

六、與婚姻有關的黥刑

《法律答問》曰：

> 女子甲去夫亡，男子乙亦闌亡，相夫妻，甲弗告請（情），居二歲，生子，乃告請（情），乙即弗棄，而得，論可（何）〇（也）？當黥城旦舂。（五三七簡）

律文問：女子甲背夫私逃，男子乙也無通行證逃亡，二者結為夫妻，甲女沒有把私逃的實情告知乙，過了二年，生了孩子，才告知實情，乙並未因此而休棄甲，其後被捕獲，應如何論處？律說解釋：男子乙應黥為城旦，女子甲應黥為舂。《雲夢秦簡》關於逃婚的律文不少。如《法律答問》曰：

> 女子甲為人妻，去亡，得及自出，小未盈六尺，當論不當？已官，當論；未官，不當論。（五三六簡）

這是未成年女子已婚私逃，被捕獲以及自首，律說解釋：其婚姻若經官府認可，應論論處；未經認可，不應論處。《法律答問》又曰：

> 甲取（娶）人亡妻以為妻，不智（知）亡，有子焉，今得，問安置其子？當畀。或入公，入公異是。（五三八簡）

娶他人私逃的妻為妻，不知私逃的事，已有孩子，被捕獲。律說解釋應該發還孩子，如認為要沒收歸官則與律意不合。由這三條律文來看，女子背夫私逃，應處黥為舂；男子雖不知情，但已接納，且生有孩子，應處黥為城旦；孩子則予以發還。

七、與賄賂有關的黥刑

甲誣乙通一錢黥城旦辠（罪），問甲同居、典、老當論不當？不當。（五五三簡）

律文謂甲誣告乙行賄一錢而應有處黥城旦的罪，很顯然秦律是「通一錢」則判處「黥城旦」。秦律計貲，通常以百一十、二百二十、六百六十、千一百、二千二百為級距，因此，一錢乃為極小之數。行賄一錢，罪至城旦，可見「輕罪重刑」在商鞅之後到秦統一六國之前，一直都是秦律的一項重要原則。另外在《法律答問》「害盜別徼而盜」的律文中，有：

五人盜，臧一錢以上，斬左止，有（又）黥以為城旦。」（三七一簡）

又《法律答問》曰：

或盜採人桑葉，臧不盈一錢，何論？貲徭三旬。（三七七簡）

一錢以上，包含一錢，是小數。竟至「斬左止，有（又）黥以為城旦。」「臧不盈一錢」就要「貲徭三旬」，刑不可謂不重。其他尚有所謂「同母異父相與奸，何論？棄市。」（《法律答問》五四二簡）「甲親子同里士伍丙不孝，謁殺，敢告」（《封診式》六三〇簡）可見秦律有一個傾向，即「輕罪重罰」，其所以如此，與商鞅學派所謂的「王者用刑於將過，則大邪不生」觀念，是有很大的關係的。

【附註】

①參見《沈寄簃先生遺書・歷代刑法志》。

②參見杜正勝《從肉刑到徒刑——兼論睡虎地秦簡代所見古代刑法轉變的信息》，文載《食貨月刊》復刊一五，五，五六，一九八五年

。又《編戶齊民》第七章，頁二六四。

③同②。

④徼，《史記・平準書》集解引如淳云：「亦卒求盜之屬也。」

⑤參見《睡虎地秦墓竹簡》，《秦律十八種・司空》二〇〇—二〇七簡。

⑥參見張金光《論出土秦律中的「居貲贖債」制度——兼說趙背戶秦墓的性質》，文載《中國歷史文獻研究》（二）。關於貲贖請參考本節贖刑部分。

⑦參見《睡虎地秦墓竹簡》，《法律答問》第四四一簡。

⑧這是一則關於官府處理私人將臣妾「謁賣公」一類的案件程式。爰書內容爲：

告臣　爰書：某里士五（伍）甲縛詣男子丙，告曰：「丙，甲臣，橋（驕）悍，不田作，不聽甲令。買（賣）公，斬以爲城旦，受賈（價）錢。」訊丙，辭曰：「甲臣，誠悍，不聽甲。甲未賞（嘗）身免丙。丙毋（無）病殹（也），毋（無）它辠（罪）。」　令令史某診丙，不病。令少內某、佐某以市正賈（價）賈丙丞某前，丙中人，賈（價）若干錢。丞某告某鄉主：男子丙有鞫，辭曰：「某里士五（伍）甲臣。」其定名事里，所坐論云可（何），可（何）辠（罪）赦，或覆問毋（無）有，甲賞（嘗）身免丙復臣之不殹（也）？以律封守之，到以書言。（六一七—六二一簡）

第二節　劓　刑

《說文》曰：「劓，刖鼻也」，劓刑是割去犯人鼻子的一種刑罰。《尚書・盤庚》曰：

> 乃有不吉不迪，顛越不恭，暫遇（漸偶）姦宄，我乃劓殄滅之，無遺育，無俾易種于茲新邑。

《傳》曰：「劓，割也」《疏》曰：「五刑截鼻爲劓，故劓爲割。」可見周初已有劓刑。《易・困卦》九五：「劓刵，困於赤紱。」《易・睽卦》六三：「見輿曳，其牛掣，其人天且劓，无初有終。」《尙書・康誥》曰：「非汝封又曰劓刵人，無或劓刵人。《周禮・秋官・司刑》曰：「劓罪五百」《注》曰：「劓，截其鼻也。」是商周有劓刑的明證。

劓刑的適用範圍較廣，亦分爲獨立刑和附加刑使用。《史記・商君列傳》曰：「秦孝公時，公子虔復犯約，劓之」，便是劓作爲獨立刑使用的。秦律中，劓刑並無單獨使用的判例。通常是和黥刑加在一起，作爲徒刑的附加刑。如《法律答問》曰：

> 「害盜別徼而盜，駕（加）辠（罪）之。」可（何）謂「駕（加）辠（罪）」？五人盜，臧（贓）一錢以上，斬左止，有（又）黥以爲城旦；不盈五人，盜過六百六十錢，黥劓（劓）以爲城旦，不盈六百六十到二百廿錢，黥爲城旦；不盈二百廿以下到一錢，䙴（遷）之。求盜比此。（三七一—三七二簡）

此條在黥刑時已引過。律文規定捕盜的害盜背著游徼去盜竊，應當加重刑罰。律說解釋：五人共同行盜，贓物在一錢以上，「斬左止，有（又）黥以爲城旦」；不滿五人，所盜超過六百六十錢，「黥劓（劓）以爲城旦」；不滿六百六十錢，而在二百二十錢以上的，「黥爲城旦」；不滿二百二十錢而在一錢以上的，加以流放。由律說來看，秦律對執法人員「知法犯法」的罪責十分重視。尤其是「結夥」作案，贓物在一錢以上，罪責很重。由秦律這條資料可以看出，一般是以「黥刑」爲主刑，再與其他刑罰結合使用。同時也可以看出：「斬左止，又以爲城旦」重於「黥劓以爲城旦」，「黥劓以爲城旦」又重於「黥爲城旦」。這同時也印證了肉刑中，黥刑最輕，劓刑次輕，刖刑則重於劓刑事實。

又《法律答問》曰：

當黥城旦而以完城旦誣人，可（何）論？當黥劓（劓）。（四九〇簡）

「當黥劓」是「當黥劓城旦」之省。本身應罰黥城旦罪，又加以完城旦誣人，則刑罰應在黥城旦的基礎上加上劓刑，這就是所謂的累犯限制加重原則。

《封診式》的「黥妾」爰書曰：

爰書：某里公士甲縛詣大女子丙，告曰：某里五大夫乙家吏。丙，乙妾殹（也）。乙使甲曰：丙悍，（六二二簡）謁黥劓丙。」　訊丙，辭曰：「乙妾殹（也），毋（無）它坐。」　丞某告某鄉主：某里五大夫乙家吏甲詣乙妾丙，（六二三簡）曰：「乙令甲黥劓丙。」　其問如言不然？定名事里，所坐論云可（何），或覆問毋（無）有，（六二四簡）以書言。（六二二—六二五簡）

爰書內容是某里五大夫的家吏乙，因爲婢女丙驕悍，請求官府對丙施以黥刑和劓刑。案例中，劓刑並未作爲徒刑的附加刑，主要是由於私家奴隸通常在施加肉刑之後，即發還主人，不必服勞役之故。

以秦律來看，肉刑通常是以黥刑爲基礎，然後是兩刑相加，逐漸加重。大抵而言，秦律中的劓刑是承自商周，而楚漢之間和漢初則沿用秦律。《楚漢春秋》曰：

王鱷數言事而當，上使參乘，解玉劍以佩之。天下定，出以爲守。有告之者，上曰：「天下方急，汝何在？」曰：「亡。」上曰：「王鱷沐浴霜露與我從軍，而汝亡，告之何也？」下廷尉，劓。

軍亡而處以劓刑，可見楚漢之間仍有劓刑。漢文帝廢肉刑，當劓者笞三百，景帝減爲二百，後減爲一百。可見漢代這種截鼻的酷刑，已逐漸廢除。不過，由《後漢書・明帝紀》注曰：「右趾謂刖其右足，次刖左足，次劓次黥。」來看，東漢時肉刑並未盡廢。魏晉至唐宋皆無劓刑，其後偶有，不久即廢。①

【附註】

①金時以重罪聽贖，無以辨貴賤，於是「於齊民則劓刵以爲別」。元初定制，諸公事非當言而言者，刵其耳，這是劓刑的變刑。明洪武二十八年，頒皇明祖訓，禁用黥刺劓刖閹割之刑，其時可能行劓刵的私刑。清初軍隊中，有穿耳鼻乃割腳筋者，順治三年除之。

第三節 斬左止（刖刑）

刖刑是斷足的刑罰。刖字，《說文》或作□，曰：「斷足也。」亦作□。《國語・魯語》曰：「中刑用刀踞。」《司馬法》曰：「中辠刖之」①韋昭曰：「割鼻用刀，截斷用鋸」②又曰：

圖一

圖二

圖三

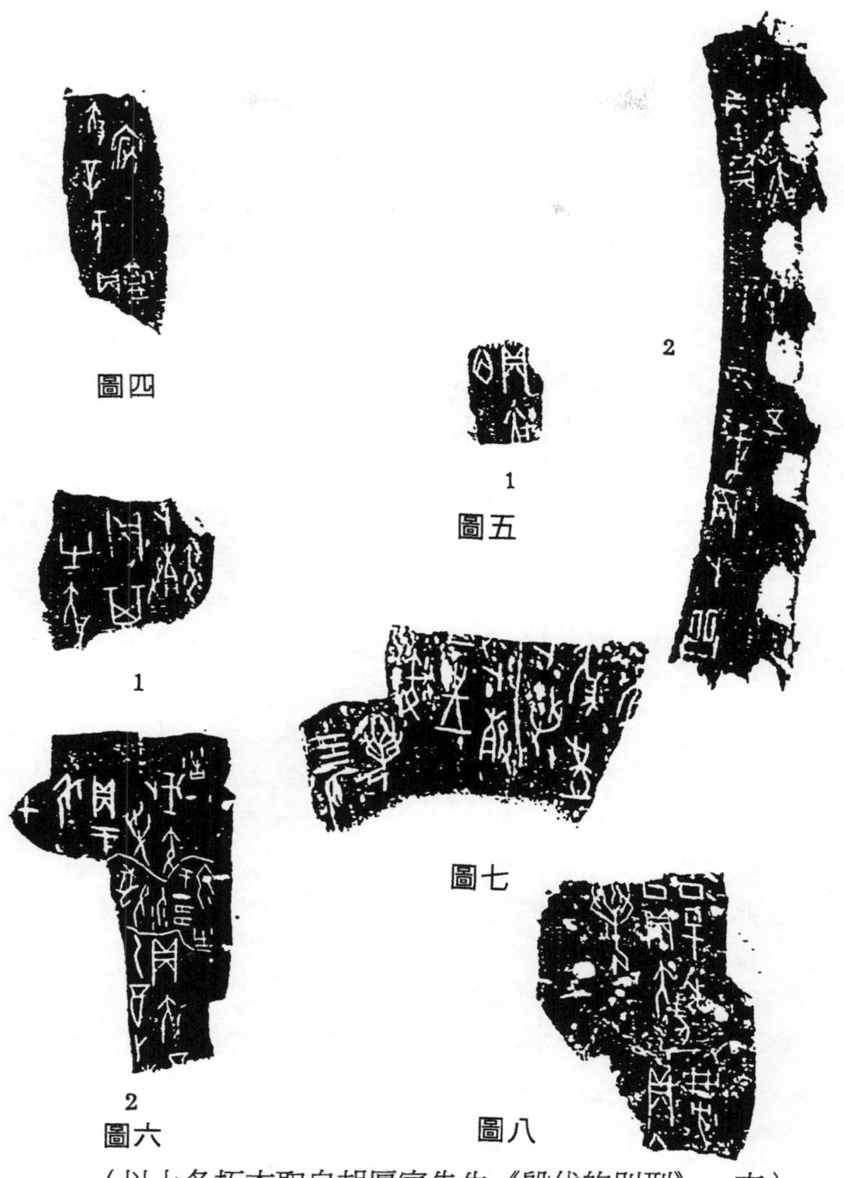

圖四

1
圖五

2

1

2
圖六

圖七

圖八

（以上各拓本取自胡厚宣先生《殷代的刖刑》一文）

「鋸，刖刑也。」③中辠用鋸，乃是刖刑。甲骨文中，有字作（乙2370）、（續補1560・圖一）、（前6.55.5・圖二）、（前7.10.1・圖三）、（前6.30.6・圖四）、（續補172,續補6899・圖五）、（粹257,京749,・圖六）、（前6.20.1・圖七）、（京人 S0334・圖八）等形，字的一旁象鋸，或以手持鋸；一旁從正面人形「大」，一足長，一足短，有的僅長足有趾，另一短足無趾。胡厚宣先生謂「用鋸或以持鋸，斷去人之一足，正是刖字的象形。」④與刖刑有關的刑罰，文獻可見的尚有臏、剕兩種。剕、刖當是同制而異名。又《古文尚書》剕字，《今文尚書》作臏，二者似乎相同。杜正勝先生以為二者當是截然不同的刑戮，氏曰：

> 臏字又作髕，《說文》云：「厀耑也」。即《急就篇》顏《注》的膝蓋。刖字或作䠒，《說文》云：「斷足」。漢代足趾可通。據《說文》，䠒或（ 兀，《一切經音義》也說刖古文有「䠒」、「䟸」（卷二）。而《莊子釋文》釋「兀者」，引李頤曰：「刖足曰兀」，又引崔譔曰：「無趾故踵行」〈德充符〉，所以段玉裁認為「䠒形即漢之斬趾，無足指，故以足跟行也」（《說文解字注》）。這麼說來，臏碎膝蓋，刖斷腳趾，是兩種不同的刑戮。前者足腿之形雖全，卻無力支柱，不能行走；後者斷趾，腳跟尚能著力，猶可藉踊助行。段氏謂「䠒輕於髕」，是合理的推斷。⑤

不過，臏刖二者似乎仍可通用。如《史記・孫子列傳》曰：「孫武既死，後百餘歲有孫臏。……孫臏嘗與龐涓俱學兵法。龐涓既事魏，得為惠王將軍，而自以為能不及孫臏，乃陰使召孫臏。臏至，龐涓恐其賢於己，疾之，則以法刑斷其兩足而黥之。」斷足屬於刖刑，而孫臏以此得名。又《荀子・正論》曰：「捶笞臏腳，斬斷枯磔。」《韓非子・難言》曰：「傅說轉鬻，孫子臏腳於魏」《漢書·鄒陽傳》曰：「司馬喜臏腳於宋，卒相中山。」臏腳皆指刖刑。《周禮·秋官·司刑》：「刖罪五百」《注》曰：「刖，斷足也。周改臏爲刖。」可見刖臏可通。

大抵而言，刖、剕、臏三者，在先秦刑名互用，界限並不嚴格，一般通稱作刖。刑的部位，或碎膝蓋，或截腿骨，或斷腳趾，是肉刑中，僅次於宮刑的酷刑。

秦律中的刖刑，不稱「刖」，而叫「斬止（趾）」。《雲夢秦簡》有二條「斬左止」的資料。其一是前引《法律答問》三七一簡中的「五人盜，臧（贓）一錢以上，斬左止，有（又）黥以爲城旦。」這是作爲憲盜的執法人員犯法的加重刑罰用的。其二是：

> 「將司人而亡，能自捕及親所智（知）爲捕，除毋（無）辠（罪）；已刑者處隱官。可（何）辠（罪）得「處隱官」？群盜赦爲庶人，將盜戒（械）囚刑辠（罪）以上，亡，以故辠（罪）論，斬左止爲城旦，後自捕所亡，是謂「處隱官」。它辠（罪）比群盜者皆如此。（四九五—四九六簡）

律文規定：監領人犯而將人犯失去，能自己捕獲及親友代爲捕獲，可以免罪，已受肉刑的處隱官。律說說明群盜已被赦免爲庶人，帶領判處肉刑以上的刑械的刑徒，而將囚徒失去，以過去犯的罪論處，斬去左足爲城旦，後來自己把囚徒捕獲，這樣應「處隱官」。由上二例來看，都是「斬左止」的刖刑，顯然在秦代另有斬右趾之刑。《爾雅·釋言》曰：「趾，足也。」斬左止，當即斬左足。刖刑分左右足，有其歷史淵源。《韓非子·和氏》曰：

> 楚人和氏得玉璞楚山中，奉而獻之厲王，厲王使玉人相之。玉人曰：「石也」王以爲誑，而刖其左足。及厲王薨，武王即位，和又奉其璞而獻之武王，武王使玉人相之，又曰：「石也」王又以和爲誑，而刖其右足。

可見春秋戰國確實存在刖左足，刖右足的刑罰。刖左右足也有輕重之分。沈家本曰：「古者之刖初犯，刖左足，復犯，刖右足。此其證漢法斬止即右者之刖，亦重於左。」⑥根據《尚書大傳》：「夏刑臏辟三百。」夏時已有刖刑。由甲骨文來看，殷商時期刖刑的使用十分普遍。周時大致上仍普遍存在這種殘忍的刑罰，如《周禮・秋官・司刑》曰：「刖罪五百」。春秋戰國，也依然十分普遍。如齊景公時，齊國居然出現「國之諸市，屨賤踴貴。」的現象，由此可見齊國被刖刑的人數量之多。《左傳・莊公十六年》曰：「鄭伯治與於雍糾之亂者，九月殺公子閼，刖強鉏。」可見春秋時鄭國有刖刑。《韓非子・說難》曰：「衛國之法，竊駕君車者，罪刖。」《韓非子・外儲說左下》曰：「孔子弟子子臯爲獄吏，刖人足，所刖者守門。」戰國時，趙國也有刖刑，如《韓非子・外儲說左下》曰：「梁車新爲鄴令，其姊往看之，墓而後門閉，因踰郭而入，車遂刖其足，趙成侯以爲不慈，奪之璽而免之令。」由上面的例子來看，春秋戰國時期，各國仍普遍存有刖刑。不過，由《雲夢秦簡》中刖刑只有二例來看，秦國對刖刑的使用十分謹慎，同時這種刑罰的使用也十分少。劉海年先生認爲：

> 可能是因爲當時秦國連年戰爭，打仗和生產需要大量勞力有關係。⑦

栗勁先生也認爲：

> 這是與秦在商鞅變法時所確立的武裝統一天下的政治目標和積極推行耕戰政策分不開的。因爲在這種政策下，秦需要的是手腳齊全的農民和戰士，需要手腳齊全的刑徒參加防衛建設、戰勤，甚至直接參加戰爭。因此，秦很少適用刖刑，根本原因就在這裡。⑧

這個看法是十分正確的。從《雲夢秦簡》中可以看出秦的主要肉刑是黥刑，黥刑除了有終身恥辱的象徵外，其刑罰本身並不影響人的行動，因此，並不會影響「打仗和生產需要的大量勞力」，所以秦國是以黥刑作爲作爲肉刑的的主刑。但是有一點必須說明的，肉刑在秦國並不是刑罰的主刑，而是徒刑的的附加刑。王占通先生認爲：

> 肉刑在開始就未曾獨立使用過，而是與奴隸身份合使用。徒刑制萌芽後，它則自然而然地轉爲監禁勞役結合使用，而且由於歷史的進步，時代的需要，勞役已漸成爲對罪犯的主要，肉刑則退居輔助地位，作爲附加刑而存在了。⑨

《雲夢秦簡》的各種肉刑的都是以「刑爲城旦」、「刑城旦」、「斬左止，又黥以爲城旦」、「黥爲城旦」、「黥劓爲城旦」、「刑鬼薪」、「刑隸臣」等方式出現，而《法律答問》中單用「黥」、「黥劓」的，事實上，也是「黥爲城旦」、「黥劓爲城旦」的省稱，由這些秦簡材料來看，很顯然的，秦代的肉刑都是作爲徒刑的附加刑來使用的。

【附註】

①參見《說文解字》耳部聅字下引《司馬法》。

②參見《國語‧魯語》韋昭《注》。

③《漢書‧刑法志》顏師古《注》引韋昭曰。

④參見胡厚宣《殷代的刖刑》，《考古》一九七三年二期。

⑤參見杜正勝《從肉刑到徒刑——兼論睡虎地秦簡代所見古代刑法轉變的信息》，文載《食貨月刊》復刊一五，五，五六，一九八五年。又《編戶齊民》第七章，頁二六六。

⑥參見《沈寄簃先生遺書‧歷代刑法志》。

⑦參見氏著《秦律刑罰考析，文載《雲夢秦簡研究》，頁二一一。

⑧參見氏著《秦律通論》，頁二四六。

⑨參見氏著《秦代肉刑耐刑可作主刑辨》，文載《吉林大學社會科學學報》一九九一年第三期。

第四節 宮 刑

宮刑又稱腐刑，是肉刑最重者。秦律中有關宮刑的資料，只有在《法律答問》中有一條，其內容爲：

> 可（何）謂「贖宮」？臣邦眞戎君長，爵當上造以上，有辠（罪）當贖者，……其有府（腐）辠（罪），〔贖〕宮。（四八三—四八四簡）

所謂「腐罪」，就是犯了應處宮刑的罪。律文規定少數民族的君長，爵位在上造以上，犯了應判爲宮刑的罪，可以判爲「贖宮」。其中「腐罪，〔贖〕宮。」並非是指判爲宮刑後可贖之，乃是指「臣邦眞戎君長，爵當上造以上」這一類人，若犯腐罪，則可判爲「贖宮」。秦律中稱「有罪當贖」，是指對某些人的某些犯罪可判爲「贖」，並非指判刑後，再令贖。①由《法律答問》這條律文可以看出秦對少數民族的上層人物十分寬容。另外律文中又提到「臣邦眞戎君長，爵當上造以上，有辠（罪）當贖者，其爲群盜，令贖鬼薪鋈足」（四八三簡），關於「群盜」罪的判處，在《法律答問》中另有一個規定，即：「五人盜，臧（贓）一錢以上，斬左止，有（又）黥以爲城旦」，可見群盜的罪並不輕。而「臣邦眞戎君長，爵當上造以上」犯這種罪，只要贖「鬼薪鋈足」就行了，而且可以「令贖」。這說明了秦代對屬邦的管理另有一套標準，此一標準具體的反映在其上層人物在法律上享有特殊地位的這一問題上。

《雲夢秦簡》所謂的「腐罪」，就是腐刑，也就是宮刑。《禮記》鄭《注》引陳浩曰：「受刑者絕無生理，故謂之腐刑，如木之腐朽無發生也。」《漢書・刑法志》顏師古《注》曰：「宮，淫刑也，男子割腐，女子幽閉。」《漢書・景帝紀注》曰：「宮刑其創腐臭，故曰腐刑。」《雲夢秦簡》稱「腐罪」意當同此。宮刑的起源甚早。《尚書・呂刑》所謂：「宮辟疑赦，其罰六百鍰，閱實其罪。」「宮罰之屬三百」《尙書大傳》曰：「宮，淫刑也。男子割勢，婦人幽閉於宮。」《疏》曰：「伏生《書傳》云：男女不以義交者，其刑宮。是宮則爲淫刑也。男子割勢，女子幽閉於宮，使不得出也。」《周禮・司刑》曰：「宮罪五百」《注》曰：「宮者，丈夫則割其勢，女子則閉於宮中。」由此看來，宮刑原是懲治「男女不以義交」的一種「淫刑」，其目在於「制淫」。同時，宮刑的涵義因適用的對象而不同，男性犯罪是以「去勢」的方式處宮刑，女性犯人則叫「幽閉」。幽閉向有二解，一是將犯罪女子禁閉於宮中，不准外出；二是使女子失去生育能力。②

宮刑目的雖在制淫，但後來施刑的對象也發生了變化。李海年先生曰：

> 宮刑，開始是懲治「男女不以義交」，所以又稱「淫刑」。後來施刑對象發生了變化：《左傳・昭公五年》：「楚子以羊舌肸爲司宮」，非坐淫也。《列子・説符篇》記載秦王處孟氏子宮刑，也非淫事。後來武帝處司馬遷宮刑，更同淫事無關。③

秦王處孟氏子宮刑，事見《列子・說符》。《列子・說符》曰：「魯人孟氏有二子，一好學，一好兵。好學者以術干秦王。秦王曰：『當今諸侯力爭，安得仁義？』遂宮而放之。」可見確與淫事無關。司馬遷因李陵案處宮刑，更與淫事無關。可知宮刑後來發展的施刑範圍不止是制淫而已。宮刑是肉刑中最重的刑罰，但自西周、春秋以來，國君多用受過宮刑的男子任職任事，所以其中有少數人可以謀取高級職位，攫取重要權力。如齊桓公時的豎刁、秦王政時的嫪毒，二世時的趙高，都是「刑餘之人」而處上位者。

《法律答問》中的「腐刑」，說明了秦確實是有宮刑這類的刑罰。文獻也有不少秦代關於此類刑罰的資料。如《史記・呂不韋傳》曰：「呂不韋進嫪毒，詐令人以腐罪告之，……太后乃陰厚賜主腐者吏，詐論之，拔其鬚眉，爲宦者。」腐罪即宮刑也。又《史記・蒙恬列傳》曰：「趙高昆弟，皆生隱宮，其母被刑僇，世世卑賤。」索隱曰：「蓋其父犯宮刑，妻子沒爲官奴婢，妻後野合所生子皆承趙姓，並宮之，故云『兄弟生隱宮』。」關於「趙高昆弟，皆生隱宮」，其中「宮」字，馬非百先生認爲是「官」字之誤，與宮刑無關。④就是說「隱宮」當是「隱官」之誤。又《史記・秦始皇本紀》曰：「隱宮徒刑七十餘萬人，分作阿房宮，或作驪山。」《正義》曰：「隱宮，受宮刑者」，其實《正義》的注解是有問題的。馬非百先生同樣認爲「宮」字乃「官」字之誤。⑤以《雲夢秦簡》來看，「隱宮」確有可能是「隱官」之誤。「隱官」一詞，在斬左止（刖刑）小節中已見稱引，其文曰：

> 「將司人而亡，能自捕及親所智（知）爲捕，除毋（無）辠（罪）；已刑者處隱官。可（何）辠（罪）得「處隱官」？群盜赦爲庶人，將盜戒（械）囚刑辠（罪）以上，亡，以故辠（罪）論，斬左止爲城旦，後自捕所亡，是謂「處隱官」。它辠（罪）比群盜者皆如此。（四九五一四九六簡）

律文的規定很清楚：監領人犯而將人犯失去，能自己捕獲及親友代爲捕獲，可以免罪，已受肉刑的「處隱官」。《律說》說明群盜已被赦免爲庶人，帶領判處肉刑以上的刑械的刑徒，而將囚徒失去，以過去犯的罪論處，斬去左足爲城旦，後來自己把囚徒捕獲，這樣應「處隱官」。由此看來，「隱官」與「隱宮」顯然有別。又《秦律十八種・軍爵律》曰：

> 欲歸爵二級以免親父母爲隸臣妾者一人，及隸臣斬首爲公士，謁歸公士而免故妻隸妾一人者，許之，免以爲庶人。工隸臣斬首及人爲斬首以免者，皆令爲工。其不完者，以

為隱官工。（二二二—二二三簡）

「不完」，《睡虎地秦墓竹簡》整理小組注為：「因受肉刑而形體殘缺」，「隱官工」，則注為：「據簡文應為在不易被人看見的處所工作的工匠。」⑥可見「隱官」是已受肉刑而逢赦免的人，與宮刑無涉。不過，《睡虎地秦墓竹簡》同注又曰：「《史記・秦始皇本紀》及《蒙恬列傳》有「隱宮」，正義釋為宮刑，恐與此無關。」此說則值得商榷。以秦律來看，《正義》的《注》是靠不住的，據上所述，「隱宮」當是「隱官」之誤，因此，《史記・秦始皇本紀》和《蒙恬列傳》的「隱宮」與《雲夢秦簡》的「隱官」，不但有關，甚至是相同的。

由於過去總是誤解《史記・秦始皇本紀》：「隱宮徒刑七十餘萬人」，為七十餘萬刑徒被處宮刑，因此，認為秦代宮刑的使用很廣。以秦簡來看，秦代的確是有「宮刑」一類的刑罰，文獻也可看到資料（如嫪毒例）。但其受刑人數恐怕未必如是之廣。此外，栗勁先生認為：

> 新出土的秦簡中的「宦者」、「宦奄」、「宮隸」、「宮均人」、「宮更人」、「宮狡士」，大都是過宮刑的男女犯人，可見當時受宮刑的人數相當大。⑦

「宦者」、「宦奄」二者，當即宦官，是受過宮刑的人。「宮均人」乃「宮中主循者殹（也）」（五五七簡），意為宮中主管巡查的人；「宮更人」乃「宮隸有刑」（五五八簡）之謂，指的是宮內曾受肉刑的奴隸；「宮狡士」乃「主王犬者殹（也」（五五九簡），指的是管理秦王狗的人。這些人是否都受過宮刑，是值得懷疑的。《法律答問》所謂的「宮狡士」之外，尚提到另一相同職務的「外狡士」，《律說》解釋二者都是替秦王管理狗的人。但由「宮」、「外」的相對意來看，顯然一是指宮中管狗的人，一是指宮外管狗的人。「宮」不是指宮刑是很明顯的。因此，除去宦者系統的宮刑之外，秦代的宮刑適用可能未必是很廣的，當然更不可能會有「宮刑七十餘萬人」這樣的歷史記錄。

【附註】

①參見張金光《論出土秦律中的「居貲贖債」制度——兼說趙背戶秦墓的性質》，文載《中國歷史文獻研究》（二）。

②宮即呂刑之椓，始於苗族。《尚書・呂刑》曰：「惟作五虐之刑曰法，殺戮無辜，爰始淫爲劓、刵、椓、黥。」其中椓刑杜正勝先生謂：「椓即宮」（參見《編戶齊民》頁二六四。）李甲孚先生曰：「呂刑中的椓刑，古書解釋是「椓破陰」，爲一種去陰的刑罰，陰是女子最隱蔽的部位，「椓破陰」就是「裂女子之陰」（參見《中國法制史及其引論》頁一一七。））。又《目耕帖》有所謂「椓竅」，即爲此說：「椓竅，法用木槌擊婦人胸腹，即有一物，墜而掩閉其牝戶，止能溺便，而人道永廢矣。是幽閉之說也。」由此而言，幽閉指「使女子失去生育能力」之刑，亦爲一說。

③參見氏著《秦律刑罰考析》，文載《雲夢秦簡研究》頁二一四。

④參見氏著《秦集史》下冊，（中華書局）《法律志》部分，頁八四四。又見氏著《雲夢秦簡中所見的歷史新證》，文載《鄭州大學學報》一九七八年第二期。

⑤同④。

⑥參見《睡虎地秦墓竹簡》頁五五。

⑦參見氏著《秦律通論》頁二四五。

第五節　笞　刑

笞刑是用荆條或竹木皮抽打犯人的背部或臀部的一種刑罰，是對輕微犯罪所處的「薄刑」。由性質看，笞刑其實是鞭刑的一種。《尚書・舜典》曰：「鞭作官刑，扑作教刑。」《禮記・學記》曰：「夏楚二物，以收其威也」鄭《注》曰：「夏，稻也；楚，荆也，二者所以扑撻犯禮者。」。「鞭」字，《僘匜》作□，便字，象以手持鞭撻人之背；①《曶鼎》寫作□，便字多加一「□」旁，是鞭的原始字。便，从人从㝖。㝖，古鞭字，加人旁以示鞭打部位——背部。「□」，象刑具，乃荆條稻枝之類。可見這類刑罰主要的方式是以荆條、稻枝或竹木爲刑具，來鞭笞犯罪者的背部或臀部。笞刑不在五刑之內，亦即古代肉刑並未將笞刑列入。但由於笞刑本身也是「身體刑」，這種刑罰的目的雖然不在「斬人肢體，鑿其肌膚」，卻足造成犯人肉體痛苦、健康失常甚至死亡。②因此，這種足以造成犯人肉體痛苦的「痛苦刑」，在此把它列入肉刑來討論。

《雲夢秦簡》中可見的笞刑不少，散見《法律答問》、《封診式》、《秦律雜抄》及《秦律十八種》中的《廏苑律》和《司空》。笞打的數量不等，有「笞十」、「笞三十」、「笞五十」、「笞百」及「熟笞之」等不同的等級。適用的範圍頗廣。案例頗多，其一見於《秦律十八種・司空律》：

> 城旦舂毀折瓦器、鐵器、木器，爲大車折䡴（輮），輒治（笞）之。直（値）一錢，治（笞）十；直（値）廿錢以上；孰（熟）治（笞）之，出其器。弗輒治（笞），吏主者負其半。（二一五—二一六簡）

律文規定：城旦舂毀壞了陶器、鐵器、木器及大車輪圈等公器，應加以笞打。笞打的標準是「直（値）一錢」，治（笞）十；「直（値）廿錢以上」，孰（熟）治（笞）之。如不立即笞打，主管的吏應賠償毀物價値的一半。其二見於《秦律十八種・廏苑律》：

> 以四月、七月、十月、正月膚田牛。卒歲，以正月大課之，最，賜田嗇夫壺酉（酒）束脯，爲旱〈皂〉者除一更，賜牛長日三旬；殿者，誶田嗇夫，罰冗皂者二月。其以牛

田，牛減絜，治（笞）主者寸十。有（又）里課之，最者，賜田典日旬；殿，治（笞）卅。（〇八〇—〇八一簡）

律文規定：評比耕牛時，其中以牛耕田，而牛的腰圍減瘦，每減瘦一寸對主事者「笞十」。在鄉里中舉行考核，如果成績低劣，則要「笞卅」。其三見於《法律答問》第一一三條：

隸臣妾毄（繫）城旦舂，去亡，已奔，未論而自出，當治（笞）五十，備毄（繫）日。（五〇二簡）

隸臣妾拘禁服城旦舂勞役，逃亡，已經出走，尚未論處而自首，「當治（笞）五十」，同時仍拘繫直至期滿。其四見於《法律答問》第一四四條：

「不會，治（笞）；未盈卒歲得，以將陽有（又）行治（笞）。」今士五（伍）甲不會，治（笞）五十；未卒歲而得，治（笞）當駕（加）不當？當。（五三三簡）

在徵發徭役時不報到，應笞打；未滿一年被捕獲，因游蕩罪應再笞打。由律文看，不報到，應「治（笞）五十」。至於未滿一年的笞打數目並沒有規定，但强調要笞打。其五見於《秦律雜抄》：

城旦爲工殿者，治（笞）人百。大車殿，貲司空嗇夫一盾，徒治（笞）五十。（三四六—三四八簡）

城旦做工而被評爲下等，每人笞打一百下；所造大車評下等，徒各「治（笞）五十」。

由上引案例來看，秦律中笞刑所笞打的數量，由「笞十」、「笞卅」、「笞五十」、「笞百」至「熟笞之」不等。笞打的數量當是依其所犯罪行的輕重而定，如對沒有犯罪身份的一般人的違法行爲，笞數比較少，耕牛每腰瘦一寸，主其事者「笞十」；耕牛考核殿後，里典「笞卅」；徭役不到「笞五十」。由於秦很重視徭役，因此逃避徭役，其所笞刑稍重。如果是有刑徒身份的罪犯，如城旦舂之類的，即使是輕罪，其所受的笞刑也是很重的。如隸臣妾拘禁服城旦舂勞役而逃亡，未論而自首，所受笞數即達五十；城旦舂做工被評爲下等，笞數更高達一百；至於城旦舂毀損公器，値在廿錢以上的，「熟笞之」。熟笞之不規定笞打數量的，而所謂「熟笞之」，是加重笞打，打夠爲止的一種任意刑。由於「熟笞之」的任意性很大，對受刑的人而言，當然不是好的懲罰手段。在秦律中雖然可以看到這些笞刑資料，似乎笞刑的適用範圍頗大。但一般而言，秦代在司法審訊上，雖把笞刑當作一種審訊手段而加以運用，卻不鼓勵使用笞刑。如《封診式・治獄》曰：

> 治獄，能以書從迹其言，毋治（笞）諒（掠）而得人請（情）爲上；治（笞）諒（掠）爲下；有恐爲敗。（五八一簡）

式中即强調：在「治獄」時，如果能夠以「毋笞掠」的方式而獲得案情的眞相是最好的。可見秦在司法審訊上並不提倡刑訊拷打，這種原則主要的是不希望有「屈打成招」的情形。不過《封診式・訊獄》中，也顯示了在審訊中仍然允許把笞刑當做一種手段。如《訊獄》曰：

> 凡訊獄，必先盡聽其言而書之，各展其辭，雖智（知）其訑，勿庸輒詰。其辭已盡書而毋（無）解，乃以詰者詰之。詰之有（又）盡聽書其解辭，有（又）視其它毋（無）解者以復詰之，詰之極而數訑，更言不服，其律當治（笞）諒（掠）者，乃治（笞）諒（掠）。治（笞）諒（掠）之必書曰：爰書：以某數更言，毋（無）解辭，治（笞）訊某。（五八二一五八五簡）

式中很明顯的可以看出：秦代在審訊案件時，有一定的程序。同時，笞刑的使用是在最後階段，等到被審訊人辭窮時，再根據所供，看是否認罪，如不認罪，在需要加刑拷問時，再根據法律使用笞刑的刑訊。此即式中所謂「其律當治（笞）諒（掠）者，乃治（笞）諒（掠）。」不過，以笞打爲刑訊的手段，在法律上卻規定要加以記錄。之所以要如此其慎的記錄刑訊，主因在於限制笞刑的濫用。同時也是意識到逼供的不可靠性，《治獄》所謂的「笞掠爲下，有恐爲敗」，正是這種體認。

由於秦的笞刑任意性很大，在應用到審訊上時，往往帶給犯人極大的痛楚，冤獄也因而產生。《史記・李斯列傳》曰：「趙高治斯，榜掠千餘，不勝痛，自誣服。」「自誣服」即是冤獄。笞刑的產生，原是微罪薄刑，其目的正如《唐律疏議》所謂：「笞者擊也，又訓爲恥。言人有小愆，法須懲戒，故加捶撻以恥之。」以秦律而言，其笞十、廿、五十者當是薄刑，即便「笞百」者，比起漢代動輒笞三百、五百，實屬薄刑。但「熟笞之」不論是作爲法定刑罰或是刑訊手段，都是一種不合理的規定。

【附註】

①《說文》曰：「撻，鄉飲酒罰不敬，撻其背。」

②如漢文帝時廢肉刑，當劓者笞三百，當斬左趾者易笞五百。但景帝在詔書承認：「加笞與重罪無異，幸而不死，不可爲人。」同時，也存在著「加笞者，或至死而笞未畢」的現象。因此，景帝時另有減刑規定：「笞者箠長五尺，其本大一寸，竹爲之，末薄半寸，皆平其節。當笞者，笞臀。毋得更人，畢一罪乃更人。」（參見班固《漢書・刑法志》。）但即使如此，仍然是「笞撻者往往致死，雖有輕刑之名，其實殺也，當此之時，民皆思復肉刑」（後漢書・崔寔傳》）。由此可見，笞刑雖不是「斬人肢體，鑿其肌膚」，然而因輕重有別，同時任意性很大，往往會有「笞撻至」死的情形。（參見劉海年《秦律刑罰考析》）

第六節　鋈　足

鋈足乃是類似加腳鐐的刑罰，嚴格講來並不是肉刑。但這種刑對身體會造成某種程度的痛苦和不便，因此可以說是一種痛苦刑。本文將之擺在肉刑部分討論，是因爲《睡虎地秦墓竹簡》整理小組《注》曰：「鋈（音沃），讀爲夭。《廣雅・釋詁一》：『折也。』鋈足，意爲刖足，一說，鋈足應爲在足部施加刑械，與釱足、踏足類似。」①把「鋈足」釋爲刖刑，劉海年先生認爲這個看法值得商榷的。②以秦簡有關鋈足的資料來看，「鋈足」當以整理小組第二種解釋，即「應爲在足部施加刑械，與釱足、踏足類似。」是正確的。

《雲夢秦簡》中關於鋈足的資料有四，三條見於《法律答問》，一條見於《封診式》。其一是《法律答問》第九十四條：

> 「葆子□□未斷而誣告人，其辠（罪）當刑城旦，耐以爲鬼薪而鋈足。」耤葆子之謂毄（也）。（四七九—四八〇簡）

其二是《法律答問》第九十七條：

> 可（何）謂「贖鬼薪鋈足」？可（何）謂「贖宮」？臣邦眞戎君長，爵當上造以上，有辠（罪）當贖者，其爲群盜，令贖鬼薪鋈足；其有府（腐）辠（罪），〔贖〕宮。其它辠（罪）比群盜者亦如此。（四八三—四八四簡）

其三是《法律答問》第九十八條：

> 以乞鞫及爲人乞鞫者，獄已斷乃聽，且未斷猶聽毄（也）？獄斷乃聽之。失鋈足，論可（何）毄（也）？如失刑辠（罪）。（四八五簡）

其四是《封診式》中的《𨙸（遷）子》：

> 爰書：某里士五（伍）甲告曰：「謁鋈親子同里士五（伍）丙足，𨙸（遷）蜀邊縣，令終身毋得去𨙸（遷）所，敢告。」　告法（廢）丘主：士五（伍）咸陽才（在）某里曰丙，坐父甲謁鋈其足，𨙸（遷）蜀邊縣，令終身毋得去

> 罨（遷）所論之，罨（遷）丙如甲告，以律包。今鋈丙足，令吏徒將傳及恆書一封詣令史，可受代吏徒，以縣次傳詣成都，成都上恆書太守處，以律食。法（廢）丘已傳，爲報，敢告主。（六二六—六二九簡）

關於鋈足，劉海年、栗勁、張政烺三位先生都主張是以腳鐐一類的刑具加在犯人腳上的一種刑罰，也就是梏足、釱足之意。劉海年先生曰：

> 鋈足究竟是什麼呢？鋈音沃。《說文》：「白金也。」孔疏云：金白謂之銀，其美者爲之鐐，然則白金不名鋈，言鋈者謂之銷白金以灌沃靷環。又說，金銀銅鐵錫總名爲金。以鐵爲質，以它金灌沃其外名爲鋈。鋈足，應是在小腿和足部施加的一種刑具。鋈的本意既然是以金屬灌沃其外，那麼鋈足可否引申爲金屬器械施加於受刑人的小腿或足部呢？《史記・平準書》：「釱左趾。」《集解》韋昭曰：「釱，以鐵爲之，著左趾以代刖刑也。」張裴《漢晉律序》云：「狀如跟衣，著〔左〕足下，重六斤，以代臏，至魏武改以代刖也。」這是史籍中以釱代刖的記載。秦簡《秦律十八種》：「公士以下居贖刑罪，死罪者，居於城旦舂，毋赤其衣，勿枸櫝欙杕。鬼薪白粲、群下吏毋耐者，人奴妾居贖貲責（債）於城旦，皆赤其衣，枸櫝欙杕，將司之。」「城旦舂衣赤衣，冒赤氈，枸櫝欙杕。」這是秦律關於哪些刑徒穿囚衣、帶刑具，哪些刑徒不穿囚衣，不帶刑具的規定。杕即釱。字形書寫的變化，表明了刑具用料發生了變化。這種刑具可能由最初的以鐵爲之，改變爲後來的以木爲之，或者鐵木交互使用。這幾年在考古發掘中，獲得了戰國和西漢時的鐵鉗，從實物上印證了秦釱足刑罰的存在。秦律中的鋈足，應是釱刑的一種。按照法律規定，在某些情況下，對於某種人，它可以取代刖刑。③

張政烺先生曰：

《說文》「鐐，白金也」，又「鋈，白金也」，兩字文義相同，讀音極近，應當是一個詞，或者說是異體字（參考段玉裁注）。白金是美好的金屬，古人不會用來作刑具，也許用它作成套在腳腕上的環形裝飾品（近代叫鐲，《玉篇》、《切韻》作鋜），因此又轉化成刑具的名稱。《金史·梁肅傳》「上疏曰：刑罰世輕世重，自漢文除肉刑，罪至徒者帶鐐居役，歲滿釋之。」梁肅此話不知根據何書，或出世俗相傳舊說。《明史·刑法志》「鐐，鐵連環之以縶足，徒者帶以輸作，重三斤。」薛允升《唐明律合編·斷獄》第一條《囚應禁而不禁》下：「且枷鎖杻之外又有腳鐐，《獄具圖》載明以鐵爲之，徒罪以上用之，即所謂『帶鐐居作』也。是腳鐐與鎖杻同爲應用刑具，律內何以並未載入。」按魏武帝時乏鐵，刑具多易以木（見《晉書·刑法志》）。枷鎖杻見於唐律，枷施於項（今仍名），枷杻施於手（即手梏），鎖施於足（即腳鐐）。鐐是俗稱，故律未載入，但是「帶鐐居作」淵源甚古。秦律《法律答問》：「失鋈足，論可（何）殹（也）？如失刑辠（罪）。（乙二八二，按即重排四八五簡）」這也正是唐律「囚應枷鎖杻而不枷鎖杻，及脫去者」要定罪的意思。我們推斷後世的腳鐐就是秦律的鋈足。④

栗勁先生曰：

蔡樞衡認爲「鋈（音沃）和梏（音鵠）音近，屬於沃韻，鋈借爲梏。鋈足實即梏足，亦即釱足。」（按蔡文見於《中國刑法史》，廣西人民出版社，一九八三年版，第九二頁）其實，「鋈」就是鍍金。《詩經·秦風·小戎》：「游環脅驅，陰靷鋈續。」注云：「鋈，白金也。鋈續白金飾續靷爲白金也。」《經籍籑詁》：「鋈，沃也，冶白金

> 以灌靷環也。」大蓋靷環以鐵爲質，再另用其白色金屬沃灌其外表以爲美飾，即後世所謂鍍金。因此，「鋈足」可以理解在足的外表附加上一種刑具，使受刑者感到痛苦和不方便。因此，「鋈足」也是像笞刑一樣，用一種刑具使犯人在肉體上受到痛苦和折磨，在本質上說來「鋈足」也屬於笞刑一類的刑罰。⑤

一說「鋈」與「鐐」旨近爲一詞，一說與「梏」音近爲假借，二字聲母皆不同於「鋈」，倒底和那一個字有語源和假借關係呢？這是値得商榷的。事實上語言中同實異胎的情形很多，夏曰「歲」，商曰「祀」，周曰「年」，唐虞曰「載」（《見爾雅》）同爲年歲而名稱不一，就是很明顯的例子，似乎不必從語音上附會。然由三氏所論，可知「鋈足」是在犯人的小腿或足部加上刑具，使受刑者感到痛苦和不便的一種刑罰。至於所用的刑具，可能是屬於鐵質的械具，不過，以《秦律十八種》中所謂的「毋赤其衣，勿枸櫝欙杕。」「枸櫝欙杕，將司之。」「城旦舂衣赤衣，冒赤氈，枸櫝欙杕。」來看，秦代的鈦可能已轉化爲「杕」。劉海年先生認爲：「杕即鈦。字形書寫的變化，表明了刑具用料發生了變化。這種刑具可能由最初的以鐵爲之，改變爲後來的以木爲之，或者鐵木交互使用。」這個說法，正確性是很高的。以實物而言，秦代的金屬刑具尙未發現，但用漢初的材料似乎也可以說明這個問題。一九七二年春，陝西咸陽後溝村西漢鉗徒墓掘出大量帶鐵刑具的骨架，秦中行《漢陽陵附近鉗徒墓的發現》一文，對刑具的報導曰：

> 鉗，有兩種形式，一種是圓形（圖八），另一種是有與圓形圈成直角的鐵桿，稱爲剃（圖六、七）。鉗徑17—24厘米，重約1150—1160克。剃長29.5—34厘米。
>
> 鈦分爲馬蹄形（圖九）和圓形兩種（圖一〇、一一），直徑9.5厘米，重820—1100克。⑥

由刑具的形式來看，鉗以束頸，釱以械足。可見西漢時，械足的用具是用鐵質的釱。由此上看，秦代當然也可能有鐵質的釱。因此，秦代的𨨏足刑具可能是「釱」、「杕」兼用，也就是可能是鐵製和木製的刑具互用。

《睡虎地秦墓竹簡》整理小組因爲將𨨏足釋爲「刖足」，因此將「耤葆子之謂也」的「耤」字釋爲「讀爲斯，砍斷。古時斷足之刑稱爲斱，如《楚辭・怨世》：「羌兩足以畢斱。」⑦這個說法是有問題的。「耤」字，乃古「籍」字，《說文》曰：「耤，帝耤千畝也，古者使民如借，故謂之耤。」段玉裁《注》曰：「帝耤，見《月令》……。《禮記》曰：『天子爲耤千畝，冕而朱紘，躬弗耒以事天地山川社稷先古。』鄭《注周禮詩序》云：『耤之言借也。借民力治之，故謂之耤田。」又《廣韻》曰：「耤，借也。」《漢書・郭解傳》曰：「以軀耤友報仇」《注》曰：「師古曰：耤，古籍字也，耤謂借助也。」可見耤有借助之意。由於葆子的身份特殊，是被國家保護的人，享有不受肉刑的法律特權。如《法律答問》曰：

> 葆子以上未獄而死若已葬，而誧（甫）告之，亦不當聽治，勿收，皆如家罪。（四七七簡）

葆子以上未成訟就已死了埋了才控告，也就不受理了。同時葆子以上的問題可以比照家罪，可見葆子十分受國家的保護。在這種情況之下，「耤葆子之謂也」的「耤」字釋爲「借助」是比較恰當的。張政烺先生曰：「耤讀爲借，即假借，有寬貸之意，葆子是國家保護的人，故行優待。」⑧又《法律答問》曰：

> 葆子獄未斷而誣告人，其罪當刑爲隸臣，勿刑，行其耐，有（又）毄（繫）城旦六歲。（四七九簡）
>
> 葆子獄未斷而誣告人，其罪當刑鬼薪，勿刑，行其耐，有（又）毄（繫）城旦六歲。（四八一簡）

秦律既然對葆子以上有特別的保護，劉海年先生認爲「如果把𨨏足理解爲刖刑，秦簡的有關問題是難以解釋通的。」針對上二例，劉氏又謂「這裡的『勿刑』，均指不要施加肉刑。既然法律規定對葆子一般不允許施加肉刑，那麼，認爲前面所引《法律答問》規定對葆子誣告人，要「耐以爲鬼薪而鋈足」是刖刑就自相矛盾了。」⑨栗勁先生根據劉海年先生的觀點，歸納有二個問題：一是如果葆子當「刑爲隸臣」「刑爲鬼薪」的時候，都「勿刑」，行其耐，爲什麼「刑爲城旦」時就非「刑」不可呢？二是既然葆子有罪應減輕其刑罰，本來是刑爲城旦，卻給了「耐以爲鬼薪鋈足」的刑罰，主刑雖然減輕了，既附加耐刑又附加刖刑，實際上是加重了，這是爲什麼？⑩再者，從上引第四例的《封診式》的《黥子》來看，如果鋈足就是刖刑，犯人在斷一足或雙足之後，如何「遷蜀邊縣」呢？此其一；即使非「刖足」不可，何以不在「遷蜀」之後，再刖足呢？此其二。可見其關鍵在於根本不能把鋈足解釋爲刖刑。鋈足既不是刖刑，「䄷」自然就不必強解爲砍斷。此外，把鋈足看成是釱足，是在小腿加上腳鐐的一種刑罰，那麼，「耐以爲鬼薪而鋈足」可以解釋爲在耐爲鬼薪的同時並附加腳鐐。由這角度來看，則這顯然是一種免除實質性肉刑的一種措施，唯其如此也方才符合秦律對葆子以上的法律優待。⑪

劉海年先生認爲秦律中的鋈足，應是釱刑的一種。按照法律規定，在某些情況下，對於某種人，它可以取代刖刑。這種說法是可以採信的。《史記・平準書》曰：「有敢私鑄鐵器煮鹽者，釱左趾。」韋昭《注》曰：「釱，以鐵爲之，著左趾以代刖也。」可見這種刑罰是以刑具套在足頸上，用來代替斬左止這種刖刑的。秦代之所以會發展出這種刑罰，同時也普遍適用執行，其主因在於秦需要手腳齊全的農民、戰士和刑徒。栗勁先生謂：

> 這與秦自商鞅變法以來所奉行的武裝統一天下的政治方針和富國強兵的耕戰政策是分不開的。因爲在這種方針政策下，秦需要手腳完整的農民和戰士，也需要手腳齊全的刑

> 徒供其供使。因此，在法律上很少使用刖刑，也儘早實現了用「鋈足」代替「刖足」的改革。

本文在刖刑部分，特別强調秦國對刖刑的使用十分謹慎，同時刖刑在秦代的使用也很少（《雲夢秦簡》中僅見二例），正是因爲秦國需要大量的「打仗和生產」方面的勞力。基於這種需要，刖刑一方面轉化成徒刑的附加刑，另一方面，也必然會尋求代用的刑罰。在這種情況之下，作爲一種在犯人足部施加器械而可以使其身體有某種程度痛苦和不便，卻又不會造成生理缺陷的鋈足，就成爲秦代普遍適用的一種刑罰。

【附註】

①參見《睡虎地秦墓竹簡》，《法律答問》釋文註釋部分，頁一一九。

②參見劉海年《秦律刑罰考析》一文，文載《雲夢秦簡研究》，頁二一一。

③同②。頁二一二。

④參見氏著《秦律「葆子」釋文》，文載《文史》第九輯。

⑤參見氏著《秦律通論》，頁二六〇—二六一。

⑥文載《文物》一九七二年第七期。

⑦同①。

⑧同③。

⑨同②。

⑩同④。

⑪由文中所引《法律答問》第九十七條也可以看出，秦律對「臣邦眞戎君長，爵當上造以上」，在法律上也同樣地讓他們享有特殊的待遇。如本文在斬左止（刖刑）部分，提到群盜「斬左止爲城旦」的處罰，在此只處「令贖鬼薪鋈足」，即是一種從寬處理。而以械足的「鋈足」代替「斬左止」的刖刑，正可以說明秦代在免除實質性

肉刑上，有其積極的作法。

第三章　秦律的象徵性刑罰

在秦律的肉刑之外，另外還有一些附加在徒刑上的象徵性肉刑。在肉刑部分，本文強調：秦律在肉刑的使用上，大都以黥刑爲主，其他三種肉刑中劓、刖並不多見，宮刑由於誤解，致有「宮刑七十餘萬人」的說法，其實宮刑根本不是秦代肉刑的常刑。秦代宮刑的使用也不像傳述的如此之甚。秦代使用較多的反而是不屬於五刑的「笞刑」，這種刑罰除非是濫用，否則，也只能說是「痛苦刑」，而不是肉刑。同時，由秦簡可以看出各種肉刑都是作爲徒刑的附加刑來使用，並沒有獨立的肉刑。即使是屬於痛苦刑的「鋈足」，也一樣不能單獨使用，同樣的也大都是和徒刑結合使用，並且退居輔助地位，成爲徒刑的附加刑。可見秦代的肉刑和痛苦刑，由於歷史的發展和時代的需要，逐漸由主刑變成徒刑的附加刑。準此而言，肉刑在秦代的使用已逐漸式微。

肉刑的式微，除了因爲歷史的發展和時代的需要，使勞役成爲秦代對罪犯的主要刑罰外，和「象刑」制度的發展也有一定程度的關係。

「象刑」是一種帶有象徵性恥辱的刑罰方式。「象刑」最早見於《尚書・堯典》中的「象以典刑」和《尚書・皋陶謨》的：「皋陶方祗厥敘，方施象刑惟明。」許多學者對此一記載都持懷疑的態度。由於其所載辭義簡奧，遂使後世學者，不敢輕信說者。①杜正勝先生曰：

> 戰國不少人士把象刑推始於唐虞五帝。《尚書・堯典》謂之「象以典刑，《愼子》傳述的有虞之誅（《御覽》卷六四五。），《管子・侈靡》所謂「俈堯之時，其獄一踦腓

、一踦屨而當死」。一腳穿草鞋，一腳穿布鞋，以代死刑。至於伏生《大傳》所論「唐虞象刑」當然也是戰國諸子的餘緒。這些議論主張象刑止於五帝，而肉刑始乎三代。三代即夏、商、周之青銅時代，有青銅之斧、鉞、刀、鋸、鑽、鑿，而後肉刑才推廣，今日看來，尚不失爲一個合理的推測。但在肉刑之前是否施行過象刑，目前資料不足，最好矜慎闕疑。②

關於「象刑」在肉刑之前是否施行過，杜先生認爲在資料不足下，最好是矜慎闕疑。這是很好的學術態度。然而也正如杜先生所言「象刑論」的產生是廢除肉刑的先聲，對於我們研究肉刑的衰替有很大的助益。因此，對象刑含義的探討仍有其意義的。

「象刑」一義，朱熹曰：

畫象而示民以墨、劓、剕、宮、大辟五等肉刑之常法也。或問象以典刑如何爲象曰，此正言法象，如懸象魏之象。

又曰：

象如天之垂象以示人，而典者常也，示人以常刑，所謂墨、劓、剕、宮、大辟五刑之正也，所以待夫元惡大憝殺人傷人穿窬淫放，凡罪不可宥者也。③

朱子以爲象刑乃畫五刑以爲常法，使人民知所懲戒，避而不犯。曾運乾先生曰：

象刑者，刻刑殺之象於器物，使民知所戒。若鄭鑄刑鼎，晉鑄刑書之類，不僅載其條文，且又昭其刑象。④

唐蘭先生曰：

戰國以後人上了儒家的唯心主義的胡說的當，把唐虞時代的「象刑」（把刑法畫成象來公布）解釋成爲只是象徵性的刑罰，因而說墨幪用來代替黥刑，那是錯誤的。⑤

程武先生曰：

「象以典刑」，就是用圖象的形式把刑典公布出來，這是由於當時還沒有完備的文字的緣故，並不是儒家所說的是什麼象徵性的東西。⑥

莊春波先生曰：

「象刑」起源於原始社會末期懸人肢體的野蠻風俗；後來由於具備了顯示鎮壓之權的職能，轉化爲法；將這些形象描繪下來的法典稱「圖法」；古文形刑相通，於是也稱「象刑」；改懸刑人於木上而爲懸圖象於魏闕，於是也稱「象魏」；懸象於魏是公布法律的形式，懸法通憲法，也稱布憲。⑦

這些說法，大都認爲「象刑」即是圖法，是所謂的畫象其刑，以懸於魏，乃公布法律的形式。然此諸說恐皆爲臆測之辭。《荀子・正論》曰：

世俗之爲説者曰：「治古，無肉刑而有象刑，墨黥，慅嬰；共艾畢，菲對屨，殺赭衣而不純。」

楊倞《注》曰：

象刑，異章服，恥辱其形象，故謂之象形也。

所謂「恥辱其形象」，是把「象」說成「象徵」，而所謂的「象刑」，就成爲一種象徵的恥辱刑罰。這種說法，在先秦文獻和漢人著述中，頗有可觀。如《管子・侈靡》曰：

告堯之時，……其獄一踦腓、一踦屨而當死。

《太平御覽》卷六四五引《慎子》曰：

有虞之誅，以幪巾當墨，以草當劓，以菲屨當刖，以艾韠當宮，布衣無領當大辟。

《文選・永明九年策秀才文》李善《注》引《墨子》曰：

畫衣冠，異章服而民不犯。

《北堂書鈔》卷四四引《尙書大傳》曰：

犯墨者蒙帛巾，犯劓者赭其衣，犯臏者以墨蒙（幪）其臏，犯大辟者布衣無領。

又《公羊傳・襄廿九年》徐疏引《尚書大傳》曰：

唐虞象刑而民不敢犯，苗民用刑而民興犯漸。唐虞之象刑：上刑赭衣不純，中刑雜屨，下刑墨幪以居州里，而民恥之而反於禮。

漢文帝十三年除肉刑詔曰：

蓋聞有虞氏之時，畫衣冠異章服以爲戮，而民不敢犯。

班固《答人書》曰：

昔者戰國之時，大梁之法，得罪小者，別以丹巾漆其領，有畫衣冠之心。

《初學記》引《白虎通》曰：

五帝畫象者，其衣服象五刑也。犯墨者幪巾，犯劓者赭其衣，犯臏者以墨幪其臏處而畫之，犯宮者屨雜菲，犯大辟者布衣無領。

由上引諸文來看⑧，先秦諸子及漢人著述中，多主張象刑本身就是一種象徵的恥辱刑罰。但是對於此種「犯墨者幪巾，犯劓者赭其衣，犯臏者以墨幪其臏處而畫之，犯宮者屨雜菲，犯大辟者布衣無領。」的罪重刑輕的法理，荀子和班固並不認同。《荀子・正論》曰：

以爲治邪，則人固莫觸罪，非獨不用肉刑，亦不用象刑矣。以爲人或觸罪矣而直輕其刑，然則是殺人者不死，傷人者不刑也。罪至重而刑至輕，庸人不知惡矣，亂莫大焉。凡刑人之本，禁暴惡惡，且懲其未也。殺人者不死，傷人者不刑，是謂惠暴而寬賊也，非惡惡也。故知象刑殆非生於治古，並起於亂今也。

《漢書・刑法志》亦曰：

象刑惟明者，言象天道而作刑，安有菲屨赭衣者哉？

上說是不贊同把象刑解釋成爲只是象徵性的刑罰，前引唐蘭先生說甚至認爲這是儒家的胡說，反倒是法家的慎到有所謂的「有虞之誅，以幪巾當墨，以草當劓，以菲屨當刖，以艾鞸當宮，布衣無領當大辟。」的觀點，所以李衡梅先生曰：「把『象刑』理解成象徵性的刑罰，並非儒家的胡說，而是法家的觀點。」⑨姑且不論這是那一家的觀點，比較令人困擾的是：象刑作爲一種刑罰，在肉刑之前是否曾經實施過，由於資料不足，很難定論。不過，在戰國象刑論之前，仍然可以看到一些和象徵恥辱刑罰的資料。如《禮記・玉藻》曰：「垂緌五寸，惰遊之士也，玄冠縞武，不齒之服也。」其中所謂的「玄冠縞武」，即象徵恥辱的「不齒之服」。另外，在考古發現上，也有西周的實物可以說明類似刑罰的存在。如一九七五年底，在陝西周原遺址範圍內的岐山縣新發現的西周銅器《倂匜》的銘文，已證明在西周時，是取肉刑和象刑相結合的刑罰方式。銘文中所載的「□□□□」（黲黜）和「□□□□」（黜黜）是兩種不同形式的墨刑。據唐蘭先生的考釋，黜與剭通，乃先用刀刻顴骨處，再以墨塡的一種刑罰方式，與鑿額的黥刑不同。唐氏謂黜喔是一種受墨刑並免職的刑罰；而黲黜則是一種受刑並要以黑巾蒙面的刑罰。不過唐氏又認爲黑巾只不過是罪犯的一種標記，而算不得是一種懲罰。同時也不把象刑看成是象徵性的刑罰，不認爲墨幪是用來代替刑罰的。⑩李衡梅先生認爲唐說與銘文原意有矛盾，因爲蒙黑巾的黲黜刑重於免職的黜黜之刑，足見黑巾決不只是一種標記，而是一種刑罰方式。在象刑的有解釋上，李氏的觀點是頗值得重視的。李氏認爲我國歷史在進入文明時代之前，確實有過一段時期使用過象徵的刑罰，即愼到所說的那種「象刑」。李氏並提出四個論點說明「象爲象徵」比「象爲圖象」更合乎實際。其一是古人多主此說（說見前引）；其二是爲考古所證明（西周《倂匜》）；其三是這符合父系氏族社會的實際；其四是持「象爲圖象」說者把《尚書・堯典》中的「象以典刑」理解成公布成文法，是有違古人本意的。李氏同時認爲對罪犯不用肉刑，而施行恥辱性的懲罰，這在世界上半開化的民族中，也是常見的事。⑪李氏的這些觀點當然是很值得參考的。

杜正勝先生對此一問題雖持矜慎闕疑的態度，但在論及戰國象刑論時，也說到：

> 然而象刑論到底是時代的產物。由於文明發展，對殘酷肉刑不忍。但他們的設計仍然不出報復主義的精神，故大辟者衣無領，宮者蔽前特殊化，刖者著麻鞋，黥劓者或蒙布，或結麻、草之纓飾，比發展後的肉刑還素朴。《荀子》、《愼子》所載的象刑還有什麼實際基礎，今不可考；兩漢經師所述有卻有一些現實依據。賈山說秦時「赭衣半道」（《漢書》本傳），《史記》說秦始皇赭湘山（〈秦始皇本記〉）可能皆與象刑論的赭衣有關。睡虎地秦律〈司空律〉曰：『城旦舂衣赤衣，冒赤幢（氈），枸櫝欙杕之。』城旦舂是重徒刑犯，勞役時身穿紅衣，又施加刑械。紅色是具有高度象徵意義的。〈金布律〉曰：……幪布、褐布皆以粗麻之枲製成，象刑論的墨幪或與之有關。……〈金布律〉說府授衣，〈司空律〉謂囚自以勞役抵償衣價，雖亦有自備衣服之囚，但凡囚衣恐怕皆用枲，以示與庶民衣服有別，增益其不齒之意，與象刑立意相通。⑫

綜上所述，雖不能證明在唐虞之世是否曾經實行過「象刑」，但至少在西周已有一個象徵恥辱刑罰的實物。可見象刑在我國古代確曾存在過一段時期。

又從上述的例子看來，象刑很可能是一種彰顯其原刑的作用，使受刑者的特徵更明顯的表彰出來，《堯典》所謂「象以典刑，惟明」也，「惟明」是彰顯較著的意思。所以「象刑」並不是圖象其刑，而是一種就原則上彰顯其刑別的恥辱刑。由於「象刑」這種「象徵性恥辱」的刑罰觀念在戰國時，被諸子提了出來。因此，用來象徵恥辱的一些「象徵性刑罰」，在這一時期也被大量地應用起來。同時，這個時期也因徒刑已經逐漸變成刑罰的主流，肉刑逐漸變成徒刑的附庸，因此，在這一時期出現的一些象徵性刑罰，也多半是和徒刑結合，而成爲徒刑的附加刑。（秦的耐刑也有不少是當作主刑用的，不完全是作徒刑的附加刑。）如秦代的一些象徵性的刑罰——髡、耐、完等刑，這些刑罰從其性質來看（詳下文），仍然具有肉刑的象徵意義，可以說是古代肉刑的殘餘。在秦簡中，可以看到大量的耐刑（以本文《秦簡文編》的統計，耐字總共出現四十八次）和部分的髡刑（只出現三次），同時也可以看到爭議性很大的完刑資料（根據統計，完字共出現二十四次）。這些資料對我們研究秦代的刑罰發展——尤其是由肉刑轉向徒刑，以及徒刑加上附加刑的使用——是很有幫助的。

【附註】

①參見李衡梅《中國古代刑法淵源》，文載《江漢論壇》一九八四年第九期。又見李氏《象刑辨——兼與唐蘭、程武同志商榷》一文，文載《社會科學戰線》一九八五年一期。

②參見杜正勝《從肉刑到徒刑——兼論睡虎地秦簡代所見古代刑法轉變的信息》，文載《食貨月刊》復刊一五，五，五六，一九八五年。又《編戶齊民》第七章，頁二七四。

③參見《朱子語類》卷七八。

④參見氏著《尙書導讀》頁四五。

⑤參見氏著《陝西省岐山縣董家村新出土西周重要銅器銘辭的譯文和注釋》，文載《文物》一九七六年第五期。

⑥參見氏著《一篇重要的法律文獻》，文載一九七六年第五期。

⑦參見《「象刑」解》，文載《江漢論壇》一九八六年十二期。

⑧所引諸文參見李衡梅《中國古代刑法淵源》，文載《江漢論壇》一九八四年第九期。又見李氏《象刑辨——兼與唐蘭、程武同志商榷

》一文，文載《社會科學戰線》一九八五年一期。又參見杜正勝《從肉刑到徒刑——兼論睡虎地秦簡代所見古代刑法轉變的信息》，文載《食貨月刊》復刊一五，五，五六，一九八五年。又《編戶齊民》第七章，頁二七四一二七六。又參見林文慶先生《秦律刑徒制度研究》，文化大學中文研究所碩士論文，七十八年六月，頁八二一八三。

⑨同①。

⑩同⑤。

⑪同①。

⑫同②。

第一節 髡 刑

髡刑是秦的徵性刑罰之一。髡是剃光犯人頭髮的一種刑罰。在秦簡中，「髡」字的使用很少，只見三例，均見於《法律答問》。三例爲：

1.擅殺、刑、髡其後子，⒂之。●可（何）謂「後子」？●官其男爲爵後，及臣邦長所置爲後大（太）子，皆爲「後子」。（四四二簡）

2.「公室告」〔何〕殹（也）？「非公室告」可（何）殹（也）？賊殺傷、盜它人爲「公室」；子盜父母，父母擅殺、刑、髡子及奴妾，不爲「公室告」。（四七三簡）

3.「子告父母，臣妾告主，非公室告，勿聽。」可（何）謂「非公室告」？●主擅殺、刑、髡其子、臣妾，是謂「非公室告」。勿聽。而行告，告者罪。告〔者〕罪已行，它人有（又）襲其告之，亦不當聽。（四七四簡）

第一例是秦律律文規定「擅自殺死、刑傷或髡剃其後子的，都要定罪。」《律說》解釋所謂的後子是指官方認可其子爲爵位的繼承人，以及臣邦君長立爲後嗣的太子。第二例和第三例大致相同，是《律說》對「子盜父母，父母擅殺、刑、髡子及奴妾」及「主擅殺、刑、髡其子、臣妾」，不爲「公室告」或是謂「非公室告」的解釋。由上三例看，官府認可的爵位繼承人和臣屬於秦的少數民族君長的太子，都受秦法律的保護，父母不得擅殺。否則，以律論。而無爵的庶民和奴隸，父母或家主即使擅殺，由於是「非公室告」，司法單位也不受理奴隸和子的控告。由上三例看，「髡」大都被用在私刑上，不過，在秦律中是否存在髡刑？仍有爭議。由於「髡」和殺、刑二者並列，使人很容易肯定秦代確實有這種刑罰存在的。①如劉海年先生就認爲秦代確實有這種刑名的存在，氏曰：

> 儘管它不是直接對犯某種罪的人處髡刑，而是在談到犯罪人的行爲時提到的，但既然在法律中出現了這種刑名，並且是同刑、殺並列提到，說明秦存在髡刑是無疑問的。②

栗勁先生認爲秦簡中把殺、刑、髡並列，使「髡」具有國家法定刑罰的性格，但又不是國家的法定刑罰，而是施行於家庭中的私刑。③不過栗氏又曰：

> 前者是將這種私刑實施行有爵者或少數民族君長的法定繼承人身上，無論是什麼人實施了這種行爲，都是要追究其刑事責任，可見國家對此是採取取締和禁止的態度的。後者是家長對子女，奴婢實施這種私刑，國家是採取支持和保證的態度。從國家這種行爲上看，也就意味著秦是有法定的髡刑的。④

栗氏另取《封診式》中《告臣》、《黥妾》及《告子》中的例子，證明國家保證家長對子女、奴婢私自施加肉刑，足以證明秦有法定的髡刑。以上這是認爲秦國有法定髡刑的主張的。

也有認爲秦的「髡」，只是私刑而不是法定的刑罰的。如王森曰：

僅憑這兩二條材料不足以證明秦律中就有髡刑的規定。首先，秦簡中提到髡的僅有這兩例，並且，這裡所說的擅殺、刑、髡是指犯罪者迫害子孫的方式和手段，是一種非法行爲，並不是具有法律意義上的刑罰。其次，擅殺、刑、髡是家用私刑，對於這種「私刑」，除特殊情況外（即不允許加害於有爵者和少數民族的法定繼承人），國家是採取默許態度的，然而，國家的這種贊同行爲，並不就意味著秦有這些法定刑罰。無論從那個意義上來說，「擅殺」只是指隨意剝奪他人的生命權利，而不是一種刑罰，秦律中也從未出現「擅殺」這一法定死刑。至於「髡」與單獨的「刑」，在秦律眾多的法定刑罰中根本沒有見到，這難道是撰寫律文者的疏忽？似不可能，因此，我們認爲，秦簡中沒有法定的髡刑，髡只是家長用來教訓子孫的一種私刑而已。⑤

由王氏的論證來看，不僅認爲髡只是家長用來教訓子孫的一種私刑，秦簡中沒有法定的髡刑。同時認爲：「擅殺」也只是指隨意剝奪他人的生命權利，而不是一種刑罰，秦律中也從未出現「擅殺」這一法定死刑。杜正勝先生曰：

然而睡虎地秦簡包羅那麼多的律文與律說，卻未見「髡」作爲刑名；先秦文獻亦然。髡之成爲正式刑名當自孝文十三年始。

杜氏在注文又曰：

日本的中國法制史大家仁井田陞以爲秦代已有髡刑，漢係承秦制（增訂《中國法制史研究・刑法篇》，頁七六）。他舉戚夫人與豫讓爲證。據《漢書・外戚傳》，呂后「乃令永巷囚戚夫人，髡鉗衣赭衣，令舂。」頗似刑徒。但這是權力鬥爭，不應與司法混爲一談。至於豫讓，《戰國策》說他「漆身爲厲，滅鬚去眉，自刑以變其容，爲乞人而往乞」（〈趙一〉）。既不及髡髮，而且是乞人，非刑徒。仁井田又引惠帝即位詔，顯然誤引。〈惠紀〉曰：「上造以上及內外公孫、耳孫有罪當爲城旦舂者，皆耐爲鬼薪白粲；民年七十以上若不滿十歲有罪當刑者，皆完之。」詔令只及「完」，沒有「髡」。《睡簡》曰：父母擅殺髡子，主擅髡臣妾，不爲公「室告告」（頁一九五—一九六）。此髡乃私刑，非國家的刑罰手段。⑥

以上是關於秦是否有髡刑的兩種意見。本文認爲秦簡中所出現的三個「髡」字和「刑」、「殺」一樣，都應作動詞解釋，不能釋爲刑名。但這也並不表示秦代沒有髡刑的刑名。秦律規定，擅自髡剃他人頭髮要治罪。如《法律答問》曰：「士五（伍）甲鬭，拔劍伐曰：，斬人髮結，可（何）論？當完爲城旦。」（四五四簡）對於秦律的這條規定，有二個可能。其一是秦人十分重視髮髻，林劍鳴先生曰：「秦漢時期，人們往往把頭髮的式樣，看成是一個人身份地位的標誌。」⑦在秦始皇陵東側發現的陶俑，「或將頭髮挽至頭頂偏於右側成圓髻；或挽於腦後成扁髻，髮髻繞挽的複雜程度，令人難以想像。」⑧可見秦人對頭髮十分重視，因此，對於斬人髮髻者，需處「完城旦」的刑罰。其二是秦時頭髮被髡剃被視爲一種受刑的標誌，因而不許任何人擅自施加於人。

關於髡刑，《說文》曰：「髡，剔髮也。」又曰：「剔，剃髮也。大人曰髡，小人曰剃，盡乃身毛曰剔。」可見髡是剃掉頭髮的刑罰。孔融《肉刑論》曰：「髡頭至耳」這可以視爲髡頭的限度。以文獻而言，髡作爲一種刑罰，其實很早就出現了。《儀禮・少牢饋食禮》：「主婦被錫」條，《鄭注》曰：「被錫……古者或剔賤者、刑者之髮，以被婦人之紒爲飾。」剔刑者之髮，即髡刑者之髮，這顯然是施於犯人的一種刑罰。又《周禮・秋官司寇・掌戮》曰：「墨者使守門，劓者使守關，宮者使守內，刖者使守囿，髡者使守積。」所謂「髡者使守積」，意即讓受過髡刑的犯人看守倉稟物資。其中髡刑和墨刑、劓刑、宮刑、刖刑並列，這說明髡刑確實由來已久。另外《楚辭・涉江》有「接輿髡首」的記載，可見楚國也早有此刑。《太平御覽》卷六五九引《風俗通》曰：「秦始皇遣蒙恬築長城，徙士犯罪依止鮮卑山，後遂繁息，今皆髡頭衣赭，亡徒之明效也。」顯然髡刑在秦代確實是曾經存在的。

如果說秦代曾經有髡刑的刑罰存在，那何以在秦簡中卻無法看到這些具體的資料呢？關於這一點，則和「完刑」有十分密切的關係。（詳見完刑部分）程樹德《九朝律考・漢律考》曰：「髡與城旦，皆秦制也。」可知漢代是有法定的髡刑的，《漢書・賈誼傳》曰：「今自王侯三公之貴皆天子所改容而禮之也」，「而今與眾庶同黥劓髡刖笞傌棄市之法……」，不過，王森先生認為漢初較多實行的是「髡鉗」，即加鉗於髡之後。《漢書・高帝紀》師古《注》曰：「鉗以鐵束頸也」就是用鐵束於頸脖之上。《漢書刑法志》曰：「至於穿窬之盜，忿怒傷人，男女淫佚，吏為奸惡，髡鉗之罰，不足以懲也。」可見漢代將髡刑加入束頸的鉗，以加重髡刑，這與秦代的「鋈足」的械足方式類同，是屬於在刑罰之外所附加的。關於漢代的髡刑，《漢書》中多有記載，如：

《王子侯表》曰：「欒侯劉義建昭四年佳使人殺人，髡為城旦。

《功臣表》曰：「汾淖侯周意孝文後二年坐行賕，髡為城旦。

《功臣表》曰：「邵嚴侯黃遂元鼎元年坐掩博奪公主馬，髡為城旦。

由這些資料可以看出漢代的髡刑多半和徒刑結合，成爲徒刑的附加刑。嚴格說來，髡或髡鉗本身只是剃光頭髮或者剃髮之後在其頸項上套加鐵圈，它本身並不罰作勞役，除非它是和徒刑結合使用，像所謂的「髡爲城旦」之類，方才具有勞役性質，否則它只是一種獨立象徵性肉刑而已。

【附註】

①秦簡中出現髡刑的資料太少，而且都是私刑，因此本文認爲秦代是否有髡刑的刑名，是值得商榷的。另外，本文認爲「髡」刑作爲一種刑罰很早就出現了，但這種刑罰最後卻逐漸被「完刑」所取代。或者說髡和完是同一種刑罰，秦時另外發展出完的刑名，而髡只被當作一種私刑，而不是一種法定刑罰。請參見下文。

②參見氏著《秦律刑罰考析》，文載《雲夢秦簡研究》頁二二七—二二八。

③參見栗勁《秦律通論》，頁二五三。

④同③。

⑤參見氏著《秦漢律中髡、耐、完刑辨析》，文載《法學研究》一九八六年一期。又關於髡刑的資料秦簡中應有三例（已見前引），劉、栗、王三氏都只引二例，恐是一時失察。

⑥參見氏著《從肉刑到徒刑—兼論睡虎地秦簡代所見古代刑法轉變的信息》，文載《食貨月刊》復刊一五，五，五六，一九八五年。又《編戶齊民》第七章，頁二八四。

⑦參見氏著《秦俑髮式與陰陽五行》，文載《文博》一九八四年三期。

⑧參見劉占成《對秦俑的幾點認識》，文載《文物與考古叢刊》

第二節 耐 刑

耐刑是秦的象徵性刑罰之一，在秦簡中「耐」字的出現率很高，總共有四十八次，其中有四次見於《秦律十八種》、六次見於《秦律雜抄》、一次見於《日書》甲種、一次見於《日書》乙種、其餘三十六次見於《法律答問》。①可見在秦代耐是一種很普遍的刑罰。

耐刑是剃光犯人鬚毛的刑罰。《禮記・禮運》正義曰：「古者犯罪以髡其鬚，謂之耐罪。」髡爲動詞，剃光也，髡其鬚，即剃光其鬚毛。《說文》曰：「耐，罪不至髡也。」段玉裁《注》曰：「不剃其髮，僅去其鬚，是曰耐。亦曰完。謂之完者完其髮也。」《孝經・開宗明義》曰：「身體髮膚，受之父母，不敢毀傷，孝之始也。」以此而言，髮膚亦可等同身體，或者是看成是身體的一部分。因此，從這個意義上來看，這種剃去犯人鬚毛的耐刑，可以看成是肉刑。但是肉刑中的黥刑、劓刑、刖刑、宮刑都是殘害人體生理機能的一種報復性的刑罰，而耐（以及髡、完）刑只是剃除鬢鬚，並不虧體。雖則如此，但剃掉毛髮，在重視髮膚的時代，終究是件嚴重的事。杜正勝說是「猶有肉刑的象徵意義，亦可謂是古代肉刑之殘餘。」②道理在此。可見耐刑在秦代其實是作爲肉刑的象徵刑罰用的。

秦律中耐刑的適用範圍很廣，屬於《盜律》，而和盜竊和捕盜有關的，如《秦律雜抄》曰：「捕盜律曰：捕人相移以受爵者，耐。」（三六六簡）《捕盜律》規定把所捕的人轉交別人，藉以騙取爵位的，處耐刑。《法律答問》另有六條和《盜律》有關的資料：

1.司寇盜百一十錢，先自告，可（何）論？當耐爲隸臣，或曰貲二甲。（三七八簡）

2.「公祠未埮，盜其具，當貲以下耐爲隸臣。」今或益〈盜〉一腎，益〈盜〉一腎臧（贓）不盈一錢，可（何）論？祠固用心腎及它支（肢）物，皆各爲一具，一〔具〕之臧（贓）不盈一錢，（三九五簡）盜之當耐。

3.士五（伍）甲盜，以得時直（值）臧（贓），臧（贓）直（值）過六百六十，吏弗直（值），其獄鞫乃直（值）臧（贓），臧（贓）直（值）百一十，以論耐，問甲及吏可（何）論？甲當黥爲城旦；吏爲失刑辠（罪），（四〇三簡）或端爲，爲不直。（四〇四簡）

4.士五（伍）甲盜，以得時直（值）臧（贓），臧（贓）直（值）百一十，吏弗直（值），獄鞫乃直（值）臧（贓），臧（贓）直（值）過六百六十，黥甲爲城旦，問甲及吏可（何）論？甲當耐爲隸臣，吏爲失刑辠（罪）。（四〇五簡）

5.「盜徙封，贖耐。」可（何）如爲「封」？「封」即田千（阡）佰（陌）。頃半（畔）「封」殹（也），且非是？而盜徙之，贖耐，可（何）重也？是，不重。（四三四簡）

6.「內（納）奸，贖耐。」今內（納）人，人未蝕奸而得，可（何）論？除。（四三五簡 ）

司寇盜錢自首，「耐爲隸臣」；公室祭祀尚未完畢，將供品盜去，即使是應貲罰以下的罪，均應「耐爲隸臣」，所盜若爲牲畜的心、腎、肢體，即使所盜不值一錢，也應處「耐爲隸臣」；三、四條是士伍甲盜因官吏行政缺失而導致「不直」和「失刑」的情形。第三條是士伍甲盜竊被捕時，吏當時沒有估價，以致重罪輕判，亦即當「黥爲城旦」的罪，卻判爲「耐刑」。《律說》解釋要改爲「黥爲城旦」的罪，同時，承辦官吏以「失刑罪」論處，若是故意，則以不公論罪。第四條正好相反，是輕罪重判，把該

「耐爲隸臣」的罪，判爲「黥爲城旦」。由第四條「當耐爲隸臣」來看，第三條「以論耐」的「耐」字，其實是論「耐爲隸臣」之省。五、六條規定私自移動田界及容許壞人進入，都應判處贖耐。律文中的「贖耐」，也應是「贖耐爲隸臣」之省。

屬於《賊律》，而和鬭毆、傷害有關的，如《法律答問》有三條：

1.妻悍，（四四八簡）夫毆治（笞）之，夬（決）其耳，若折支（肢）指、肤體（體），問夫可（何）論？當耐。（四四九簡）

2.律曰：「鬥夬（決）人耳，耐。」今夬（決）耳故不穿，所夬（決）非珥所入殹（也），可（何）論？律所謂，非必珥所入乃爲夬（決），夬（決）裂男若女耳，皆當耐。（四五〇簡）

3.或鬥，齧斷人鼻若耳若指若脣，論各可（何）殹（也）？議皆當耐。（四五三簡）

妻悍，其夫加以毆打，而撕裂他的耳朵，或折斷了四肢、手指，或造成脫臼。其夫應處耐刑。鬭毆時撕裂他人（無論是男子或婦人）的耳朵，都要處以耐刑。同樣的咬斷他人鼻子，或耳朵，或手指，或嘴唇，都應以耐刑議處。上三例所規定的都是重傷害罪，而且都是屬於肢體殘害。《法律答問》中還規定有「拔人鬚眉」或「拔人髮」（四五一、四五二簡）、「齧人頯若顏」（四五八簡）、「夬人脣」（四五七簡）、「折人齒」（四五九簡）等傷害的具體刑罰。律文中所謂的「耐」，當是「耐以爲隸臣」之省。《法律答問》規定「拔人鬚眉」或「斬人髮髻」，當「完爲城旦」，鬚髮雖爲秦人所重視，但絕比不上殘害人體的罪行。因此，這種屬於人體方面的重傷害，秦律不可能只判以剃掉鬢鬚這種象徵性的刑罰，它本身必定會再科以某種勞役的徒刑。準此而言，秦律中其他「耐」字單獨使用的情形，也都是徒刑加耐刑之省。可見秦律中的耐刑並不作爲主刑而單獨使用，而是將之和其他的徒刑結合，成爲徒刑的附加刑。栗勁先生在《秦律通論》中認爲「在盜竊、鬭毆、傷、軍政等方面的犯罪行爲上，秦律是把耐刑作爲主刑單獨加以使用的。」③我想這一點是值得商榷的。秦律中除了「耐爲隸臣」外，尙可見到：「耐爲侯（候）」（二二一、三三二簡）、「皆耐爲侯（候）」（三三四簡）、「當耐侯（候）」（四八七簡）；「耐以爲鬼薪而鋈足」（四八〇簡）、「當耐爲鬼薪」（四八一簡）；「當耐司寇」（四八七簡）、「當耐爲司寇」（四八七簡）等廣泛使用的情形。可見耐刑大和徒刑結合使用。

屬於《囚律》，而和司法中的誣告罪有關的，如《法律答問》曰：

1. 有收當耐未斷，以當刑隸臣辠（罪）誣告人，是謂「當刑隸臣」。（四七八簡）「葆子□□未斷而誣告人，（四七九簡）其辠（罪）當刑城旦，耐以爲鬼薪而鋈足。」耤葆子之謂毄（也）。（四八〇簡）
2. 「葆子獄未斷而誣告人，其辠（罪）當刑爲隸臣，勿刑，行其耐，有（又）毄（繫）城旦六歲。」可（何）謂「當刑爲隸臣」？（四七九簡）
3. 「葆子獄未斷而誣〔告人，其罪〕當刑鬼薪，勿刑，行其耐，有（又）毄（繫）城旦六歲。」可（何）謂「當刑爲鬼薪」？當耐爲鬼薪未斷，以當刑隸臣及完城旦誣告人，（四八一簡）是謂「當刑鬼薪」。（四八二簡）
4. 當耐司寇而以耐隸臣誣人，可（何）論？當耐爲隸臣。當耐侯（候）……辠（罪）誣人，可（何）論？當耐爲司寇。（四八七簡）
5. 當耐爲隸臣，以司寇誣人，可（何）論？當耐爲隸臣，有（又）毄（繫）城旦六歲。（四八八簡）

前三條和葆子有關，葆子案件尙未判決而誣告人，其罪當刑城旦，應耐以爲鬼薪並且鋈足；其罪當刑爲隸臣或鬼薪，不要施加肉刑，而處以耐刑，並拘繫服六年；當耐爲鬼薪而尙未判決，以刑爲隸臣和完城旦的罪名誣告他人，這叫「當刑鬼薪」。四、五條是一般庶民的誣告司法案件，應耐爲司寇的人，以「耐爲隸臣」的罪名誣人，誣賴者應「耐爲隸臣」；應耐爲候的人，以……的罪名誣人，誣賴者應「耐爲司寇」，由文意看，脫文處當是「以耐司寇」。又當耐爲隸臣的人，而以應爲司寇的罪名誣人，誣賴者當耐爲隸臣，並拘繫爲城旦六年。由這幾條和司法有的案件中，可以看出，耐刑都是和刑徒結合使用，如云「耐以爲鬼薪而鋈足」、「耐爲隸臣」、「耐爲鬼薪」、「耐爲候」、「耐爲司寇」及「行其耐，有（又）毄（繫）城旦六歲」。其中，葆子以耐刑爲附加刑誣人的，其罪也大都是以耐刑爲附加刑加以處罰。但若是以「刑城旦」這種肉刑和徒刑誣人，其處罰方式，是在「耐爲鬼薪」之外，另加「鋈足」之刑；至於以「刑爲隸臣」和「刑爲鬼薪」的肉刑和徒刑誣人，秦律基於保護葆子的原則，並不以肉刑施罰，而是在耐刑之外，另加拘禁城旦六年。通常這些司法案件的審理處刑原則是：本身罪輕，誣人以重罪，則以重罪刑之。在這些資料中，可以看出剃光鬚鬢的耐刑，並不是主刑。那些強制的勞役，如鬼薪、隸臣、候、司寇等徒刑才是其主刑，耐刑只是附加的象徵式刑罰。

屬於《捕律》，而和捕罪傷害、逃亡、及獎賞有關的，在《法律答問》可以看到五條資料。其中三條是應判耐刑的資料，二條是以耐罪爲基準的資料。如：

1.捕貲辠（罪），即端以劍及兵刃刺殺之，可（何）論？殺之，完爲城旦；傷之，耐爲隸臣。（四九四簡）

2.今甲從事，有（又）去亡，一月得，可（何）論？當貲一盾，復從事。從事有（又）亡，卒歲得，（四九七簡）可

（何）論？當耐。（四九八簡）

3.「捕亡，亡人操錢，捕得取錢。」所捕耐辠（罪）以上得取。（五○○簡）

4.甲捕乙，告盜書丞印以亡，問亡二日，它如甲，已論耐乙，問甲當購不當？不當。（五○八簡）

5.「盜出朱（珠）玉邦關及買（賣）于客者，上朱（珠）玉內史，內史材鼠（予）購。」可（何）以購之？其耐辠（罪）以上，購如捕它辠（罪）人；貲辠（罪），不購。（五一○簡）

捉拿應判處貲罪的犯人，若故意將之殺死，應「完爲城旦」；如果只是殺傷，則「耐爲隸臣」。服役逃亡被捕後又逃亡，滿一年後被捕，應處耐刑。捉拿處耐刑以上的逃亡者，逃亡者所攜的錢，捕者可取爲已有。甲捕獲乙，控告乙「盜書丞印」而逃亡，經訊問乙的逃亡日期不合，其他與甲所控告相符，如乙已判處耐刑，則甲不應受獎。所謂「盜書丞印」，疑即私蓋縣丞璽印。江陵鳳凰山出土的漢初模仿符傳的殉葬木牘，用江陵丞名義，說明在秦漢之間作爲通行憑證的的符傳應加蓋縣丞的官印。由律文可推知「盜書丞印」，應處耐刑。捕獲將珠玉偷運出境及賣給邦客的，應將珠玉上交內史，內史給予獎賞，獎賞的原則是：被捕的犯人罪在耐刑以上，和捕獲其他罪犯同樣獎賞；如果只是貲罪，則不予獎賞。

屬於《雜律》，而和行政官吏、少數民族、宗室後裔之無爵者及逃亡有關的，如《法律答問》：

1.甲徙居，徙數謁吏吏環，弗爲更籍，今甲有耐、貲辠（罪），問吏可（何）論？耐以上，當貲二甲。（五一七簡）

2.會赦未論，有（又）亡，赦期已盡六月而得，當耐。（五二三簡）

3.「眞臣邦君公有辠（罪），致耐辠（罪）以上，令贖。」

（五四七簡）

4.內公孫毋（無）爵者當贖刑，得比公士贖耐不得？得比焉。（五五五簡）

遷居請求官吏遷移戶籍，吏加以拒絕，不爲他更改戶籍，如果遷移者罪在耐刑以上，吏要罰二甲。秦代對名籍和戶籍的管理十分重視。《商君書・境內》曰：「四境之內，丈夫女子皆有名於上，生者著，死者削。」可見秦的居民不論男女，都必須登記名籍。另外，秦對管轄下的居民的戶籍十分重視，尤其是秦律在司法問題上，更是重視百姓的名里。如在《法律答問》或《封診式》中的爰書中，凡是提到法律關係人時，都會寫明「某里士伍甲」、「某里士伍乙」、「某里士伍己、庚、辛」、「某里士伍妻甲」、「某里公士甲」、「某里五大夫乙」、或「居某里」、「居某縣某里」。秦律規定因贖而獲得自由的隸臣，要「復歸其縣」；欠債於官府的百姓，「居它縣，輒移居縣責（債）之」，亦即要求其在所居縣履行債務義務。如果百姓要求「更籍」而官吏拒絕，而遷移者犯罪在耐刑以上的話，官吏則要受到貲罰。第二條規定：遇到赦令而沒有論處，又逃亡，在「赦期已盡六月」之後被捕的，應處耐刑。第三條資料是少數民族的上層人物有罪，應處耐刑以上的，可命贖罪。第四條《律說》解釋「內公孫毋（無）爵者」應判處當贖刑的，可以比照公士減處贖耐。「內公孫」是指秦的宗室後裔，《漢書・惠帝紀》曰：「上造以上及內外公孫、耳孫有罪當刑及當爲城旦、舂者，皆耐爲鬼薪、白粲。」《注》曰：「內外公孫，國家宗室及外戚之孫也。」由《漢書・惠帝紀》來看，秦對宗室後裔在法律上仍然有某種程度的的特權。

屬於《具律》的，只有一條，是對刑罰人的人身名稱的解釋。如《法律答問》曰：

可（何）謂「耐卜隸」「耐史隸」？卜、史當耐者皆耐以爲卜、史隸。後更其律如它。（五六四簡）

《律說》解釋，「耐卜隸」和「耐史隸」是應處耐刑的卜和史，在都加耐刑之後作爲卜、史隸。亦即受耐刑而仍做卜、史事務的奴隸（或雜役）。《法律答問》另有一簡曰：「可（何）謂「毆面」？「醫面」者，耤（藉）秦人使，它邦耐吏、行旞與偕者，命客吏曰「醫」，行旞曰「面」。」（五七四簡）其中「耐」字讀爲「能」，不作刑罰解。所謂「它邦耐吏」，即「它邦能吏」，是指他國能幹的官吏。

和軍事有關的，如《秦律十八種》曰：

1.從軍當以勞論及賜，未拜而死，有辠（罪）法耐䙴（遷）其後；及法耐䙴（遷）者，皆不得受其爵及賜。其已拜，（二二〇簡）賜未受而死及法耐䙴（遷）者，鼠（予）賜。（二二一簡）《軍爵律》

《秦律雜抄》曰：

2.故大夫斬首者，䙴（遷）。分甲以爲二甲蒐者，耐。（二二五簡）《佚名律》

3.軍新論攻城，城陷，尚有棲未到戰所，（三六三簡）告曰戰圍以折亡，叚（假）者，耐；敦（屯）長、什伍智（知）弗告，貲一甲；伍二甲。（三六四簡）《敦（屯）表律》

《秦律十八種・軍爵律》律文規定：從軍有功應授爵和賞賜的，如還沒有拜爵本人已死，而其後嗣有罪應處耐遷的；以及本人依法應耐遷的，「皆不得受其爵及賜」。如已經拜爵而還沒有得到賞賜，本人已死及依法應耐遷的，仍給予賞賜。《秦律雜抄・除弟子律》規定在大蒐時把一支軍隊分爲二支者，應加耐刑。《秦律雜抄・佚名律》規定攻城論功行賞，如有城陷時未赴戰場，官長卻謊報在圍城戰中陣亡而弄虛作假，應處耐刑。屯長、同什的人知情不報，罰一甲；同伍的人，罰二甲。律文沒有說明「未到戰所」的當事人所處的刑罰，依《商君書・畫策》：「『失法離令，若死我死，鄉治之。』行間無所逃，遷徙無所入。行間之治，連以五，辨之以章，束之以令，拙無所處，罷無所生。是以三軍之衆，從令如流，死而不旋踵。」的理念，當事人恐怕要處死刑。

另外，《傅律》曰：「匿敖童，及占𤸫（癃）不審，典、老贖耐。」（三六〇簡）律文規定：隱匿成童，及申報癈疾不確實，會影響秦的兵役和徭役的制度，有詐訛，里典、伍老應贖耐。

官吏除了行政缺失，如「不直」和「失刑罪」要處刑外，對於不服從行政命令的也要處刑。如《秦律雜抄・除吏律》曰：

・為（偽）聽命書，法（廢）弗行，耐為侯（候）；（三三二簡）

律文規定：假裝聽朝庭的命書，卻廢置不予執行，應耐為候。另外還規定聽命書時不下席站立，罰二甲，撤職永不敘用。命書即制書，是皇帝的命令。可見秦代十分重視行政命令的執行。對於任用弟子方面也有與耐刑有關的，如《秦律雜抄・除弟子律》曰：

當除弟子籍不得，置任不審，皆耐為侯（候）。（三三四簡）

秦代「以吏為師」，學吏弟子有專立的名籍，弟子學吏完成，就應除去弟子籍，如果主管官吏不除去弟子籍或不適當地將弟子除名，以及任用保舉弟子不當的，都要耐為候。可見秦代對學吏制度十分重視。

從上舉諸例，可以看出秦律中耐刑的適用泛圍頗廣，使用也頗為頻繁。一般而言，耐刑輕於髡刑。髡刑剃光頭髮，而保留頭髮僅去鬚鬢就是耐刑。《說文》曰：「耐，罪不至髡也。」段《注》曰：「不剃其髮，僅去鬚鬢，是曰耐。」可見耐是由髡刑發展出來的寬刑。

【附註】

①出現於秦簡中的耐刑如下：

見於《秦律十八種》的有四條：

「群下吏毋耐者」（二〇一）、「有辠（罪）法耐䙴（遷）其後」（二二〇）、「及法耐䙴（遷）者」（二二〇）、「賜未受而死及法耐䙴（遷）者，耐爲侯（候）。」（二二一）

見於《秦律雜抄》的有六條：

「・爲（僞）聽命書，法（廢）弗行，耐爲侯（候）。」（三三二簡）「皆耐爲侯（候）」（三三四）、「分甲以爲二甲蒐者，耐」（三三五）、「典、老贖耐」、（三六〇）、「耐」（三六四）、「捕盜律曰：捕人相移以受爵者，耐。」（三六六）

見於《法律答問》的有三十六條：

「當耐爲隸臣」（三七八）、「當貲以下耐爲隸臣」（三九五）、「盜之當耐」（三九六）、「臧（贓）直（值）百一十，以論耐。」（四〇三）、「甲當耐爲隸臣」（四〇五）「盜徙封，贖耐。」（四三四）、「而盜徙之，贖耐。」（四三四）、「贖耐」（四三五）、「當耐」（四四九）、「律曰：『鬥夬（決）人耳，耐。』」（四五〇）、「皆當耐」（四五〇）、「議皆當耐」（四五三）、「有收當耐未斷」（四七八）、「耐以爲鬼薪而鋈足」（四八〇）、「行其耐」（四七九）、「行其耐」（四八一）、「當耐爲鬼薪未斷」（四八一）、「當耐司寇而以耐隸臣誣人」（四八七）、「當耐爲隸臣」（四八七）、「當耐侯（候）……辠（罪）誣人」（四八七）、「當耐爲司寇」（四八七）、「當耐爲隸臣」（四八八）、「以司寇誣人」（四八八）、「當耐爲隸臣」（四八八）、「耐爲隸臣」（四九四）、「當耐」（四九八）、「所捕耐辠（罪）以上得取」（五〇〇）、「已論耐乙」（五〇八）、「其耐辠（罪）以上」（五一〇）、「今甲有耐、貲辠（罪）」（五一七）、「耐以上」（五一七）、「當耐」（五二三）、「致耐辠（罪）以上」（五四七）、「得比公士贖耐不得？」（五五五）、「可（何）謂「耐卜隸」「耐史隸」？」（五六四）、「卜、史當耐者皆耐以爲卜、史隸。」（五六四）、「它邦耐吏、行旞與偕者」（五七四）、

見於《日書》的有二條：

「弗而耐」（甲種八四六．三）

「行合三土皇耐爲四度度慼其後」（乙種一〇四〇）。

②參見杜正勝《肉刑到徒刑——兼論睡虎地秦簡代所見古代刑法轉變的信息》，文載《食貨月刊》復刊一五，五，五六，一九八五年。又《編戶齊民》第七章，頁二九三。

③參見該書頁二四九。

第三節 完 刑

關於「完刑」的解釋，向有爭論。主要有三個意見：一是認爲耐就是完，二是認爲髡就是完，三是認爲完不是一種刑罰。在談到這個爭議性的刑名之前，先看看秦簡的「完刑」資料。「完」字在秦簡中總共出現二十二次。其中作「完刑」解的有十三次，都出現在《法律答問》中，如：

當完城旦。（三七六簡）

當完城旦。（四二〇簡）

當完城旦。（四五一簡）

當完爲城旦。（四五四簡）

以當刑隸臣及完城旦誣告人。（四八一簡）

完爲城旦。（四八六簡）

完城旦。（四八九簡）

當黥城旦而以完城旦誣人。（四九〇簡）

甲有完城旦辠（罪）。（四九二簡）

完爲城旦。（四九四簡）

捕亡完城旦。（五〇五簡）

或曰完。（五四四簡）

完之當毆（也）。（五四四簡）

其中五四四簡的「或曰完，完之當毆（也）。」單以刑名出現，其餘都和「城旦」徒刑結合使用。《秦律十八種．軍爵律》有「其不完者」（二二三簡），其中不完是因受肉刑而形體殘缺，雖不是指刑罰本身，但多少和刑罰有關。不作完刑用的有八次，分別是《秦律十八種．田律》的「皆完入公」（〇七四簡）、《秦律雜抄》的「不完善（繕）」（三四三簡）、「《法律答問》的「垣爲完（院）不爲？」（五五六簡）、「《封診式》的「它完」（六三八簡）、《日書》甲種的「以生子，不完。」（八一〇．一簡）、「取丘下之莠，完掇其葉二七」（*八三三簡）、「善害人，以犬矢爲完」（*八六九簡）、「以生子，不完。」（有七六簡）或用作完整、完善、完好，或假作「院」。

由以上的資料，可以看出「完刑」的出現率次於耐刑而多於髡刑。在討論此一爭論之前，再看看髡和耐的釋義。所謂「髡」，就是《說文》所說的「剔髮也」，是剃掉頭髮的刑罰；所謂「耐」，就是《禮記．禮運》所說的「古者犯罪以髡其鬚」，髡作動詞，是剃光鬚毛的刑罰。二者截然有別，輕重亦有所不同。

關於爭論中的第一個問題：「耐就是完」。這個論點由來已久，《史記．廉頗藺相如傳》《索隱》引江遂曰：

漢令稱完而不髡曰耐，是完士未免從軍也。

這是首先將「完」當作「耐」的。《漢書．高帝紀》曰：「春，令郎中有罪耐以上，請之。」應劭曰：

輕罪不至於髡，完其耏鬢，故曰耏。古耐字從彡，髮膚之意也。

師古曰：「依應氏之說，耏當音而，……（而）〔耏〕謂頰旁毛也。」應劭之說很明顯的將耐解釋成輕罪不需剃髮，同時又可以保留鬚鬢（頰旁毛）。《說文》曰：「耐，罪不至髡也。」段玉裁《注》曰：

> 按耐之罪輕於髡。髡者，剃髮也。不剃其髮，僅去其鬚，是曰耐，亦曰完。謂之完者，完其髮也。

段氏將耐直接說成是完。同時又曰：「應仲遠言完其耏鬢，正謂去而（耏）鬢，而完其髮耳。」將完說成是「完其髮」。程樹德先生《九朝律考》亦呼應此說，程氏曰：

> 按完者，完其髮也，謂去其鬢而完其髮，故謂之完。①

從以上諸說來看，有幾個重點，一是「完而不髡曰耐」，二是「耐亦曰完」，三是「輕罪至於髡，完其耏鬢」，四是「完者，完其髮也，謂去其鬢而完其髮」。此中容或有「完其耏鬢」和「去其鬢而完其髮」的不同，但都將耐和完等同起來。劉海年先生也認爲「耐與完是一種刑罰的兩種稱呼。」②這是將完視爲耐的觀點。

關於爭論中的第二個問題是：「髡就是完」。這個論點也同樣由來已久。《周禮・秋官司寇・掌戮》曰：「墨者使守門，劓者使守關，宮者使守內，刖者使守囿，髡者使守積。」鄭司農《注》曰：

> 髡當爲完，謂居作三年不虧體也。

這是首先把「完」視爲「髡」的。班固《漢書・刑法志》曰：

> 凡殺人者踣諸市，墨者使守門，劓者使守關 ，宮者使守內，刖者使守囿，完者使守積。

班固此語當是引自《周禮》，惟班氏將「髡者使守積」改成「完者使守積」。一字之改，可以說明在班固的觀念中，戰國的「髡」、「完」是等同的；二是受了鄭司農注《周禮》的影響，在轉引周禮時，逕改此文。當然還有一個可能是班、鄭二人有共同的依據，因此視「髡」爲「完」的誤字，鄭《注》用「當爲」，可以說明此意。

認爲髡、完二者相同的，今人著作中也有這種主張的，如日本學者堀毅先生《秦漢法制史論考》曰：

> 完刑只限與城旦、舂並科使用；耐刑不與城旦舂並科使用，而與鬼薪以以下各種勞役刑並科使用。據此，完等於耐的傳統解釋是不能成立的。依據《集韻》的記載，「完」除了保全的意思之外，還讀「五忽切」。據此，其意爲「髡，去髮刑，或作完」（不僅不保全，反而把頭髮剃光）。即使不依據《集韻》，「完」也可以讀wan（寒韻平聲），音同於「丸」（韻母同完），作剃光頭解。不管讀音如何，唯一可能的解釋是把頭髮剃光。③

此外，楊廣偉先生在《「完刑」即「髡刑」術》一文中，提出一些論證，强調：

> 完刑不是耐刑，完刑即髡刑，它們才是「一種刑罰的兩種稱呼」。④

《漢書・惠帝紀》孟康《注》曰：「不加肉刑髡剃也。」栗勁先生認爲「按孟康的說法，既不加宮、刖、劓、黥等肉刑，又不加以剃頭髮的髡刑，也不加剃鬢鬚的耐刑，保持完好的身體，就是所謂的『完』。」⑤由這段話可以看出栗氏把孟康的注連讀，因此，便釋爲「不加肉刑和髡剃」。但孟康注如果在肉刑下斷句，則就讀成「不加肉刑，髡剃也。」意爲：完是「不施加肉刑」，同時是「髡剃」也。杜正勝先生認爲鄭司農將「髡」讀爲「完」，是有音韻和版本之根據的。但杜氏亦提出質疑曰：

> 漢代有人讀「髡」爲完，那麼完是否等於髡呢？《漢書・惠帝紀》即位詔曰：「有年七十以上若不滿十歲有罪當刑者，皆完之。」完，孟康云：「不加肉刑髡剃也。」由於句讀不同，孟康的詮釋乃有兩解。如果在「刑」字斷，則完是髡，沈家本認爲孟康是這麼讀的（〈分考十一〉）；

> 如果不中斷，完便非髡，王先謙、程樹德如此讀。王曰：「不加髡剃則謂之完」（《漢書補注》〈刑法志〉），程曰：「完者完其髮」（《九朝律考》卷二）。沈家本也主張完絕非髡。這派意見可以上推李賢，甚至江遂。李賢説曰：「完者不加髡鉗而築城」（《後漢書・明紀》中元二年十二月《注》），就漢律而言，完與髡確實分屬兩種不同的刑罰範疇。⑥

段玉裁《周禮漢讀考》以漢注術語「當爲」係指字誤，與「讀爲」表假借無關。漢代的髡完二刑，的確是不同的，但這是否就意味秦的髡、完二刑也是不同的呢？這是值得再探究的。另外，鄭司農謂完「但居作三年不虧體也」，顏師古謂「完謂不虧其體但居作也」，二者對「完」有一個一致的看法，就是「不虧體」。孟康的看法牽涉斷句，不能遽以爲斷。如果如栗氏所言，則鄭、顏、孟三人看法倒是一致。

第三個意見是在討論前二個爭論之後，所提出來的看法，這個看法基本上認爲「完」既不是髡刑，也不是耐刑，甚至認爲「完」不是一種刑罰。《周禮・秋官》「髡者使守積」鄭玄《注》曰：「此出五刑之中，而髡者必王者之同族不宮者，宮之爲翦其類，髡頭而已。」栗勁先生根據鄭玄的《注》，認爲男子受了宮刑以後，引起生理上的變化，不再生鬍鬚。對於應受宮刑的貴族給予優待，用剃光頭髮和鬍鬚的刑罰來代替宮刑，於是就產生了髡刑。在這個基礎上沿著從寬的方向進一步發展，保留了頭髮的完好，只剃去鬍鬚，就成了耐刑。而沿著寬的方向，耐刑又進一步發展，鬍鬚也被保全下來，就成爲所謂的「完」了。因此，栗氏曰：

> 從其發展看來，「髡」代替了「宮」，保全了肢體和器官的完好，剃去了頭髮和鬍鬚；「耐」代替了「髡」，又保存了頭髮的完好，只剃去鬍鬚；「完」代替了「耐」，保

全了身體髮膚的完好。也正因爲這樣，完已經不再是一種刑罰了。因而秦律中，也就不應有「完刑」這個概念。⑦

王森先有也有相同的看法：

> 《漢書·惠帝紀》孟康注云：「不加肉刑髡剃他也。」顏師古曰：「完謂不虧其體但居作也。」《説文》：「完全也。」可見既不加宫、刖、劓、黥等刑，又不加以剃髮的髡刑，也不加去鬚的耐刑，保全完好的身體，這就是所謂的「完」。從這種意義上來説，「完」又不是一種刑罰，因而秦律就沒有出現單獨使用的「完」刑的。⑧

以上是關於完刑歷來存在的不同說法，由於資料本身的分歧，使得完刑的原始義很難掌握。同時由於漢律多承秦律，因此有許多說法也都是從漢律上推秦律。前面有些學者和舊說所以認爲髡完二者區分明顯，原因即在於漢律是如此的。在秦代法制資料尚缺時，以此上推是絕對合理的。一旦有出土的秦代資料，可以直接分析判斷時，有些成說恐怕就有重新思考的必要。

以秦律而言，並沒有單獨使用的「完刑」。在《秦律十八種·軍爵律》及《法律答問》中，雖然各有一條單獨以「完」的刑名出現，但都不是指獨立的完刑。如《秦律十八種·軍爵律》曰：

> 從軍當以勞論及賜，……欲歸爵二級以免親父母爲隸臣妾者一人，及隸臣斬首爲公士，謁歸公士而免故妻隸妾一人者，許之，免以爲庶人。工隸臣斬首及人爲斬首以免者，皆令爲工。其不完者，以爲隱官工。（二二〇—二二三簡）

其中「其不完者」，是指那些因受肉刑而形體殘缺的工隸臣及人。是指身體的不完整而言，並不是指刑罰本身。至於《法律答問》，其簡文爲：

> 女子爲隸臣妻，有子焉，今隸臣死，女子北其子，以爲非

隸臣子毆（也），問女子論可（何）毆（也）？或黥顏頯為隸妾，或曰完，完之當毆（也）。（五四四簡）

由文意看，完是「完爲隸妾」之省，因上文有「或黥顏頯爲隸妾」而略，這種語法規律，在秦簡的其他刑名中，經常被使用。如「黥爲城旦」常省爲「黥」；「耐爲隸臣」常省爲「耐」。因此，「或曰完，完之當毆（也）。」是說有的認爲應處以完爲隸妾的刑罰，處「完爲隸妾」是對的。由此看，完是和徒刑合用。完刑其他都是和城旦合用（見前引資料）。如此似乎可以說明「完」在秦時並無單獨成刑的事例，但這並不表示秦代沒有這種刑罰。

以秦簡所顯示的的資料來看，本文認爲「完刑」應是「髡刑」替代刑，或者說「完刑就是髡刑」的可能性較大。其原因如下：

第一：戰國和東漢的看法。髡刑的出現，其實很早。《周禮・秋官司寇・掌戮》所謂：「墨者使守門，劓者使守關，宮者使守內，刖者使守囿，髡者使守積。」其中髡者與墨、劓、宮、刖等肉刑並列，這說明髡刑的由來已久。班固《漢書・刑法志》有一段話和上引《周禮》頗爲相似。其文曰：「凡殺人者踣諸市，墨者使守門，劓者使守關，刖者使守囿，完者使守積。」其中只有一字之差，即「完者使守積」與「髡者使守積」。這說明班固的觀念中，戰國的髡完是等刑的。如果漢代髡完二者確實分屬兩種不同的範疇（見上杜正勝先生文），班固也必然十分清楚髡完二刑的區別。但班固卻將「髡者使守積」，改成「完者使守積」，顯然班固是有所依據的。其次，鄭司農《注》亦曰：「髡當爲完，謂居作三年不虧體也。」杜正勝先生曰：

其實讀「髡」爲「完」是有音韻與板本之根據的。《說文》曰：「髡，(髟，兀聲，或(元」。《禮記・王制》：「公家不畜刑人」。鄭《注》引〈掌戮〉髡者云云，《釋文》云：「本又作完」，徐仙民音户官反（《周禮・正義》引臧庸説）。《漢書・刑法志》徵引〈掌戮〉之文便作「完者使守積」。

鄭《注》也和班固的看法一致，這說明二者以完為髡的看法是有根據的。

第二：漢文帝廢肉刑時有以下規定：「諸當完者，完為城旦舂；當黥者，髡鉗以為城旦舂。」⑨其中「諸當完者」，語意難解。晉人臣瓚曰：「文帝廢除肉刑皆有以易之，故以完易髡，以笞代劓，以釱左右止代刖。今既曰完矣，不復云以完代完也，此當言髡者完也。」可見此語中的「完」是「髡」之誤，何以如此？原因即在「髡者完也」。以「完為城旦舂」代替「髡為城旦舂」，其間容或有輕重，但二者可以相代，也許其來有自。其原因可能就是秦時完刑已有取代髡刑的舊例。

第三：秦簡中有大量的耐刑（耐字共四十八次，但不全是作刑名用，見耐刑部分）和完刑（完字共二十二次，其中有十四次和刑名有關），不見髡刑。但作為動詞的髡字則有三例，是屬於私刑的性質。如果說「耐刑即完刑」，那何以在使用「耐刑」的同時，又大量地使用「完刑」？以秦簡而言，會允許這種現象嗎？此其一。秦簡的耐刑與徒刑結合使用時，大都是「耐為隸臣」、「耐為鬼薪」、「耐為司寇」、「耐為候」，從未與城旦徒刑結合使用。而完刑除了與「城旦」結合，從未與隸臣、鬼薪、司寇、候等徒刑合用，顯然兩者在為徒刑的附加刑上有很大的區別。此其二。上引《法律答問》第五四四簡：

> 女子為隸臣妻，有子焉，今隸臣死，女子北其子，以為非隸臣子毄（也），問女子論可（何）毄（也）？或黥顏頯為隸妾，或曰完，完之當毄（也）。（五四四簡）

隸臣之妻在隸臣死後，將其子自家中分出，作為不是隸臣之子，《律說》認為處「完刑」才是妥當的。如果說「完刑即耐刑」，所謂耐刑，乃是剃去鬢毛和鬍鬚，則律文中的女子又何鬚之有呢？而且律文還强調如此才是妥當，可見完刑絕不是耐刑。此其三。由以上三點來看，耐刑顯然不是完刑。前面提到髡字的出現率很低，僅有三例。而且都是作私刑用。楊廣偉先生認爲：

> 這種現象發生的原因，不外乎如下幾種：或戰國時期的「髡刑」到秦代被取消了；或「髡刑」改稱「耐刑」了；或髡刑改稱「完刑」了。哪一種情況更接近於歷史事實呢？「髡刑」改爲「耐刑」，顯然是不能成立的。根據文獻記載，耐罪輕於髡罪，所謂「耐，罪不至髡也。」是否到了秦代，髡剃犯人頭髮的刑罰被取消了呢？回答也是否定的。秦王朝雖然二世而亡，卻素以嚴法治國著稱。秦律規定，擅自髡剔他人頭髮要治罪，說明當時頭髮被髡剔仍是一種受刑的標誌，因而不允許任何個人擅自施加於人。《太平御覽》卷六五九引《風俗通》：「秦始皇遣蒙恬築長城，徙士犯罪依止鮮卑山，後遂繁息，今皆髡頭衣赭，亡徒之明也。」既然髡剃頭髮之刑在秦代依然存在，而秦簡中又沒有「髡刑」之名，這說明最初出現的「髡刑」，很可能在秦代已經改稱爲「完刑」，而漢承秦制，襲用「完刑」之名是很自然的，班固和鄭眾等人將原有的史書上的「髡」易爲「完」也是順理成章的事了。⑩

以此看來，耐刑絕不是完刑，而髡刑反而像是完刑。

第四：從文字學的角度看髡完二字可通。，楊氏除了提出上述觀點外，還從文字學的角度進一步討論髡和完相通之處。楊氏曰：

> 《說文》云：「完，全也，……古文以爲寬字。」又云：「寬，大寬也」。段玉裁注云：「《廣韻》曰：「裕也，緩也，其引伸之義也。古文假完字爲之。」可見完是寬的別字，有寬大和緩之意。寬和髡是雙聲字，髡變爲寬，寬

借爲髡，因此，完字又和髡字有聯系。《集韻·沒韻》云：「髡、完，去髮刑。或作完，音物。」由是可見，完又是髡的別體字，「完爲城旦」就是「髡爲城旦」，「完者使守積」就是「髡者使守積」。這樣，「完刑」即是髡刑，我們從文字學的角度也找到了佐證。⑪

楊氏的這個論證雖然有點語焉不詳，但也可看出「完」、「寬」、「髡」三者的關係，而《說文》曰：「髡，从髟，兀聲，或从元」文與微對轉，也可以做爲佐證。

從以上四點來看，完當是髡的代替刑，或者說完刑就是髡刑。

從秦簡來看，完刑大都和城旦徒刑結合使用。其使用範圍在盜、賊、誣告及捕貲失誤方面都可適用。如《法律答問》曰：

1.甲盜牛，盜牛時高六尺，毄（繫）一歲，復丈，高六尺七寸，問甲可（何）論？當完城旦。（三七六簡）

2.上造甲盜一羊，獄未斷，誣人曰盜一豬，論可（何）殹（也）？當完城旦。（四二〇簡）

盜牛要「完爲城旦」。上造盜羊，案子尙未判決，而誣告他人偷一隻豬，當「完城旦」。這是兩罪並科的情形。上造是有爵者，雖然兩罪並科，但罪責卻和一般庶民的盜牛罪相同，可見秦律對有爵者，有特別的優待。關於誣告罪，尙有葆子誣人的罪責規定，如《法律答問》曰：

「葆子獄未斷而誣〔告人，其罪〕當刑鬼薪，勿刑，行其耐，有（又）毄（繫）城旦六歲。」可（何）謂「當刑爲鬼薪」？當耐爲鬼薪未斷，以當刑隸臣及完城旦誣告人，是謂「當刑鬼薪」。（四八一—四八二簡）

這是葆子當耐爲鬼薪尙未判決，卻又以當刑隸臣和完城旦的罪誣告人，則要判爲「當刑鬼薪」的罪。但因葆子是國家保護的人，因此，又將「當刑鬼薪」的肉刑取消，改判爲象徵性罪責的耐刑，再加上城旦六年的勞役刑。另有兩條一般庶民誣告的處罰規定，如《法律答問》曰：

1.完城旦，以黥城旦誣人，可（何）論？當黥。（四八九簡）

2.當黥城旦而以完城旦誣人，可（何）論？當黥梟（劓）。（四〇九簡）

完城旦而以「黥城旦誣人」，當黥。黥是「黥以爲城旦」的省略。當黥城旦而以「完城旦誣人」，當黥梟（劓）。黥劓是「黥劓以爲城旦」的省稱。由律文可以看兩罪並科時，其刑責一定超過自己的原罪。

《法律答問》有兩條很特別的規定，即是「拔其須（鬚）麋（眉）」和「斬人髮結（髻）」要受「完城旦」的刑罰。如：

1.或與人鬥，縛而盡拔其須（鬚）麋（眉），論可（何）殹（也）？當完城旦。（四五一簡）

2.士五（伍）甲鬥， 拔劍伐，斬人髮結（髻），可（何）論？當完爲城旦。（四五四簡）

由這兩條可以看出秦人十分重視鬚髮和眉毛。袁仲一先生《秦始皇陵兵馬俑研究》一書指出：

> 從秦俑的髮型可以看出秦人對髮的重視和考究，頭髮梳理得整整齊齊，髮髻有圓髻，有扁髻，而圓髻和扁髻又有各種不同的形狀髮辮也是各式各樣，眞實地反映了秦人的生活。⑫

袁氏又曰：

> 秦人不但對髮十分鍾愛，對鬍鬚也非常珍重。秦漢時，一般成年男子都留鬍鬚，只有犯了耐罪才剃鬚。《漢書・高帝紀》引應劭云：「輕罪不致於髡，完其耏鬢，故曰耏。」《禮記・禮運》正義：「古者犯罪以髡其鬚，謂之耐罪。」「耐」即「耏」。《說文》云：「耏，罪不至於髡也

> 。」注：「徐鍇曰：但髡其頰毛而已。」可見剃鬚是犯罪的象徵。所以秦漢時男子到了成年後都留鬍鬚。古代成年男子留有鬍鬚，也是男子美的象徵，如所謂「美髯公」。秦始皇陵兵馬俑坑中出土的武士俑，除個別的未發現有留鬍鬚外，其餘的武士俑都有鬍鬚，且鬚樣繁多。⑬

由秦俑看來，秦人的確是十分重視鬍鬚和頭髮。同時再參照上引二簡，可以相信秦人的髭鬚和頭髮一定具有身分象徵的意義。

秦律對隸臣監領城旦，而城旦逃亡，也處「完爲城旦」的罪。如《法律答問》曰：「隸臣將城旦，亡之，完爲城旦，收其外妻、子。」（四八六簡）至於在執行公務時，故意殺人或傷人，也要處刑。如《法律答問》曰：

> 捕貲辠（罪），即端以劍及兵刃刺殺之，可（何）論？殺之，完爲城旦；傷之，耐爲隸臣。（四九四簡）

故意殺死犯人，處「完爲城旦」；故意殺傷，則處「耐爲隸臣」。準此而言，「完爲城旦」的刑當重於「耐爲隸臣」。至於捕獲逃亡的「完城旦」，法律規定獎賞二兩。（五〇六簡）

綜上可知，完刑是一固很具爭議的刑名。以秦簡而言，它絕不是耐刑。至於說它和肉刑是相對的，本身根本不是刑罰，一樣無法自圓其說。只有將完刑看成是髡刑或者是髡刑的替代刑，那麼，秦簡所顯示髡字出現率低的特異現象，才可解釋得通。

【附註】

①參見該書《漢律考》第二部分刑名考，頁四四。

②參見氏著《秦律刑罰析論》，文載《雲夢秦簡研究》，頁二二八。在這個觀點上劉氏對二者是否完全相同也有保留。氏云：「我們曾據秦簡中規定的『城旦黥之』的提法，推測秦的黥刑可能依不同罪行行黥不同的部位。這裡他們可否推測『完』和『耐』在髡剃部位上也有所區分呢？」當然這種保留也僅是對二者在同中之異的質疑

罷了。

③參見該書《秦漢刑名考》部分，頁一六三。《秦漢刑名考》一文，又見早稻田大學文學院《文學研究紀要》，一九七七年第四期。

④文載《復旦學報（社會科學版）》，一九八六年第二期。

⑤參見氏著《秦律通論》頁二五〇一二五一。

⑥參見杜正勝《從肉刑到徒刑——兼論睡虎地秦簡代所見古代刑法轉變的信息》，文載《食貨月刊》復刊一五，五，五六，一九八五年。又《編戶齊民》第七章，頁二八六一二八八。

⑦同⑤，頁二五一。

⑧參見氏著《秦漢律中髡、耐、完刑辨析》，文載《法學研究》一九八六年一期。

⑨參見《漢書・刑法志》。

⑩參見氏著《「完刑」即「髡刑」術》，文載《復旦學報》（社會科學版）一九八六年第二期。

⑪同⑩。

⑫參見該書第三章《秦俑的髮型、甲衣和服飾》，頁二二七。《文物出版社》一九〇九年十二月第一版。關於秦俑髮髻請參閱下三圖。（圖樣取自該書）

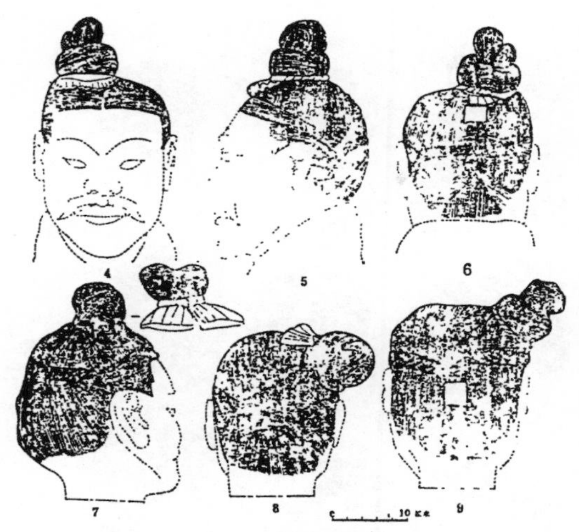

（圖一） 一號俑坑陶俑圓髻和髮辮

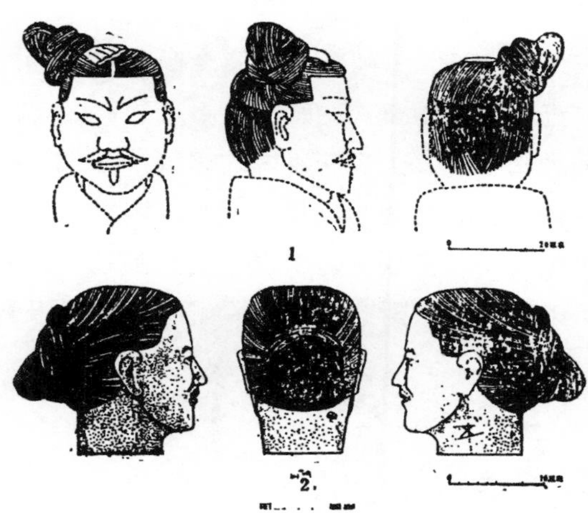

（圖二） 圓髻 1.一號俑坑陶俑T1K：86
2.秦始皇陵圓踞坐俑

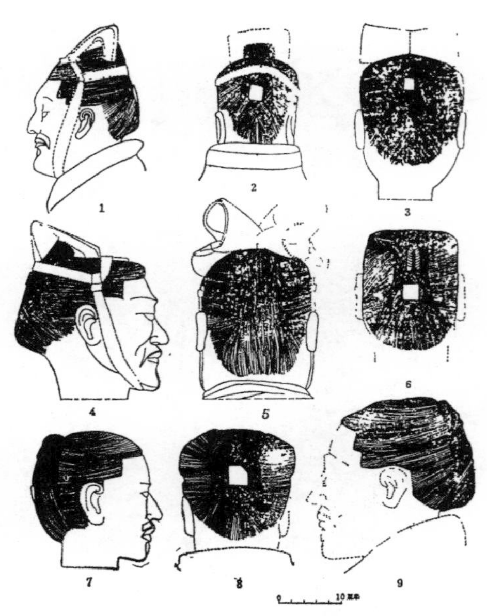

（圖三）　一號俑坑陶俑扁髻

⑬同⑫。頁二三七。根據袁氏的歸納，秦人的鬍鬚大約有以下幾類：（一）絡腮大鬍、（二）三滴水式的髭鬚、（三）長鬚型、（四）犄角大八字鬍、（五）雙角自然下垂的八字鬍、（六）矢狀小八字鬍、（七）板狀小八字鬍。花樣繁多，且都是經過刻意修飾和美化的。由此可以看出秦人對鬍鬚的重視。（參見下圖）

（圖四）　一號俑坑陶俑鬍鬚

（圖五）　一號俑坑陶俑鬍鬚

第四章　秦律的遷、貲、贖和誶刑

第一節　遷　刑

所謂遷刑，就是流刑。流刑是把罪犯押解到偏遠或邊境地區的一種刑罰。流是放逐，古代的「流宥五刑」，就是以流放的方式寬宥有罪人的刑罰，也就是將被寬宥的人放逐到偏遠或邊境地區去。這種奪人身體上和居住上自由的刑罰，異名甚多，或稱放、或稱弃、或稱逐、或稱屛、或稱謫、或稱遣、或稱流竄刑①。傳統上，都稱這種刑罰爲流刑。但《雲夢秦簡》不稱流刑，而稱「遷」。

流刑的由來已久，所謂屛諸四夷，放諸四海，不與中國同，殆即太古流刑的含義。《尚書・堯典》曰：「流宥五刑」，孔安國《注》曰：「宥，寬也。以流放之法寬五刑。」可見流宥之刑最早當是對死刑和肉刑的一種從寬刑罰。陳顧遠先生曰：

> 除竄之稱外，所謂流也，放也，逐也，屛也，謫也，皆屬同類之事，故所用者甚多。此其最初，或係對於所謂國人者，不忍殺而宥之於遠方耳。②

《史記・五帝本紀》曰：「流共工於幽陵，以變北狄；放驩兜於崇山，以變南蠻；遷三苗於三危，以變西戎；殛鯀於羽山，以變東夷。」其中流、放、遷、殛都是流刑，而且是整族地流放。《竹書紀年》曰：「五十八年，使后稷放帝子朱於丹水。」當然，由於二者是傳說時代的放（流）刑記載，可信度讓人質疑，但殷代卻有可靠的記載。《史記・殷本記》曰：「太甲既立，三年，不明，暴虐，不導湯法，亂德，於是伊尹放之於桐宮。」當是流刑較早的可靠記載。西周流刑，見於史籍的，有《史記・周本記》：「周公奉成王命，伐誅武庚、管叔，放蔡叔。」《竹書紀年》曰：「成王三年，遷殷民於衛，遂伐奄滅蒲姑。」又曰：「五年春正月，王在奄遷其君於蒲姑。」又曰：「五年夏五月，王至奄，遷殷民於洛邑，遂營成周。」又曰：「八年冬十月，王師滅唐，遷其民於杜。」③由上引資料，可以看出早期的流刑大都是單純的用於政治上敵對分子的放逐報復上。不過，從金文中《鬲攸從鼎》攸衛誓詞中，亦有我如果不再付給鬲從田租，就處我以流放之刑的資料。④可見殷、周之時流刑已經十分流行，而且發展成一個固定刑種，同時也和相應犯罪結合使用，而不單是用於政治的報復上。

早期的遷刑（或所謂的流刑），大都用在政治報復和刑罰上，這種刑罰基本上都是強制性地使犯人遷移居住的刑罰。不過，這一刑罰和秦漢時代所謂的「徙遷刑」或「徙邊刑」不完全一樣。程樹德《漢律考》認爲漢代有的「徙邊刑」，⑤同時認爲是秦制的繼承。秦從戰國時代開始就已經強制人民移居到新占領區及邊境地帶，以充實並開發這些地方，加強邊防，當時被強制遷居的對象，根據日人久村因《關於古代定居四川的漢民族的來歷》一文的分析，是一般的庶民、罪人、俘虜等三種。⑥而漢代所實行的徙民政策，大體上是承自秦制，只是秦代的所謂俘虜，是指秦征服六國以前所占領的六國地區居民，漢代已無身分相對應的人，因此，只能以一般庶民或罪人爲對象。⑦不過，由《雲夢秦簡》來看，其所謂的「遷」刑和前述的「徙邊刑」或者「徙遷刑」是不完全相同的。

或許應該這麼說：《雲夢秦簡》中所顯示出來的「遷刑」大都是罪犯（詳見下文），而對於庶人和俘虜所適用的徙遷，只見於史籍，在《雲夢秦簡》是看不見的。《雲夢秦簡》中適用遷刑的，有以下幾種情況：

一、大夫陣前斬首

《秦律雜抄·除弟子律》曰：

1.故大夫斬首者，䙴（遷）。分甲以爲二甲蒐者，耐。縣毋敢包卒爲弟子，尉貲二甲，免；令，二甲。（三三五—三三六簡）

《律文》規定：本爲大夫而在陣前斬首，應加流放。《睡虎地秦墓竹簡》注曰：「故大夫，本爵爲大夫，《漢書·高帝紀》：『故大夫以上賜爵各一級。』」⑧此處故大夫是領軍作戰的大夫，在戰場上大夫職在指揮，而斬敵首級乃士卒之事。身爲指揮官的大夫如果逕自殺敵，除與士卒爭功外，尙會影響指揮。因此，秦代對指揮官在陣前斬首是嚴格禁止的。《商君書·境內》曰：「其戰，百將、屯長不得斬首。」朱師轍《商君書解詁定本》：「百將、屯長責在指揮，故不得斬首。」⑨如果大夫不從令而陣前殺敵，法律規定有罪，從《秦律雜抄》來看，這種罪是要處「遷刑」的。

二、嗇夫瀆職且以奸為事

《法律答問》曰：

2.嗇夫不以官爲事，以奸爲事，論可（何）○（也）？當䙴（遷）。䙴（遷）者妻當包不當？不當包。（四三一簡）

嗇夫有吏嗇夫和人嗇夫之分。吏嗇夫是任事的，而人嗇夫是任教的，都是縣級的重要官吏。（請參見本文第三編《官制篇》第二章《秦律所見的嗇夫》）《律文》規定：如果嗇夫不以官職爲事，而專做壞事，應如何論處？《律說》解釋「應處遷刑」。至於被流放嗇夫的妻（即家屬），則不必隨往流放地點。以秦律的規定而言，被流放的人，其家屬是必須隨往流放地點的，如《法律答問》曰：

3.當䙴（遷），其妻先自告，當包。（四三二簡）

《律文》規定得很清楚：應加流放的人，即使其妻事先自首，仍應隨往流放地點。連自首都不能免於同往，可見遷刑的彈性不大，而這也才是秦律的正常規定。由第二條看來，秦代對主持縣政和事務的嗇夫在法律上有特別的優待。事實上，這也是秦律的刑罰原則之一。也就是說，犯罪人的身分是秦律定刑判罪的重要標準。一般的情況下，官吏和有爵位的在法律上能享受優待，同樣的罪，庶民和奴隸的處刑較重。⑩

三、官吏假公濟私

《秦律雜抄》曰：

4.吏自佐、史以上負從馬、守書私卒，令市取錢焉，皆䙴（遷）。（三三八一三三九簡）

自佐、吏以上的官吏利用馱運行李的馬匹和看管文書的私卒貿易牟利，這是假公濟私的行爲，秦律規定都要加以流放。

四、捕盜知法犯法

《法律答問》曰：

5.「害盜別徼而盜，駕（加）辠（罪）之。」可（何）謂「駕（加）辠（罪）」？五人盜，臧（贓）一錢以上，斬左止，有（又）黥以爲城旦；不盈五人，盜過六百六十錢，黥劓（劓）以爲城旦，不盈六百六十到二百廿錢，黥爲城旦；不盈二百廿以下到一錢，䙴（遷）之。求盜比此。（三七一一三七二簡）

本條律文在黥刑部分已引過，所謂「害盜」即《秦律十八種・內史雜》中的「憲盜」，是捕盜的職名，亦即是捕盜的官吏。律文規定：捕盜的害盜背著游徼去盜竊，應當加罪。（前引已有說明，不贅）秦律對執法人員「知法犯法」的罪責十分重視。尤其是

「結夥」作案，贓物在一錢以上，罪責很重。刑罰是由肉刑中的刖刑（斬左止）和黥刑結合徒刑中的城旦使用。不足五人，依其所盜贓數，刑罰有由肉刑中的劓刑和黥刑結合徒刑中的城旦使用，有「黥爲城旦」及「䙴（遷）」。其中較輕的（不滿二百二十錢而在一錢以上的），則處「遷刑」。求盜也是執法人員，如果犯同樣的罪，也與害盜同樣論處。

五、隱匿成童及申報癈疾不確實

《秦律雜抄》曰：

6.匿敖童，及占㾏（癃）不審，典、老贖耐。百姓不當老，至老時不用請，敢爲酢（詐）僞者，貲二甲；典、老弗告，貲各一甲；伍人，户一盾，皆䙴（遷）之。（三六〇一三六一簡）《傅律》

《睡虎地秦墓竹簡注》曰：「《新書・春秋》：『敖童不謳歌。』古者男子十五歲以上未冠者，稱爲成童。據《編年記》，秦當時十七歲傅籍，年齡還屬於成童的範圍。」⑪高恒先生認爲敖童是指身高已到傅籍年齡的兒童，⑫又《舊漢儀》記載：秦制，無爵士伍，「年六十乃免老」，即年達六十可以不再服兵役和勞役。對於這些屬於徭戍方面的規定，秦代將之具體地表現在傅籍制度上。因此，絕不允許有人弄虛作假。《傅律》規定隱匿成童，及申報癈疾不確實，里典、伍老應贖耐。百姓不應免老，或已告免老而不加申報、敢弄虛作假的，罰二甲；里典，伍老不加告發，各罰一甲；同伍的人，每家罰一盾，另外都處以遷刑。《秦律雜抄》的《傅律》說明了秦律對於任何違反傅籍制度的行爲，都給予嚴厲的處罰。

《睡虎地秦墓竹簡注》曰：「本條所規定應流放的對象，從上下文義考察，疑應指犯罪的百姓及其同伍而言。」⑬由文義看，整理小組的解釋是正確的。亦即里典、父老和伍人除了貲罰外，都應處遷刑。

六、口舌毒言者

《封診式・毒言》曰：

7.爰書：某里公士甲等廿人詣里人士五（伍）丙，皆告曰：「丙有寧毒言，甲等難飲食焉，來告之。」　即疏書甲等名事關諜（牒）北（背）。訊丙，辭曰：「外大母同里丁坐有寧毒言，以卅餘歲時罨（遷）。（六七二簡）丙家節（即）有祠，召甲等，甲等不肯來，亦未嘗召丙飲。里節（即）有祠，丙與里人及甲等會飲食，皆莫肯與丙共桮（杯）器。甲等及里人弟兄及它人智（知）丙者，皆難與丙飲食。丙而不把毒，毋（無）它坐。」（六七二－六七四簡）

《毒言》爰書所呈現的是秦代社會奇特的一個表徵。爰書記明是某里公士甲等二十人送來同里的士伍丙，共同報告說：「丙口舌有毒，甲等不能和他一起飲食，前來報告。」承辦官員當即將甲等的姓名、身分、籍貫記錄在文書背面。審訊丙，供稱：其本人的外祖母同里人丁曾因口舌有毒論罪，在三十多歲時被流放。丙家如有祭祀，邀請甲等，甲等不肯來，他們也沒有邀請過丙飲酒。里中如有祭祀，丙與同里人和甲等聚會飲食，他們都不肯和丙共用飲食器具。甲等和同里弟以及其他認識丙的人，都不願和丙一起飲食。丙並沒有毒，沒有其他共犯。由爰書來看，丙只是被誤認有「毒言」，其實是沒有毒的。但依「外大母同里丁坐有寧毒言，以卅餘歲時罨（遷）。」的判例來看，如果丙眞有「毒言」之疾的話，法律應該是會將之處以遷刑的。

所謂「毒言」，是口舌有毒，爲當時的一種迷信。《論衡・言毒》：「太陽之地，人民促急，促急之人口舌爲毒，故楚、越之人促急捷疾，與人談言，口唾射人，則人脤胎腫而爲創（瘡）

。南郡極熱之地，其人祝樹樹枯，唾鳥鳥墜。」《論衡》所載未免誇大，但卻很能表現秦代的社會心理。另外，從《日書》中可以看到很多秦代社會的迷信和禁忌。在《日書》中可以發現秦代是一個鬼神觀特別發達的社會。在這個發達的鬼神觀念中，可以看到秦人的世界裏，鬼神是無所不在，無處不有的。在《日書》中僅以鬼爲稱的，就有「痃鬼」、「狀鬼」、「癘鬼」、「衰鬼」、「棘鬼」、「字鬼」、「陽鬼」、「鰍鬼」、「粉鬼」、「凶鬼」、「暴鬼」、「游鬼」、「丘鬼」、「刺鬼」、「餓鬼」、「遽鬼」、「夭鬼」、「不幸鬼」、「爰鬼」、「哀乳之鬼」、「丘鬼」、「神狗」、「宲人」、「上神」、「會蟲」、「地蟲」、「圖夫」、「桀迓」、「地薛」等數十種。（*八七一—八二八簡）這些會說話、會敲門、會擊鼓、會變化。不僅有成年之鬼，也有鬼嬰。在這個鬼神世界裏，鬼就是神，神就是鬼。而且鬼有和人一樣，也要吃飯，也有七情六慾，而且喜觀和人相處。⑭對於這麼發達的鬼神思想，民間自然會產生許多禁忌。同時，由這個鬼神世界所引發出來的疾病，自然也很多。民間對於這種疾病，往往避之猶恐不及。如「癘」是一種疾病，秦代社會卻更相信「癘」可能是由鬼神作祟而引起的疾病。如《法律答問》曰：

> 甲有完城旦辠（罪），未斷，今甲癘，問甲可（何）以論？當䙴（遷）癘所處之；或曰當䙴（遷）䙴（遷）所定殺。（四九二簡）
>
> 城旦、鬼薪癘，可（何）論？當䙴（遷）癘䙴（遷）所。（四九三簡）

本文在肉刑的死刑「定殺」部分，說到「癘」是痲瘋病。但就癘來說，還有三個含義：一是「病」，做爲一種疾病，它可能是「癩」和「癘疫」（瘟疫）；二是「鬼」，是一種由鬼神作祟而引起的疾病；三是「惡」，癘在中國古代社會，常被視爲是鬼神對人的一種「降罰」。因此，癘是一種「惡疾」，是一種帶有「貌醜之惡」、「行爲之惡」、「惡鬼之惡」、「惡氣之惡」的惡疾。對於患有這樣惡疾的癘者，即使在法律上，並沒有違法行爲，然而，由於這種疾被視爲是鬼神對人惡行的一種懲罰，故而癘者或被認爲犯了「陰譴之罪」、「天棄之疾」，這種犯了陰譴之罪而爲鬼神所降祟、所遺棄的人，若再觸犯法律，就是「惡上加惡」，故加之處死。⑮可見秦人對於可能是由鬼神降祟的疾病，特別在意。

因此，所謂「毒言」，當然也是在這種鬼神建構的世界下所產生的一種迷信之病。以常情來看，將患有痲瘋病的犯人，遷往痲瘋病隔離區居住；或者將再犯罪者「遷所定殺」，尚合情理。但僅僅只是「毒言」，並未犯任何罪行，卻可處以「遷刑」，這是十分可議的。所以，合理的解釋是：一些被視爲鬼神降祟的疾病，社會不能也不敢接納，而法律也會採取必要的措施。從這個角度來看，這類被「定殺」或被「遷」者，可能和疾病本身的醫學意義沒有必然的關聯性。

七、親父請遷其子

《封診式‧遷子》曰：

8.爰書：某里士五（伍）甲告曰：「謁鋈親子同里士五（伍）丙足，䙴（遷）蜀邊縣，令終身毋得去䙴（遷）所，敢告。」　告法（廢）丘主：士五（伍）咸陽才（在）某里曰丙，坐父甲謁鋈其足，䙴（遷）蜀邊縣，令終身毋得去䙴（遷）所論之，䙴（遷）丙如甲告，以律包。今鋈丙足，令吏徒將傳及恆書一封詣令史，可受代吏徒，以縣次傳詣成都，成都上恆書太守處，以律食。法（廢）丘已傳，爲報，敢告主。（六二六一六二九簡）

《爰書》：某里士伍甲控告說：「請求本人親生子同里士伍丙械

足，流放到蜀郡邊境縣分，叫他終生不得離開流放地點，謹告。」在這份爰書中，可以看到秦代「遷刑」的執行情形。官府按地點將流放者加以流放，並照告者所求將流放者加以械足，同時，依法命其家屬同往。命吏和徒隸攜帶通行證及恒書一封送交所經地方官府的令史，並請求更換吏和徒隸，逐縣解送到成都（送交地），到成都將恒書上交太守，依法給予飯食。解到廢丘應回報。

由《遷子》爰書來看，所遷之地是蜀。《睡虎地秦墓竹簡》曰：「《史記・項羽本紀》：『秦之遷人皆居蜀。』《漢書・高帝紀》引如淳云：「秦法，有罪遷徙之於蜀漢。』」⑯一般說來，秦的流放地點大都是新奪取比較邊遠的地區。如昭王時期曾「赦罪人遷之安邑」、「赦罪人遷之穰」、「赦罪人遷之南陽」，這些都是當時新征服的地區。但是，比較多的較爲固定的流放地點，還是蜀地。嫪毐餘黨和呂不韋黨羽都「遷蜀」。《遷子》爰書也是「遷蜀」，都和《史記》所載吻合。⑰必須說明的是，秦代遷刑多流放到蜀，也只是一面。馬非百先生認爲：「實則當時東西南北各地都有遷徙」⑱

以上是《雲夢秦簡》中所見的七種遷刑的形態。《雲夢秦簡》中尚有幾條和遷刑有關，但不是造成遷刑要件的資料。如《秦律十八種・司空》曰：

> 9.百姓有母及同牲（生）爲隸妾，非適（謫）辠（罪）殹（也）而欲爲冗邊五歲，毋賞（償）興日，以免一人爲庶人，許之。或贖䙴（遷），欲入錢者，日八錢。（二一八—二一九簡）

這條律文有二層內容，其一是百姓（不是罪人）以自願戍邊五年的方式來贖免現爲隸妾的母親或親姊妹中的一人成爲庶人的，可以允許。但必須本人沒有犯謫罪的。同時也不能算抵軍戍時間。所謂適，《漢書・陳勝項籍傳注》曰：「適，讀曰讁（謫），謂罪罰而行也。」也是流放。其二是有贖遷罪，願繳錢的，刑期每天繳納八錢。基本上這是屬於贖刑的範圍。

《秦律雜抄・軍爵律》曰：

10.從軍當以勞論及賜，未拜而死，有辠（罪）法耐罨（遷）其後；及法耐罨（遷）者，皆不得受其爵及賜。其已拜，賜未受而死及法耐罨（遷）者，鼠（予）賜。（二二〇—二二一簡）

這條律文是秦代推行軍功爵制而特別頒布的。從軍有功應依其軍功大小、頒授不同的爵位和賞賜的。如果還沒有拜爵本人已死，而其後嗣有罪依法應耐遷的；以及本人依法應耐遷的，都不能得到爵和賞賜。如已經拜爵，但還沒有得到賞賜，本人已死及依法應耐遷的，仍給予賞賜。在這裏可以看到耐刑和遷刑結合使用。這種刑罰在此只是用來說明軍功爵施行的原則，無法看出遷刑本身的其他訊息。不過，由《秦律雜抄》的《軍功律》可以看出頒行軍功爵的三道手續，即勞、論、賜。「勞」是指在從軍後所建立的功勞，這是頒賜軍功爵的前提和依據；「論」是指因功論賞或因過論罰，律文顯示了功過的大小和是否屬實都需要經過評議，然後再決定該不該頒賜；「賜」是在評議之後，根據其功過之大小而頒給不同的爵位、土地和財物，或給予一定的處罰。⑲

《法律答問》曰：

11.廷行事有辠（罪）當罨（遷），已斷已令，未行而死若亡，其所包當詣罨（遷）所。（四三〇簡）

「廷行事」即成例，按成例有罪應加流放，經判決，尚未執行而死或逃亡，原先應該同去的家屬仍應前往流放地點。由這一條來看秦代的遷刑執行很徹底，前引《法律答問》提到：應處遷刑的人，「其妻先自告」，仍應隨往流放地點。（四三二簡）以秦律而言，通常「自告」者是可以免除刑罰的。但由這二條看來顯然自告免刑，並不適用於遷刑。甚至丈夫在未執行遷刑之前就死去，仍然是要「當詣䙴（遷）所。」

除了犯罪的遷刑之外，根據日人久村因的說法秦代爲了充實並開發新占領區及邊境地帶，强制人民移居到這些地方，以加强邊防，當時被强制遷居的對象，是一般的庶民、罪人、俘虜等三種。但《雲夢秦簡》所適用的遷刑卻只有罪人，和這些所謂的「徙邊刑」或者「徙遷刑」是不完全相同的。這種徙遷，往往會採取募民的式。在募民時，鼂錯認爲應以罪犯爲先，欲贖罪者或得爵者次。《漢書・鼂錯傳》曰：

> 乃募辠人及免徒復作令居之；不足，募以丁奴婢贖辠及輸奴婢欲以拜爵者；不足，乃募民之欲往者。皆賜高爵，復其家。予冬、夏衣、廩食，能自而止。郡縣之民得買其爵，以自增至卿。其亡夫若妻者，縣官買予之。

募民徙邊的條件十分豐厚。邢義田先生認爲秦代鼓勵遷徙的另兩種方式是除復徭役和賜爵。⑳可見秦代徙遷，不只是罪犯而已。當然由於《雲夢秦簡》以法律爲主，所見的遷刑自然是以罪犯爲主。不過，就實際情形來看，秦代的遷刑是刑罰體系中正式的一種刑名，有些學者認爲《秦律十八種・司空律》中的「或贖遷，欲入錢者，日八錢。」（二一九簡）說明了遷可以贖，遷既可以贖，表示遷刑是有刑期的。這一點恐怕是有誤的。其一是贖遷屬於贖刑系統，它本身不是論罪之後再令貲贖，而是犯罪被判爲貲或贖。其二是《封診式》中的《遷子》爰書中有所謂的「遷蜀邊縣，令終身毋得去遷所。」這說明了遷刑恐怕沒有刑期的。漢徙邊似乎也是非特詔不得歸。魏以後遷刑大都有刑期，同時遷所遠近也有區別。㉑

秦代的遷刑，嚴格講來並不是很重的刑罰。由上引第五條資料來看，遷刑比「斬左止，有（又）黥以爲城旦」、「黥劓（劓）以爲城旦」、「黥爲城旦」等刑爲輕。遷刑之較重者，由《雲夢秦簡》來看，頂多在遷刑之外，再加上「鋈足」或「貲二甲」

、「貲各一甲」、「一盾」。從文獻來看，遷還可以加上奪爵與否的處罰，如《史記・秦始皇本記》曰：「秦人六百石以上奪爵，遷；五百石以下不臨，遷，不奪爵。」不過，刑期似乎也可以改判，如《史記・秦始皇本記》曰：「十二年秋，復嫪毐舍人遷蜀者。」就《雲夢秦簡》而言，是沒有這種返回原籍的事例的。

在此必須附帶說明的是「謫」和「逐」，也都是秦代的流刑。但在《雲夢秦簡》中資料較少，不另分節討論。《雲夢秦簡》中「謫」字只見一例，即上引資料第九條；「逐」字有四例，都見於《日書》，除第八七七・三的反面簡和刑罰的「逐」可能有關外，其餘三例都不是逐刑（見下文）。

關於「適」（謫），《漢書・陳勝項籍傳》曰：「適，讀曰謫，謂罪罰而行也。」所以，謫也是流刑，是犯了罪被發配而去的。由第九條來看，顯然在遷刑之外，另有謫的刑名。《史記・秦始皇本記》有：

> 三十三年，發諸嘗逋亡人、贅婿、賈人略取陸梁地，爲桂林、象郡、南海，以適（謫）遣戍。

《索隱》曰：「徙有罪而謫之，以實初縣。」又《史記・秦始皇本記》記有：三十四年，「適治獄吏不直者，築長城及南越地」又《史記・匈奴列傳》曰：

> 後秦滅六國，而始皇使蒙恬將十萬之眾北擊胡，悉收河南地。因河爲塞，築四十四縣城臨河，徙適戍以充之。

所謂「以適遣戍」、「適戍」，沈家本先生曰：「謫戍者，發罪人以守邊也。」㉒可見以罪犯去充實新縣和守邊、實邊，在秦代的適用範圍也很廣。「謫」所流放的對象，除了一般的犯人之外，有一些是屬於政治上的犯人，如《始皇本紀》中的贅婿和賈人。因此，遷和謫雖然都是流刑，有其共通性，但是二者也有區別。栗勁先生曰：

> 「遷」是依據法律規定的刑名，其本身就包含有必須發配

到邊遠地區去的含義。而「謫」則是因爲政治上的某種需要而把其他罪名的犯人，發配到邊遠的地區去，其原來的罪名本身並不包含必須到邊遠地區去的含義。在執行刑罰上來說，前者是依法執行，而後者是「易科」執行。與受遷刑的人「終身毋得去遷所」不同，受謫刑的人在完成某種政治、軍事、勞務之後，是可以返回原籍的。㉒

栗氏的分析十分精當。不過，秦人遷徙戍邊（不管是因遷刑或謫罪）在完成所謂的政治或軍事、勞務的過程中，卻十分畏懼，往往有「如往棄市」之感。《漢書・鼂錯傳》曰：「秦時北攻胡貉，築塞河上，南攻楊粵，置戍卒焉……秦民見行，如往棄市。因以謫發之，名曰謫戍。」因此，即使受謫刑的人在完成某種政治、軍事、勞務之後，可以返回原籍。但謫徙戍邊，九死一生，㉓秦民仍爲畏途。

關於「逐」，《日書》有下四條資料：

1.宇多於東北，出逐。（*八七七・二簡）
2.女鼠抱子逐人　（*八五一・三簡）
3.正西猴逐　（一〇九二簡）
4.正東猴逐　（一〇九四簡）

這四條中只有第一條的「逐」和「逐刑」可能有關。秦代文獻中，逐的資料較多，如《史記・秦始皇本紀》曰：「十年，大索，逐客。李斯上書說，乃止《逐客令》。」這個「逐刑」顯然是針對「客」的。又《史記・李斯列傳》曰：

會韓人鄭國來間秦，以作注溉渠，已而覺。秦宗室大臣皆言秦王曰：「諸侯人來事秦者，大抵爲其主游間於秦耳，請一切逐客。」李斯議亦在逐中，斯乃上書……，秦王乃除逐客令。

以文獻來看，「逐」是針對外來的游士，即秦以外的客籍人士。而所「逐」不是爲了以守邊、充實新縣，而是將之驅逐出秦境之外（如現在的遞解出境）。準此而言，「逐」和「遷」、「謫」在性質上是有不同的。所以這個刑罰的適用範圍應該較窄。

《日書》甲種「宇多於東北，出逐。」（*八七七・二簡）意思較難解，必須從整個內容來看。以下取其中二段：

1.凡宇冣（最）邦之高，貴，貧。宇冣（最）邦之下，富而痒。宇四旁高，中央下，富。宇四旁下，中央高，貧。

宇北方高，南方下，毋寵。宇南方高、北方下，利賈市。宇東方高、西方下，女子爲正。宇有要不窮，必刑。宇中有谷，不吉。（*八八一・一—*八七三—一簡）

2.宇右長、左短，吉。宇左長，女子爲正。　宇多於西南之西，富。宇多於西北之北，絕後。宇多於東北之北，安。宇多於東北，出逐。宇多於東南富，女子爲正。道周環宇，不吉。祠木臨宇，不吉。垣，東方高西方之垣，君子不得志。（八八二・二—八七三・二簡）

這二段的主要內容，講的屋子的地理方位和人事吉凶的關係。其實講的就是屋室方位禁忌的。這種禁忌秦代的其他資料已不可考。《論衡・四諱》曰：「俗有四大諱，一曰諱西益宅，西益宅謂之不詳。」所謂西益宅就是向西增建房屋。《風俗通》曰：「宅不西益，俗說西者爲上，上益者妨家長也。」原其所以，《禮記》曰：「南向北向，西者爲上。」《爾雅》亦曰：「西方隅謂之奧，尊長之處。」這類禁忌，在秦漢之際應該是很發達才是。而《雲夢秦簡》在這方面的表現是十分繁複的。由上二條資料看，方位的安排可以導致「貴」、「貧」、「富」、「利賈市」、「不吉」、「女子爲正」絕後」、「安」、「出逐」、「君子不得志」等等。由文意看，所謂「出逐」，也許只是逐出家門，或者爲鄉民棄絕，遠離家鄉。未必和律有關。尤其是「逐」一般只適用於外籍游士，民間所使用的《日書》未必會反映到這一層。

【附註】

①參見清人沈家本《歷代刑法考・分考》第九節；又見張金鑑先生《中國法制史概要》，頁六七；又見陳顧遠先生《中國法制史》，頁二八四。

②參見氏著《中國法制史》，頁二八四。

③參見栗勁先生《秦律通論》，頁二八四。

④參見胡留元、馮卓慧先生合著《西周法制史》，頁九三—九四。

⑤參見該書（二）刑名考。

⑥文載《歷史學研究》第二〇四號，一九五七年二月。

⑦參見日人大庭脩《秦漢法制史研究》，頁一三七。

⑧參見該書頁八一。

⑨參見該書頁七二。又參見《睡虎地秦墓竹簡》頁八一。

⑩參見劉海年先生《從雲夢出土的竹簡看秦代的法律制度》，文載《學習與探索》一九〇八年二期。

⑪參見該書頁八七。

⑫參見氏著《秦律中的徭、戍問題——讀雲夢秦簡札記》，文載《考古》一九八〇年第六期。

⑬同⑪。

⑭參見西北大學《日書》研讀班《日書：秦國社會的一面鏡子》，文載《文博》一九八六年第五期。

⑮參見本編第二章第一節第四部分。又參見林富士先生《試釋睡虎地秦簡中的「癘」與「定殺」》，文載《史原》第十五期，一九八六年。

⑯參見該書頁一五五。

⑰參見栗勁先生《秦律通論》，頁二八五。

⑱參見氏著《秦集史》，頁八四九。另見該書《遷民表》，頁九一九—九二九。

⑲參見朱紹侯先生《軍功爵制研究》，頁四〇—四一。

⑳參見氏著《秦漢史論稿》頁四一七。

㉑張金鑑先生曰：「隨之流刑凡三等，一千里者居作二年，一千五百里者居作二年半，二千里者居作三年，俱加杖責，並可聽贖。隋並行流徙配防之法。唐代流刑亦分三等，較隋制皆加千里，自二千里，二千五百里，三千里，三流皆役一年，然後編所在戶；常流之外，更有加役流者，加役三年。貞觀中廢趾改加役。」參見氏著《中國法制史概要》，頁六八。

㉒參見氏著《沈寄簃先生遺書甲編》，《刑法分考》卷十，頁一九上。

㉓同⑳。

第二節　貲　刑

《雲夢秦簡》中使用最頻繁的罪刑是「貲」刑，根據本文的統計，《雲夢秦簡》總共出現一百六十一次「貲」字，這麼高的出現率是其他刑罰所望塵莫及的。其中大部分是「貲甲」、「貲盾」、「貲布」，也有「貲戍」、「貲徭」和「居貲贖債」的。由《雲夢秦簡》中可以看出秦律條款對違法和過失行爲，廣泛地採用「貲」罰懲處。

「貲」，是有罪而被罰令繳財物。《說文》曰：「貲，小罰以財自贖也。从貝，此聲。」段《注》曰：「貲字本義如是，引申爲凡財貨之稱。」可知「貲」是以罰財物自贖爲主，屬於一種經濟制裁，類似今日的罰鍰、罰金。

在我國古代的刑事立法上，把經濟制裁當作一種對犯罪行爲的懲戒手段，不自秦始。《周禮・秋官・職官》中所謂的「金罰」、「貨罰」，就是屬於剝奪被告人財產性質的制裁方式。①《師旅鼎》銘文曰：

> 唯三月丁卯，師旅眾僕不從王徵於方，雷使厥友弘告於白懋父，在莽，白懋父乃罰得㬎古三百寽，今弗帆厥罰。

一九七五年二月陝西岐山縣董家村出土的《㑴匜》，其名文曰：

> 牧牛，𠭯乃苛勘，汝敢以乃師訟，……我宜鞭汝千，幭䙝汝。今我赦汝，宜鞭汝，黜䙝汝，今大赦汝，鞭汝五百，罰汝三百鋝。

二銘文中所謂「罰得㬎三百寽」、「罰汝三百鋝」就是罰銅三百鋝，亦即法律上的「貲」刑。這是見於西周的「貲」刑。又《管子・中匡》曰：「過，罰汝金。」《國語・齊語》曰：「小罰讁以金分」韋昭《注》曰：「今之罰金也」。這是見於戰國的「貲」刑②。關於秦的「貲」刑，文獻也可見，《韓非子・外儲說右下》曰：

> 秦昭王有病，百姓里買牛而家為王禱。公孫述出見之，入賀王曰：「百姓皆里買牛為王禱」，王使人問之，果有之。王曰：「訾之，人二甲。夫非令而擅禱，是愛寡人也。夫愛寡人，寡人亦且改法而心與之相循者，是法不立；法不立，亂亡之道也。不如人罰二甲而復與為治。

「訾之」即「貲之」。《漢書・地理志》顏《注》曰：「訾讀與貲同」。從這些資料中可以看出「貲」的使用很早就有，這種刑罰一方面可以增加國家的財富，另一方面也可以防止錯殺濫刑。同時由《國語》所謂的「小罪以讁金」、《說文》所謂的「小罰以財自贖」，可以看出「貲」刑所處罰的對象是犯小過失的人。由上引資料也可以看出在春秋戰國時這種刑罰的使用已經十分普遍。

從《雲夢秦簡》看，秦律的確廣泛地使用這一經濟制裁的手段。而這種刑罰，主要是表現在「貲甲」和「貲盾」上。其中「貲一甲」的計有四十四次之多（包含一甲），其形態如下：

1.貲一甲
2.貲各一甲
3.當貲一甲
4.貲官嗇夫一甲
5.官嗇夫貲一甲
6.令、丞貲一甲
7.令、丞貲各一甲
8.令丞各一甲
9.不從令者貲一甲
10.居縣貲一甲
11.貲工師一甲
12.丞、曹長一甲
13.車貲一甲
14.貲廏嗇夫一甲
15.廷行事貲一甲
16.一甲

《雲夢秦簡》【貲一甲】出現簡目

164	182	231	271	272	273	277	282
291	310	315	319	319	325	325	327
332	334	337	340	342	342	344	344
345	345	347	348	349	349	353	354
354	355	357	361	368	447	519	520
521	523	530	554				

「貲二甲」計有四十八次（包含二甲），其形態如下：

1.貲二甲
2.人貲二甲
3.鬥，當貲二甲
4.官嗇夫二甲
5.貲嗇夫二甲而法（廢）
6.貲官嗇夫二甲
7.貲工及吏將者各二甲
8.尉貲二甲
9.令、尉貲各二甲
11.縣司馬貲二甲
12.令、丞二甲
13.丞、庫嗇夫、吏貲二甲
14.貲工師二甲
15.工師及丞貲各二甲
16.而貲工曰不可者二甲
17.使者貲二甲
18.當貲二甲一盾
19.當貲各二甲

10.司馬貲二甲	20.二甲

《雲夢秦簡》【貲二甲】出現簡目

182	232	278	291	314	319	329	329
330	331	332	334	335	336	336	337
338	338	339	342	343	345	346	349
352	352	360	362	367	367	370	378
401	408	409	412	419	427	456	462
471	509	517	518	531	539	539	545

「貲一盾」計有四十九次（包含一盾），其形態如下：

1.貲一盾	13.貲教者一盾
2.貲各一盾	14.令、丞一盾
3.貲一盾應律	15.貲其曹長一盾
4.當貲一盾	16.貲丞及曹長一盾
5.官嗇夫貲一盾	17.令、丞及佐各一盾
6.貲官嗇夫一盾	18.令、丞、佐、史各一盾
7.貲邑嗇夫一盾	19.佐一盾
8.貲司空嗇夫一盾	20.户一盾
9.貲嗇夫、佐各一盾	21.當貲二甲一盾
10.大者貲官嗇夫一盾	22.令史監者一盾
11.令、丞貲一盾	23.廷行事鼠穴三以上貲一盾
12.縣嗇夫、丞、吏、曹長各一盾	

《雲夢秦簡》【貲一盾】出現簡目

182	245	271	272	273	275	277	282
283	308	311	312	315	319	324	325
327	331	344	345	347	348	348	250
351	351	354	355	356	356	357	357
358	358	359	359	361	361	362	369
380	408	408	419	464	497	521	522
530							

「貲二盾」的只有一條，其形態爲「貲二盾」（三五五簡）。

《雲夢秦簡》【貲二盾】出現簡目

355

另有四條「貲盾」的資料，

貲盾不直　　（四一七簡）
貲盾　　（四一七簡）
當貲盾　　（四一八簡）
貲盾以上　　（四二九簡）

由上歸納的「貲甲」、「貲盾」資料，可以看出秦律的經濟制裁主要就是表現在「貲」甲和盾上。同時在形態歸納上，可以看出「貲」刑的適用範圍十分地廣，上至官吏，下至庶民，都是「貲」罰的對象。（詳見下文）

除了「貲甲」和「貲盾」外，《雲夢秦簡》還有「貲布」，「貲甲」和「貲盾」是對秦人的處罰，「貲布」主要則是針對邦客（只有一條）。還有一種是「貲錢」，也是針對外籍邦客的，

《雲夢秦簡》並沒有見到「貲錢」的資料。不過，《金布律》有所謂的機構的官嗇夫免職，以後又任嗇夫，由於前任時有罪應繳錢財賠償，以及其他債務，但因貧無以爲償，法律規定「稍減其秩、月食以賞（償）之」（一四九—一五〇簡），這種「罰俸祿」的情形，應該可以算是「貲錢」一類。事實上，「貲甲」、「貲盾」、「貲布」、「貲錢」都是屬於「罰財物」。這是合於《說文》段《注》「有罪而被罰令繳財物」的說法。但是從《雲夢秦簡》來看，「貲」並不只是「罰財物」而已。

在《雲夢秦簡》中尚有「貲勞役」的刑罰。亦即是所謂的「貲徭」和「貲戍」。如《法律答問》有「貲徭三旬」（三七七簡）、《秦律雜抄》有「貲戍一歲」（三四〇簡）、「貲戍二歲」（三四一簡）及「貲日四月居邊」（三六三簡），這些都是屬於「貲勞役」。《說文》和段《注》把「貲」義說成「以財物自贖」、「有罪而被罰令繳財物」是把「貲」的內涵縮小了，從《雲夢秦簡》所保存的「貲」刑材料來看，它可以補充《說文》釋義的不足。③

在分析秦人因何被「貲」罰之前，再從整個來看秦律「貲刑」的適用範圍。在秦律有律名的二十九種律文中，「貲」的出現多達十五種（不包括《秦律雜抄》中的《佚名律》）：計有《金布律》、《關市律》、《徭律》、《效律》、《除吏律》、《游士律》、《除弟子律》、《中勞律》、《臧律》、《公車司馬律》、《牛羊課》、《傅律》、《敦表律》《捕盜律》、《戍律》等，其中《效律》條文幾乎全面的使用這一刑罰。另外，見於《法律答問》的總共有四四次。總的來看，除去「一甲」、「二甲」、「一盾」等沒有冠上「貲」的材料，總共出現了一百六十一次，可以說是《雲夢秦簡》中材料最繁多的一種刑罰。

以下分「貲財物」和「貲勞役」二方面，分別探討「貲」罪的適用範圍。

一、在貲財物方面

《雲夢秦簡》中的貲財物有三類，一是貲甲盾，二是貲布，三是貲絡組。

㈠、貲甲盾

1.《秦律十八種・關市律》規定從事手工業和為政府出售產品，「受錢必輒入其錢缿中，令市者見其入」，「不從令者貲一甲。」（一六四簡）

2.《秦律十八種・徭律》規定：為朝庭徵發徭役，「乏弗行，貲二甲。失期三日到五日，誶；六日到旬，貲一甲；過旬，貲一盾。」（一八二簡）

3.在《效律》核驗方面，「貲」罪的使用很廣，如：

- 「衡石不正」（二七一一二七二簡）
- 「斗不正」（二七三簡）
- 「鈞不正」（二七四簡）
- 「參不正」（二七四簡）
- 「黃金衡衡贏（累）不正（二七五簡）
- 「 數而贏、不備」（二七六簡）
- 「縣料而不備者（二七九簡）
- 「倉屚（漏）死（朽）禾粟，及積禾粟而敗之」（二九〇簡）
- 「效公器贏、不備，以齎律論及賞（償）」〔毋齎〕者乃直（值）之。（三〇七簡）
- 「公器不久刻者」（三〇八簡）
- 「官府臧（藏）皮革，數煬（煬）風之，有蠹突者。」（三一〇簡）
- 「器職（識）耳不當籍者」（三一一簡）
- 「馬牛誤職（識）耳，及物之不能相易者」（三一二簡）

- 「工稟䰍它縣，到官試之，飲水，水減。」（三一四簡）
- 「上節（即）發委輸，百姓或之縣就（僦）及移輸者，以律論之。」（三一七簡）
- 「計用律不審而贏、不備，以效贏、不備之律貲之，而勿令賞（償）。」（三一八簡）
- 「計校相繆（謬）殹（也）」（三二四簡）
- 「計脫實及出實多於律程，及不當出而出之。」（三二六—三二八簡）

以上這些屬於《效律》的核驗範圍，凡是不合於檢驗標準的，依其所失職大小，然後論其貲罰。由上引資料的內容來看，可以發現其輕者「貲盾」，其重者「貲甲」，如《效律》曰：

> 數而贏、不備，直（值）百一十錢以到二百廿錢，誶官嗇夫；過二百廿錢以到千一百錢，貲嗇夫一盾；過千一百錢以到二千二百錢，貲官嗇夫一甲；過二千二百錢以上，貲官嗇夫二甲。（二七六—二七八簡）

清點物品數目而有超過或不足數的情形，價值在一百一十錢以到二百廿錢的，「斥責該官府的嗇夫」；超過二百廿錢以到千一百錢的，「貲罰嗇夫一盾」超；過千一百錢以到二千二百錢的，「貲罰官嗇夫一甲」；超過二千二百錢以上的，「貲罰官嗇夫二甲」。很顯然的，誤差愈大，貲罰愈大。其標準依序是：

> 「貲一盾」→「貲一甲」→「貲二甲」

在這裏還可以看出「誶」（斥責）刑又比「貲」刑輕。其他各例的標準與這一條大致相同。

從《效律》的這些資料，似乎還可以看出一個特點，就是「貲」的對象都是官吏。《效律》對官吏的管理有十分嚴格而細緻的規定，所謂「同官而各有主殹（也），各坐其所主。」（二八五簡）上引資料中在同官府任職而所掌不同，依其職責分別承擔所管方面的罪責。同時又依其官職大小，罪責也有區別。如《效律》曰：

> 官嗇夫二甲，令、丞貲一甲；官嗇夫貲一甲，令、丞貲一盾。其吏主者坐以貲、誶如官嗇夫。其它冗吏、令史掾計者，及都倉、庫、田、亭嗇夫坐其離官屬于鄉者，如令、丞。（三一九—三二一簡）

很明顯的，主管的官嗇夫的罪責大於其副手的「令、丞」，而「其它冗吏、令史掾計者」和「都倉、庫、田、亭嗇夫坐其離官屬于鄉者」，罪責則比照令、丞。這說明了秦代對官史的職責和經濟管理有十分健全的規章制度。（請參見本編《秦律對經濟的管理》一章）

4.《秦律雜抄》中，不論是任用官吏、任用弟子、游士管理、公車司馬出獵及經濟生產管理中的府藏、牛羊課生產考課和軍制方面的勞績、傅籍、軍品管理、值宿警衛、邊防、行戍等法律規定，都大量地使用「貲甲」和「貲盾」，作爲一種監督和管理的手段。如以下所列就是在這幾方面，會導致「貲」罪的各情況：

- 「任法（廢）官者爲吏，有興，除守嗇夫、叚（假）佐居守者，上造以上不從令」（三二九簡）
- 「除士吏、發弩嗇夫不如律」（三三〇簡）
- 「及發弩射不中」（三三〇簡）
- 「發弩嗇夫射不中」（三三〇簡）
- 「駕騶除四歲，不能駕御，貲教者一盾；免，賞（償）四歲繇（傜）戍。」（三二九—三三一簡）
- 「爲（僞）聽命書，法（廢）弗行，耐爲侯（候）；不辟（避）席立，貲二甲，法（廢）。」（三三二簡）
- 「游士在，亡符，居縣。」（三二二簡）
- 「使其弟子贏律，及治（笞）之」及「決革」（三三四簡）

- 「縣毋敢包卒爲弟子，尉貲二甲，免；令，二甲。輕車、趀張、引強、中卒所載傅〈傳〉到軍，縣勿奪。奪中卒傳，令、尉貲各二甲。」（三三五—三三六簡）
- 「蓦馬五尺八寸以上，不勝任，奔摯（縶）不如令，縣司馬貲二甲，令丞各一甲。先賦蓦馬，馬備，乃粼從軍者，到軍課之，馬殿，令、丞二甲；司馬貲二甲，法（廢）。」（三三七簡—三三八簡）
- 「不當禀軍中而禀者」（三三九簡）
- 「軍人禀所、所過縣百姓買其禀」（三四二簡）
- 「禀卒兵，不完善（繕）。」（三四三簡）
- 「敢深益其勞歲數者」（三四三簡）
- 「臧（藏）皮革橐（蠹）突」（三四四簡）
- 「省殿」（三四五簡）
- 「省三歲比殿」（三四五簡）
- 「非歲紅（功）及毋（無）命書，敢爲它器。」（三四六簡）
- 「縣工新獻，殿。」（三四六簡）
- 「大車殿」（三四七簡）
- 「髼園殿」（三四八簡）
- 「髼園三歲比殿」（三四九簡）
- 「采山重殿」（三四九簡）
- 「三歲比殿」（三五〇簡）
- 「大（太）官、右府、左府、右采鐵、左采鐵課殿。」（三五一簡）
- 「賦歲紅（功），未取省而亡之，及弗備。」（三五〇—三五一簡）
- 「工擇榦，榦可用而久以爲不可用。」（三五二簡）
- 「射虎車二乘爲曹。虎未越泛蘚，從之，虎環（還），貲

一甲。虎失（佚），不得，車貲一甲。虎欲犯，徒出射之，弗得，貲一甲。豹旞（遂），不得，貲一盾。」（三五三—三五四簡）

- 「傷乘輿馬，夬（決）革一寸」（三五五簡）
- 「課駃騠，卒歲六匹以下到一匹。」（三五五簡）
- 「志馬舍乘車馬後，毋（無）敢炊飭，犯令，……已馳馬不去車。」（三五五—三五七簡）
- 「膚吏乘馬篤、辈（胔），及不會膚期。」（三五七簡）
- 「馬勞課殿」（三五七簡）
- 「牛大牝十，其六毋（無）子。」（三五九簡）
- 「羊牝十，其四毋（無）子」（三五九簡）
- 「匿敖童，及占痒（癃）不審，典、老贖耐。百姓不當老，至老時不用請，敢爲酢（詐）僞者，貲二甲；典、老弗告，貲各一甲；伍人，户一盾，皆䙴（遷）之。」（三六〇—三六一簡）
- 「徒卒不上宿，君子、敦（屯）長、僕射不告。」（三六二簡）
- 「宿者已上守除，擅下。」（三六二簡）
- 「尚有棲未到戰所，告曰戰圍以折亡，叚（假）者，耐；敦（屯）長、什伍智（知）弗告。」（三六四簡）
- 「捕盜律曰：……求盜勿令送逆爲它，令送逆爲它事者。（三六六—三六七簡）
- 「戍律曰：同居毋并行，縣嗇夫、尉及士吏行戍不律。」（三六七簡）
- 「戍者城及補城，令結（嫴）堵一歲，所城有壞者，縣司空署君子將者」（三六八簡）
- 「縣司空佐主將者」（三六八簡）
- 「令戍者勉補繕城，署勿令爲它事；已補，乃令增塞埤塞

。縣尉時循視其攻（功）及所爲，敢令爲它事，使者貲二甲。」（三六七—三七〇簡）

由於《雲夢秦簡》在這類的「貲」罪太多太繁了，本文並不想在如何獲罪上多作分析。不過，歸納以上所引各例，可以發現幾個要點，其一：被「貲甲」或「貲盾」的，大部分都是官吏，也有少部分庶民，但是見於律文的並不多；其二：官史被「貲」的，原因都在不從令、不如律、不勝任、失職、失敬以及評比殿後；其三：處罰對象都是該事務的主管，而作爲一縣之長的「縣嗇夫」、「縣令」以及副手「縣丞」都要承擔罪責；其四：「貲二甲」的官吏，往往都會連帶處以「法（廢）」及「免」等處分。《雲夢秦簡》不見三甲以上的處罰，顯然二甲應是「貲罪」中較重的，（在盜竊方面有二甲一盾的，但僅有一例）如果罪責超過其範圍，則再加上附加的處分，以加重其刑。

5.在《雲夢秦簡》中，屬於刑法方面的「貲」罪主要是表現在《法律答問》裏。其中關於「貲甲」和「貲盾」的也不少。其中包括：

甲、在盜竊方面

- 「司寇盜百一十錢，先自告」者，或曰貲二甲。（三七八簡）
- 「甲盜不盈一錢，行乙室，其見智（知）之而弗捕」，當貲一盾。（三八〇簡）
- 抉籥（鑰），……抉之非欲盜毆（也），已啓乃爲抉，未啓」，當貲二甲。（四〇〇—四〇一簡）
- 「告人盜百一十，問盜百」，告者當貲二甲。「盜百，即端盜駕（加）十錢」，告者當貲一盾。貲一盾應律，雖然，廷行事以不審論，貲二甲。（四〇八簡—四〇九簡）
- 「甲告乙盜直（值）□□，問乙盜卅，甲誣駕（加）乙五十，其卅不審」，甲以「廷行事」貲二甲。（四一二簡）

- 「甲告乙盜牛盜，今乙盜羊，不盜牛」，告者應貲盾。（四一七簡）
- 「誣人盜直（值）廿，未斷，有（又）有它盜，直（值）百，乃後覺」，當貲二甲一盾。（四一九簡）

在盜竊罪上，適用「貲」罪的不少，捕盜的司寇盜竊而自首，應耐為隸臣，一說「貲二甲」；對竊賊知情不報，「當貲一盾」；誣告罪，在告盜加贓上，應貲一盾，但成例以「告不審」處理，「貲二甲」；為告不審，律文規定「貲盾不直」；另有一條誣告，「貲二甲一盾」，這是《雲夢秦簡》唯一的例子，前面提到《雲夢秦簡》中，「貲」罪有最高通常只「貲二甲」，「貲」二甲一盾，顯然是秦律中貲財物部分最重的判決。

乙、鬥毆傷害方面

- 「鬥以箴（針）、鉥、錐，若箴（針）、鉥、錐傷人」，如是相鬥，當貲二甲。（四五六簡）
- 「有賊殺傷人衝術，偕旁人不援，百步中比壄（野）」，當貲二甲。（四七一簡）

前者是以凶器打鬥（沒有傷人），當「貲二甲」；有打鬥傷人時，袖手旁觀者，當「貲二甲」。商鞅變法時是嚴禁私鬥的，以這二條來看，當時立法的觀念還在，但以「貲二甲」作為處罰手段，比起來是輕了些。不過，這是因為只是打鬥（沒有造成傷害）和袖手旁觀。如果是傷害，則「當黥為城旦」。

另外有人自殺，家屬沒有向官府報告，就把死埋葬，知道「死者有妻、子當收」，只是沒有經過報告即行埋葬。這種情形，「當貲一甲」。（四四七簡）打死他人小牲畜，其值在二百五十錢左右的，「當貲二甲」。（四六二簡）

丙、官吏管理方面

- 廷行事吏為詛偽，貲盾以上，行其論，有（又）法（廢）之。（四二九簡）

按照成例，官吏弄虛作假，其罪在貲盾以上，依判例執行，並撤職永不敘用。這與前面所提到官吏「貲二甲」以上的，通常都會連帶處以「法（廢）」及「免」的處分大致一樣，但前引的事例是失職之類的，本條是故意違法，因此，只要在「貲盾」以上，就要加以撤職。另外，對於官吏拆開僞造的文書，而「弗智（知）」，也要貲二甲。（四二七簡）在爲政不直上，如果「贖辠（罪）不直，史不與嗇夫和」，當貲一盾。（四六四簡）另外，官吏捕獲出關逃亡者而約定同分獎金，如：

有秩吏捕闌亡者，以畀乙，令詣，約分購。

吏和乙「當貲各二甲」同時予獎賞。（五〇九簡）官吏爲庶民的遷居辦理遷移事宜，若「吏環，弗爲更籍，今甲有耐、貲辠（罪）」則該問吏「當貲二甲」。（五一七簡）

・以其乘車載女子，貲二甲。以乘馬駕私車而乘之，毋論。（五四五簡）

以有特殊待遇才可乘坐的車乘載女子，「貲二甲」。以乘車的馬駕私車而載女子，則不予論處。

丁、逃亡罪方面

・今甲從事，有（又）去亡，一月得。

服役逃亡，一月後被捕獲，「當貲一盾」。（四九七簡）

戊、民事方面

・ 百姓有責（債），勿敢擅強質，擅強質及和受質者，皆貲二甲。

百姓間有債務糾紛，不准擅自强索人質，擅自强索人質以及雙方同意質押，「皆貲二甲」。（五一八簡）「棄妻不書」「棄妻」，都「貲二甲」（五三九簡）

己、倉庫管理方面

・實官户關不致，容指若抉，廷行事貲一甲。（五一九簡）

・實官户扇不致，禾稼能出，廷行事貲一甲。（五二〇簡）

・空倉中有薦，薦下有稼一石以上，廷行〔事〕貲一甲，令史監者一盾。（五二一簡）

・倉鼠穴幾可（何）而當論及誶？廷行事鼠穴三以上貲一盾。（五二一簡）

・有稟叔（菽）、麥，當出未出，即出禾以當叔（菽）、麥，叔（菽）、麥賈（價）賤禾貴，其論可（何）殹（也）？當貲一甲。（五二三簡）

倉門門閂不緊密，可以容下手指或用以撬動的器具以及倉房門扇不緊密，穀物可以從裏面流出，空倉裏有草墊，墊下有糧食一石以上，按成例都要「貲一甲」；應發豆、麥，卻以穀物頂替，「當貲一甲」。空倉裏有草墊，墊下有糧食一石以上，監管的令史「貲一盾」；倉庫有鼠洞三個以上，按成例要「貲一盾」。

庚、其他方面

・「旞火延燔里門，當貲一盾；其邑邦門，貲一甲。（五三〇簡）

・「客未布吏而與賈，貲一甲。」（五五四簡）

・「擅興奇祠，貲二甲。」（五三一簡）

失火延燒里門，「當貲一盾」；延燒城門，「貲一甲」。邦客尚未把通行證送交官吏，就和他交易，「貲一甲」；擅自自興造不合法的祠廟，「貲二甲」。

㈡、貲布

《雲夢秦簡》中，「貲布」的資料只有一條，見於《法律答問》。內容爲：

・「邦客與主人鬥，以兵刃、投（殳）梃、拳指傷人，擎以布。」 可（何）謂「擎」？擎布入公，如貲布，入齎錢如律。（四六〇簡）

《睡虎地秦墓竹簡注》曰：「擎，應即□，……《說文》曰：『撫也』這裏有撫慰的意思。擎以布，用作爲貨幣的布來撫慰。」

④邦客和秦人相鬥，用兵刃、棍棒、拳頭傷人，應以布作爲安慰繳官。由《秦律十八種・金布律》可以看出，秦代作爲交換流通媒介的主要是錢和布兩種，法律規定它們具有同等貨幣的地位，不許「擇行」，並規定「錢十一當布，一布長八尺，幅寬二尺五寸。引文所謂「擊布入公，如貲布，入齎錢如律。」就充分說明「貲布」直接就是罰金。

㈢、貲絡組

《秦律雜抄》有二條和「絡組」有關的資料：

1.省殿，貲工師一甲，丞及曹長一盾，徒絡組廿給。省三歲比殿，貲工師二甲，丞、曹長一甲，徒絡組五十給。（三四五—三四六簡）

2.𣝣園殿，貲嗇夫一甲，令、丞及佐各一盾，徒絡組各廿給。𣝣園三歲比殿，貲嗇夫二甲而法（廢），令、丞各一甲。（三四八—三四九簡）

《睡虎地秦墓竹簡注》曰：「絡，《廣雅・釋器》：『綆也。』組，薄闊的縧，絡組即穿聯甲札的縧帶。給，疑讀爲緝，《釋名・釋衣服》：『緝，則今人謂之綆也。』絡組五十給，五十根縧帶。」⑤第一條規定：考查時產品評爲下等，貲工師一甲，丞和曹長一盾，一般工人則罰繫甲札的縧帶二十根。三年連續被評爲下等，罰工師二甲，丞和曹長一甲，一般工人罰繫甲札的縧帶五十根。第二條規定：𣝣園被評爲下等，貲嗇夫一甲，令、丞及佐各一盾，一般工人罰繫甲札的縧帶各廿根。由律文來看，貲「絡組」輕於「貲甲盾」。律文中，絡組之前雖然沒有「貲」字，但由「省殿，貲工師一甲，丞及曹長一盾，徒絡組廿給。」可知其文意是連貫的，亦即是貲「工師一甲，丞及曹長一盾，徒絡組廿給。」因此，絡組也是「貲」財物之一，和「貲甲」、「貲盾」是同一類型的刑罰。

二、在貲勞役方面

《雲夢秦簡》中的貲勞役有二類，一是貲徭，二是貲戍。

㈠、貲徭

《雲夢秦簡》中屬於貲徭的有二條：

1.或盜采人桑葉，臧（贓）不盈一錢，可（何）論？貲繇（徭）三旬。（三七七簡）

2.駕騶除四歲，不能駕御，貲教者一盾；免，賞（償）四歲繇（徭）戍。（三二九—三三一簡）

第一條出自《法律答問》的盜律，律規定盜採他人桑葉，價值在一錢以上，判處「貲徭三月」；爲長官駕車的人已任用四年，仍不能駕車，「貲教者一盾」；駕車的人免職，同時要補服四年內應服的繇（徭）戍。雖是補服，事實上，也可算是對駕騶本人的一種貲罰。

㈡、貲戍

《雲夢秦簡》中屬於貲戍的有一條：

不當稟軍中而稟者，皆貲二甲，法（廢）；非吏殹（也），戍二歲；徒食、敦（屯）長、僕射弗告，貲戍一歲；令、尉、士吏弗得，貲一甲。軍人買（賣）稟稟所及過縣，貲戍二歲；同車食、敦（屯）長、僕射弗告，戍一歲；（三三九—三四一簡）

本文出自《秦律雜抄》，「貲戍」凡四見。律文規定：一、不應自軍中領糧而領取的，皆貲二甲，同時撤職永不敘用；如困不是官吏，則），罰戍邊二年；二、一起吃軍糧的軍人、敦（屯）長、僕射不報告，罰戍邊一年；三、縣令、縣尉尉、士吏沒有察覺，貲一甲。軍人在領糧地方和所路經的縣出賣軍糧，罰戍邊二年；同屬一共食軍人、敦（屯）長、僕射不報告，罰戍邊一年。由律文看，秦律對軍糧的管理是採取連坐的方式。不過，這種連坐是基於「弗告」才成立的，如果共食的軍人、敦（屯）長、僕射加以告發的話，可以免除連坐。

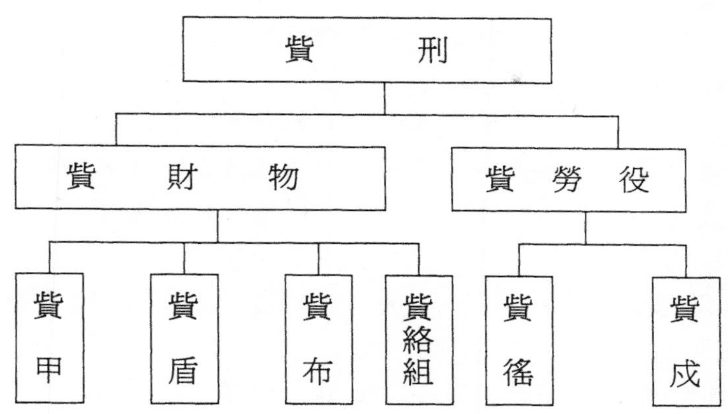

綜上所述，可知《雲夢秦簡》對違法和過失行爲，廣泛地採用貲刑的懲處。這些「貲刑」中除去少部分的「貲布」、「貲徭」、「貲戍」外，大部分都是「貲甲」和「貲盾」，以及少部分的「貲絡組」。所謂甲，是指鎧甲，盾是指盾牌，絡組是指穿聯甲札的絲帶，都是軍事裝備。由於秦代廣泛地使用這一刑罰，因此，在實際的執行上，究繫繳納甲盾實物，還是以甲盾作爲貲罰的計量單位，《雲夢秦簡》中並沒有明確的記載。因此，對於「貲甲」、「貲盾」，論者各有所見。

認爲「貲甲」、「貲盾」是罰實物的，如熊鐵基先生曰：

> 秦簡中動輒貲甲、盾，一方面說明需量之大，另一方面亦說明戰士的甲盾是國家提供的。⑥

林劍鳴先生曰：

> 秦律中常常有「貲一甲」、「貲一盾」的條例表明民間亦可以自製甲盾，製皮革當爲家庭手工業的不可少的一部分。⑦

《睡虎地秦墓竹簡注》曰：

> 古時常罰令犯罪者繳納武器或製造兵器用的金屬，見《周禮・職金》、《國語・齊語》、《管子・小匡》等篇。據秦簡，當時這一類懲罰有繳納絡組、盾、甲等若干級。⑧

石子政先生曰：

> 在統一戰爭的形勢下，秦統治者出於對武器裝備的迫切需要之目的，在經濟貲罰和收贖的法律中，特地採用軍事裝備甲、盾、絡組作爲繳納物，以擴大戰略物資的來源和刺激這些物資的生產，是勿庸置疑的⑨

也有認爲「貲甲」、「貲盾」是作爲不同等級的貲罰標準的，如高敏先生曰：

> 封建國家徵發農民服役，必須立即應徵，不應者罰出二副軍甲的錢財；過期三日到五日的，要受到訓斥；過期六日到十日的，罰出一副軍盾的錢財，過期十日以上的罰出一副軍甲的錢財。⑩

黃今言先生曰：

> 凡被徵調去服役的人，必須按期到達，不得遲到或不去。否則，根據不同情節，要受到斥罵或罰軍甲的處份。在服役過程中，有屯長、僕射等官吏專門監視，如果擅自離開服役崗位，便每人要罰兩副軍甲的錢。⑪

劉海年先生曰：

> 法律規定，貲甲、盾並非一定要犯罪人繳納鎧甲和盾牌。從考古發掘的實物看，秦時的鎧甲和盾牌，或是用銅，或是用皮革，製作相當粗緻，非專門手工工匠和工人是很難製作的。法律規定的貲「甲」和「盾」等，是作爲不同等級貲罰的標準，可能是要求犯罪人按規定的甲、盾繳納一定數量的錢。⑫

以上是「貲甲」、「貲盾」的兩種說法。本文以爲秦代會以「甲」、「盾」做爲其貲罰內容，一定有其歷史和現實的需要。秦自商鞅立法以來，其政治目的，都是爲了使秦國走上所謂的「治」、「富」、「强」、「王」的目標。《商君書·立本》曰：「强者必治，治者必强。富者必治，治者必富。强者必富，富者必强。」又《商君書·立强》曰：「强必王」。可見秦實施變法其最終目的在於「强必王」。在這樣的前提下，秦的立法思想和制度的制定，都是朝著這一目標前進的。再由秦法獎勵軍功，强調耕戰來看，秦國始終都保持著很濃厚的戰備色彩的。《戰國策·秦策》記商鞅變法使秦國「兵革大强，諸侯畏懼。」對外戰爭也由敗轉勝，很快地成爲戰國七雄。安作璋先生曰：

> 耕戰政策，是秦國的基本國策。「國之所以興者，農戰也。」從商鞅到秦始皇，秦國的地主階級始終堅持了這一政策，廣大的勞動人民在這一政策下，努力從事農耕，從而使秦國國富兵強，爲秦始皇的統一準備了雄厚的物質基礎。⑬

又曰：

> 秦律對於違反各種法令和制度的人往往罰以「貲」若干甲或盾，這也和統一戰爭需要大量的武器裝備有關。（同上）

基於統一的需要，秦律中的貲罰條例必然也會有時代的烙印。因此，「貲」作爲一種經濟的懲罰手段，除了在政治上有「治」的作用之外，又可彌補經濟上某些需要的不足。事實上，秦以「貲」罰作爲這種手段，秦以外戰國群雄基於戰爭的威脅，以及戰備的實際需要，同樣地也以類似的方式罰令罪犯繳納武器製造兵器。⑭

準此而言，秦用「貲甲」、「貲盾」的方式，和其國家的發展是有密切的關係的。另外，從以下幾個方向，似乎也可以看出秦以「貲」甲、盾實物作爲處刑標準是可能的。

其一，商鞅在《更法》中認爲：「制令各順其宜，兵甲器備，備便其用。」强調法令要符合實際需要，兵器、鎧甲、器具都要應用便利，反映其制法的實用主義。又《商君書·墾令》曰：「令軍市無有女子，而命其商人自給甲兵，使視軍興。……」說明秦時規定在軍人市場經商的商人，要供應軍需的甲兵，並需注視軍需出發，早做準備，以免臨時有誤。可見，秦的甲兵除由官營手工業作坊供給外，相當部分是依賴民營作坊來提供，而商人繳納的甲兵是直接供給軍隊，用於戰爭的。

其二，《呂氏春秋·去尤》記載，公息忌向邾君建議：用組（組絡）代替帛來縫連甲（鎧甲）的空隙，以增强牢度、提高抵抗力。邾君認爲很對，但問：「將何所以得組也？」公息對曰：「上用之，則民爲之矣。」邾君決定採用此議後，「令官爲甲必以組。」公息忌便叫他的私家奴隸製造組。可知當時鎧甲、絡組一類的製作，在民間手工業中已很普遍。又由《韓非子·難一》「自相矛盾」寓言例中，所謂「楚人有鬻盾與矛者」，亦可推知「矛」、「盾」的兵器民間普遍自製，甚至可以自由買賣。可見戰國時各國民間可以擁有各種兵器。而秦國的手工業十分發達，必然也會有大量的的甲、盾貨源。因此，秦以甲盾「貲罰」，正好可以刺激這類軍需品的生產和流通。

其三，根據《秦律十八種金布律》載：「錢十一當布。其出入以錢當金、布，以律。」說明秦對當時流通的貨幣錢與金、布的折算有法定的匯率。既然當時、金、布爲秦的流通貨幣，如單純從貲罰等級標準考慮，另立貲甲、盾及絡組爲處刑尺度單位，然再責價成錢（或金、布）繳納，則顯然是多餘的。因此，以甲盾作爲經濟懲罰的等級標準，是出於某種特殊的重要。⑮

綜上所述，可知秦以「貲甲」、「貲盾」作爲「貲刑」的主體是有其實際的需要。至於說「罰出一副軍盾的錢財」、「罰出二副軍甲的錢財」、「可能是要求犯罪人按規定的甲、盾繳納一定數量的錢」的說法，在貲刑適用的後期（或說統一以後）也許這個可能，但相信絕不是「貲甲」、「貲盾」的初義。

【附註】

①參見張銘新先生《〈秦律〉中的經濟制裁——兼談秦的贖刑》，文載《武漢大學學報》（社會科學版）一九八二年第四期。

②參見劉海年生《秦律刑罰考析》，文載《雲夢秦簡研究》，頁二三〇—二三一。

③參見陳玉璟先生《秦簡詞語札記》，文載《安徽師大學報》（哲學社會科學版）一九八五年第一期。

④參見該書頁一一四。

⑤同④。頁八四。

⑥參見氏著《試論秦代軍事制度》，文載《秦漢史論叢》第一輯。一九八一年。

⑦參見氏著《秦史稿》，頁二九〇。又見《谷風出版社》版，頁三六四。

⑧同④。頁四三。

⑨參見氏著《秦律貲罰甲盾與統一戰爭》，文載《中國史研究》一九八四年第二輯。

⑩參見氏著《雲夢秦簡初探》，頁八七—八八。

⑪參見氏著《秦代賦稅徭役制度初探》，文載《秦漢史論叢》一九八一年。

⑫同②，頁二三〇—二三二。

⑬參見氏著《從睡虎地秦墓竹簡看秦統一的原因》，文載《歷史論叢》第三輯，一九八三年。

⑭同⑨。

⑮同⑨。

第三節　贖　刑

《雲夢秦簡》中贖字總共出現三十六次，適用的種類很多。「贖」是犯法而按律被判為「贖」的，這一類的罪，包括「贖遷」、「贖耐」、「贖黥」、「贖鬼薪鋈足」、「贖宮」、「贖死」。這種「贖」刑，基本上是以二種方式來贖的，一是用法定的貨幣來贖，一是以役居作來贖。

《雲夢秦簡》中「贖刑」和「貲刑」是不同的，前者是允許以法定財物代替業經判處的刑罰；後者則是依法判處交納相應財物的刑罰。前者所贖都與本刑相關，然後再以財易之；後者則直接規定罰金數目多少和徭戍時間長短。換言之，贖刑是以金錢或勞役換其刑罰，相當於贖金；而貲刑相當於罰金，是直接收索犯罪者的錢財以為懲罰。二者不能混為一談。①關於「贖」，《說文》曰：「贖，貿也。」又曰：「質也，以財拔罪也。」朱熹曰：「贖刑，使之入金而免其罪。」②可知贖刑是用錢財代替或抵銷其刑罰的一種制度。

贖刑的制度很早就有，《尚書・舜典》曰：「金作贖刑」，就是准許犯罪者以金錢免罪的意思。又《尚書・呂刑》曰：

> 墨辟疑赦，其罰百鍰，閱實其罪；劓辟疑赦，其罰惟倍，閱實其罪；剕辟疑赦，其罰倍差，閱實其罪；宮辟疑赦，其罰六百鍰，閱實其罪；大辟疑赦，其罰千鍰，閱實其罪。

疑赦，指疑案可赦，改用贖金。上引五刑的贖金以「墨辟疑赦，其罰百鍰」為基準，其額數各是：

> 墨刑，收贖一百鋝（鍰），即銅六百兩。
>
> 劓刑，收贖二百鋝（鍰），即銅一千二百兩。
>
> 剕刑，收贖五百鋝（鍰），即銅三千兩。
>
> 宮刑，收贖六百鋝（鍰），即銅三千六百兩。

墨刑，收贖一千鋝（鍰），即銅六千兩。③

可見贖刑殷代已有。又《國語・齊語》曰：

制重罪贖以犀甲一戟，輕罪贖以□盾一戟，小罪讁以金分，宥閒罪。

用辭有「贖」、「讁」之分，似可說明小罪以金科罰，而重罪、輕罪則以甲兵贖之。可知春秋亦有贖刑。

《雲夢秦簡》未出土前，學者也有認爲，秦時刑法嚴峻，故無贖刑，④事實證明這種說法是錯誤的。《雲夢秦簡》的贖刑大致可分爲二類，一是贖金類，一是贖役類。另外，還有一項「居貲贖債」的制度。

以下分別論述之：

一、贖金類

這一類主要是依法判定某種罪行應科的刑罰之後，再依律納財取贖。基本上，這一類刑都有一個基本刑，它本身嚴格說來並不是一個實體刑而僅是一種替代刑。以《雲夢秦簡》而言，它可以贖的本刑有「遷」、「耐」、「黥」、「鬼薪鋈足」、「宮」、「死」。

㈠、贖耐

贖耐有四條，一條見於《秦律雜抄》，三條見《法律答問》：

1.匿敖童，及占痒（癃）不審，典、老贖耐。（三六〇簡）

2.「盜徙封，贖耐。」可（何）如爲「封」？「封」即田千（阡）佰（陌）。頃半（畔）「封」殹（也），且非是？而盜徙之，贖耐，可（何）重也？是，不重。（四三四簡）

3.「內（納）奸，贖耐。」今內（納）人，人未蝕奸而得，可（何）論？除。（四三五簡）

4.內公孫毋（無）爵者當贖刑，得比公士贖耐不得？得比焉。（五五五簡）

第一條與秦代的傅籍制度有關，前已引過多次，總之秦因徭役和戍役的需要，特別強調戶籍制度，因此，凡是對隱瞞戶口或不傅籍，就是違反戶籍制度的法規，這種行爲不僅本人受罰，里典、伍老、以及同伍的人也要連坐。這是第一種處贖耐案例。第二個案例是「盜徙封」，封是地界，也就是「田阡陌」，私自移動，應處贖耐。《律說》並說明百畝田的田界就算封，判贖耐的刑並不重。第三種情形是「納奸」，即收容壞人進入。第四種是沒有爵位的宗室子弟應判處耐刑的，可以比照公士減處贖耐。這是一條優待無爵的公室貴族的法律。

㈡、贖遷

《秦律十八種・司空律》曰：

百姓有母及同牲（生）爲隸妾，非適（謫）辠（罪）殹（也）而欲爲冗邊五歲，毋賞（償）興日，以免一人爲庶人，許之。或贖䙴（遷），欲入錢者，日八錢。（二一八一二一九簡）

在遷刑部分提到這條律文時，指出本律有二層內容，其一是百姓（不是罪人）以自願戍邊五年的方式爲有母親或親姊妹現爲隸妾，用來贖免隸妾一人成爲庶人的，可以允許。但必須本人沒有犯謫罪的。同時也不能算抵軍戍時間。其二是有贖遷罪，願繳錢的，刑期每天繳納八錢。基本上這二條都屬於贖刑的範圍。所謂「免一人爲庶人」者，即是贖免隸妾一人爲庶人，這也是贖刑的形式一；贖遷的錢數是「日八錢」，這是《雲夢秦簡》中唯一提到贖刑所用的貨幣形式，也是唯一提到錢數的。其他的各種贖刑內容，沒有任何資料提到。有些學者認爲秦的贖刑用什麼贖，律文並沒有明文規定。本例雖然提到「日八錢」，但也並不表示贖刑一定得用錢。由《雲夢秦簡》和其他史料來看，當時的金、錢、布都可以作爲貨幣流通的。

㈢、贖黥

贖黥在《雲夢秦簡》中有二例，都見於《法律答問》：

1.甲謀遣乙盜，一日，乙且往盜，未到，得，皆贖黥。（三七四簡）

2.「抉籥（鑰），贖黥。」可（何）謂「抉籥（鑰）」？抉籥（鑰）者已抉啓之乃爲抉，且未啓亦爲抉？抉之弗能啓即去，一日而得，論皆可（何）殹（也）？抉之且欲有盜，弗能啓即去，若未啓而得，當贖黥。抉之非欲盜殹（也），已啓乃爲抉，未啓，當貲二甲。（四〇〇—四〇一簡）

由第一條可知教唆盜竊，即使沒有成功，二者都要判處「贖黥」。第二條律文規定「抉籥（鑰），贖黥。」《律說》說明撬開門鍵的目的在盜竊，未能撬開就走，或者未撬開就被捕。都要處「贖黥」由這二條律文可以看出秦律的「盜竊未遂」罪，所處的刑是「贖黥」。

㈣、贖宮、贖鬼薪鋈足

可（何）謂「贖鬼薪鋈足」？可（何）謂「贖宮」？臣邦眞戎君長，爵當上造以上，有辠（罪）當贖者，其爲群盜，令贖鬼薪鋈足；其有府（腐）辠（罪），〔贖〕宮。其它辠（罪）比群盜者亦如此。（四八三—四八四簡）

本條律文有二個判「贖」的案例。一是「臣邦眞戎君長，爵當上造以上，有辠（罪）當贖者，其爲群盜，令贖鬼薪鋈足」；二是「臣邦眞戎君長，爵當上造以上，其有府（腐）辠（罪），〔贖〕宮。」關於「群盜」罪的判處，在《法律答問》中另有一個規定，即：「五人盜，臧（贓）一錢以上，斬左止，有（又）黥以爲城旦」，可見群盜的罪並不輕。而「臣邦眞戎君長，爵當上造以上」犯這種罪，只要「贖鬼薪鋈足」就行了。鬼薪是從事爲祠祀宗廟而入山伐柴的男犯，這種刑輕於城旦舂。鋈足是腳上加上械具。可以想見「鬼薪鋈足」比起「斬左止，又黥以爲城旦」輕太多了，而且還可以「令贖」。至於犯了應處宮刑的「腐罪」的，可以判爲「贖宮」。犯了其他同「群盜」相當的罪，均照此處理。這是對少數民族的特許法。由這條律文可以看出秦代對屬邦的管理另有一套標準，此一標準具體的反映在其上層人物在法律上享有特殊地位的這一問題上。《雲夢秦簡》中關於《屬邦律》的雖然只有幾條（一條見於《秦律十八種》中的屬邦律），三條見於《法律答問》），但在某種程度上，是可以反映出秦代對少數民族的「民族政策」的。秦代之所這麼重視和少數民族的關係，是由戰國時期秦國的形勢所決定的。于豪亮先生曰：

> 秦僻居西陲，與戎狄雜處，史籍記載，當秦孝公時，秦「僻在雍州，不與中國諸侯之會盟，夷翟遇之」。秦孝公時「下令國中」，追述往事說：「昔我繆公自岐雍之間，修德行武，東平晉亂，以河爲界，西霸戎翟，廣地千里。」由於領土逐步擴大，境內少數民族相應增多，處理好同他們的關係，並把這種關係用法律固定下來，對於鞏固政權，利用少數民族地區的物質資源和調動少數民族的積極性，會起到一定的作用的。⑤

基於上述的形勢和秦對少數民族的重視，秦對少數民數的上層人物的利益自然會積極維護。如：《法律答問》第一百五十八條曰：

> 「眞臣邦君公有辠（罪），致耐辠（罪）以上，令贖。」
> （五四七簡）

凡「致耐辠（罪）以上」都「令贖」，律文的目的完全在維護和保證少數民族上層人物的利益和權威。由這兩條律文我們可以很清楚地看到秦對少數民族上層的寬容。有一點必須附帶說明的，秦並不是對所有的少數民族都如此，《屬邦律》規定：

> 道官相輸隸臣妾、收人，必署其已稟年日月，受衣未受，有妻毋（無）有。受者以律續食衣之。（二六八簡）

道是少數民族聚居的縣。律文規定少數民族的官吏輸送隸臣妾和因家人犯罪而被沒收的人，必須注明其已經領取糧食的年月，日領衣服沒有，是否有妻子。已經領取的，根據法律規定，陸續發給糧食。這條律文和《金布律》及《司空律》中關於隸臣稟衣的標準相應，亦即是所規定和執行的和其內容相同。⑥這說明少數民族屬於庶民的這一層罪犯和秦的一般庶民罪犯所受的待遇完全一樣，並無特許之處。

㈤、贖死

「贖死」，《雲夢秦簡》中有二例，主要還是針對特殊分的人所設的。《秦律十八種・司空律》曰：

> 1.葆子以上居贖刑以上到贖死，居于官府，皆勿將司。所弗問而久毄（繫）之，大嗇夫、丞及官嗇夫有辠（罪）。（二〇二一二〇三簡）
>
> 2.公士以下居贖刑辠（罪）、死辠（罪）者，居于城旦舂，毋赤其衣，勿枸櫝欙杕。（二〇一簡）

葆子以上居「贖刑」到「贖死」的，「居于官府，皆勿將司」，如果不加過問而久做拘禁，「大嗇夫、丞及官嗇夫有辠（罪）」由律文可以看出，葆子以上適用「贖刑」和「贖死」。公士以下有「居贖刑辠（罪）、死辠（罪）者」，要服城旦舂的勞役，但不必加穿紅色囚服，也不施加木械、黑索和脛鉗。「刑」當是指死刑以外的其他肉刑，這是秦代對特定對象所做的判處，連死刑都允許以財物或勞役（這二條是役贖，役贖見下文，可能另外尚有金贖。）贖替。可見秦代仍有所謂的「刑不上大夫」的觀念。

二、役贖

役贖就是服勞役代替本刑，就是所謂的「居」，也就是說「

役贖」大都採取「居」的方式。這類代替刑大都出現在《秦律十八種》。役贖律文中有不少「居」字，根據張銘新先生《關於〈秦律〉中的居》一文的歸納，《雲夢秦簡》的「居」字大致有三種情況：其一是在「居處」意義上使用的「居」；其二是在「同居」一詞中所使用的「居」；其三是做爲一個具有定的法律概念而使用的「居」。其中第三種是作爲一種勞役性的「居」，它本身並不是刑種，而是一種代償勞役。⑦與贖刑有關的「居」，除一條出於《倉律》，一條見於《金布律》外，大部分都出自於《秦律十八種》中的《司空律》。

從《雲夢秦簡》中，可以看出役贖（即「居」）的執行有以下幾種原則：

㈠、有罪而無力交納財物者令居

《司空律》曰：

有辠（罪）以貲贖及有責（債）於公，以其令日問之，其弗能入及賞（償），以令日居之。（二〇〇簡）

《司空律》規定有罪應貲贖以及欠官府債務的，應依判決規定的日期加以訊問，如無力繳納賠償，則「令日居之」，亦即自規定日期起使之以勞役抵償債務。這就是所謂的「居贖」。

㈡、「居贖」是按日計價折抵

《司空律》曰：

日居八錢；公食者，日居六錢。居官府公食者，男子參，女子駟（四）。（二〇〇—二〇一簡）

以勞役抵償債務，每勞作一天可以抵償八錢；如果由官府給予飯食的，每償抵償六錢。在官府服勞役而由官府給予飯食的，男子每餐三分之一斗，女子每餐四分之一斗。在「贖遷」部分有「或贖䙴（遷），欲入錢者，日八錢。」（二一九簡）勞役一天抵八錢，贖遷的錢數也是「日八錢」，這似乎顯示秦的贖刑是以「一日八錢」爲其計值標準。當然這個前提就必須是有期刑，如果是無期刑就無從計價起。由律文可知伙食如果由官府供給要扣日二錢抵價。但是其他從事相當於城旦舂的勞役則由官府供應衣食。如：《司空律》曰：

> 隸臣妾、城旦舂之司寇、居貲責（債）殹（繫）城旦舂者，勿責衣食；其與城旦舂作者，衣食之如城旦舂。隸臣有妻，妻更及有外妻者，責衣。人奴妾殹（繫）城旦舂，貣（貸）衣食公，日未備而死者，出其衣食。（二〇八—二〇九簡）

隸臣妾、城旦舂之司寇、或以勞役抵償貲贖債務而被繫城旦舂勞役的人，不收取衣食；凡參加城旦舂勞作的，按城旦舂標準給予衣食。隸臣有妻，妻更隸妾及自由人應收取衣物。私家男女奴隸被拘繫服城旦舂勞役的，由官府借予衣食，其勞作日數未滿而死，注銷其衣食不必償還。

㈢、役贖的執行可以代贖

由於「役贖」，即「居」，是一種旨在充抵贖金或償還債款的抵償勞役，因此，秦律允許代贖的情形。如《司空律》曰：

> 1.居貲贖責（債）欲代者，耆弱相當，許之。作務及賈而負責（債）者，不得代。（二〇三簡）

律文規定以勞役抵償貲贖債務而要求以他人代替勞役，只要年齡相當，可以允許。但是對於從事「手工業作坊」和「商賈」欠債的，不得以他人代替。這顯然是基於秦十分重視手工業作坊以及秦自商鞅以來「重農抑商」政策的結果。吳榮曾先生曰：「根據秦律和銅器銘文的材料來看，在秦官府作坊中的勞動者大多數是缺乏自由的身分。這些人之中又以刑徒爲主。」⑧對於這一類有專門生產技術的工匠，出於戰守的需要，各國統治者都致力於吸收這類有用的人才，秦當然也不例外。另外，在秦的刑法制度上，也要求把不少刑徒輸送到手工業作坊去作工。《均工律》又曰：「隸臣有巧可以爲工者，勿以爲人僕養。」（一八〇簡）由此可以看出秦對手工業十分重視。基於這樣的理由，同時也基於手工業人員的短缺，因此，《司空律》在代贖原則之外，特別强調這一類人不可以代贖。

《司空律》也允許以牲畜替代，如：

2.百姓有貲贖責（債）而有一臣若一妾，有一馬若一牛，而欲居者，許。（二〇七簡）

律文規定以一個男或女的奴隸，一頭馬或牛，要求用其勞役抵償，可以允許。在遷刑部分《司空律》也允許：「百姓有母及同牲（生）爲隸妾，非適（謫）辠（罪）〇（也）而欲爲冗邊五歲，毋賞（償）興日，以免一人爲庶人，許之。（二一八—二一九簡）這是允許以「冗邊五歲」的苦役來贖一個隸妾爲庶人。這種戍贖雖不是居贖，但意義上是相同的。另外還有一種也不是居贖，但仍是屬於贖的範圍。如《軍爵律》曰：

欲歸爵二級以免親父母爲隸臣妾者一人及隸臣斬首爲公士，謁歸公士而免故妻隸妾一人者，許之。（二二二—二二三簡）

這條律文顯然是了鼓勵從事公戰獲爵。在秦代，有爵的人不僅享有當官爲吏、乞養庶子的特權，而且可以享贖有罪、減刑、免刑的待遇。⑨前引「贖死」部分「葆子以上居贖刑以上到贖死，居于官府，皆勿將司。所弗問而久毄（繫）之，大嗇夫、丞及官嗇夫有辠（罪）。」（二〇二—二〇三簡）就是有爵者可以用勞役作來抵償贖刑、贖死的很好例證。此外，《倉律》亦曰：

3.隸臣欲以人丁粼者二人贖，許之。其老當免老、小高五尺以下及隸妾欲以丁粼者一人贖，許之。贖者皆以男子，以其贖爲隸臣。女子操敃紅及服者，不得贖。邊縣者，復數其縣。（一二八—一二九簡）

律文規定：要求以壯年二人贖一個隸臣，可以允許。要求以壯年一人贖一個已當免老的老年隸臣、身高在五尺以下的小隸臣以及隸妾，可以允許。但是用來贖的必須是男子，同時贖的人必須作爲隸臣。在此處《倉律》也同樣規定「從事文繡女紅和製作衣服的女子，不准贖。」至於原籍在邊縣的，被贖後應將戶籍遷回原縣。

《司空律》也同意借助別人和「居貲贖者」一起服役，如：

4.居貲贖責（債）者，或欲籍（藉）人與幷居之，許之，毋除繇（徭）戍。（二〇四簡）

但卻强調不能同意免除贖那個人的徭戍義務。

㈣、男女奴隸役贖必須穿囚衣帶囚具

鬼薪白粲，群下吏毋耐者，人奴妾居贖貲責（債）于城旦，皆赤其衣，枸櫝欙杕，將司之；其或亡之，有辠（罪）。（二〇一—二〇二簡）

鬼薪、白粲，下吏而不加耐者，私家奴婢被用以抵償貲贖債務而服城旦勞役的，都穿紅色囚服，施加木械、黑索和腳脛，並加監管；如讓它們逃亡了，監管者有罪。但是「葆子以上居贖刑以上到贖死，居于官府」者（二〇二—二〇三簡）及「公士以下居贖刑辠（罪）、死辠（罪）者，居于城旦舂」，（二〇一簡），卻「皆勿將司」、「毋赤其衣，勿枸櫝欙杕。」可見刑徒、奴隸役贖和有爵者役贖的待遇差別甚大。

㈤、一家二人以上可以輪替

《司空律》曰：

一室二人以上居貲贖責（債）而莫見其室者，出其一人，令相爲兼居之。（二〇三—二〇四簡）

一家有二人以上服勞役抵償貲贖債務，可以允許兩人輪流服役，以便照顧家庭和生產。

㈥、農作期有四十天假

《司空律》曰：

居貲贖責（債）者歸田農，種時、治苗時各二旬。（二一

一簡）

以勞役抵償貲贖債務的人回家農作，播種和管理禾苗的時節各二十天。這是對庶人在「居貲贖債」方面的管理，由此「歸田農」的管理，可以看出秦代十分重視農務。

㈦、刑徒需加監管

如《司空律》曰：

1.居貲贖責（債）當與城旦舂作者，及城旦傅堅、城旦舂當司者，廿人，城旦司寇一人將。（二一二—二一三簡）

以勞役抵償貲贖債務應與城旦舂同樣勞作的，以及城旦傅堅或城旦舂應加監管的，每二十人，由城旦司寇一人監率。同時規定：

2.毋令居貲贖責（債）將城旦舂。城旦司寇不足以將，令隸臣妾將。（二一二簡）

不得令以勞役抵償貲贖債務的人監城旦舂。城旦司寇的人數如果不夠，可令隸臣妾監率。

【附註】

①參見栗勁先生《秦律通論》，頁二九二及劉海年先生《秦律刑罰考析》，文載《雲夢秦簡研究》，頁二三二—二三三。又黃眞眞先生《秦代贖刑略考》將貲刑和贖刑完全混爲一談，如該文〈甲、行政罰類〉所論全是貲刑，內容雖有可取，但將「貲」與「贖」混爲一談，是不符合秦律文意和歷史事實的。

②參見《朱子大全》卷六十七，《舜典象刑說》。

③參見胡留元、馮卓慧先生著《西周法制史》，頁九二。又「鋝」即「鍰」，是貨幣單位，該書謂「有說一鋝有六兩，有說六兩大半兩，此處用前說。

④如張金鑑先生《中國法制史概要》，頁七三，就有此說。

⑤參見氏著《秦王朝關於少數民族的法律及其歷史作用》，文載《雲夢秦簡研究》，頁三九一—三九二。

⑥這兩條律文爲：

《金布律》

稟衣者，隸臣、隸之毋（無）妻者及城旦，冬人百一十錢，夏五十五錢；其小者冬七十七錢，夏卌四錢。舂冬人五十五錢，夏卌四錢；其小者冬卌四錢，夏卅三錢。隸臣妾之老及小不能自衣者，如舂衣。亡、不仁其主及官者，衣如隸臣妾。（一六一——一六三簡）

《司空律》

隸臣有妻，妻更及有外妻者，責衣。（二〇八—二〇九簡）

⑦張氏全文名爲《關於〈秦律〉中的「居」——〈睡虎地秦墓竹簡〉注釋質疑》，文載《考古》一九八一年第一期。又張氏曰：「縱觀雲夢出土秦簡，『居』字出現不下四、五十次。」據本文歸納，《雲夢秦簡》中「居」字總共出現一百四十六次，其中見於《日書》的有七十六次，見於共餘八種簡的共計七十二次。

⑧參見氏著《秦的官府手工業》，文載《雲夢秦簡研究》，頁五七。

⑨參見朱紹侯《軍功制研究》，頁一八四——八五。

第四節　誶

誶即訓誡、申斥、責罵。《漢書・賈誼傳》曰：「立而誶語」，《注》曰：「服虔曰：誶，猶罵也。張晏曰：誶，責讓也。」又《說文》曰：「誶，讓也。从言卒聲。《國語》曰：『誶申胥』」段《注》曰：「誶申胥，《吳語》文。韋曰：『誶，告讓也。』」按「讓」，《說文》曰：「相責讓也。」《小爾雅・廣義》曰：「詰責以辭，謂之讓。」又《國語・周語上》曰：「讓不貢」《注》曰：「讓，譴責也。」可見「誶」就是罵，亦即是以言辭責讓也。秦代把「誶」當作一種的行政處罰，適用於一般於犯有輕微罪的官吏身上，是秦代很特別的一項刑罰。基本上，這種刑罰比貲罪要來得輕。

由《雲夢秦簡》來看，「誶」大都是官吏在行政上的處罰。其適用的範圍大都是在評比和驗核上出問題的，也有是屬於執行職務不力以及判刑不當的。以下將《雲夢秦簡》中的「誶」的適用範圍加以論述：

一、會計核驗方面

秦代的會計核驗十分嚴格，如果有誤，大都以「貲」或「誶」來作爲行政監督的手段。關於貲刑已見前述，不贅。在核驗方面，官吏如有違法或過失，重的則採用貲罰，如貲一盾、一甲、二甲不等，其輕者，則採用「誶」的方式。如《效律》曰：

1.計校相繆（謬）殹（也），自二百廿錢以下，誶官嗇夫；（三二四簡）

會計經過核對發現誤差，錯數在二百二十錢以下的，該官嗇夫要受到「誶」的處罰。

2.數而贏、不備，直（値）百一十錢以到二百廿錢，誶官嗇夫；（二七六簡）

律文規定清點物品數目而有超過或不足數的情形，價值在一百一十錢以上到二百二十錢，該主管的官嗇夫要受到「誶」的處罰。

3.縣料而不備者，欽書其縣料殹（也）之數。縣料而不備其見（現）數五分一以上，直（値）其賈（價），其貲、誶如數者然。十分一以到不盈五分一，直（値）過二百廿錢以到千一百錢，誶官嗇夫；過千一百錢以到二千二百錢，貲官嗇夫一盾；過二千二百錢以上，貲官嗇夫一甲。百分一以到不盈十分一，直（値）過千一百錢以到二千二百錢，誶官嗇夫；過二千二百錢以上，貲官嗇夫一盾。（二七九—二八三簡）

稱量物資而不足數在現應有數的五分之一，加以估價，不足數在十分之一而不滿五分之一，價值超過二百二十錢到一千一百錢，該主管官吏要受到「誶」的處罰。而不足數在百分之一以上而不滿十分之一，價值在超過一千一百錢到二千二百錢的，該主管官吏也要受到「誶」的處罰。至於應如何貲、如何誶，律文說和上條「數而贏、不備」的規定相同。由本條律文中，可以看出其誤差在「（現）數五分一以上」，而：

> 過千一百錢以到二千二百錢，貲官嗇夫一盾；過二千二百錢以上，貲官嗇夫一甲。

誤差在「百分一以到不盈十分一」，而：

> 過二千二百錢以上，貲官嗇夫一盾。

可見「誶」的處罰比「貲」輕。

> 4.官嗇夫二甲，令、丞貲一甲；官嗇夫貲一甲，令、丞貲一盾。其吏主者坐以貲、誶如官嗇夫。（三一九簡）

這一條必須和《效律》三一八簡合起來看，其內容爲：「計用律不審而贏、不備，以效贏、不備之律貲之，而勿令賞（償）。」（三一八簡）律文規定會計不合法律規定而有出入，按核驗實物時有超出或不足數的法律貲罰，但不令賠償。但如官嗇夫罰二甲時，令、丞則「貲一甲」；如官嗇夫「貲一甲」，令、丞則「貲一盾」。主管該事的吏和該官府的嗇夫受同樣的罰金和貲罰。至於「其它冗吏、令史掾計者，及都倉、庫、田、亭嗇夫坐其離官屬于鄉者」都和令、丞同例。（三二〇—三二一簡）

二、糧倉管理方面

秦代對糧倉的管理十分重視，其主管是縣級的「倉嗇夫」。倉嗇夫的職責有負責糧倉的封緘、負責糧食的發放徵收及核驗。（請參見本文第三編《官制篇》第二章《秦律所見的嗇夫》）。因職責所在，如果在糧倉的管理方面出問題，自然要接受處罰。

如《秦律十八種·效律》曰：

1.倉扁（漏）死（朽）禾粟，及積禾粟而敗之，其不可食者不盈百石以下，誶官嗇夫；（二三一簡）

律文規定因糧倉漏雨或對堆積糧食保存不善，導致禾粟腐朽，不能食用的糧數不滿百石以下的，官嗇夫要受到申斥（即「誶」）。如果超過一百石到一千石，官嗇夫要罰一甲，超過一千石以上，官嗇夫要罰二甲。可見「誶」是最輕的行政處罰。另外在《效律》第二九〇簡也可以看到同樣的內容，如：

2.倉扁（漏）死（朽）禾粟，及積禾粟而敗之，其不可从（食）者，不盈百石以下，誶官嗇夫；（二九〇簡）

對於糧倉管理不善，受「誶」刑的，還見於《法律答問》，如：

3.倉鼠穴幾可（何）而當論及誶？廷行事鼠穴三以上貲一盾，二以下誶。鼷穴三當一鼠穴。（五二二簡）

律文問倉裏有多少鼠洞就應論及申斥？《律說》回答爲：按成例（廷行事）有鼠洞三個以上應罰一盾，兩人以下應申斥。鼷鼠洞三個算一個鼠洞。鼠穴會造成倉漏和影響糧數，因此，法律特別作出規定，可見秦對糧倉的管理十分嚴格。

三、在評比方面

《秦律十八種·廄苑律》規定：

以四月、七月、十月、正月膚田牛。卒歲，以正月大課之，最，賜田嗇夫壺酉（酒）束脯，爲旱〈皂〉者除一更，賜牛長日三旬；殿者，誶田嗇夫，罰冗皂者二月。其以牛田，牛減絜，治（笞）主者寸十。（〇八〇—〇八一簡）

由律文來看，評比耕牛，成績低劣的，田嗇夫要受到「誶」的處罰。當然成績優秀的，也可以「賜田嗇夫壺酉（酒）束脯」。

由此看來，秦代也不只是一味地以處罰作爲行政管理的手段。在另一方面，秦代也往往是透過法律上的獎勵制度，以達到其富國强兵的目的。當然在行政管理方面，也同樣地用上這個制度。秦代的獎勵根據徐進先生《秦律中的獎與行政處罰》一文的歸納，大約有九種，一是賜物；二是賜勞；三是除更；四是授爵；五是賜田宅；六是除庶子；七是免除刑徒身分；八是免除傜役賦稅；九是購（按即獎金）。①《廐苑律》的「最，賜田嗇夫壺酉（酒）束脯，爲旱〈皂〉者除一更，賜牛長日三旬。」就包含了前三項的獎勵方式。在賜物方面，《倉律》還有所謂的「有米委賜」（一〇八簡）也說明了米在秦代也可以用來當作獎品。

四、在執行職務方面

廣義的說官吏的行政處罰都與執行職務有關。此處只單指上級交付的特定職務而言。《傜律》曰：

> 御中發徵，乏弗行，貲二甲。失期三日到五日，誶；六日到旬，貲一盾；過旬，貲一甲。（一八二簡）

替朝廷徵發傜役，如果遲到三天到五天，主管官吏就要受到「誶」的懲處。遲到越久，處罰越重。當然如果是耽擱而不加徵發，則處貲物最重的「二甲」的行政處罰。②

五、在判刑不當方面

《雲夢秦簡》對官吏的「失刑」和「不公」，有各種規定。其中對較輕微的，通常都以申斥的方式論處。如《法律答問》曰：

> 當貲盾，沒錢五千而失之，可（何）論？當誶。（四一八簡）

《律文》問應罰盾，卻沒錢五千，判處不當，該如何論處？《律說》解釋應對官吏的失刑應加以申斥。

> 甲賊傷人，吏論以爲鬥傷人，吏當論不當？當誶。（四八

九簡）

《律文》問甲殺傷人，吏卻以鬥毆傷人論處，吏應否論罪？《律說》解釋應對該官吏的失刑應加以申斥。

秦代的行政處罰種類不少，其中以上述的「誶」刑爲最輕。「誶」作爲一種刑罰，其目的不在於肉體和財物上的剝奪，而是著重在精神上處罰。劉海年先生曰：「它相當於現代某些國家刑法中規定的『訓戒』，乍看起來不見得比某些行政處分重，但因爲它是一種刑罰，一旦被誶，便是受了刑事處分，便算有了『前科』，如再犯罪就必然會受到加重懲罰。」③劉氏把「誶」看做是刑罰，這是正確的。事實上，「誶」本身也是行政處罰的一種，只是它比其他的行政處罰輕而已。但正如劉氏所言，一旦被誶，就有前科。秦律是很注意「前科」問題的，如《封診式》中的許多「爰書」中，都標明了「無它坐」或「無它坐罪」，如：

毋（無）它坐（五九五簡）
甲毋（無）它坐（五九八簡）
皆毋（無）它坐辠（罪）（六一〇簡）
毋（無）它坐（六二三簡）
毋（無）它坐辠（罪）（六三一簡）
毋（無）它坐（六三三簡）
毋（無）它坐（六七四簡）
毋（無）它坐（六七六簡）
四年二月丁未籍一亡五月十日毋（無）它坐辠（罪）（六七七簡）

所謂「無它坐」，《睡虎地秦墓竹簡》注曰：「秦漢法律文書習語，意爲沒有其他罪行，如《居延漢簡甲編》一二九：『賀未有鞫繫時，毋（無）它坐，謁報，敢言之。』」④交待或說沒有其他罪行，就是强調沒有「前科」。這說明了「無它坐罪」在秦代司法（《封診式》的爰書是屬於司法方面的文書形式）上的重要性。⑤準此而言，「誶」，對官吏而言，也是十分嚴重的事。

【附註】

①文載《吉林大學社會科學學報》一九八九年第三期。

②秦的行政處罰有很多種，如罰勞、笞、繫作、償、貲物、貲日、免官等，本文此處是專指貲物方面。

③參見氏著《秦律刑罰析論》，文載《雲夢秦簡研究》，頁二三八。

④參見該書頁一五〇。關於「無它坐」，有些地方也可以釋為「沒有其他過犯」。如《封診式》中的《毒》爰書的第六七四簡，即作此解。

⑤秦律十分重視「累犯重罰」和「數罪加重」的原則。如《法律答問》曰：「司寇盜百一十錢，先自告，何論？耐為隸臣，或曰貲二甲。」司寇是罪犯，又犯了盜錢的罪，這是累犯，秦律加重其刑罰，而處以「耐為隸臣」的刑罰。數罪加重即是所謂的數罪並罰，秦律有不少例子，此處從略。由此推知「前科」對犯人或違法者是有然的影響的。

第三篇　官制篇

第一章　秦簡所見的選官制度

所謂選官，就是官吏的選任制度，也就是一個國家或政權選拔官吏的規章。它與今日所見的考選部的公務人員經考試任用以及人事行政局根據考選結果分發任用的制度，基本上是相同的，在西方則則屬於文官制度（Civil Service）的範疇。選官制度是一個國家上層建築的重要的組成部分，所以古代各王朝的統治者，一直都十分重視它。

根據黃留珠《中國古代選官制度述略》一書的分法，從夏以後，中國選官制度的發展，大致可以分爲三個段落，即：世官制、察舉制和科舉制。春秋戰國是屬於世官制的第三階段，即世官制的衰落期，而秦代則屬於察舉制。①不過，由於秦的歷史大部分都在春秋戰國，尤其是戰國，秦朝的國祚較短。因此，秦在統一前，其選官制度是屬於春秋戰國的「世官制」；而統一後，方有比較明顯的「察舉制」。同時，秦代的選官情形也不只是「世官制度」和「察舉制度」而已。可見的還有「學吏制度」、「軍功制度」、「客卿制度」、、「通法制度」。本章以《雲夢秦簡》中較爲明顯的「世官制度」、「學吏制度」、「法官法吏制度」（即「通法制度」）來分項討論，「徵召制度」和「客卿制度」由於《雲夢秦簡》資料過少，不另闢章節討論。

第一節　世官制度

世官制是官職世襲的制度，這種制度，在夏商開始萌芽發展，到了西周進入鼎盛。在世官制下，官職被限定在貴族範圍內。秦在商鞅變法之前，所行的是西周的世官制度。如百里奚之子孟明視、蹇叔之子西乞術、白乙丙皆相繼爲卿士，後子鍼、小子□等皆爲世官。另外，從秦器銘文中，也可見世官制度的資料，黃留珠先生曰：

> 如傳世的春秋時期秦公簋銘文中，有「咸畜胤士」四字，陳直先生據《説文》爲之考釋指出：「胤士爲父子承襲之世官，《説文》：胤，子孫相承續也。从肉从八，象其長也。从幺，象重累也。又《説文》訓咸，皆也，悉也；訓畜，積也。本銘謂：『悉積官職子孫相繼承。』……陳先生據《説文》作出的解釋，比孫詒讓以「胤士」爲「尹士」之説，及郭沫若釋「胤士」爲「俊士」之論，更爲接近器銘本旨。　……準此，《考古圖》著錄的秦公鍾（實爲鎛）銘「咸畜百辟胤士」，新近寶雞楊家灣太公廟出土的秦公鍾、鎛銘「胤士咸畜」等，也都迎刃而解。 ……顯然，秦自春秋建國以後，同其他諸侯國一樣，所行乃世官制度。②

秦雖然實行世官制，不過，到了春秋時期，明賢思想顯著發展，世官制開始衰落。到了戰國，由於貴族驕淫矜夸，根本不足任國事，因此任賢觀念大盛。一些國君終於打破貴庶界線，從庶民中選用人材。這樣，隨著社會生產方式的變化，世官制終於崩潰，代之而建立的是唯賢、唯功的新選官制度。秦國在商鞅變法之後，世官制度也這種風潮之下開始解體。從秦簡只能看到一部分有關世官制資料。

一、葆子

葆子，即保子。《漢書・哀帝紀》曰：「除任子令。」注曰

：「應劭曰：任子令者《漢儀注》：吏二千石以上，視事滿三年，得任同產若子一人爲郎。……師古曰：任者，保也。」可見葆子亦即任子。所謂「任子」就是「子弟以父兄任爲郎」，③或「大臣任舉其子弟爲官」④之意。任子制度是世官制度的產物之一，也是古代選官的方式之一。它在官吏制度中有占有特殊的位置。它使官僚子弟不按才學、能力，僅憑門第和父兄的職位躋身政治舞臺。基本上，任子制度是選官制度不盡完善，應運而生的一種任官方法。

秦的葆子，當與《漢儀注》所述大致相同。也就是二千石以上的官吏皆可以任一子爲郎。葆子見於秦簡的計《秦律十八種》一條，《法律答問》四條。秦的「葆子」選任的條件如何？方式如何？在秦簡中無法看出。不過，由於他們都是高級官吏的後代，秦簡顯示他們在法律上也享有特權，即使是犯了罪，法律上卻採取較寬厚的處置。如《秦律十八種・司空律》曰：

> 葆子以上居贖刑以上到贖死，居於官府，皆勿將司。所弗問而久毄（繫）之，大嗇夫、丞及官嗇夫有辠（罪）。

律文規定：葆子以上用勞役抵償贖刑以上到贖死的罪，而在官府服勞役的，都不加以監管。如果不加以訊問而長期加以拘禁，則大嗇夫、丞和司空嗇夫有罪。由律文看，葆子以上，即使犯了罪，也能享受不監管的優待。另外，關於葆子犯罪，法律也有特別的規定，如《法律答問》曰：

1. 葆子以上，未獄而死若已葬，而誧（甫）告之，亦不當聽治，勿收，皆如家辠（罪）。（四七七簡）
2. 可（何）謂「家辠（罪）」？父子同居，殺傷父臣妾、畜產及盜之，父已死，或告，勿聽，是胃（謂）「家辠（罪）」。有收當耐未斷，以當刑隸臣辠（罪）誣告人，是謂「當刑隸臣」。「葆子□□未斷而誣告人，其辠（罪）當刑城旦，耐以爲鬼薪而鋈足。」耤葆子之謂毄（也）。（

四七八—四八〇簡）

3.「葆子獄未斷而誣告人，其辠（罪）當刑爲隸臣，勿刑，行其耐，有（又）毄（繫）城旦六歲。」可（何）謂「當刑爲隸臣」？（四七九簡）

4.「葆子獄未斷而誣〔告人，其罪〕當刑鬼薪，勿刑，行其耐，有（又）毄（繫）城旦六歲。」可（何）謂「當刑爲鬼薪」？當耐爲鬼薪未斷，以當刑隸臣及完城旦誣告人，是謂「當刑鬼薪」。（四八一—四八二簡）

以上四條律文規定：1.葆子以上有罪未經審判而死或已埋葬，才有人控告，不應受理，不加拘捕。都和家罪同例；2.葆子……尙未判決而誣告他人，其罪當刑城旦，應耐爲鬼薪，並且斷去足部；3.葆子案件尙未判決而誣告他人，其罪當刑爲隸臣，不要施加肉刑，應加以耐刑，並且拘繫服城旦勞役六年；4.葆子案件尙未判決而誣告他人，其罪當刑爲鬼，不要施加肉刑，應加以耐刑，並拘繫服城旦勞役六年。這些對葆子的特定刑罰，基本上，都是爲了保護已經犯了罪的葆子，而將其所應受的刑罰特別區分開來，不與一般的庶人士伍相同。

秦簡律文所保護的，強調的是葆子以上，可見葆子以上的官吏是受保護的。

二、史

史的原意爲「記事者」，引申爲掌書之官。這類小吏的身分原不高，所謂「文史星曆，近乎卜祝之間，固主上所戲弄，倡優所畜，流俗之所輕也。」⑤秦代「史」的身分依然是特殊的。這一類的官職，雖然不像史官、太卜官一樣，但仍必須「學僮十七已上，諷籀書九千字，乃得爲吏〔史〕。」⑥同時這種以文書爲職務的史，也如史官、太卜官一樣，「父子疇官，世世相傳」，因此，史從小就要到「學室」接受讀寫文字的教育。秦設有專門訓練吏員的機構，這個機構就是學室。《秦律十八種・內史雜》規定：

> 非史子殹（也），毋敢學學室，犯令者有罪。（二五八簡）

史受完整的教育後，主要的職務，就是在官府從事文書、檔案、書記服務。律文規定：不是史的兒子（或者學徒弟子），不准在學室中學習，違反者有罪。由律文可以看出秦代仍有世官的遺存。秦簡中史的職稱依其職務不同而有不同的稱謂。如單稱「史」的，有：

- 新佐、史主廥者（《秦律十八種・效律》二三九簡）
- 倉嗇夫及佐、史（《秦律十八種・效律》二三九簡）
- 及卜、史、司御、寺、府（《秦律十八種・傳食律》二四九簡）
- 倉嗇夫某、佐某、史某、稟人某（《秦律十八種・效律》二三五簡）
- 上造以下到官佐、史毋（無）爵者（《秦律十八種・傳食律》二四九簡）
- 史不與嗇夫和（《法律答問》四六四簡）
- 問史可（何）論（《法律答問》四六四簡）

這是指一般的史。稱「令史」的有：

- 鄢令史（《編年記》〇一四簡）
- 爲安陸令史（《編年記》〇一三簡）
- 令令史循其廷府（《秦律十八種・內史雜》二六四簡）
- 令君子毋（無）害者若令史守官（《秦律十八種・置吏律》二二八簡）
- 其它冗吏、令史掾計者（《效律》三一九簡）
- 司馬令史掾苑計（《效律》三二三簡）
- 司馬令史坐之（《效律》三二三簡）

• 如令史坐官計劾然（《效律》三二三簡）

• 令令史某診丙（《封診式》六一九簡）

• 令史某爰書（《封診式》六三六簡）

「令史」是主管命令文書的「史」。史和令史都是刀筆小吏，主要的任務是掌管文書。這些「史」，是世世相傳的，只有「史子」才能在學室中學習，以承襲史的職務。《秦律十八種・內史雜》並且嚴格規定：「令殯史毋從吏（事）官府。」（二五八簡）、這是規定犯過罪而經赦免的史不能在官府供職；同時又規定「下吏能書者，毋敢從史之事」（二五九簡）也就是說：犯了罪的下吏即使能夠書寫，也不准作史的事務。可見秦對處理文書的「史」的職務相當重視，同時管制也很嚴格。

【附註】

①參見該書頁一一二。陝西人民出版社，一九八九年九月版。

②參見黃留珠《秦仕進制度考述》，文載《中國史研究》一九八二年第一期。

③參見《漢書・王吉傳》。

④參見《漢書・汲黯傳》。

⑤參見《漢書・司馬遷傳》。

⑥參見《說文敘》。又向夏《說文解字敘講疏》曰：「段玉裁改吏爲史，是也。」

第二節 學吏制度

吏，在秦通常是指從事具體事務的基層小官。官吏，在古代包含的範圍很廣。《禮記・王制》孔穎達疏曰：「其諸侯以下及三公至士，總而言之，皆謂之官。官者管也，以管領爲名。」吏，《說文》曰：「治人者也，从一从史，史亦聲。」《國語・周語上》曰：百吏庶民」，注曰：「百吏，百官也」；可見官吏是古代百官的通稱。吏又有職事之意。秦漢以後，尤其是漢，官與吏逐漸地涇渭分明，官，通常指政府各部門的首長或有品級的官員；吏，則指一般職位低微的官員。以漢而言，稱秩四百石至二百石者爲長吏；百石以下者稱少吏，位階都不高。由秦簡來看，秦的情形大致也是如此。如：

- 吏自佐、史以上負從馬、守書私卒（《秦律雜抄》三三八簡）
- 縣嗇夫、丞、吏、曹長各一盾（《秦律雜抄》三四七簡）
- 吏典已令之（《法律答問》五三四簡）
- 縣、都官、十二郡免除吏及佐群官屬（《秦律十八種・置吏律》二二四簡）
- 官嗇夫及吏夜行官（《秦律十八種・內史雜》二六四簡）
- 令吏徒將傳及恒書一封詣令史（《封診式》六二八簡）
- 及六百石吏以上（《法律答問》五六一簡）

以上所舉的吏大都是縣級的小吏。這說明在秦時，「吏」大都指小吏而言。不過，由於秦代對官吏的稱呼不像漢代這麼分明，還是經常把各種官吏泛稱爲吏。在秦簡中仍然可以看到許多這樣的用法。如

- 凡爲吏之道（《爲吏之道》六七九・一簡）
- 吏有五失（《爲吏之道》六九一・二簡）
- 吏有五善（《爲吏之道》六八四・二簡）
- 凡良吏皆明法律令（《語書》〇六二簡）
- 令吏民皆明智（知）之（《語書》〇五八簡）
- 而吏民莫用（《語書》〇五六簡）

所謂「爲吏之道」，就是做官的方法；「吏有五失、五善」，就是官吏有五種缺點和五種優點；「凡良吏皆明法律令」，就是凡

是好的官吏都熟悉法律條文；「令吏民皆明知之」，就是叫官民都清楚的知道。這裏的吏都是官吏的泛稱。不過，如果仔細地參看簡文，也可以看出上引的「吏」，指的還是下層的官吏，其位階仍不高。

上節提到「史」須在學室中接受教育，以便將來從事文書、檔案和書記等職務。這些職務，基本上也是吏的職務。對於其他從事基層業務的吏員，或者一個出身寒微、無財勢可依的人，欲登入仕途，一樣須有一個「學吏」的過程。這個過程，可能是正式向吏員去做學徒，也可能是依附吏員私下學習。①但都有一個前提，就是要「以吏爲師」。衆所周知，秦由於「大發吏卒興戍役，官獄職務繁」，②同時由於施行郡縣制，各項業務都以縣爲基本單位。因此，需要衆多的基層小吏。在這種情形之下，經過學吏而登仕的機會大增，學吏之風於焉大興。

秦「以吏爲師」的學吏制度，是在始皇三十四年（西元前二一三年）提出。由於博士在始皇面前指責僕射周青臣「面諛」，並公然宣稱「事不師古而能長久者，非所聞也。」因而引出焚書之舉，李斯並向始皇提議：

> 史官非秦紀皆燒之；非博士官所職，天下敢有藏《詩》、《書》、百家語者，悉詣守、尉雜燒之；有敢偶語《詩》、《書》者棄市；以古非今者族，吏見知而不舉者與同罪；令下三十日不燒，黥爲城旦。……若欲有學法令，以吏爲師。③

始皇接受李斯的建議，明令天下「以吏爲師」。從此「以吏爲師」正式成爲秦的學吏制度。其實這種「以吏爲師」的主張，早在戰國時就已經出現。《韓非子・和氏》就記載商鞅變法時，曾「燔詩書而明法令」，《韓非子・五蠹》亦曰：

> 明主之國，無書簡之文，以法爲教；無先王之語，以吏爲師。

這種「以法爲教」、「以吏爲師」的主張，在文獻中，雖然只見李斯在秦始皇三十四年正式把它提出，同時也徹底加以施行。而商鞅和韓非的主張只停在思想和言論的範圍，未見已付實施的記載。然而，秦簡中卻有不少「以吏爲師」的資料，可以證明早在秦統一前就已經推行這種制度。

上節所引《秦律十八種・內史雜》中的律文「非史子殹（也），毋敢學學室，犯令者有罪」。（二五八簡）就是學吏制度施行的明證。律文中所謂的「學室」，就是秦政府設來專門訓練吏員的機構。如前文所言「史」就是各級政府機構裏以文書、檔案、書記爲務的吏員。「史」、「令史」的職務除了做行政刑獄文書外，尚兼教授訓練這方面的弟子。在學室中學吏的弟子如何管理、培養和任用，秦簡設有專門的法律——《除弟子律》。該律見於《秦律雜抄》，內容只有一條。律文曰：

> 當除弟子籍不得，置任不審，皆耐爲侯（候）。使其弟子贏律，及治（笞）之，貲一甲；決革，二甲。（二三四簡）

由律文看弟子學吏完成，就應該除去弟子籍，如果還不得除，主管的官吏，要耐爲侯，可見學室的弟子設有專立的名籍；同時任用保舉弟子也應謹慎，如有不當者，同樣也要耐爲侯。役使弟子超出法律規定，及加以笞打，加以貲罰。另外，《秦律雜抄》與軍事有關的佚名律規定：

> ●縣毋敢包卒爲弟子，尉貲二甲，免；令，二甲。（二三五一二三六簡）

《商君書・境內》曰：「軍爵自一級以下至小夫，命曰校、徒、操、公士；爵自二級以上至不更，命曰卒。」可知秦時的「卒」是指二至四級的軍士。包卒就是藏卒，「包卒爲弟子」是將要服役的下級軍士藏爲弟子以逃避兵役。秦的兵役和徭役一向很重，而由律文看，似乎學吏弟子有免除兵役或者延緩兵役的權利。由

《秦律雜抄・除吏律》的規定，學吏弟子甚至有免除徭役的權利④。因此，一般的士伍和低階的軍士有假冒以逃避的情形，是以秦律特別針對此點來立法禁止。這可以說明學吏弟子的出路是一般庶民或軍士欣羨的對象。

學吏弟子學成登仕後，主要的職務是「雕琢文書」、「治書定簿」、「案獄考事」以及「移書下記」。由秦簡可以看出吏所擔負的職務確實很廣。因此，學吏弟子在官方學室中修習的重點，當有三項：一是學書；二是學習處理各項庶務的能力；三是熟習法令。⑤第一、學書就是學字，目的主要是爲了擔任各項文書工作。《說文・敘曰：「《尉律》：學僮十七已上，始試。諷籀書九千字，乃得爲吏〔史〕。」段玉裁注曰：「諷籀連文，謂諷誦而抽繹之。」所謂「諷籀書九千字」，亦即背書默寫九千字並得六書要恉。可見學書是學吏弟子首須具備的條件。秦之《倉頡篇》、《博學篇》、《爰歷篇》當即是學僮學習的教本。第二、《續漢書・百官志》曰：「（縣）丞署文書，典知倉獄。」秦簡證明此一說法是正確的。丞是吏員中職位較高的，是縣令的副手。縣丞往往需簽發來往的司法文書，如《封診式・封守》曰：

> 鄉某爰書：以某縣丞某書，封有鞫者某里士五（伍）甲家室、妻、子、臣妾、衣器、畜產。甲室、人：一宇二內，各有户，內室皆瓦蓋，木大具，門桑十木〈朱〉。妻曰某，亡，不會封。子大女子某，未有夫。子小男子某，高六尺五寸。臣某，妾小女子某。牡犬一。幾訊典某某、甲伍公士某某：「甲黨（倘）有〔它〕當封守而某等脱弗占書，且有辠（罪）。」　某等皆言曰：「甲封具此，毋（無）它當封者。」　即以甲封付某等，與里人更守之，侍（待）令。（五八八—五九二簡）

鄉負責人所寫的爰書中，說明鄉根據某縣縣丞某的文書，來執行查封被審訊人的整個過程。其他的爰書簽發的情形，也應是如此。從《封診式・告臣》及其他一系列「爰書」來看，縣丞尙須詣問告發人、詣問證人、審訊被告、參加現場勘驗和司法調查。此外，《秦律十八種・倉律》有關有不少封存的規定，都需縣丞會同參與。可見位階較高的吏員除了主管文書之外，尙兼管司法事宜和糧倉。又王充曰：「文吏搖筆，考迹民事。」⑥可見吏對一般的縣政庶務都必須有能力協理。第三、《語書》曰：「凡良吏明法律令，事無不能殹（也）」從秦簡中龐大的法律資料上看，秦時即使不是特定的法官法吏，一樣需要熟悉法令。事實上，《法律答問》、《秦律雜抄》、《秦律十八種》和《封診式》等法律，可以說幾乎都是用來提供學習法令的範本。商鞅在《商君書・定分》中主張「爲法令置官吏」，並尋求「足以知法令之謂者，以爲天下正（長）。」從秦簡上看，商鞅的這一主張，秦的確推行得很徹底。由於秦「以法爲教」以及現實的需求，因此，學吏弟子在學室中，都必須學法律，知令文。

除此之外，根據《爲吏之道》，可以知道學吏弟子在學習的過程中，也必須要了解爲吏的基本條件。關於爲吏之道如何，本文另有探討，不贅。

【附註】

①《秦律雜抄》佚名律中，佐史有看守文書的「守書私卒」（三三八簡），法律規定不准用以貿易牟利，違反的佐史要處以流放刑責。「守書私卒」當是官方認可向吏私學的學徒弟子。不過，秦在統一後是禁止私學而推行「以吏爲師」的學室制度的。

②參見許慎《說文解字・敘》。

③參見《史記・秦始皇本紀》。

④《秦律雜抄》的《除吏律》規定：「駕騶除四歲，不能駕御，貲教者一盾；免，賞（償）四歲徭戍。」駕騶的吏已任職四年，仍不能駕車，負責的教練要接受處罰；而本人則要償還原先免除的徭役。

由此可見學吏弟子並不需要參加徭役。

⑤參見張金光《論秦漢的學吏制度》，文載《文史哲》一九八四年一期。

⑥參見《論衡・程材》。

第三節 法官法吏制度

秦特別強調以法治國，所謂「明主之治天下也，緣法而治。」①因此，商鞅學派就曾提出：

> 爲法令置官置吏樸足以知法令之謂，以爲天下正者，則奏天子；天子名，則主法令，皆降受命發官。各主法令之民，敢忘行法令之所謂之名，各以其所忘之法令名，罪之。主法令之吏有遷徙物故，輒使學者讀法令所謂，爲之程式，使數日而知法令之所謂；不中程，爲法令以罪之。有敢剟定法令，損益一字以上，罪死不赦。諸官吏及民有問法令之所謂於主法令之吏，皆各以其故所欲問之法令明告之。②

文中強調要：一、爲推行法令而設置專官或專吏。對於天賦足以了解法令的規定，可以作爲天下人民長官的，就奏聞天子，天子按名任用，這些人就專主法令；二、各專主法令的官吏有敢誤用法令，就各以誤法令的條文來處罪；三、專主法令的人遷任或去世的，即令學習法令的人研讀該法令的規定，學者須在規定日期內學成，且不得竄改法令，否則處以死罪；四、專主法令的官吏須爲眾官吏和人民解釋法令。因此，秦在朝廷、郡、縣三級中都設有「法官」「法吏」，向百姓和各級官吏宣傳及解釋法律。其主要的目的，在於要求官吏必須通曉法律，同時學習法律。如《商君書・定分》曰：

> 天子置三法官：殿中置一法官，御史置一法官，丞相置一法官。諸侯郡縣皆各爲置一法官及吏，皆比秦法官。

由此可知秦的法官組織是：朝廷有三位大法官，一位在天子殿中，供天子諮詢，並協助天子制定各種法律；一位在御史衙門裏，御史衙門另設一法吏，供御史諮詢；一位在丞相府中，供丞相諮詢。地方諸侯及郡縣，也分別設置地方的法官法吏，由天子委派。

這種法官法吏制度，主要的目的是「明法」，使吏民都熟悉法令，以推行法治。上節提到秦「以吏爲師」，法官法吏制，基本上，也是要以法官法吏爲吏民之師。這些法官法吏都必須精通法律，當他們接到天子的委任時，就必須立即上任，而全國吏、民都以地方的法官法吏爲師，地方法官法吏又以中央三大法官爲師。故《商君書・定分》曰：「故聖人必爲法令置官也，置吏也，爲天下師，所以定名分也。」又謂「吏、民欲知法令者，皆問法官。故天下之吏、民無不知法者。」可知法官法吏的制度，其實是爲了保證法律的實施。

從上引《商君書・定分》可以歸納秦的法官法吏制的具體內容：

一、爲推行法令而設置專官或專吏，必須是有天賦足以了解法令的規定，可以作爲天下人民長官的。

二、法官法吏分中央、郡、縣三級，其中郡、縣屬地方。中央——殿中置一法官，御史置一法官，丞相置一法官。地方——諸侯郡縣皆各爲置一法官及法吏。

三、法官法吏的職責有三：

1.學習法令的人研讀有關法令的規定，學者須在規定日期內學成，且不得竄改法令，否則處以死罪。郡縣諸侯皆受頒禁室法令，並學習法令的規定。

2.須爲衆官吏和人民解釋法令。即所謂「吏　、民欲知法令者，皆問法官。」

由史籍和《雲夢秦簡》來看，秦的這一套「法官法吏制」基本上是得到貫徹的。當然以秦代史料的缺乏，史籍在這一方面記載是少了點，甚至語焉不詳，過去雖有學者整理，但仍受時間久遠及材料的限制，只能考察到部分痕迹。劉海年先生曰：「清末學者沈家本在其《歷代刑官考》，孫楷、徐復在《秦會要訂補·職官》以及金少英在《秦官考》等著述中，對史籍中已有的材料，都盡自己的力量作了整理和分析。但是，由於秦年代久遠，其間歷經戰亂，材料散失，他們對問題的闡述不能不受很大的局限。」③《雲夢秦簡》出土後，我們可以在其中看到秦代對法官法吏制的實施是有重要大成果的。

首先從《雲夢秦簡》中的《法律答問》就可以看出秦代對這制度的推行是有多麼徹底。《法律答問》共有二百一十簡，約佔《雲夢秦簡》的五分之一，內容共有一百八十七條，多採用問答的形式，對秦律某些條文、術語以及律文的意圖都作出明確的解釋。④其所以如此者，主要的是因秦自商鞅變法以後，主張由國君制訂統一政令和設置法官法吏統一解釋法令。因此，《法律答問》的出現，提供了法官法吏制付諸實行的最有力證據。⑤

從《語書》中可以看出秦代除了法官法吏之外，也要求一般官吏要學習和熟悉法律。《語書》中區分良吏、惡吏的標準之一，就是「明法律令」（〇六二簡）和「不明法律令」（〇六三簡），亦即凡是「良吏」，必須通曉法律；凡是「惡吏」，必是因為不懂法律。如果不努力學習法律、法令，就不能繼續為官。同時，《語書》亦曰：「脩法律令、田令及為間私方而下之，令吏明布，令吏民皆明智（知）之。」（〇五七—〇五八簡）可見自商鞅變法以來的「明法」觀念，在《雲夢秦簡》中可以很明顯的看到，而事實上，這也正是法官法吏的職責之一，而《語書》中所謂的「令吏明布」，相信頒布法令的官吏應即是法官或法吏。

以下就《雲夢秦簡》中所見的三級法官法吏，略述之，必須說明的是《雲夢秦簡》在這方面的資料，並不完整，也不夠全面。三級中屬於中央級的只有廷尉和御史在《雲夢秦簡》中可以看到幾條資料；郡級的法官法吏，除了郡守可在《語書》中看到資料外，餘皆闕如；縣級的法官法吏資料較多。諸侯方面，《雲夢秦簡》沒有任何相關的資料，故闕而不論。

一、中央級的法官法吏

㈠、廷尉

廷尉是皇帝立法、司法的助理，可以說是秦中央的最高法官。（當是屬於中央三大法官中的「天子殿中」的法官）《漢書・百官公卿表》曰：「廷尉，秦官，掌刑辟，有正、左右監，皆秩千石。」《注》引應劭曰：「聽獄必質諸朝廷，與眾共之，兵獄同制，故稱廷尉。」師古《注》曰：「廷，平也。治獄貴平，故以爲號。」韋昭曰：「廷尉、縣尉，皆古制也，以尉尉人也。凡掌賊及司察之官皆曰尉。尉，罰也，言以罪罰奸非也。」秦的廷尉資料不多，但《史記・秦始皇本記》曰：「廷尉李斯」，李斯曾以廷尉身份參與朝廷重大問題的決策，同時也由廷尉晉升丞相，可以想見秦代廷尉的地位不低。又《史記・秦始皇本記》記始皇「專任獄吏，獄吏得親幸。」可知在以法治國的秦，廷尉必然有其特殊的地位。

《雲夢秦簡》中並無廷尉的活動記載，但有《尉雜》律，是關於廷尉職務的各種法律規定。律文只有二條：

1.歲讎辟律于御史。（二六六簡）

2.□其官之吏□□□□□□□□□□□□□□法律程籍，勿敢行，行者有辠（罪）。（二六七簡）

第一條辟律，指刑律。律文規定每年都要到御史處核對刑律。《睡虎地秦墓竹簡注》曰：「本條應指廷尉到御史處核對法律條文。」⑥根據《商君書・定分》：「法令皆副置：一副天子之殿中，爲法令之禁室，有鍵鑰爲禁而以封之，內藏法令；一副禁室中，封以禁印。」又據《漢書・百官公卿表》：「御史大夫，秦官，位上卿，銀印青綬，掌副丞相。有兩丞，秩千石。一曰中丞，在殿中蘭臺，掌圖書秘籍。」《秦律十八種・尉雜》此條既證御史大夫「掌圖書秘籍」，又證明廷尉有「掌刑辟」的職責。第二條由於缺文過多，《睡虎地秦墓竹簡》整理小組並沒有譯釋。由內容看，似乎是基於某種原因，禁止某些法律程籍實行。《秦律十八種》中的《尉雜》律現存的史籍並無記載。不過漢有《尉律》，見於《漢書・高帝紀》及《說文解字敘》。由《漢書・百官公卿表》「廷尉，秦官，掌刑辟，有正、左右監。」來看，廷尉當有廷尉正及廷尉監的屬官。

㈡、御史

秦的中央機構中最主要的官職是丞相、太尉、御史大夫，都不見於《雲夢秦簡》。其中，御史大夫據上文《漢書・百官公卿表》：所舉可知御史大夫「位上卿」、「掌副丞相」、「在殿中蘭臺，掌圖書秘籍」。御史大夫是秦中央的最高監察官，由史料看，秦之前並沒有這一官制。但可以看出御史大夫是由周官及戰國系統的御史發展而來，《周禮・春官》有御史，掌國都鄙及萬民之治令以贊冢宰。戰國時，趙、衛、韓、齊、秦等國都設有御史，大都掌理文書。秦統一後，隨著組織機構的擴大，設立御史大夫爲眾御史之長。《漢書・百官公卿表注》引應劭曰：「侍御史之率，故稱大夫。」御史大夫下轄有御史。《史記・李斯列傳》曰：「趙高使其客十餘輩詐爲御史、謁者、侍中更往覆訊斯。」《漢官儀》曰：「始皇滅楚，以其君冠賜御史。」又《史記・秦始皇本記》曰：「使御史案問諸生」又《資治通鑑・秦鑑注》曰：「秦御史，討奸滑，治大獄。」可知御史職司糾察及治大獄，同時並監督和保管各種圖書秘籍。

《雲夢秦簡》中關於「御史」的資料有兩條，一條已見上引，即「歲讎辟律于御史」（二六六簡）由這條可知秦的司法官吏每年必須到御史處核對其所保藏的刑律。第二條見於《傳食律》：

> 御史卒人使者，食粺米半斗，醬駟（四）分升一，采（菜）羹，給之韭葱。其有爵者，自官士大夫以上，爵食之。使者之從者，食糲（糲）米半斗；僕，少半斗。（二四六—二四七簡）

律文規定御史的卒人出差驛站供給飯食的情形。這一條並沒有直接涉及「御史」，律文中所提到的「御史」，《睡虎地秦墓竹簡注》懷疑是監郡的御史，資料不足，無法證明。關於秦的御史，《雲夢秦簡》的資料僅此二條，只能大略看出其職掌之一鱗半爪，不能盡窺。劉海年先生《秦代的法吏體系考略》一文有個總結，對秦代御史的了解頗有參考價值，氏曰：

> 御史的權力逐步加大，從國家制度和法律制度的演變上可以看出。秦始皇統一全國之後，皇帝的權力至高無上，出口成法，生殺予奪；其詔令成爲國家法律的最基本的淵源，具有最高的法律效力。這樣，其近侍官員的權力必然日益加重。御史這種御用秘書官，最能體察皇帝的意圖，了解律令變更情況，由他們糾察百官，治理大獄，負責法律監督就不足爲怪了。⑦

二、郡級的法官法吏

郡級的法官法吏，除了「郡守」本人外，《雲夢秦簡》沒有任何資料。郡守是掌治郡的軍政司法的最高長官。在司法方面，秦的郡守可以頒修法律。⑧如《語書》曰：

> ・廿年四月丙戌朔丁亥，南郡守騰謂縣、道嗇夫：……今法律令已具矣，而吏民莫用，鄉俗淫失（泆）之民不止，是

即法（廢）主之明法毆（也），而長邪避（僻）淫失（泆）之民，甚害於邦，不便於民。（〇五四—〇五七簡）

- 故騰爲是而脩法律令、田令及爲間私方而下之，令吏明布，令吏民皆明智（知）之，毋巨（歫）於辠（罪）。（〇五七—〇五八簡）
- 今法律令已布，聞吏民犯法爲間私者不止，私好、鄉俗之心不變，自從令、丞以下智（知）而弗舉論，是即明避主之明法毆（也），而養匿邪避（僻）之民。……以次傳；別書江陵布，以郵行。（〇五八—〇六一簡）

這一份「文書」是南郡守騰爲了貫徹秦的法治而頒布的一份地方性的法規。其目的是在於整頓鄉俗，矯端民心；同時要求吏民都要知法尊法，對於違法失職的吏民，則依法論處，課以罪責。這份文書，說明了身爲郡守的騰有責任必須「脩法律令、田令及爲間私方而下之，令吏明布，令吏民皆明智（知）之。」當然除了郡守本身外，郡級必然也有法官法吏去襄理司法，可惜的是《雲夢秦簡》看不到這一方面的資料。

三、縣級的法官法吏

縣級的法官法吏主要是獄吏和令史，他們是主要辦理刑獄的司法基層官員。除此之外，尙有掌理縣政的縣令、長及其副手縣丞。縣令長除掌治一縣軍政之外，也掌司法；而縣丞的職責之一也是「署文書，典知倉獄」。這些由《雲夢秦簡》都可以看到非常多的例證。

㈠、縣令

秦代縣的司法主管是令、長，秦縣的令、長又稱縣（或道）嗇夫或大嗇夫（參見本編第二章《秦簡所見的嗇夫》），是掌治一縣軍政司法的長官。《後漢書百官志注》曰：「皆掌治其民，顯著勸義，禁奸罰惡，理訟平賊，恤民時務，秋冬集課，上計所屬郡國。」由此可見縣令是地方的基礎官吏，其職掌是相當重要而繁瑣的。而所謂「顯善、勸義」者，就是指辦理地方教育文化的職責；所謂「禁奸、罰惡、平賊」者，就是指維持地方治安的職責；所謂「恤民務時」者，是指辦理民政的職責；所謂「秋冬集課」是指考核監察縣吏的權力；所謂「上計於所屬郡國」是指將全縣戶口、墾田、賦稅收入、獄政等工作登記於計簿，然後上報；所謂「理訟」者，即是指縣令握有一地司法的權力和職責。⑨可見縣令、長的職責之一是掌理一縣的法律，尤其是刑獄方面的治理。在《雲夢秦簡・封診式》的司法爰書中，稱縣令、長爲「縣主」。如《有鞫》和《覆》爰書：

1.敢告某縣主：男子某有鞫，辭曰：「士五（伍），居某里。」　可定名事里，所坐論云可（何），可（何）辠（罪）赦，或覆問毋（無）有，遣識者以律封守，當騰，騰皆爲報，敢告主。（五八六一五八七簡）

2.敢告某縣主：男子某辭曰：「士五（伍），居某縣某里，去亡。」可定名事里，所坐論云可（何），可（何）辠（罪）赦，〔或〕覆問毋（無）有，幾籍亡，亡及逋事各幾可（何）日，遣識者當騰，騰皆爲報，敢告主。（五九三一五九四簡）

二爰書中所謂的「敢告某縣主」、「敢告主」，縣主指的就是縣令、長。二爰書內容都是要求縣負責人派人確定犯罪者的姓名、身份、籍貫，以及前科事項等等，然後謄錄回報。可見縣令、長也需處理上級的交付司法案件。《語書》中也特別規定：

今法律令已布，聞吏民犯法爲間私者不止，私好、鄉俗之心不變，自從令、丞以下智（知）而弗舉論，是即明避主之明法殹（也），而養匿邪避（僻）之民。如此，則爲人臣亦不忠矣。（〇五八一〇五九簡）

若弗智（知），是即不勝任、不智殹（也）；智（知）而

> 弗敢論，是即不廉殹（也）。此皆大辠（罪）殹（也），而令、丞弗明智（知），甚不便。今且令人案行之，舉劾不從令者，致以律，論及令、丞。（〇五九一〇六一簡）

由《語書》來看，身為一縣之主的縣令有依律舉劾吏民之犯法者的責任，如果知道而不加檢舉、不敢論處，「如此，則為人臣亦不忠矣」、「是即不廉也，此大罪也。」上級如果查到縣內有不從法令者，除了對犯罪者「致以律」外，還要「論及令丞」。可見縣令也有「舉劾不從令者」的責任，同時上級也據此考核縣令長。其所以如此者，即在於縣令是一縣司法的主管。

㈡、縣丞

《語書》中的丞，即是縣丞，是縣令、長的副手。《漢書・百官公卿表》曰：「縣令、長，皆秦官，掌治其縣……皆有丞尉，秩四百石至二百石，是為長吏。」另外，由《雲夢秦簡》中，「令、丞」、「縣嗇夫若丞」、「大嗇夫、丞」大都連稱，同時罪責相當，可以推知令、丞是一縣一級主管，而且丞是縣令，即縣嗇夫、大嗇夫之副。如：

- 自從令、丞以下智（知）而弗舉論（〇五八簡）
- 而令、丞弗明智（知）（〇六〇簡）
- 論及令、丞（〇六一簡）
- 獨多犯令而令、丞弗得者（〇六一簡）
- 以令、丞聞（〇六一簡）
- 當居曹奏令、丞（〇六六簡）
- 令令、丞與賞（償）不備史主（〇九九簡）
- 縣嗇夫若丞及倉、鄉相雜以印之（〇八八簡）
- 以丞、令印印（一三一簡）
- 如令、丞（三二一簡）
- 令、丞為不從令（二五六簡）
- 令、丞以為不直（〇六六簡）

- 其令、丞坐之（三二二簡）
- 大嗇夫及丞除（二八六簡）
- 故嗇夫及丞皆不得除（二八六簡）
- 令、丞皆有辠（罪）（〇八七簡）
- 大嗇夫、丞及官嗇夫有辠（罪）（二〇三簡）
- 大嗇夫、丞智（知）而弗辠（罪）（二四二簡）
- 大嗇夫、丞智（知）而弗辠（罪）（三〇三簡）
- 大嗇夫、丞任之（二六三簡）
- 令、丞各一甲（三三七簡）
- 令、丞各一甲（三四簡）
- 令、丞貲一甲（三一九簡）
- 及令、丞貲各一甲（三四二簡）
- 令、丞二甲（三三八簡）
- 令、丞一盾（三四四簡）

《後漢書・百官志》曰：「丞署文書，典知倉獄。」可知刑獄也是丞的重要職責之一。同時《雲夢秦簡》也證實這個說法是正確的。從《封診式》中的《封守》爰書來看，秦代縣級的文書都是由縣丞來簽發的，如：「鄉某爰書：以某縣丞某書。」（五八八簡）《封守》查封被審訊人的行動，就是根據縣丞所簽發的文書，可見縣丞也協助縣令負責全縣的司法事宜。又由《封診式》的其他資料，也可以證明這一點，如《告臣》和《黥妾》爰書中，有縣丞簽發給某鄉主（鄉負責人）文書。其內容爲：

1.丞某告某鄉主：男子丙有鞫，辭曰：「某里士五（伍）甲臣。」　其定名事里，所坐論云可（何），可（何）辠（罪）赦，或覆問毋（無）有，甲賞（嘗）身免丙復臣之不殹（也）？以律封守之，到以書言。（六二九一六二一簡）

2.丞某告某鄉主：某里五大夫乙家吏甲詣乙妾丙，曰：「乙

令甲黥劓丙。」 其問如言不然？定名事里，所坐論云可（何），或覆問毋（無）有，以書言。（六二三—六二九簡）

這二份爰書的內容形式和前引的《封守》爰書相同，語式也一樣，可以看出是爰書的固定公文程式。其內容是要求鄉負責人派人確定犯罪者的姓名、身份、籍貫，以及前科事項等等，同時也要求「到以書言」，即要求文書到後鄉必須以書面回報。另外，在《出子》爰書中還有縣丞派人對流產嬰兒的案情檢查報告爰書，如：

丞乙爰書：令令史某、隸臣某診甲所詣子，已前以布巾裹，如衃（衃）血狀，大如手，不可智（知）子。即置盎水中榣（搖）之，音（衃）血子殹（也）。 其頭、身、臂、手指、股以下到足、足指類人，而不可智（知）目、耳、鼻、男女。出水中有（又）音（衃）血狀。其一式曰：令隸妾數字者某某診甲，皆言甲前旁有乾血，今尚血出而少，非朔事殹（也）。某嘗（嘗）懷子而變，其前及血出如甲□。（六六七—六七〇簡）

在《告子》爰書中，丞還親自審訊被告，如：

丞某訊丙，辭曰：「甲親子，誠不孝甲所，毋（無）它坐辠（罪）。」（六三一簡）

另外，在上引爰書中（如《告臣》、《告子》等）縣丞除訊問被告外，尚須詣問告發人、詣問證人、參加現場勘驗以及司法調查。（請參見本章第二節《學吏制度》）可見縣丞在簽發文書之外，也審理刑獄。這說明《後漢書・百官志》所謂的「丞署文書，典知倉獄。」正是秦代縣丞職責的一種沿續。

㈢、獄吏

獄吏即治獄吏、獄掾，是縣令、丞之下的刑獄的專門屬吏。（關於吏的屬性，詳見本章第二節，不贅）獄吏的資料大都見於

《法律答問》，如：

1.士五（伍）甲盜，以得時直（值）臧（贓），臧（贓）直（值）過六百六十，吏弗直（值），其獄鞫乃直（值）臧（贓），臧（贓）直（值）百一十，以論耐，問甲及吏可（何）論？甲當黥爲城旦；吏爲失刑辠（罪），或端爲，爲不直。（四〇三—四〇四簡）

2.士五（伍）甲盜，以得時直（值）臧（贓），臧（贓）直（值）百一十，吏弗直（值），獄鞫乃直（值）臧（贓），臧（贓）直（值）過六百六十，黥甲爲城旦，問甲及吏可（何）論？甲當耐爲隸臣，吏爲失刑辠（罪）。甲有辠（罪），吏智（知）而端重若輕之，論可（何）〇（也）？爲不直。（四〇五—四〇六簡）

這二條是對承辦司法的獄吏「失刑」或「不直」的解釋。《律說》解釋，輕罪重判或重罪輕判，法律對獄吏以失刑（用刑不當）論處；如係故意從重或從輕，則以不公論處。又《法律答問》曰：

3.甲賊傷人，吏論以爲鬥傷人，吏當論不當？當誶。（四八九簡）

殺傷事件獄吏卻以鬥毆傷人論處，法律規定應加以申斥。又《法律答問》曰：

4.甲盜羊，乙智（知）盜羊，而不智（知）其羊數，即告吏曰盜三羊，問乙可（何）論？爲告盜駕（加）臧（贓）。（四一六簡）

5.或自殺，其室人弗言吏，即葬貍（薶）之，問死者有妻、子當收，弗言而葬，當貲一甲。（四四七簡）

第四條是甲向獄吏控告乙盜羊而加贓；第五條是有人自殺，家屬未向獄吏報告，即自行埋葬。這二個案例都是以獄吏爲承辦的司法官吏。可見一般普通的案件大都由獄吏來承辦。上引諸例所謂的「吏」，所指的就是「獄吏」。

此外，《編年記》曰：

十二年，四月癸丑，喜治獄鄢。（〇一九・二簡）

秦始皇十二年，「喜」年二十八歲，這一年，「喜」由鄢縣縣令的屬吏進而為鄢縣的司法官吏，即獄吏。馬非百先生曰：

秦官有治獄吏，見《史記・秦始皇本紀》。有「獄掾」，見《史記・項羽本紀》及《曹相國世家》。又有獄吏，見《任敖傳》。又蒙恬傳》：「恬嘗書獄典文學」《索隱》：「謂恬嘗學獄法，遂作獄官文學。」此言「喜治獄鄢」，可能就是以鄢令史調任「治獄吏」、「獄掾」或「獄吏」，或「作獄官文學」，猶言主管獄訟事宜。⑩

馬氏所引《史記》諸傳有治獄吏資料中，《秦始皇本記》內容為「三十四年，適治獄吏不直者，築長城及南越地。」「專任獄吏，獄吏得親幸。」；《項羽本記》內容為「乃請蘄獄掾曹咎書抵櫟陽獄掾司馬欣」；《曹相國世家》內容為「曹參者，沛人也。秦時為沛獄掾。」；《任敖傳》內容為「少為獄吏」。漢代史籍也有關於這方面的材料。如：《漢書・曹參傳》曰：「秦時為獄掾」，《漢書・蕭何傳》謂蕭何任「沛主吏掾」。由此看來，獄吏、治獄吏、獄掾三者，實是「同官而異稱」。⑪

㈣、令史

令史是秦代習見的基層官吏，于豪亮先生認為令史是一般的辦事人員。一般的令史只是斗食史，比百石的有秩吏級別低。⑫《漢書・百官公卿表》曰：「百石以下，有斗食佐史之秩，是為少吏。」令史當是屬於少吏一級。秦代協理司法的令史，職級比獄吏低。這由《編年記》可以看出：

六年，四月，為安陸令史。（〇一三・二簡）

七年，正月甲寅，鄢令史。（〇一四・二簡）

十二年，四月癸丑，喜治獄鄢。（〇一九・二簡）

墓主「喜」是先任安陸和鄢的令史之後，再擢升爲鄢的治獄吏，可見後者職級比前者高。

《雲夢秦簡》中職司司法的令史，大都見於《封診式》中。在所有的訟獄案件，凡有關勘查、檢驗、鑒定、搜查、查封及拘提等行動中，令史都實際參與。如（以下只書其意，不引原文）：

1.在《爭牛》爰書中：記載某里公士甲和士伍乙爭訟同一頭牛，司法機關「即令令史某齒牛」（六〇四簡）；

2.《告臣》爰書中：記載某里士伍甲綑送其奴隸丙，因其「橋（驕）悍，不田作，不聽甲令。」（六一七簡）請求賣給官府，並「斬以爲城旦」並請官府給予價錢。經司法單位審訊丙後，再令「令史某往診（檢驗）丙」（六一九簡）沒有病。然後命少內某、佐某按市場標準價格在縣丞某面前將丙買下。

3.在《賊死》爰書中記載：某亭求盜甲報告：「在轄地內發現被殺死的梳髻無名男子一人。」（六三五簡）司法機關「即令令史某往診」（六三五簡）

4.在《經死》爰書中記載：某里的典甲報告：「某里人士五（伍）丙在家中吊死，不知是什麼原因。」（六四三簡）司法機關「即令令史某往診」（六四三簡）

5.在《穴盜》爰書中記載：某里士五（伍）乙報告：屋子被挖洞，失竊復（複）結衣一件，並描述失竊經過，「不智（知）穴盜者可（何）人、人數。」（六五四簡）司法機關「即令令史某往診」（六五四簡）

6.在《出子》爰書中記載：某里士五（伍）妻甲報告：甲已懷子六月，與同里大女子丙鬥毆，甲與丙互相揪住頭髮，丙並把甲摔倒。同里人公士丁來救，把丙、甲分開。甲到家即患腹痛，之後就流產。「今甲裹把子來詣自告（自訴）**，告丙。」**（六六四—六六五簡）**司法機關「即令令史某往執丙」**（六六六簡）**同時，丞乙爰書中並記明「令令史某、隸臣某診甲所詣子」**（六六六簡）

由上六例可以看出在訟獄案件中，凡有關勘查、檢驗、鑒定、搜查、查封及拘提等行動中，令史都實際參與。可見令史所承擔的是這類事務性的司法工作。同時在有執行過程中，丙也必須具一定的偵察和法醫的專門知識，如《賊死》和《經死》的調查和驗屍部分就需要專門的法醫知識，至於《經子》部分，則因案例特殊，需由「隸妾數字者」（多次生育的隸妾）（六六九簡）協助檢驗。

令史在勘查、檢驗、鑒定、搜查、查封及拘提等行動之後，往往也必須做作被告人口供，或現場勘驗記錄或法醫檢驗報告及案情綜合報告書。如上述的案例中，其後往往附有此類爰書：

- **令史己爰書：**（下略，六三〇簡）
- **令史某爰書：**（下略，六三六簡）
- **令史某爰書：**（下略，六四三簡）
- **令史某爰書：**（下略，六五四簡）

另外，在《遷子》爰書中，在解送犯人的過程中，經過廢丘時，「令吏徒將傳及恆書一封詣令史」（六二八簡）請求該縣令史更換「吏和徒隸」，並逐縣解到目的地。

綜上可知，令史的工作十分繁雜，但卻是縣司法機構中治理訟獄的重要辦事人員，他通常都是在上司（縣令、縣丞、獄吏）的交付下，實際參予和執行。

【附註】

①參見《商君書・君臣》。

②參見《商君書・定分》。該篇歷來學者皆以爲非商鞅所作。如劉汝霖先生曰：「《定分篇》郡縣、諸侯天子之吏等語，似秦統一以後

之記載。『一人走，百人逐之，非以兔也。』，乃《愼子》之言。『夫微妙意志之言，上智所難也。夫不待法令繩墨而無不正者，千萬之一也』，柔韓非之言。皆可證此篇爲秦、漢人掇拾法家餘論，僞託商君而作。」（《周秦諸子考》）；容肇祖先生認爲是漢初作品（《商君書考證》，文載《燕京學報》第二十一期，一九三七年六月）；鄭良樹先生認爲本篇是商鞅後學，即所謂商鞅學派的作品，應成書於秦始皇二十六年統一天下以後，至三十三年郡縣成定制，下令以吏爲師之間的七年之內。（《商鞅及其學派》，臺灣學生書局，一九八七年）鄭氏論證甚詳，可爲參考。本文採鄭氏說法。

③參見氏著《秦代的法吏體系考略》，文載《學習與探索》一九八二年二期。

④參見《睡虎地秦墓竹簡》，頁九三，《法律答問》說明部分。

⑤參見黃留珠先生《略談秦的法官法吏制》，文載《西北大學學報》（哲學社會科學版）一九八一年第一期。

⑥參見《睡虎地秦墓竹簡》，頁六五。

⑦同③。

⑧於秦法，在主體上應是不容隨意更改的，尤其秦始皇統一之後，就強調「一法令」，使「法令出一」，「法令由一統」（《史記・秦始皇本紀》）但由《雲夢秦簡》和青川秦墓的木牘《爲田律》來看，秦國應該是允許地方政府另外頒布地方性或事務性的法規。如《爲田律》曰：「二年十一月己酉朔，朔日，命丞相戊、內史匽，□□更修爲田律：田廣一步，袤八則，爲畛。畝二畛，一陌道。百畝爲頃，一阡道。道廣三步。封高四尺，大稱其高。埒高尺，下厚二尺。以秋八月修封埒，正疆畔及發阡陌之大草。」（參見四川省博物館、青川縣文物館：《青川縣出土秦更修田律木牘》，《文物》，一九八二年第二期。）其中所謂的「更修爲田律」和《雲夢秦簡》中南郡守騰頒布的《語書》一樣，是秦法在一定的範圍內，允許對某些法令不足的地方加以修改。

⑨參見楊鴻年、歐陽鑫《中國政制史》，頁三八六—三八七，《安徽教育出版社》一九八九年三月。

⑩參見氏著《雲夢秦簡大事記集傳》。又參見本文《緒論篇》「墓主生平」部分。

⑪同官而異稱語見清末金少英《秦官考》一書。

⑫參見氏著《雲夢秦簡所見職官述略》，文載《于豪亮學術文存》，頁一〇九。

第二章　秦簡所見的嗇夫

「嗇夫」的官稱，常見於漢代的史籍和考古文字資料。而在《雲夢秦簡》中的秦律部分有關嗇夫的資料則更多。其種類也有十餘種：如大嗇夫、縣嗇夫、嗇夫、離官嗇夫、田嗇夫、倉嗇夫、庫嗇夫、亭嗇夫、献園嗇夫、司空嗇夫、發弩嗇夫、廐嗇夫、皂嗇夫等。秦簡全文提到「嗇夫」官稱的就有一百多次，①這些嗇夫，基本上都是秦代的基層主管。雖然這些未必就是秦代嗇夫的全貌，但由此多少可以看出秦代基層官吏的概況。

第一節　嗇夫溯原

嗇夫的起源甚早，《左傳・昭公十七年》：「大史曰：……故《夏書》曰：『辰不集於房，瞽奏鼓，嗇夫馳，庶人走。』」②《左傳》所引的內容是當出現日蝕現象時，樂師擊鼓通知，嗇夫馳車庶人奔走相告，來應付災異。（此依杜《注》爲說）僞古文《尚書・胤征》亦收入《夏書》此文，僞孔《傳》云：「嗇夫，主幣之官。」指出嗇夫的職務是「主幣」。《漢書・五行志》亦收此文，並釋嗇夫爲「掌幣吏」。《管子・君臣》曰：「吏嗇夫任事，人嗇夫任教。教在百姓，論不在撓，賞在信誠，體之以君臣，其誠也以守戰。如此，則人嗇夫之事究矣。吏嗇夫盡有訾程事律，論法辟、衡權、斗斛，文劾不以私論，而以事爲正。如此，則吏嗇夫之事究矣。人嗇夫成教，吏嗇夫成律之後，則雖有敦愨忠信者不得善也，而戲豫怠傲者，不得敗也。」尹知章《注》曰：「吏嗇夫，謂檢束群吏之官也，若督郵之比也。人嗇夫，亦謂檢束百姓之官。」這個說法，是有問題的。裘錫圭先生認爲清人張佩綸所說的：「『人嗇夫』本當作『民嗇夫』，古書常見的鄉嗇夫即『即民嗇夫之類也』；《史記・張釋之傳》的虎圈嗇夫、《漢書・何武傳》的市嗇夫，『即吏嗇夫之類也』。」是正確的③。這個說法，從秦律看，也確實如此。不過尹氏的說法也不全然是錯，吏嗇夫是「任事」的，當以爲主管事務爲主，如倉嗇夫、田嗇夫、苑嗇夫、廐嗇夫之類，尹氏將之釋爲「檢束群吏之官」是不對的；人嗇夫是「任教」的，當是管理百姓的基層官吏，尹氏將之釋爲「檢束百姓之官」，卻是可從的。若依《管子》的分類，嗇夫可分爲二類，一是「吏嗇夫」，一是「人嗇夫」，而前引《左傳》的嗇夫是屬於「人嗇夫」，僞孔《傳》及《漢書》注中謂的嗇夫則是「人嗇夫」。轉引同一資料，而注解有別，可見在先秦以前「嗇夫」究竟是一個專門官職的名稱？抑或是對某類官吏的泛稱？並未明確。

嗇夫的起源雖早，但學者對嗇夫原始身份的看法卻仍有分歧。

「嗇夫」一詞，原來並不是官稱，而是指「田夫」。錢劍夫先生認爲「嗇夫」就是「田夫」，也就是「農夫」。同時認爲嗇夫從一個普通農民成爲官稱，在較原始的時期大約經過了兩次變化。一是優秀的農夫被選拔爲田官，一是某些田官死後被推尊爲田神。在春秋初期，嗇夫隨著社會的經濟發展，嗇夫的角色開始起了變化，或爲主幣之官，或爲司空之屬。至戰國，嗇夫的變化更趨顯著，計有四種不同的情況：一是爲國君左右奏事引見的官員，二是相國左右給事的屬官，三是分治庶政的百官，四是最小縣邑次於縣令的縣官。其後由於商鞅變法，「集小都、鄉、邑、聚爲縣，置令丞」，再經秦始皇統一中國，確立郡縣制，最後變爲縣級的主官，或縣級事務的主管，而成爲一般基層少吏的通名。④朱大昀先生則針對錢說提出「嗇夫」原非泛指農夫而是指收獲者，並由收獲者變爲收斂者和依附於權貴的小官吏。同時認爲嗇夫不可能從尊崇到「漸趨卑賤」，反而是變得更加重要，其性質也由早先附庸於權貴的「嗇夫」，轉成新式的「官吏」，成爲收賦稅、核戶口、監督生產、主持賞懲的基層主管和中央政權下各種下層機構的主管。⑤

要了解嗇夫，須先了解「嗇」字的意思。《說文》嗇部：「嗇，愛濇也。从來从㐭。來者，㐭而藏之，故田夫謂之嗇夫。」又《說文》來部：「來，周所受瑞麥來麰。一來二夆，象芒朿之形。」又《說文》部：「㐭，穀所振入也。宗廟粢盛蒼黃，振而取之，故謂之㐭，从入，从回，象屋形，中有戶牖。」依《說文》可知「嗇」字乃將穀收而藏之。甲骨文嗇字作（佚七七一）、（乙四六一五）、（前四・四一・三）、（後下七・二）；金文作（沈子簋）、（牆盤），《說文》古文作。甲骨文、金文，嗇字或从禾从㐭，或从禾从田，《說文》古文作，从田。羅振玉曰：「《說文解字》『嗇，濇愛也，从來从㐭，來者，㐭而藏之，故田夫之謂嗇夫，古文作，从田。』又穡注：『穀可收曰穡，从禾，嗇聲。』案嗇穡乃一字，卜辭从田，與許書嗇之古文合，从二禾，與許書穡字从禾形合。穡訓收斂，从秝从田，禾在可斂也。《師寰簋》穡作，亦从秝，《左氏・襄九年傳》『其庶人力於農穡』注：『種曰農，收曰穡。』田夫曰嗇夫，誼主乎收斂。又穡字，《禮記》皆作嗇，此穡嗇一字之明證矣。其本義爲斂穀，引申而爲愛濇，初非有二字。」⑥羅氏謂嗇穡爲一字，雖未必正確，但嗇穡互通，卻無疑義。⑦又孫詒讓曰：「，當即嗇字，《說文・嗇部》：『嗇，愛濇也，从來㐭，來者，㐭而藏之，故田夫謂之嗇夫。一曰棘省聲。』此上从，即來之省，下从，即㐭之省。」⑧由甲骨文、金文來看，嗇字下或从田，或从，又陳夢家曰：「㐭是積穀所在之處，即後世倉廩之廩，動詞，所以斂收之則曰。」⑨李孝定先生曰：「契文作，與小篆同，或作穡，

从秝，非許訓稀疏適秝之秝，乃禾之繁文曰：从禾與从來同意，或作𤳉，从田，與許書古文同，並是一字，孫羅兩氏之說均是也。陳氏（陳夢家）謂𤳉與農事有關而其義不詳，蓋不知𤲿𤳉之為一字也。作𤲿，若嗇者，藏禾麥於㐭；作𤳉者，田禾成熟可收嗇也。」⑩由上引諸說可知「嗇」字與農事有關，若从㐭，則作藏禾麥於倉廩，若从田，則作田禾成熟可收於倉廩。是嗇字有收斂之意。

錢劍夫先生認為嗇夫，就是農夫，而朱大鈞則為「嗇夫原非泛指農夫而是指收獲者。」⑪皆取義於此。不過，朱大鈞先生認為：

> 從東漢《說文》有「故田夫之謂嗇夫」一語以來，有些人總以為最早的「嗇夫」是指「農夫」，其實，這只是漢人的一種引申，並不是它的本義。關於「嗇」，一些學者曾認為它就是甲骨文中的「𤳉」字，「𤳉」象田中盛長禾稼，故嗇的初字也就是農耕之意，於是，「嗇夫」也就正好是農夫了。然而，考金文中的「嗇」字，或作㽞或作𪏽，與「𤳉」幷不相干，因，「𤳉」此即「嗇」的說法，早就被人懷疑過，扶風西周青銅器窖藏《史牆盤》的發現，進一步證實了這種懷疑很有道理。這個盤中的銘文中，有「無諫農嗇，歲𤳉隹辟」等句，「𤳉」、「嗇」同時出現，寫法用法各異，足證「𤳉」「嗇」幷非一字。此盤是共王物，屬西周中期，可見「嗇」字的出現也並不晚，但它和「𤳉」卻不是一碼事。⑪

朱氏認為金文並無「𤲿」字，其實是錯誤的，《牆盤》的嗇字即作此形。（參見前引字形）至於嗇𤲿是否一字，前引諸說論述甚詳，不贅。此外，朱氏認為「『嗇』既是指收穀，『嗇夫』也應該是指從事於收藏穀物的人，而不是一般的『農夫』。」「嗇夫」是收藏穀物的人，這是正確的。但收藏穀物的不是一般的

「農夫」，又是什麼人呢？再者，朱氏認爲「嗇夫」原來是指收藏穀物入倉的人，不能視爲一般農夫，似乎並沒有否認嗇夫就是農夫，只不過不是「一般的」而已。又朱氏謂古人常以「農嗇」、「稼嗇」連寫，這才是農事的全部過程。⑫《左傳・襄公九年》曰：「其庶有力於農穡」《注》曰：「種曰農，收曰穡。」農是指農作，穡是指收藏，農夫經過「農力之成功」⑬而加以收藏，不正是「農事的全部過程嗎？所以，刻意將農夫和收獲者分而爲二，是不合理的。

再者，《尚書・盤庚》曰：「若農服田力穡，有亦乃秋。」，《漢書・成帝紀》引爲「服田力嗇」。《尚書・大誥》曰：「若穡夫，予曷敢不經朕畝。」，《漢書「穡夫」亦作「嗇夫」。《尚書・夏小正》曰：「十有一月，王狩，陳筋草，嗇夫不從。」，李調元《夏小正箋》曰：「嗇當作穡，農夫也。言大閱之時，農夫不從狩，所以休息也」。畢沅《夏小正考注》亦曰：「嗇夫即農夫也」。

由上所述可知，嗇夫，本義是指田夫，其實就是農夫。

嗇夫既是農夫，何以卻成爲官稱呢？就文獻來看，是有其歷史和社會因素的。

【附註】

①秦簡中提到「嗇夫」的資料，有：

【嗇夫】共三十次

《秦律十八種・倉律》（〇八九）

《秦律十八種・金布律》（一四一）

《秦律十八種・金布律》（一四七）

《秦律十八種・金布律》（一四九）

《秦律十八種・置吏律》（二二六）

《秦律十八種・效律》（二三八）

《秦律十八種・內史雜》（二五六）
《秦律十八種・內史雜》（二五七）
《效律》（二七七）
《效律》（二八六二八六）
《效律》（二九七）
《效律》（三二〇）
《秦律雜抄・除吏律》（三二八三三一）
《秦律雜抄・藏律》（三四四）
《秦律雜抄・佚律》（三四七）
《秦律雜抄・佚律》（三四八三四九）
《秦律雜抄・佚律》（三四九三五〇三五一）
《秦律雜抄・牛羊課》（三五一三五一）
《法律答問》（四二六）
《法律答問》（四三一）
《法律答問》（四六四）
《法律答問》（四六五四六五四六五）
【大嗇夫】共六次
《秦律十八種・司空律》（二〇三）
《秦律十八種・效律》（二四二）
《秦律十八種・內史雜》（二六三）
《效律》（二八六）
《效律》（三〇三）
《法律答問》（三二三）
【田嗇夫】共二次
《秦律十八種・田律》（七九）
《秦律十八種・廏苑律》（八〇八一）
【司空嗇夫】共一次
《秦律雜抄》（三四八）

【皀嗇夫】共一次

《秦律雜抄・佚律》（三五八）

【官嗇夫】共十四次

《秦律十八種・金布律》（一四六）

《秦律十八種・金布律》（一四七）

《秦律十八種・金布律》（一四八）

《秦律十八種・司空律》（二〇三）

《秦律十八種・置吏律》（二二八）

《秦律十八種・效律》（二二九）

《秦律十八種・效律》（二三一二三二）

《秦律十八種・效律》（二四五）

《秦律十八種・內史雜》（二四六）

《秦律十八種・內史雜》（二六四）

見於《效律》的「官嗇夫」共二十八次

（二七〇、二七一、二七六、二七七、二七八、二八一、二八二、二八三、二八三、二八三、二八五、二八五、二八七、二八七、二九〇、二九一、二九一、二九一、三〇七—三〇八、三一〇、三一一、三一二、三一九、三一九、三一九、三二四—三二五、三二七、三二七）。

【苑嗇夫】共一次

《秦律十八種・內史雜》（二五七）

【庫嗇夫】共一次

《秦律雜抄・佚律》（三四三）

【倉嗇夫】共九次

《秦律十八種・倉律》（八八）《秦律十八種・效律》（二三五）《秦律十八種・效律》（二三六）《秦律十八種・效律》（二三九、二三九）《效律》（二九五）《效律》（二九六）《效律》（三〇〇、三〇二）

【道嗇夫】共一次

《語書》（○五四）

【廄嗇夫】共一次

《秦律雜抄・佚律》（五七）

【發弩嗇夫】共二次

《秦律雜抄・除吏律》（三三○三三○）

【縣嗇夫】共十一次

《語書》（○五四）《秦律十八種・倉律》（八八）《秦律十八種・徭律》（一八七）《秦律十八種・效律》（二三六）《效律》（二九六）《秦律十八種・效律》（二三六）《效律》（二九六）《秦律雜抄・佚律》（三四七）《秦律雜抄・戍律》（三六七）

【離官】共一次

《秦律十八種・金布律》（一三九）

【槼園】共二次

《秦律雜抄・佚律》（三四八一三四九）另有一條將都倉、庫、田、亭等嗇夫同時提到的。其它冗吏、令史掾計者，及都倉、庫、田、亭嗇夫坐其離官屬于鄉者，如令、丞。《效律》（三二○）

②《左傳》所引的《夏書》並非夏代的作品，但其時代應早於戰國。又僞古文《尙書・胤征》曰：「乃季秋月朔，辰弗集於房，瞽奏鼓，嗇夫馳，庶人走。」其中「不」字作「弗」。

③參見氏著《嗇夫初探》，文載《雲夢秦簡研究》頁二七四。

④參見氏著《秦漢嗇夫考》，文載《中國史研究》一九八○年第一期，頁一三一一一四二。

⑤參見氏著《有關「嗇夫」的一些問題》，文載《秦漢史論叢》第二輯一九八三年，頁一七三一二○二。

⑥參見氏著《增訂殷虛書契考釋》中，三十五頁上。

⑦陳夢家《卜辭綜述》，頁五三六一五三七。

⑧孫詒讓《契文舉例》上，三十一頁下。

⑨陳夢家《卜辭綜述》，頁五三五一五三七。

⑩李孝定《甲骨文字集釋》，頁一八八五。

⑪同⑤。

⑫同⑤。

⑬參見《儀禮・特牲禮注》。

第二節　嗇夫的演化

從文獻資料看，嗇夫變爲官稱在春秋之時已經開始。嗇夫本是田夫，既如前述。何以卻又變成官稱呢？錢劍夫先生認爲：嗇夫從普通農民變爲官稱，在較原始的時期大約經過兩次變化。第一次變化是其中的先進者被選拔爲田官；第二次變化是某些田官死後，被尊爲田神。錢氏曰：

> 《詩・小雅・甫田》：「曾孫來止，以其婦子，饁彼南畝，田畯至喜」。鄭箋：「田畯同嗇，今嗇夫也」。據此，則漢代的嗇夫就是古代的田畯。但田畯是田官，而且是「田夫之俊者」，故《爾雅・釋言》：「畯，農夫也。」郭注亦云：「今之嗇夫是也」。那麼在其開始變化時，亦必因其是普通農民中的先進份子和生產能手，所以才被選拔出來而爲田官。這一提升，既是爲了加高農業生產的發展，也是後來成爲「聽職訟，收賦稅」的鄉官的前導和根源。嗇夫爲田官，這是它的第一次變化。
>
> 《禮記・郊特牲》：「蠟之祭也，主先嗇而祭司嗇也。祭百神以報嗇也。」鄭注：「先嗇，若農神者；司嗇，后稷是也。嗇所樹藝之功，使盡享之」孔疏：「先嗇，司嗇，

並是人神」。這裡所說的「人神」，無論是先嗇或者司嗇，最初都是嗇夫，這是毫無問題的。所謂神農，也就是這個意思。《甫田》詩孔疏亦云：「始教造田謂之『田祖』，先爲稼嗇謂之『先嗇』，神其農事謂爲『神農』，名殊而實同也」。嗇夫，由田官被尊爲田神，這是它的第二次變化。①

錢氏的說法，前一項所謂由田夫中的優秀者進而成爲田官，基本上是正確的。這可以說明嗇夫身份變化的初階。但所謂某些田官死後被而爲神，則是值得商榷的。從文獻上看，嗇夫的身份其實是很多樣化的。

首先，必須再談嗇夫的「嗇」字。第一節中提到「嗇」字與農事有關，從甲骨文來看，嗇字若从㐭，則作藏禾麥於倉廩；若从田，則作田禾成熟可收於倉廩。是嗇有收斂之意。從文獻上看，也是如此。《禮記‧郊特牲》曰：「主先嗇而祭司嗇也。」《疏》曰：「種曰農，斂曰稼」。《詩經‧伐檀》曰：「不稼不穡」，《傳》曰：「斂之曰穡。」可見「嗇」字，的確有收斂之意。田夫由力於農穡，轉而爲田官之後，除負責督教農務之外，更因嗇有收斂之意，而使田官兼而有收取田賦之責，這是可以理解的。事實上，斂字確有多重義，它不僅有收斂之意，同時還有「聚斂」、「征斂」，及「斂稅」之意。嗇字既訓爲斂，當亦兼有上述諸義。《詩經‧信南山》曰：「曾孫之嗇，以爲酒食」，鄭《箋》曰：「斂稅曰嗇」。《大戴禮‧少閒》曰：「順天嗇地」，《注》曰：「嗇，收也」。《管子》曰：「人君非發號令收嗇而戶籍也」，《注》曰：「嗇，斂也」。從上引資料中，可以看出，嗇夫由田夫進而爲田官後，當亦兼有收稅或收穀之責。而嗇夫也順理成章的成爲采地、采邑上的收稅人的稱謂。斂稅要以政治強制爲條件，斂稅者也就自然是行政管理者，也即統治庶人的縣邑嗇夫。同時，因社會經濟的發展和分工的精密，其基層各部類和部門的主管，亦被稱爲嗇夫。②因此，在春秋戰國，嗇夫的身份，就很多樣化了。依《管子》的分法，是人嗇夫和吏嗇夫都有的。

嗇夫的身份，在春秋戰國，從文獻上，可見的大約有以下幾種：

一、管理庶民的嗇夫：

《左傳・昭公十七年》載「夏六月甲戌朔，日有食之，祝史請所用幣」，「大史曰：……故《夏書》曰：『辰不集於房，瞽奏鼓，嗇夫馳，庶人走』」。僞古文《尙書・胤征》亦曰：「惟時，羲和顚覆厥德，沈亂於酒，畔官離次，俶擾天池，遐棄厥司，乃秋季月朔辰集於房，瞽奏鼓，嗇夫馳，庶人走。羲和尸其官，罔聞知，昏迷於天象，以干先王之誅」，僞孔《傳》曰：「嗇夫，主幣之官；馳取幣，禮天神」。又《漢書・五行志》引上文，並釋爲「掌幣吏」。二書所注，皆誤。據文意，是指羲和見罪於天而出現日食現象時，於是樂師擊鼓通知，而嗇夫奔馳走告，叫庶人來應付災異。由嗇夫有責任奔走馳告庶人，可見嗇夫與庶人關係密切，當是直接管理庶人的「人嗇夫」，其職級當是縣邑級的基層官吏。

另外，《韓非子・說林》提到了縣邑嗇夫。而《淮南子・人間》曰：「中行穆伯攻鼓下，弗能下，饋聞倫曰：鼓之嗇夫，聞倫知之，請無罷武大夫而鼓可得也。」裘錫圭先生謂「鼓之嗇夫也應是縣邑嗇夫一類人。

二、職司司空的嗇夫：

《儀禮・覲禮》曰：「天子衮冕負斧依，嗇夫承命告於天子」，鄭玄《注》云曰：「嗇夫，蓋司空之屬也」。不過，鄭《注》是臆測之辭，並不可信。有些學者認爲此處的嗇夫是指跟隨諸侯前來覲見的小官吏，亦有學者認爲是屬於在天子與覲見諸候之間傳達辭令的嗇夫。

三、職司謁見嗇夫：

《戰國策・魏策四》曰：「周最善齊，翟强善楚，二子者，欲傷張儀於魏。張子聞之，因使其舍人爲『見者嗇夫』聞見者因無敢傷張子」。錢劍夫先生謂「見者嗇夫，可能與秦漢的『謁者』相同，也是專門在國君左右經管奏事引見的官員。」③從文意看「見者嗇夫」的確有奏事引見的味道。裘錫圭先生謂見者嗇夫當然是主管引見等事的嗇夫。

另外從出土器物的銘文上，也可以看到不少嗇夫的職稱，如裘文所收的三晉兵器中，有不少銘文出現「庫嗇夫」的資料。其中有《三代吉金文存》三・四三上所見的「庫嗇夫」、湖南省博物館藏戈所見的「邦庫嗇夫」；以及在新鄭發現而未公布的韓國兵器所見的「庫嗇夫」、「邦庫嗇夫」、「大（太）官下庫嗇夫」、「大（太）下庫嗇夫」；魏國安邑下官銅鍾銘文所見的「府嗇夫」；另有三晉古印中所見的「餘子嗇夫」及非三晉系統的中山王墓圓壺所見的「左使車嗇夫」和其他器物所記的「右使車嗇夫」、「冶匀嗇夫」、「□器嗇夫」、「床□嗇夫」。④這些銘文上的嗇夫大都是主管鑄造工作的技術官僚的職稱。屬於吏嗇夫職事系統的主管官吏名稱。

總此而言，春秋戰國嗇夫的資料雖非全面的，但卻可以看出嗇夫的職稱使用已經很普遍，同時所主管的事務範圍也很廣泛。如有掌管庶政的人嗇夫，也有主管各項事務的吏嗇夫。當然這些嗇夫的官稱，在春秋戰國之際的秦國也應該是很普遍地在使用。除了以下要論述的秦簡中的嗇夫可以證實這一點外，在鳳翔高莊的戰國秦墓中，也有「右使車嗇夫」的銘文。這說明在春秋戰國事實上已很廣泛地使用嗇夫這個官稱，同時也可以看出「嗇夫」

的職級通常都是很基層的縣級主管或是吏嗇夫系統的技術官僚。

【附註】

①參見氏著《秦漢嗇夫考》，頁一三七——三八。

②參見朱大昀《有關「嗇夫」的一些問題》，頁一九四——九五。

③同①。

④參見裘錫圭《嗇夫初探》，頁二九三—二九五。又裘文亦引臨沂銀雀山漢墓所出竹書中的《田法》、《庫法》、《市法》三篇中的邑嗇夫、田嗇夫、庫嗇夫和市嗇夫等戰國時齊國有關嗇夫的資料，亦可參考。

第三節　秦簡所見的人嗇夫

在第一節所引到《管子・君臣》中，將嗇夫分成二類，一類是任事的「吏嗇夫」，一類是任教的「人嗇夫」。「吏嗇夫」，尹知章注爲「檢束群吏之官也，若督郵之比也。」裘錫圭先生認爲是「望文生義的謬說」①其實《管子》文中對吏嗇夫的解釋很清楚，即：「盡有訾程事律，論法辟、衡權、斗斛，文劾不以私論，而以事爲正。」可見吏嗇夫的職掌是「職聽訟、收賦稅」，「以事爲正」的官吏。亦即是負責某一方面事務的官吏。鄭實先生曰：

> 輔佐當時各國國君或長史的官吏，統稱爲吏嗇夫，他們分管著某一部分事情，這在雲夢秦簡中可以得到大量的證明，不過在秦簡中叫做「官嗇夫」。在秦漢以前，「官」字的意思主要還不是表明身份，主要是當「事」的意思解。官嗇夫即管某一種事的嗇夫。②

從秦簡來看，鄭氏的見解是很正確的。尤其是指出秦的「官嗇夫」相當於《管子》的「吏嗇夫」這一點。「人嗇夫」，尹知章注為「檢束百姓之官」。由《管子》本文也可以很清楚地看出人嗇夫的職責是：「教在百姓，論不在撓，賞在誠信，體之以君臣，其誠也以守戰。」可見「人嗇夫」是管教百姓的官吏。裘錫圭先生引清人張佩綸的說法將「人嗇夫」解作「民嗇夫」，亦即是一般所謂的鄉官，這個看法是正確的。

秦代的嗇夫，基本上，也是分成「人嗇夫」和「吏嗇夫」二大系統。「人嗇夫」是縣級基層的官吏，屬於治民的官吏；「官嗇夫」（亦即吏嗇夫）是縣級專門事務的基層主管，屬於治事的官吏。以下分人嗇夫和官嗇夫二方面說明秦代的嗇夫。

一、人嗇夫

秦簡所見到的人嗇夫，有二種。一是縣嗇夫，一是大嗇夫。

秦簡出現「縣嗇夫」的官稱十一次，在資料上有九條，其中二條重複一共只有七條。重複的兩條是《秦律十八種》中的《效律》與《效律》相同部分。（前者二三五簡、二四〇簡，後者二九六簡、三〇一簡）秦簡出現「大嗇夫」的官稱計六次。

縣嗇夫和大嗇夫都是秦代的縣令。

關於縣嗇夫的身份，大部分的意見都認為是縣令。《睡虎地秦墓竹簡》釋曰：「嗇夫，古代官名，據簡文，縣及縣以下地方行政機構及都官的負責人都可稱嗇夫。按都官是朝廷諸官直屬機關，漢代九卿所屬機令，長秩六百石，和縣令同級。」③鄭實先生認為縣嗇夫是「當時縣令的別名」④裘錫圭先生則說：「從秦律看，縣嗇夫就是縣令。」⑤高恒先生亦謂：「據秦簡，縣令、長又可稱做『縣嗇夫』，即是說，秦簡中的「縣嗇夫」即縣令、長，並非另屬一個單獨的行政系統。」⑥朱大昀先生亦謂：「關於秦『縣嗇夫』是否是指縣主管這一點，目前也有爭議。我同意『縣嗇夫』是指縣的行政主管也即縣令的說法。」⑦不過，高敏先生雖然認爲大嗇夫就是縣嗇夫，但認爲這種嗇夫不是縣令，而是「地位僅次於縣令」的「全縣各類嗇夫的總頭。」⑧

以文獻而言，秦代縣級的行政主官稱爲縣令、長，未見稱「嗇夫」的。秦代設縣始於秦孝公時，《史記・秦本記》謂孝公十二年徙都咸陽後，商鞅「幷諸小鄉聚，集爲大縣，縣一令，四十一縣。」《史記・商君列傳》曰：「集小都鄉邑聚爲縣，置令、丞，凡三十一縣。」《史記・六國年表》謂孝公十二年，「初取小邑爲三十一縣。」從《史記》來看，秦代設縣置令、丞。《漢書・百官公卿表序》曰：「縣令、長，皆秦官，掌治其縣，萬戶以上爲令，秩千石至六百石；減萬戶爲長，秩五百石至三百石；皆有丞、尉，秩四百石至二百石，是爲長吏，百石以下，有斗食佐史之秩，是爲少吏。大率十里一亭，亭有亭長；十亭一鄉，鄉有三老，有秩、嗇夫、游徼。三老掌教化，嗇夫職聽訟、收賦稅；徼循禁盜賊。縣大率方百里，其民稠則減，稀則曠，鄉、亭亦如之，皆秦制也。」《漢書》所記，縣設令、長，其標準是「萬戶以上爲令」，「減萬戶爲長」。至於「嗇夫」，只是鄉制，並非縣級的主管，其職責也僅限於「聽訟、收賦稅」而已，與秦簡所載的縣嗇夫職責差距頗大。由於《漢書》所記，强調「皆秦制也」，而卻無與縣令、長同級的縣嗇夫官稱，是其可疑處。其原因當與漢時縣級的令、長不再稱嗇夫有關。

從秦簡來看，本文認爲縣嗇夫是秦代縣級的主管，亦即是縣令。其理由如下：

㈠、**從文書來看**：縣嗇夫就是縣令。《語書》是秦始皇二十四年，南郡守騰發給所屬各縣、道嗇夫文書。其文書首曰：「廿四年四月丙戌朔丁亥，南郡守騰謂縣、道嗇夫。」（〇五四簡）依秦郡縣制，縣是郡的轄屬。郡守行文縣、道，涉及全面事宜，當是發給縣、道的主管，也就是縣令和道的主管⑨。可見「縣嗇夫」就是「縣令」。再者，《語書》中尙有「自從令、丞以下」

、「今且令人案行之，舉劾不從令者，致以律，論及令、丞。」縣令是一縣之首，其下有丞，縣嗇夫既然是郡守直接下達文書的對象，其職位當然不會小於縣令，而一縣之中，也不可能另有一個單獨的行政系統。縣令之上不可能有一個縣嗇夫，而縣嗇夫之上同樣也不可能有一個縣令，合理的解釋就是二者是同一個官職。

㈡、**從職級上看**：《秦律十八種・效律》曰：「入禾，萬〔石一積而〕比黎之爲戶，籍之曰：『其廥禾若干石，倉嗇夫某、佐某、史某、稟人某。』是縣入之，縣嗇夫若丞及倉、鄉相雜以封印之，而遺倉嗇夫及離邑倉佐主稟者各一戶，以氣（餼）人。」（二三五—二三六簡亦見《效律》二九六—二九七簡）縣嗇夫置於丞、倉、佐及主稟之上。又《秦律雜抄》曰：「非歲紅（功）及毋（無）命書，敢爲它器，工師及丞貲各二甲。縣工新獻，殿，貲嗇夫一甲，縣嗇夫、丞、吏、曹長各一盾。城旦爲工殿者，治（笞）人百。大車殿，貲司空嗇夫一盾徒治（笞）五十。」（三四六—三四八簡）縣嗇夫亦置於丞、吏、曹長之上。又《秦律雜抄・戍律》曰：「戍律曰：同居毋并行，縣嗇夫、尉及士吏行戍不律，貲二甲。」（三六七簡）縣嗇夫置於尉和士吏之上。由上引秦簡的資料看，丞是縣令的副手，縣嗇夫總在其上；而縣尉是一縣軍事的主管，只向縣的行政主管負責。能在丞及尉之上的，這說明了縣嗇夫就是縣令。

㈢、**從職權上看**：從秦簡看，縣嗇夫的職掌範圍頗大。如《秦律十八種・倉律》規定：

> 「入禾倉，萬石一積而比黎之爲戶。縣嗇夫若丞及倉、鄉相雜以印之，而遺倉嗇夫及離邑倉佐之，而復雜封之，勿度縣，唯倉自封印者是度縣。」（〇八八—〇九〇簡）

《秦律十八種・效律》規定：

> 是縣入之，縣嗇夫若丞及倉、鄉相雜以封印之，而遺倉嗇

夫及離邑倉佐主稟者各一户，以氣（餼）人。（二三五—二三六簡及《效律二九六—二九七簡）

其有所疑，謁縣嗇夫，縣嗇夫令人復度及與雜出之。禾贏，入之；而以律論不備者。禾、芻稾積廥，有贏不備，而匿弗謁，及者（諸）移贏以賞（償）不備，群它物當負賞（償）而僞出之以彼（貱）賞（償），皆與盜同法。（二三九—二四一簡及《效律》三〇〇〇—三〇三簡）

由簡文看縣嗇夫在穀物入倉時，有和主管人員共同封存，以及監督主管人員的責任。另外《秦律十八種・徭律》規定：

縣所葆禁苑之傅山、遠山，其土惡不能雨，……其近田恐獸及馬牛出食稼者，縣嗇夫材興有田其旁者，無貴賤，以田少多出入，以垣繕之，不得爲徭。（一八四——八八簡）

由此看來，縣嗇夫有維修禁苑及牧養官有牛馬的苑囿的責任，同時也有徵發百姓爲苑囿築墻修補，只不過這種徵發民力的情形不得作爲徭役而已。

《秦律雜抄》有一條佚名律規定：

非歲紅（功）及毋（無）命書，敢爲它器，工師及丞貲各二甲。縣工新獻，殿，貲嗇夫一甲，縣嗇夫、丞、吏、曹長各一盾。城旦爲工殿者，治（笞）人百。大車殿，貲司空嗇夫一盾徒治（笞）五十。（三四六—三四八簡）

縣工官新上交的產品，如果被評爲下等，縣嗇夫也要處罰，可見縣嗇夫有品管產品上交的責任。

《秦律雜抄・戍律》規定：

戍律曰：同居毋并行，縣嗇夫、尉及士吏行戍不律，貲二甲。」（三六七簡）

律文規定：同居者不要同時徵服邊戍，縣嗇夫、縣尉和士吏如不依法徵發邊戍，都要接受處罰。可見縣嗇夫也得管徵發行戍事宜。

此外，從《語書》的內容來看，縣嗇夫不但需傳達郡的命令，也得案劾督導全縣吏民對法律遵守與執行。同時對上級所修訂的法律，也須公布令行，並教化百姓，督課惡吏。

高敏先生謂：「縣嗇夫（即大嗇夫）的職權範圍，除了管轄各級各類專職嗇夫外，還有管理戍邊事宜、傳達和執行法令以及防火、防『盜』等警戒任務。」⑩從上引秦簡的資料來看，縣嗇夫的職掌範圍的確如高氏所言。當然必須說明的是：和縣嗇夫同樣身份的「大嗇夫」，在秦簡中也有其他的職掌，自然也可以視爲是縣嗇夫的職掌。試想一縣之中，權力如此廣泛的，除了縣令還有誰呢？

基於以上三個理由，本文認爲縣嗇夫就是縣令。

二、大嗇夫即縣嗇夫

關於「大嗇夫」秦簡也出現多次，《睡虎地秦墓竹簡》的注釋很分歧，線裝本釋爲「令長之類的長官」⑪平裝本注有一處說：「指縣令而言」有一處說：「在此指令、丞」⑫鄭實認爲大嗇夫和縣嗇一樣，也是當時縣令的名。⑬錢劍夫認爲大嗇夫是縣嗇夫的別稱，因爲它在所有嗇夫中最大。⑭朱大鈞則說「所謂『大嗇夫』，自然是指高一級的嗇夫」，「它實際上指的就是縣一級嗇夫，但有時其含義似略有擴大。」高敏認爲大嗇夫可能是縣嗇夫的另一稱呼，並認爲它們是同一官吏的不同名稱而已。⑮

從秦簡來看，大嗇夫就是縣嗇夫，也就是縣令。其理由如下：

㈠、**從稱謂上看**：秦簡中有「大嗇夫、丞」、「大嗇夫及丞」、「縣嗇夫、丞」或「縣嗇夫若丞」四種稱呼方式。其中「大嗇夫、丞」前後連提的有：

所弗問而久繫之，大嗇夫、丞及官嗇夫有辠罪。（《秦律

十八種・司空律》二〇二—二〇三簡）

大嗇夫、丞智（知）而弗辠（罪），以平辠（罪）人律論之，有（又）與主廥者共賞（償）不備。（《秦律十八種・效律》二四二簡及《效律》三〇三簡）

有不從令而亡、有敗、我火，官吏有重罪，大嗇夫、丞任之。（《秦律十八種・內史雜》二六三簡）

「大嗇夫及丞」前後連提的有：

大嗇夫及丞除。（《效律》二八六簡）

「縣嗇夫、丞」前後連提的有：

入禾倉，萬石一積而比黎之爲戶。縣嗇夫若丞及倉、鄉相雜以印之，而遺倉嗇夫及離邑倉佐之，而復雜封之，勿度縣，唯倉自封印者是度縣。（《秦律十八種・倉律》〇八八—〇九〇簡）

非歲紅（功）及毋（無）命書，敢爲它器，工師及丞貲各二甲。縣工新獻，殿，貲嗇夫一甲，縣嗇夫、丞、吏、曹長各一盾。城旦爲工殿者，治（笞）人百。大車殿，貲司空嗇夫一盾徒治（笞）五十。（《秦律雜抄・佚律》三四六—三四八簡）

「縣嗇夫若丞」前後連提的有：

是縣入之，縣嗇夫若丞及倉、鄉相雜以封印之，而遺倉嗇夫及離邑倉佐主稟者各一戶，以氣（餼）人。（《秦律十八種・效律》二三五—二三六簡及《效律》二九六—二九七簡）

這樣的排列說明大嗇夫和縣嗇夫都在丞之前，可見兩者的地位相當。另外秦簡還有許多「自從、令丞以下」、「論及令、丞」、「如令丞」、「當曹當奏令、丞」、「令、丞爲不從令」、「令、丞皆有辠（罪）」、等等，令丞也是相連對應。這也說明「大嗇夫」、「縣嗇夫」和縣令地位相當，縣級單位和縣令地位相當的，除了縣令自己外，不可能是別人。因此，大嗇夫就是縣嗇夫，也就是縣令。

㈡、**從罪責上看**：《效律》曰：

> 同官而各有主殹（也），各坐其所主。官嗇夫免，縣令令人效其官，官嗇夫坐效以貲，大嗇夫及丞除。縣令免，新嗇夫自效殹（也），故嗇夫皆不得除。（二八六簡）

律文規定：在同官府任職的官吏，各依所掌事務的不同，分別承擔所管事務的罪責。官嗇夫免職，如果縣令已派人核驗該官府的物資，則該官嗇夫因核驗中出問題而免職時，大嗇夫和丞可以免除罪責。當縣令免職時，新任嗇夫自行核驗，如有問題，原任嗇夫不能免罪。從《效律》律文來看，縣令事前有經核驗，問題發生時，大嗇夫可以免責。很顯然的，縣令就是大嗇夫。又縣令免職，經新任嗇夫（即新任縣令）核驗而有問題時，原任嗇夫不能免罪。此處新嗇夫和故嗇夫，是新、故大嗇夫的省稱，都是指縣令。

㈢、**從職權上看**：大嗇夫的職掌頗廣。如《效律》曰：

> 有辠（罪）以貲贖及有責（債）於公，以其令日問之，其弗能入及賞（償），以令日居之，日居八錢；公食者，日居六錢。居官府公食者，男子參，女子駟（四）。公士以下居贖刑辠（罪）、死辠（罪）者，居于城旦舂，毋赤其衣，勿枸櫝欙杕。鬼薪白粲，群下吏毋耐者，人奴妾居贖貲責（債）于城旦，皆赤其衣，枸櫝欙杕，將司之；其或亡之，有辠（罪）。葆子以上居贖刑以上到贖死，居于官府，皆勿將司。所弗問而久毄（繫）之，大嗇夫、丞及官嗇夫有辠（罪）。居貲贖責（債）欲代者，耆弱相當，許之。作務及賈而負責（債）者，不得代。一室二人以上居貲贖責（債）而莫見其室者，出其一人，令相爲兼居之。居貲贖責（債）者，或欲籍（藉）人與幷居之，許之，毋

> 除繇（傜）戍。（二〇一一二〇四簡）

律文針對有罪應貲贖和欠官府債務的人，提出官府應如何處理的各項規定。律文特別强調：葆子以上用勞役抵償贖刑以上到贖死的罪，而在官府服勞役的，都不加監管。如果不加訊問而長期加以拘禁，則「大嗇夫、丞及官嗇夫有罪」。可知大嗇夫對有罪應貲贖和欠官府債務的，有管理監督之責。顯然大嗇夫有「聽訟」之權，否則不須對此負責。

又如《秦律十八種·效律》曰：

> 禾、芻稾積廥，有羨、不備而匿弗謁，及者（諸）移贏以賞（償）不備，群它物當負賞（償）而僞出之以彼（貱）賞（償），皆與盜同法。大嗇夫、丞智（知）而弗辠（罪），以平辠（罪）人律論之，有（又）與主廥者共賞（償）不備。至計而上廥籍內史。入禾、發屚（漏）倉，必令長吏相雜以見之。芻稾如禾。（二四一一二四三簡）

律文規定：穀物、芻稾貯藏在倉裡，有超出或不足數情形而隱藏不報，和移多補少，假作註銷而用以補墊其他應賠償的東西，都和盜竊同樣論處。如果大嗇夫和丞知情而不加懲處，以與罪犯同等的法律論處，同時要賠償缺數。另外在每年上報帳目時，除將簿籍上報外，還須命長吏會同驗核。可見大嗇有核查所屬各官署主管物資的責任。

又如《秦律十八種·內史雜》曰：

> 有實官高其垣墻。它垣屬焉者，獨高其置芻廥及倉茅蓋者。令囗勿紤（近）舍。非其官人殹（也），毋敢舍焉。善宿衛，閉門輒靡其旁火，慎守唯敬（儆）。有不從令亡、有敗、失火，官吏有重辠（罪），大嗇夫、丞任之。（二六二一二六三簡）

律文對貯藏穀物的官府作了各種安全規定，如果有違反法令而有遺失、損壞或失火的，主管官吏有重罪，大嗇夫和丞也須承擔罪責。

由上引資料來看，大嗇夫的職掌範圍頗廣，而且都是比較全面的。如果把縣嗇夫的職掌合併來看，更可以看出此一官職的地位。

基於上述理由，本文認爲大嗇夫就是縣嗇夫，也就是縣令。

綜上所述，可知縣嗇夫和大嗇夫職掌很大，是屬於掌管全縣事務的縣令。既掌農工經濟，也管徵發徭戍，以及官吏執行法律的情況。《漢書・官公卿表序》曰：「縣令、長，皆秦官，掌治其縣。」由秦簡看，也的確如此。且秦國採行的是郡縣制，縣可以說是秦官僚系統中，最重要的基層機構。當然，它們的權力也是很大的。《法律答問》有一條資料說：「『僑（矯）丞令』可（何）殹（也）？爲有秩僞寫其印爲大嗇夫。」（四二五簡）所謂「矯丞令」，就是一些低級的官吏（有秩吏）僞造丞的官印，冒充大嗇夫。⑯這一現象，說明了大嗇夫是有權力的，同時也是有印章。明人董說謂：秦國「有司之賜印，自商鞅變法始末。」⑰由秦簡看來，秦代的確是有官印的。璽印是官吏任職的憑證，同時也是官吏擁有權力的象徵。因此私刻、盜用官印，都視爲犯罪，是要受法律制裁。⑱

前面提到，秦代的縣級行政主管稱爲縣令、長，而未見稱嗇夫的。但以秦簡來看，這些文獻顯然是疏漏了這一官稱。事實上，縣令、長稱嗇夫的，也並非只有秦國如此，戰國時也有甚他國家的縣邑之長稱爲嗇夫的。《韓非子・說林下》曰：

> 晉中行文子出亡，過於縣邑，從者曰：「此嗇夫，公之故人。公奚不休舍，且待後車。」文子曰：「吾嘗好音，此人遺我鳴琴；吾好佩，人遺我以玉環，是振我過也。以求容於我者，吾恐其以失求容於人也。」乃去之。果收文子後車二乘，而獻之其君矣。

春秋戰國之制，大抵一國之中，大者曰「都」，小者曰「邑」，

⑲縣大邑小，則為戰國通制⑳。據《史記・十二諸侯年表》，頃公十二年「六卿誅公族，分其邑各使其子為大夫」，《史記・晉世家》曰：「分其邑為十縣，各令其子為大夫。」《韓非子・說林》所記，中行文子出亡，事在晉立縣十七年後。《韓非子》稱「縣邑」，又稱「此嗇夫」，則一嗇夫當為該縣之行政主管。可見三晉地區也稱其縣邑主管為嗇夫。㉑另外，《鶡冠子・王鐵》曰：

> 龐子曰：「願聞天曲日術」。鶡冠子曰：「其制邑理都，五家為伍，伍為之長。十伍為里，里置有司。四里為扁，扁為之長。十扁為鄉，鄉置師。五鄉為縣，縣有嗇夫治焉。十縣為郡，有大夫守焉。命曰官屬，郡大夫退脩其屬，縣嗇夫退其鄉，鄉師退脩其扁，……。」「鄉不以時脩行教誨，受聞不悉以告縣嗇夫，謂之亂鄉，其罪鄉師而貳其家，縣嗇夫不以時行教誨，受聞不悉以告郡，……謂之亂縣，誅其嗇夫塜赦。㉒

文中所說的縣嗇夫，是一縣的主管，即是縣令。《漢書・藝文志》謂鶡冠子為楚人，這表示楚也稱縣令為「縣嗇夫」。又秦簡《秦律十八種・內史雜》謂：「有實官高其垣墻。它垣屬焉者，獨高其置芻廥及倉茅蓋者。令口勿紤（近）舍。非其官人殹（也），毋敢舍焉。善宿衛，閉門輒靡其旁火，慎守唯敬（儆）。有不從令亡、有敗、失火，官吏有重辠（罪），大嗇夫、丞任之。」（二六二一二六三簡）提到失火時，身為大嗇夫的縣令，也有責任。《韓非子・外儲說右下》在論「明主治吏不治民」時，亦曰：「故失火之嗇夫，不可不論也。救火之者吏操壺走火則一人之用也，操鞭使人則役萬夫。」朱大鈞先生謂：

> 韓非講的「嗇夫」既然是指「治民之吏」，又能「役萬夫」，對當地失火又負有責任，當然也應該是和秦之「縣嗇夫」、「大嗇夫」一樣的行政主管了。㉓

由此看來，春秋戰國早已稱縣級主管爲嗇夫，並非秦國獨然。

【附註】

①參見氏著《嗇夫初探》，《雲夢秦簡研究》頁二七四。

②參見氏著《嗇夫考》。

③參見《睡虎地秦墓竹簡》，《語書》釋文註釋部分頁十四。

④同②。

⑤同①。

⑥參見氏著《嗇夫辨正》，文載《法學研究》一九八〇年三期。

⑦參見氏著《有關「嗇夫」的一些問題》。

⑧同①

⑨。《漢舊儀》曰：「內郡爲縣，三邊爲道。」可知道是秦漢時代稱少數民族聚居的縣。

⑩參見氏著《論〈秦律〉中的「嗇夫」一官》，文載《雲夢秦簡初探》頁一九一。

⑪見該書第四冊六一頁上。

⑫見該書一七五頁。

⑬同②。

⑭參見氏著《秦漢嗇夫考》。

⑮同⑪。

⑯《睡虎地秦墓竹簡》認爲此條的大嗇夫是指「令、丞」，但以上舉資料來看，「大嗇夫」和「丞」、「令」和「丞」，往往並舉，且都是大嗇夫前丞後，或令前丞後，可見大嗇夫絕不是丞。此條疑抄律者誤書。

⑰參見《七國考・秦器服》。

⑱參見高恒《秦簡中與職官有關的幾個問題》，文載《雲夢秦簡研究》頁二五六。

⑲參見《觀堂集林》卷六，《釋史》。

⑳參見《左傳・莊公二十八年》及《呂氏春秋・貴因篇》、《釋名・釋州國》。

㉑同⑭。

㉒《鶡冠子》一書，梁啓超謂：「今所存者即中三卷，雖未必爲漢志之曰，獨爲近古。」（《漢書藝文志諸子略考釋》，文載《中國古代學術流變研究十篇》）裘錫圭先生曰：「過去很多人認爲《鶡冠子》是相當晚的僞書。馬王堆三號漢墓出土的文帝或更早的時候抄寫的《老子》乙本卷前佚書，有很多與《鶡冠子》相同或相近的文句。看來《鶡冠子》的著作時代不會晁於秦代。（《嗇夫初探》頁二七六。）

㉓同⑦。

第四節　秦簡所見的吏嗇夫

官嗇夫即吏嗇夫。秦簡中的官嗇夫計有：田嗇夫、倉嗇夫、庫嗇夫、廄嗇夫、皀嗇夫、苑嗇夫、亭嗇夫、司空嗇夫、發弩嗇夫、離官嗇夫、髹園嗇夫、采山嗇夫及管理度量衡的嗇夫。

一、田嗇夫

秦簡中有二條資料，提到田嗇夫。由簡文看，田嗇夫的職務應是主管全縣田地之事。《秦律十八種・田律》：

> 百姓居田舍者毋敢酤酒，田嗇夫、部佐謹禁御之，有不從令者有罪。

田嗇夫，《睡虎地秦墓竹簡》注爲：「地方管理農事的小官」，①粟勁先生則認爲田官是實際上管理全縣授田和農業生產的機構，而其行政長官就是嗇夫。同時認爲秦簡整理小組所謂的「地方管理農事的小官」恐對其地位和作用估計過低。②裘錫圭先生認爲：「田嗇夫總管全縣田地等事」。③以資料來看，田嗇夫應是縣級掌理農事的的主管。至於部佐，《睡虎地秦墓竹簡》認爲：「部，漢代鄉的轄區稱鄉部，亭的轄區稱亭部。《續漢書・百官志》：『又有鄉佐屬鄉，主民，收賦稅。』此處部佐應即鄉佐一類。」④把部佐等同鄉佐，證據似嫌不足。⑤裘錫圭先生則認爲：「據秦律，倉嗇夫的屬官有設於鄉的倉佐，部佐大概也是田嗇夫設於鄉的田佐，跟鄉佐恐怕不是一回事。田嗇夫總管全縣田地等事，部佐應是分管各鄉田地等事的。」⑥事實上，就簡文來看，部佐就是田嗇夫派駐在鄉以下的佐吏。裘氏的說法是可以接受的。另外《法律答問》有一條：「部佐匿者（諸）民田，者（諸）民弗智（知），當論不論？部佐爲匿田，且可（何）爲？已租者（諸）民，弗言，爲匿田；未租，不論〇〇爲匿田。」⑦由這條簡來看，部佐不可隱匿百姓的田，說明部佐有協助田嗇夫辦理受田之責，同時亦有收取田賦的責任。由《田律》這條簡文看來，田嗇夫掌管地方的農事，同時也有助手，以協助其管理各鄉田地之事，此助手就是部佐。《田律》簡文規定田嗇夫在農村有禁百姓賣酒的職責。如果失職，田嗇夫和其助手都有罪。

《秦律十八種・廐苑律》也提到田嗇夫：

> 以四月、七月、十月、正月膚田牛。卒歲，以正月大課之，最，賜田嗇夫壺酒束脯，爲皂者除一更，賜牛長日三旬；殿者，誶田嗇夫，罰冗皂者二月。其以牛田，牛減絜，治（笞）主者，寸十。有（又）里課之，最者，賜田典日旬；殿，治（笞）卅。（八〇一八一簡）

此簡的前半段規定：上級以三個月爲一期（四月、七月、十月和正月）評比耕牛，而在每年正月舉行大考核。對於成績優秀的，賞賜田嗇夫酒一壺、乾肉十條；成績低劣的，申斥田嗇夫。同時在鄉里中也舉行考核，優者，賞田典資勞十天，殿者，笞打三十下。從《秦律十八種》中的《田律》可以看出秦國的土地所有權是屬於國家的，農民的田地是由國家授田而來。⑧另由《廐苑律》也可知國家對於農業生產的工具，像馬、牛、鐵器、種子、車輛等也是由國家所控制。國家定期對其所控制的農業生產工具加以監督考核，而田嗇夫就是國家用以管理農牧生產的基層官吏。另外鄉里也比照縣實施考核制度，而其賞罰的對象是「田典」。關於「田典」，《睡虎地秦墓竹簡》注說：「疑爲里典之誤」⑨那是有問題的。以簡文看，田典應是田嗇夫的下屬。裘錫圭先生認爲：「鄉嗇夫下面有鄉佐、里典，田嗇夫下面有部佐、田典，這是平行的兩個系統。」⑩這是正確的。

由田嗇夫的設立和其職掌，可知秦代是很重視農業發展。田嗇夫的職掌，主要的是田政管理，同時禁酒和課牛，以及授田、稅租等事，也都在其職掌之內。

二、倉嗇夫

倉嗇夫是專門管理糧倉的嗇夫，屬於縣級的基層技術官僚。秦律的倉嗇夫共有七條資料，計《秦律十八種・倉律》一條（八八簡）、《秦律十八種・效律》三條（二三五，二三六，二三九簡）、《效律》三條（二九五，二九六，三〇〇簡）。其中《秦律十八種・效律》三條與《效律》三條內容完全相同。《效律》另有一條都倉嗇夫（三二〇簡）

由秦簡中可以大略看出秦國倉嗇夫的職掌。如《秦律十八種・倉律》曰：

> 入禾倉，萬石一積而比黎之爲戶。縣嗇夫若丞及倉、鄉相雜以印之，而遺倉嗇夫及離邑倉佐主稟者各一戶以氣（餼），自封印，皆輒出，餘之索而更爲發戶。嗇夫免，效者發，見雜封者，以隄（題）效之，而復雜封之，勿度縣，唯倉自封印者是度縣。出禾，非入者是出之，令度之，度之當堤（題），令出之。其不備，出者負之；其贏者，入

之。雜出禾者勿更。入禾未盈萬石而欲增積焉，其前入者是增積，可毆（也）。其它人是增積，積者必先度故積，當堤（題），乃入焉。後節（即）不備，後入者獨負之；而書入禾增積者之名事邑里于廥籍。萬石之積及未盈萬石而被（柀）出者，毋敢增積。櫟陽二萬石一積，咸陽十萬石一積，其出入、增積如律令。長吏相雜以入禾倉及發，見屡之粟積，義積之，勿令敗。（〇八八—〇九四簡）

《秦律十八種．效律》曰：

入禾，萬〔石一積而〕比黎之爲戶，籍之曰：「某廥禾若干石，倉嗇夫某、佐某、史某、稟人某。」是縣入之，縣嗇夫若丞及倉、鄉相雜以封印之，而遺倉嗇夫及離邑倉佐主稟者各一戶，以氣（餼）人。（二三五—二三六簡，另見《效律》二九五—二九六簡）

倉嗇夫及佐、史，其有免去者，新倉嗇夫、新佐、史主廥者，必以廥籍度之。（二三九簡，另見《效律》三〇〇簡）

由秦簡律文來看，秦代倉嗇夫的職責大約有四項特點：

㈠、**管糧倉的封緘**。律文規定穀物入倉，要設置倉門。同時由縣嗇夫或丞、倉鄉主管人員會同封緘。另外給主其事的倉嗇夫和鄉主管稟給的倉佐各一門，以更發放糧食。由他們封印，即可出倉，到倉中沒有剩餘時才另開一門。律文又規定嗇夫免職，對倉進行核驗的人開倉，要驗視共同的封緘，可根據題識核驗，然後再共同封緘，不必稱量，只稱量原由倉主管人員獨自封印的倉。大體而言，縣嗇夫和丞只在督導的地位，實際的主管人員就是倉嗇夫。如《效律》規定：封倉時封條上，倉嗇夫及其所屬的佐、史、稟人都要共同簽名。

㈡、**負責糧食發放徵收**。《倉律》和《效律》都提到「遺倉嗇夫及離邑倉佐主稟者各一戶，以氣（餼）人。」餼，是發放糧穀。糧倉開一門主要是給倉嗇夫和離邑倉佐發放穀糧之用。同時對於穀物的出倉、入倉和增積都在其權責範圍內。

㈢、有核驗之責。《倉律》規定：「嗇夫免，效者發，見雜封者，以隄（題）效之，而復雜封之，勿度縣，唯倉自封印者是度縣。」《秦律十八種・效律》也規定：「倉嗇夫及佐、史，其有免去者，新倉嗇夫、新佐、史主廥者，必以廥籍度之。」亦即倉嗇夫被免職，新故嗇夫交接時，新嗇夫要必須根據倉的簿籍加以稱量，如有問題，應向縣嗇夫報告。《秦律十八種》中的《效律》秦國政府對官府物資財產核驗的法律。這條規定顯示秦代很重視糧倉的管理。

㈣、有佐助的副手。律文中的「離邑倉佐」和「主稟者都是嗇夫的助手。離邑是指鄉，離邑倉佐，是倉嗇夫派在鄉邑的糧倉主管人員。主稟或稟人，就是廩人。《周禮・廩人》曰：「掌九穀之數，以待國之匪（分）頒賙賜稍食。」孫詒讓《正義》謂及「總計一年穀入之數爲簿書。」《儀禮・少牢饋食禮》注謂：「廩人，掌米入之藏者」，也就是管理穀物收藏出納的人員。這些都倉嗇夫的助手。

《秦律十八種・倉律》文中謂：「入禾倉，萬石一積而比黎之爲戶。縣嗇夫若丞及倉、鄉相雜以印之，而遺倉嗇夫及離邑倉佐主稟者各一戶以氣（餼）。」其中的「倉、鄉」當是「倉嗇夫和鄉嗇夫的省稱。⑪西漢平都量器銘文曰：「二年十月甲午，平都戍丞糾，倉亥，佐葵犂斛。」⑫倉亥應是上郡平都縣的倉嗇夫亥。此處亦將倉嗇夫省作倉，與庫嗇夫、鄉嗇夫省稱庫、鄉嗇夫同例。⑬可見《倉律》中的倉、鄉也是倉鄉嗇夫的省稱。由於秦律是法律條文，條文所針對的對象，是全國的倉嗇夫。因此，很難在秦簡中看到倉嗇夫的名字。

此外，在《倉律》中還可以看到很多對糧倉的管理規定，這些當然也都是倉嗇夫的管理範圍。由其律來看，秦代的倉除了上舉負責徵收、保管和分配糧食外，同時也是保管和分配飼料和種籽的機構。如《秦律十八種・倉律》曰：「禾、芻稾積索（索）出日，上贏不備縣廷。」其中「芻稾」是馬牛的飼料。《倉律》曰：「種：稻、麻畝用二斗大半斗，禾、麥畝一斗，黍、荅畝大半斗，叔（菽）畝半斗。利田疇，其有不盡此數者，可毆（也）。其有本者，稱議種之。」（一〇五－一〇六簡）律文中規定種籽分配使用的情形。「縣遺麥以爲種用者，殽禾以臧（藏）之。」（一〇七）律文中規定各縣所留作種籽的麥子，應和穀子一樣收藏。

秦律中有時也稱「倉」爲「實官」，如《秦律十八種・內史雜》：「有實官縣料者」（二六一簡）、「有實官高其垣牆」（二六二簡）《法律答問》：「實官戶關不致」、「實官戶扇不致」（五一九、五二〇簡）都是指貯藏糧食的官府。而倉佐，有時亦稱實官佐，如《效律》：「實官佐、史柀免、徙」（二二九簡）。由秦簡看來，秦代十分重視糧食和飼料的管理。秦除了在咸陽、櫟陽設有大型糧倉外，還在各縣、鄉設置小型糧倉。在各地的糧倉在業務上直接由朝廷的內史管理。《倉律》規定各縣倉嗇夫隨時向內史報告徵收、保存和分配糧食、飼料的情況，并在年終上報全部帳目。當然也要接受縣的監督和核驗。

三、庫嗇夫

秦簡與庫嗇夫有關的資料有二條。一見於《秦律雜抄》的佚名律（三四三簡）一見於《效律》。（三二〇簡）

《秦律雜抄》曰：

> 稟卒兵，不完善，丞、庫嗇夫、吏貲二甲，廢。（三四三簡）

此條所講的是經理兵器的倉庫主管人員。律文規定管理兵器的庫嗇夫，發給軍卒兵器，品質如果不好，丞、主管庫的嗇夫及吏都要罰二甲，並且撤職永不敘用。由律文看，秦國對兵器的管理十分嚴格。另外《效律》有一條「都庫嗇夫」的資料：

> 官嗇夫二甲，令、丞貲一甲；官嗇夫貲一甲，令、丞貲一盾。其吏主者坐以貲、誶如官嗇夫。其它冗吏、令史掾計者，及都倉、庫、田、亭嗇夫坐其離官屬于鄉者，如令、丞。（三一九一三二一簡）

文中「都倉、庫、田、亭嗇夫」，應是都倉嗇夫、都庫嗇夫、都田嗇夫、都亭嗇夫的省稱。都，《睡虎地秦墓竹簡》釋為「總」，⑭《雲夢秦簡》校注本曰：「都，同『都官之都，即京師也。都倉、都庫、都田、都亭均係在京師者」⑮，都倉、都庫、都田、都亭的「都」，當與見於《漢書・百官表》的都水，都船、都內等官名的「都」字相同，是主管、總管的意思。⑯所謂「都庫嗇夫」，就是總管庫藏的嗇夫。

從律文看，庫嗇夫的任務之一是管理和生產兵器之類的作戰物。不過，秦簡關於庫的材料太少，不太能看出庫嗇夫的職掌。出土秦器中，倒有一條庫嗇夫的材料。鳳翔高莊的戰國秦墓中，出有一件刻有「右使車（庫）嗇夫□□」的銘文的銅鼎，可見庫嗇夫也管生產銅器。⑰漢代有不少庫的資料，基本上，漢代庫的主要是製造兵器、車器等作戰物資。此外，也製作漆器、鼎、鐘等物。⑱以秦漢官制多相承襲來看，或許可以作為秦代庫嗇夫職掌的參考。

四、廐嗇夫、皂嗇夫

《秦律雜抄》佚名律曰：

> 膚吏乘馬篤、䇬（胔），及不會膚期，貲各一盾。馬勞課殿，貲廄嗇夫一甲，令、丞、佐、史各一盾。馬勞課殿，貲皂嗇夫一盾。（二五七簡）

律文同時出現「廐嗇夫」和「皂嗇夫」官稱。《秦律十八種》有《廐苑律》，是秦律中有關牲畜放牧和飼養的法令。秦國在可耕地之外，控制了不少苑囿。秦的國有苑囿主要分爲兩種，其一是禁苑，其一是馬牛苑。⑲《廄苑律》是因應管理這些飼養牲畜的廄圈和苑囿的律文。由於廄苑多是國家所控制，因此對飼養的馬牛考課就十分嚴格。如《廄苑律》規定：

> 以四月、七月、十月、正月膚田牛。卒歲，以正月大課之，最，賜田嗇夫壺酉（酒）束脯，爲旱〈皂〉者除一更，賜牛長日三旬；殿者，誶田嗇夫，罰冗皂者二月。其以牛田，牛減絜，治（笞）主者寸十。有（又）里課之，最者，賜田典日旬；殿，治（笞）卅。（八〇一八一簡）

每年在四月、七月、十月、正月都舉行考課。期滿一年還有大考課。這裡考課的雖然是田牛，賞罰的也是相關業務的田嗇夫。但卻可以說明秦國十分重視馬牛的管理。前引的《秦律雜抄》所規定的是「評比吏所乘的馬」，如果參加評比的馬行遲緩、馬體瘠瘦，以及評比時不來參加，均罰一盾。馬服役的勞績被評爲下等，罰廄嗇夫一甲，令、丞、佐、吏各一盾。馬服役的勞績被評爲下等，罰皂嗇夫一盾。可見秦國對公家所控制的馬牛的考課是很全面性的。

《秦律雜抄》中對於評比不合格或不參加評比的處罰，廄嗇夫和皂嗇夫的賞罰，輕重有別。這可以說明廄嗇夫和皂嗇夫的職級或主管廄苑的範圍不同。廄嗇夫是管理馬政的主管，而皂嗇夫則是管理飼養馬的主管⑳。上引《廄苑律》中有「爲旱〈皂〉者」及「冗皂者」，指的都是飼牛的人員。按皂字作□□（皁），即皁字，。《史記・鄒陽傳》曰：「與牛驥同皁」，《索隱》曰：「郭璞云：皁，養馬器也。」《索隱》又曰：「韋昭云：皁，養馬之官，下士也。案養馬之官，其衣皁也。」可見皂嗇夫職在養馬。大抵而言，廄嗇和皂嗇夫基本上是同一性質的嗇夫，只是所主管的業務的不同而已。在職級上，廄嗇夫當在皂嗇夫之上，不過，兩者都是縣級的小吏。

秦在歷史上是個善養馬的民族，其祖先非子由於「好馬及畜，善養息之」，被周孝王召至「汧渭之會」（今陝西眉縣附近），負責給周王室養馬。㉑戰國時，「秦馬之良，戎馬之衆，探前趹後，蹄間三尋騰者不可勝數。」㉒可見秦是個十分重視養馬的國家。從秦簡中也可以看出這個跡象。「廄」是秦管理馬匹的機關，秦在京都附近，聚著以廄為單位管理的大批馬匹。據《秦始皇陵東側馬廄坑鑽探清理報告》：秦陵外城曾發現象徵性的馬廄坑大十多座，每坑埋眞馬一匹，馬頭前的陶罐盆上，刻有「左廄」、「中廄」、「宮廄」、「三廄」、「大廄」等字樣。㉓《秦律十八種・廄苑律》有「其大廄、中廄、宮廄馬牛殹（也）」（八四簡），可知「廄」是個馬政單位，當然廄也不單是馬政單位，同時也是個養馬的地方。

從秦簡看，廄不單是養馬，也有養牛的。所謂「大廄、中廄、宮廄馬牛也」，是廄中有馬有牛。另外，所謂「將牧公馬牛」（《秦律十八種・廄苑律》八三簡），也是馬牛皆有。秦對馬牛的管理，基本上，是採放牧和廄養。「將牧公馬牛」是流動放牧到縣的馬牛，其它大部分是廄養。

五、苑嗇夫

《秦律十八種・內史雜》曰：

> 除佐必當壯以上，毋除士伍新傅。苑嗇夫不存，縣爲置守，如《廄律》。（二五七簡）

苑嗇夫應是管理國家禁苑的嗇夫。由於只有簡文二條，苑嗇夫的職掌無法完全了解。不過，如和廄嗇夫及皂嗇夫合併來看，秦對廄苑管理的分工似乎很細。律文規定苑嗇夫不在，由縣安排代理其職務的人，依《廄苑律》行事。秦除了廄，還「有苑」，秦簡有「禁苑」、「公馬牛苑」等資料。「禁苑」不是一般的經濟機構，應是一個獨立直屬朝廷的機構。《韓非子・外儲說右下》記載秦昭王時，就有五苑：

> 吾秦法，使民有功而受賞，有罪而受誅。今發五苑之蔬草者，使民有功與無功俱賞也。夫使民有功與無功俱賞者，此亂之道也。夫發五苑而亂，不如棄棗蔬而治。

秦五苑是供國君打獵遊樂用，禁止人民入內，此即所謂禁苑。因此管理禁苑的「苑嗇夫」，就十分重要，通常是由內史直接任命。所以苑嗇夫是直屬朝廷的機構。又由於禁苑有的靠近縣城而遠離京師，因此律文規定「苑嗇夫不存，縣為置守。」也就是說，苑嗇夫不在縣時，縣必須派人代為管理。一般而言，秦對其基層的行政或事務的管理官員，十分重視，不可一日或缺。《秦律十八種・內史雜》規定：「官嗇夫免，□□□□□□□其官亟置嗇夫。過二月弗置嗇夫，令、丞為不從令。」（二五六簡）可見秦對官吏事務的管理是十分重視的。

六、都亭嗇夫

《效律》規定：

> 官嗇夫貲二甲，令、丞貲一甲；官嗇夫貲一甲，令、丞貲一盾。其吏主者坐以貲，誶如官嗇夫。其它冗吏、令史掾計者，及都倉、庫、田、亭嗇夫坐其離官屬于鄉者，如令、丞。（三二〇簡）

其中都倉、庫、田、亭嗇夫，前文（庫嗇夫部分）已提到「都」是主管、總管的意思。因此，都亭嗇夫就是都亭的長官。高敏先生認為此處是指「亭嗇夫」，是亭一級嗇夫。㉔這個說法是有問題的。又說：「秦時，不僅縣、鄉、亭三級機關各設、嗇夫一官。」㉕也是值得商榷的。

關於亭，最大的問題在於是否與「鄉、里」合為三級制。《漢書百官公卿表》曰：

> 大率十里一亭，亭有長；十亭一鄉，鄉有三老、有秩、嗇

> 夫、游徼。三老掌教化；嗇夫職聽訟，收賦稅；游徼循禁盜賊。縣大率方百里，其民稠則減，其民稀則曠，鄉亭亦如之，皆秦制也。

又《史記・高祖本紀》劉邦爲「泗水亭長」，張守節《正義》曰：

> 秦法，十里一亭，十亭一鄉；亭長，主亭之吏。

二書的共同的矛盾，在於「十里一亭」、「十亭一鄉」。由於上說牽涉了以縣統鄉、以鄉統亭、以亭統里的縣四級制；以及以鄉統亭、以亭統里的三級制的矛盾。因此，顧炎武提出了漢制是「以縣統鄉、以鄉統里」的說法。㉖王毓銓先生認爲「十亭一鄉」「不是原誤，便是後人竄改，原文恐怕也是「十里一鄉。」同時認爲漢代的「亭」不是地方的行政系統中的一級，它不受「鄉」的統轄，而自成一個系統。㉗王氏說法很好，尤其是承認亭不受鄉管轄這一點。在秦簡中，也看不出這一層關係。不過，王氏否定「以亭統里」的說法，卻仍有商榷的餘地。熊鐵基先生根據王文，以戶口數字和地域範圍推算，認爲「十里一亭，十亭一鄉」，應該改爲「十里一亭，十里一鄉」。㉘這個說法是可取的。由這觀點出發，則亭和鄉一樣，是縣以下的機構，二者是同級的。（有點像目前在縣統轄之下，鄉和鎭並行，不過，鄉、鎭在行政職級上幾乎完全一樣。可是鄉、亭卻仍有很大的不同。）不過，二者的性質卻有很大的不同。熊氏說：「『十里一亭』和『十里一鄉』說明它們都是管理里落居民的機構，一個管鄉村居民，一個管理城市居民（包括鄉村的集鎭）。」㉙把鄉、亭看成是縣下同級的「行政」機關。這一點，無論是秦簡或文獻資料，都無法證實。尤其是秦國的亭並不見有像鄉、里那種管理戶口、攤派徭役、徵收田賦的職能，同時也絕不參加查抄罪人的家。㉚另一方面是亭兼有警備、郵傳、客館和市場管理等任務，而這又是鄉、里行政體系所沒有的。由此可見亭和鄉、里確實是不同系統，不同性質的基層組織。

在秦簡中，不見亭嗇夫的官稱，不過，卻有「都亭嗇夫」。（見上引資料）此外，尚見七條。其中一條「攻□亭」（四六簡），見於《編年記》，是地名。其它六筆，見於《封診式》的《盜馬》（六〇一、六〇二簡）、《群盜》（六〇五簡）、《賊死》（六三五、六四〇、六四一簡）三條大都與求盜緝捕盜賊有關。㉛

由《盜馬》：「市南街亭求盜才（在）某里曰甲縛詣男子丙」（六〇一簡）看，亭設在市南街上。可見秦時在街道上有亭的設置，其主要的任務是緝捕盜賊。由《群盜》：「某亭校長甲、求盜才（在）某里曰乙、丙縛詣男子丁」（六〇五簡），《賊死》：「某亭求盜甲告曰」（六三五簡）及上引《盜馬》來看，亭的主要官吏，除了亭嗇夫外，還有校長、求盜，以及文獻所見的亭長。由秦律的語法習慣，職級高的都在前面，如「令、丞」、「縣嗇夫若丞及倉鄉相雜以印之」等，都是職級高者在前。校長的職級應比求盜高，而求盜的人數也不只一位。亭的職掌，從秦律看，大都是「追捕盜賊，維持治安」。漢代所見的亭的職能，如郵傳、教民、徵收賦稅等任務，在秦律中都沒有出現。倒是因爲亭多設在街市中，反而有兼管市場的情形。㉜高敏先生認爲：「秦時的『亭嗇夫』根據秦簡中的情況，則『亭嗇夫』也應是主管亭內所屬經濟部門的官吏。」㉝

亭的主要職能，大約如上。其主管當就是所謂的亭嗇夫。至於都亭嗇夫，應是總管「亭」事務的嗇夫。

七、司空嗇夫

《秦律雜抄》曰：

非歲紅（功）及毋（無）命書，敢爲它器，工師及丞貲各二甲。縣工新獻，殿，貲嗇夫一甲，縣嗇夫、丞、吏、曹

長各一盾。城旦爲工殿者，治（笞）人百。大車殿，貲司空嗇夫一盾徒治（笞）五十。（三四七—三四八簡）

秦簡中提「司空嗇夫」的僅此條。司空嗇夫是司空的主管。由律文「大車殿，貲司空嗇夫一盾，徒笞五十」。（三四八簡）來看，司空的職務與車有關。《秦律十八種‧司空律》曰：「官長及吏以公車牛稟其月食及公牛乘馬之稟，可殹（也）……。爲鐵攻（工），以攻公大車。」司空單位要設立鐵工作坊，以修繕官有的大車。《秦律雜抄》規定：所造的大車被評爲下等，司空嗇夫需受罰，參與造車的徒則受笞打之刑。由秦簡看，司空所役使的徒，有很多是刑徒。如《秦律十八種‧司空律》曰：「城旦舂毀折瓦器、鐵器、木器，爲大車折輮（輮），輒治（笞）之。」「城旦舂」是刑徒。

由簡文看，秦對公器製造的考課十分嚴格，殿者官吏須受處罰，而在保養修繕過程中，如有疏失，官吏也須受處罰。

從《秦律十八種》的《司空律》來看，司空的職務不只是造車和維修車輛而已。同時，也生產相關的鐵器。如《司空律》曰：

爲鐵攻（工），以攻公大車。（一九六簡）

此外，對造車所須的相關木材以及供書寫的「方」、「版」的木材和木材的治理，也都在其職責範圍內。如《司空律》曰：

令縣及都官取柳及木楘（柔）可用書者，方之以書，毋（無）方者乃用版。其縣山之多茾者，以茾纏書；毋（無）茾者以蒲、藺以枲萷（絜）之。各以其檡〈獲〉時多積之。（一八八—一八九簡）

另外，司空也主持築城造邑的事務，如《秦律十八種‧徭律》曰：

興徒以爲邑中之紅（功）者，令結（嫴）堵卒歲。未卒堵壞，司空將紅（功）及君子主堵者有辠（罪），令其徒復

垣之，勿計爲繇（徭）。（一八二—一八三簡）

由律文可知司空不但主持營城起邑的工作，同時尙須對所築的城牆擔保一年。如果不滿一年「所城有壞者，縣司空署君子將者，貲各一甲；縣司空佐主將者，貲一盾。」（三六八—三六九簡）除了監造工程外，對整個工程的運籌和規劃，司空也須參與。如《秦律十八種・徭律》曰：

> 縣爲恆事及潚（讞）有爲殹（也），吏程攻（功），贏員及減員自二日以上，爲不察。上之所興，其程攻（功）而不當者，如縣然。度攻（功）必令司空與匠度之，毋獨令匠。其不審，以律論度者，而以其實爲繇（徭）徒計。（一八九—一九一簡）

司空除了管百工製作外，尙管刑徒。《周禮・司徒教官》曰：

> 凡萬民之袤者，三讓而罰，三罰而士加明刑，恥諸嘉石，役諸司空。

又《周禮・秋官司寇》曰：

> 凡萬民之有罪過，而未麗法，而害於州里者，桎梏而坐諸嘉石，役諸司空。

從秦簡《司空律》中，的確可以看到不少有關刑徒。除了前面所提到的「城旦舂」外，還有「城旦」（免城旦勞三歲以上者，二一三簡）、「仗城旦」（仗城旦勿將司，二一四簡）、「城旦司寇」（城旦司寇不足以將，二一二簡）、「鬼薪」（二〇一簡）、「白粲」（二〇一簡）、「隸臣妾」（二〇八簡」、「隸妾」（百姓有母及同牲爲隸妾，二一八簡）、「司寇」（司寇勿以爲僕、養、守官府及除有爲也，二一七簡）、「城旦舂司寇」（城旦舂之司寇，二〇八簡）、「居貲贖債者」（毋令居貲贖責將城旦舂，二一二簡）、及「葆子以上居贖刑以上至死者」（二〇二簡）、「公士以下居贖刑辠、死辠者」（二〇一簡）等刑徒。

由以上看來，司空的職掌甚多，其所役使的，大部分是刑徒。在司空職掌的事務如果考課不夠完善，通掌其主管——司空嗇夫也須受連坐處分。

八、發弩嗇夫

《秦律雜抄・除吏律》曰：

任法（廢）官者爲吏，貲二甲。有興，除守嗇夫、叚（假）佐居守者，上造以上不從令，貲二甲。除士吏、發弩嗇夫不如律，及發弩射不中，尉貲二甲。發弩嗇夫射不中，貲二甲，免，嗇夫任之。駕騶除四歲，不能駕御，貲教者一盾；免，賞（償）四歲繇（徭）戍。（三三〇簡）

這條律文是保舉用人的法令。同時可以看出縣在平時有訓練射手和戰車的駕御的責任。負責人當是負責縣級軍事的縣尉。因此，如果任用士吏或發弩嗇夫不合法律規定，以及發弩射不中目標，縣尉都要接受貲罰。射不中目標的發弩嗇夫貲罰之外，還須免職，由縣嗇夫另行保舉。發弩應是專門射弩的兵種，而發弩嗇夫則是這一兵種的官長，職級當在縣尉之下。

九、髼園嗇夫

《秦律雜抄》佚名律：

髼園殿，貲嗇夫一甲，令、丞及佐各一盾，徒絡組各廿給。髼園三歲比殿，貲嗇夫二甲而法（廢），令、丞各一甲。（三四八—三四九簡）

髼，《集韻》曰：「髼、髹、髤，《說文》：桼也，或从休，亦省。」髼，即髹字，亦作髤。髤，《儀禮・鄉射禮記》：「楅髤」注曰：「髤，赤黑漆也」《周禮・春官・中車》「髤飾」，鄭注：「髤，赤多黑少之色」。可見髼園，即漆園，是種植生產漆樹和漆脂的縣級基層單位。其主管則是縣級的官嗇夫。㉞律文規定：漆園被評爲下等，罰漆園的嗇夫一甲，縣令、丞及佐各一盾，徒絡組各二十根。漆園三年連續三年被評爲下等，罰漆園的嗇夫二甲，並撤職永不敘用，縣令、丞各罰一甲。此處的嗇夫指的就是髤園嗇夫。由律文看，髤園嗇夫須對漆樹生產種植和漆脂生產負責。至於參予種植生產的「徒」，當是徭役的徒卒，也可能是刑徒。

十、采山嗇夫

《秦律雜抄・佚律》曰：

采山重殿，貲嗇夫一甲，佐一盾；三歲比殿，貲嗇夫二甲而法（廢）。殿而不負費，勿貲。賦歲紅（功），未取省而亡之，及弗備，貲其曹長一盾。大（太）官、右府、左府、右采鐵、左采鐵課殿，貲嗇夫一盾。（三四九、三五〇、三五一簡）

《文選・吳都賦》：「採山鑄錢」，采山是指采礦，而不是伐木。律文中的采山是管理鐵礦生產的機構。由律文看，采山嗇夫也有助手，即佐。此外，由「大官、右府、左府右採礦、左採礦」在考評中殿後，采山嗇夫要受處罰來看，采山嗇夫下設不少管理部門。大官即太官，依《漢書・百官公卿表》太官屬少府；漢印和封泥都寫作「大官」，與簡文同。右府、左府可能也是少府的屬官。右采鐵、左采鐵，應即《史記・太史公自序》所謂的「秦主鐵官。」㉟

十一、離官嗇夫

離官嗇夫見於《秦律十八種》的《金布律》，《金布律》曰：

都官有秩吏及離宮嗇夫，養各一人其佐、史與共養。十人車牛一輛，見牛者一人。（一三九簡）

關於「離官」，《睡虎地秦墓竹簡》注曰：

離官，附屬機構，與都官相對。㊱

錢劍夫先生謂：

秦漢「官」、「宮」兩字每互用，「學宮」亦作「學官」。兩漢書中屢見。則「離官嗇夫」實即「離宮嗇夫」，史載秦的離宮別館甚多，自亦應置嗇夫經管。此與漢世主管寢廟園陵的嗇夫職正相類。㊲

高敏先生亦曰：

疑離官嗇夫應作離宮嗇夫。㊳

裘錫圭先生曰：

古代縣治所在之鄉爲都鄉，其它非縣治所在地的鄉稱爲離鄉。帝王主要宮殿之外供行幸時居住的宮殿也稱爲離宮。離官的「離」與離鄉、離宮的「離」意義相近。㊴

離官作離宮解是不正確的。從簡文看，都官與離官相對稱，都官即漢的中都官，是朝廷的直屬官府。都官有分支機構設於縣邑之內，而「離官」應即指那些散於縣邑的各都官支屬機構。裘錫圭先生認爲離官的「離」與離鄉、離宮的「離」意義相近。事實上，所謂「離」者，正是「散」或「支」的意思。㊵都官設於縣的分支機構就是離官。《秦律十八種．內史雜》曰：「縣各告都官在其縣者」，都官在縣者，就是離官。按《法律答問》所謂：「命都官曰長，縣曰嗇夫。」則都官之在京者稱長，而都官之在縣者（即離官），則稱離官嗇夫。當然縣屬各官設於鄉的分支機構也可以叫離官。如《效律》曰：

其它冗吏、令史掾計者，及都倉、庫、田、亭嗇夫坐其離官屬于鄉者，如令、丞。（三二〇簡）

其中「離官屬於鄉者」，就是縣在鄉的分支機構。此外《秦律十八種．倉律》曰：

入禾倉，萬石一積而比黎之爲。戶縣嗇夫若丞及倉、卿（鄉）相雜以印之，而遺倉嗇夫及離邑倉佐主稟者各一戶以

氣（餼），自封印。（八八簡）

「離邑」，就是「離鄉」。㊶「離邑倉佐」，即是倉嗇夫派在鄉的主管人員，是比縣低一級的小吏。

綜上所述，可知「離」乃「散」、「支」之意，是分支在外的意思。離邑就是離鄉，離官即是都官之在縣者，而其主管人員，就是所謂的離官嗇夫。

【附註】

①《睡虎地秦墓竹簡》，《秦律十八種》釋文注釋，頁二二。

②參見粟勁《秦律通論》，頁四一一。

③參見氏著《嗇夫初探》，載《雲夢秦簡研究》，頁三〇〇。

④《睡虎地秦墓竹簡》，《秦律十八種》釋文注釋，頁一三〇。

⑤參見粟勁《秦律通論》，頁四一一。

⑥同③，頁三〇〇。

⑧參見本論文第一編第二章第四節《田律》部分。

⑨《睡虎地秦墓竹簡》，《秦律十八種》釋文注釋，頁二三。

⑩同③，頁三〇二。

⑪、秦簡未見「鄉嗇夫」的官稱。《漢書百官公卿表序》曰：「大率十里一亭，亭有長；十亭一鄉，鄉有三老、有秩、嗇夫、游徼。三老掌教化；嗇夫職聽訟，收賦稅；游徼徼循，禁盜賊。縣大率方百里，其民稠則減，稀則曠，鄉、亭亦如之，皆秦制也。」又《續漢書・百官志五》曰：「鄉置有秩、三老、游徼。有秩、郡所署，秩百石，掌一鄉人；其鄉小者，縣置嗇夫一人。皆主知民善惡，爲役先後；知民貧富，爲賦多少，平其品差。」可見漢有鄉嗇夫的官稱。由漢書所謂「皆秦制」來看，秦代應有鄉嗇夫。秦簡既然未見，自當存疑。不過，此處是據文意所推。

⑫參見《文物》一九七七年三期，頁五九。

⑬同③，頁三一一。

⑭參見《睡虎地秦墓竹簡》，頁七五。

⑮參見《雲夢秦簡》校注本，頁五三。（簡牘學報第十期）又見《中華五千年文物集刊・簡牘篇二，頁一七五。

⑯同③，頁二八〇。

⑰參見《文物》一九〇八年第九期。

⑱漢代器所承造的漆器，可見的資料如：

阜陽雙古堆汝陰侯墓出土的漆器，有不少是鐫刻爲汝陰庫所承造。如：

女陰侯木笥籥，元年，女陰庫己，工延造。

女陰侯杯，容一升，六年，庫己，工年造。

女陰侯盂，容一斗五升，七年，庫襄，工延造。

（參見《文物一九七八年八期，頁二二。）

⑲《秦律十八種・徭律》曰：「縣葆禁苑、公馬牛苑，興徒以斬（塹）垣離（籬）散及補繕之，輒以效苑吏，苑吏循之。」又《秦律十八種・田律》曰：「邑之紤（近）皀及它禁苑者，麛時毋敢將犬以之田。百姓犬入禁苑中而不追獸及捕獸者，勿敢殺；其追獸及補獸者，殺之。河（呵）禁所殺犬，皆完入公；其它禁苑殺者，食其肉而入皮。　」可見秦的苑囿主要是禁苑和馬牛苑兩種，禁苑是專門畜養禽獸的，而馬牛苑則是牧養國家馬牛的地方。

⑳《睡虎地秦墓竹簡》曰：「廐嗇夫是整個養機構的負責人，下面廐嗇夫是廐中飼養人員的負責人。」頁八六一八七。

㉑參見《史記・秦本記》。

㉒參見《史記・張儀列傳》。

㉓文載《考古與文物》，一九八〇年第四期。

㉔參見氏著《論秦律中的「嗇夫」一官》，文載《雲夢秦簡初探》頁一九一。

㉕參見氏著《論秦漢時的亭》，文載《雲夢秦簡研究》頁三八四。

㉖參見《日知錄》卷二十二中。

㉗參見《漢代「亭」與「鄉」「里」不同性質不同系統說》，文載《歷史研究》一九五四年第二期。

㉘高敏先生於《秦漢時期的亭》一文，提出：

關於秦、漢時期「亭」的統屬關係，並非沒有疑問題。以《漢書・百官公卿表》來說，當它列舉西漢時期縣、道、國、邑、鄉、亭的總數時，謂全國『有鄉六千六百二十二，亭二萬九千六百三十五』，這顯然同『大率……十亭一鄉』的比例不符合，其中即使有些鄉不足十亭，也不會有相差如此之大。再以《續漢書・百官志五》來說，它在『亭有亭長』條下注中說：亭長『承望都尉』，意即亭長並不直接統轄於鄉，而直接受都尉的管轄。又同書劉昭補注引應邵《風俗通》曰：『國家制度，大率十里一鄉』意即在漢代的地方行政系統中『鄉』與『里』之間不存在『亭』一級行政單位。還有『千家亭長』之說，也同樣可疑。據《續漢書・百官志五》，『里』下有什、伍，所謂什、伍，即五家爲伍，十家爲什，一里管十什，故曰『一里百家』。如果按《漢書・百官公卿表序》所說的『十里一亭』和『十亭一鄉』去推算，則每亭千家，每鄉萬家，這顯然同秦漢時每縣所統僅萬戶左右的情況不合。

熊鐵基先生在《「十里一鄉」和「十里一亭」——秦漢鄉、亭、里關係的決斷》一文中，也從戶口和地域範圍推算，（熊氏論述甚詳，請參閱該文）認爲：

從有關戶口數字的各種記載看，「十里一鄉」都是可靠的。作爲地方行政單位來看，絕不可能是「十里一亭，十亭一鄉」，只能是「十里一亭，十里一鄉。」

㉙參見熊鐵基《「十里一鄉」和「十里一亭——秦漢鄉、里、亭關係的決斷》，文載《江漢論壇》一九八八三年，十一月。

㉚參見羅開玉《秦國鄉、里、亭新考》，文載《文物與考古》頁八〇。一九八二年第五期。

㉛《封診式》關於亭的資料，臚列如下：

《盜馬》

爰書：市南街亭求盜才（在）某里曰甲縛詣男子丙，及馬一匹，騅牝右剽；緹覆（複）衣，帛里莽緣領褎（袖），及履，告曰：「丙盜此馬、衣，今日見亭旁，而捕來詣。」（六〇一—六〇二簡）

《群盜》

爰書：某亭校長甲、求盜才（在）某里曰乙、丙縛詣男子丁，斬首一，具弩二、矢廿，告曰：「丁與此首人强攻群盜人，自晝甲將乙等徼循到某山，見丁與此首人而捕之。此弩矢丁及首人弩矢毄（也）。首人以此弩矢□□□□□□乙，而以劍伐收其首，山儉（險）不能出身山中。」〔訊〕丁，辭曰：「士五（伍），居某里。此首某里士五（伍）戊毄（也），與丁以某時與某里士五（伍）己、庚、辛、，强攻群盜某里公士某室，盜錢萬，去亡。己等已前得。丁與戊去亡，流行毋（無）所主舍。自晝居某山，甲等而捕丁戊，戊射乙，而伐殺收首。皆毋（無）它坐辠（罪）。」診首毋診身可毄（也）。（六〇五—六一〇簡）

《賊死》

爰書：某亭求盜甲告曰：「署中某所有賊死、結髮、不智（知）可（何）男子一人，來告。」即令令史某往診。令史某爰書：與牢隸臣某即甲診，男子死（屍）在某室南首，正偃。某頭左角刃痏一所，北（背）二所，皆從（縱）頭北（背），袤各四寸，相耎，廣各一寸，皆舀中類斧，腦角出（頔）皆血出，柀（被）污頭北（背）及地，皆不可爲廣袤；它完。衣布禪帬、襦各一。其襦北（背）直痏者，以刃夬（決）二所，癄（應）痏。襦北（背）及中衽□污血。男子西有髼秦綦履一兩，去男子其一奇六步，一十步；以履履男子，利焉。地堅，不可智（知）賊迹。男子丁壯，析（晳）色，長七尺一寸，髮長二尺；其腹有久故瘢二所。

男子死（屍）所到某亭百步，到某士五（伍）丙田舍二百步。令甲以布帬剗貍（埋）男子某所，侍（待）令。以襦、履詣廷。訊甲亭人及丙，（知）男子可（何）日死，聞濤（號）寇者不毆（也）？（六三五—六四二簡）

㉜同㉚。

㉝同㉕。

㉞《睡虎地秦墓竹簡》謂漆園屬於縣。

㉟參見《睡虎地秦墓竹簡》，頁八五。

㊱見該書頁三八。

㊲參見氏著《秦漢嗇夫考》，頁一三六頁。

㊳參見氏著《論〈秦律〉中的「嗇夫」一官》，文載《雲夢秦簡初探》頁一八九。

㊴同③，頁二八〇。

㊵參見朱大鈞《有關「嗇夫」的一些問題》，頁一八〇。

㊶《說文》曰：「鄉，國離邑也。」離邑，即是離鄉。

第三章　秦簡所見的上計制度

上計，是考核地方官吏的一種重要方式，同時也要戶口統計、財政、民政、調查的重要途徑。計，指計簿。所謂上計，就是下級向上級，地方向中央上報。亦即國家要求地方行政官員於每年年終將施政情形上報，《後漢書·百官志》曰：

凡郡國皆掌治民，進賢勸功，決訟檢奸。常以春行所主縣，勸民農桑，振救乏絕。秋冬遣無害吏案訊諸囚，平其罪，論課殿最。歲盡遣吏上計。

而郡之下的縣令、長，「皆掌之民，……秋冬集課，上計所屬郡國。」由《後漢書·百官志》來看，漢制，縣邑道先「上計於所屬郡國」，再由郡上計於朝廷。不過，由《雲夢秦簡》來看，秦的上計並不是由縣上計於郡，再由郡上計於朝廷，而是「縣」直接上計於朝廷。一般而言，上計的範圍有戶口、墾田、賦稅收入、獄政等，各地將這些內容編爲簿籍，呈送朝廷朝據此決定對地方官吏的獎懲、任免。①

第一節　秦以前的上計制度

上計制度不始於秦，但秦以前的上計，留下的史料不多。由史料來看，西周時已有類似的制度。如《周禮·天官》曰：

歲終，則令百官府各正其治，受其會。

王荆公《周官新義》曰：

受其會者，受其一歲功事財用之計。

又《周禮·天官》曰：

三歲則大計群吏之治以知民之財，器械之數，以知田野夫家六畜之數，以知山林川澤之數，以逆（考核）群吏之徵令。

這二條西周的材料，雖然沒有「上計」之名，但卻很清楚地說明了「上計制度」的源始、內容和作用。「上計」之名，始用於戰國。《秦會要訂補・職官上》曰：

上計之制，六國亦有之。魏文侯時，東陽上計，錢布十倍。見《新序・雜事篇》。又西門豹爲鄴令。期年上計。《見韓非子・外儲說左篇》。又趙襄子之時，以任登爲中牟令上計，言於襄子云云。見《呂氏春秋・知度篇》。」

又《說苑・政理》曰：

晏子治東阿三年，景公召而數之曰：「吾以子爲可而使子治東阿，今子治而亂。」晏子對曰：「臣請改道易行而治東阿，三年不治，臣請死之。」景公許之。於是明年上計，景公迎而賀之曰：「甚善矣，子之治東阿也。」

《韓非子・外儲說》曰：

西門豹爲鄴令，……居期年，上計，君收其璽，豹自請曰：「臣昔者不知所以治鄴，今臣得矣，願請璽復以治鄴，不當，請伏斧鑕之罪。」文侯不忍而復與之。……期年上計，文侯迎而拜之，……遂納璽而去。

《韓非子・難二》曰：

李克治中山，苦陘令上計而入多。

《韓非子・外儲說》曰：

田嬰相齊，人有說王者曰：「歲終之計，王不一以數日之間自聽之，則無以知吏之奸邪得失也。」王曰：「善」。田嬰聞之，即遽請於王而聽其計。……田嬰令官具押券斗石參升之計。……田嬰復謂王曰：「群臣所終歲日夜不敢偷怠之事也，王以一夕聽之，則群臣有爲勸勉矣，吏盡揄刀削其押券升石之計。

《呂氏春秋・知度》曰：

趙襄子之時，以任登爲中牟令，上計，言於襄子曰：……。

《淮南子・人間訓》曰：

解扁爲東封，上計而入三倍，有請賞之。文侯曰：「吾土地非廣益也，人民非益眾也，入何於三倍？」

《新序・雜事》曰：

明年，東陽上計，錢布十倍，大夫畢賀，文侯曰：「今吾田地不加廣，士民不加眾，而錢十倍。」

以上所引有關「上計」的資料，葛劍雄先生認爲「都是以事寓言，並非正式史實記載，其中晏子與西門豹事迹相仿，東封與東陽情節類似，可能各有傳聞，因此不能拘泥於所述的時間與範圍。但對照史實，則可以肯定，在封建制度的建立過程中，國君對地方的直接任命和考察、對賦稅的集中逐漸成爲必要，上計制度也就應運而生。」②大抵而言，戰國的上計，是地方官吏每年將本地區內的戶口數目，賦稅收入等預算，寫在木券上，呈送給國君，然後再由國君將木券剖分爲二，左券發還地方，右券上級存案。到了年終，地方便根據本年上計的內容進行結算，報請上級核實。國君再據此對地方官吏進行考課。

【附註】

①參見高恒先生《秦簡中與職官有關的幾個問題》，文載《雲夢秦簡研究》，頁二五七。又參見黃今言先生《秦漢賦役制度研究》，頁三八九。（江西教育出版社）

②參見氏著《秦漢的上計和上計吏》，文載《中華文史論叢》一九八二年第二輯。（一九八二年五月上海古籍出版社）

第二節　秦簡的上計內容

秦國在戰國時期的上計制度和其他國家大致相同，但秦獻公十年（西元前三七五年）「爲戶籍相伍」，①嚴密了戶口制度；特別是在商鞅變法之後，封建制度得以强化，上計制度也更加完整。由於名籍對行政管理和上計考課方面有顯著的關連，因此，統治者歷來就十分重視。《商君書・去强》曰：「舉民口數，民不逃粟」《商君書・墾令》曰：「以商之口數使商，令之廝輿徒重者必當名。」《雲夢秦簡》的《編年記》和《法律答問》中，有「自占年」（〇二三・二簡）及防止「匿戶」（五三五簡）的法律規定。②可見秦對戶口的管理十分重視。秦的名籍始建於秦獻公。當時采取了「戶籍相伍」的辦法，把全國人口編成以五家爲一伍的組織，將戶籍管理和什伍編制結合起來，加强了對人民的統治。秦孝公用商鞅變法時，對名籍的行政管理作了進一步的調整。《商君書・境內》曰：「四境之內，丈夫女子，皆有名於上，生者著，死者削。」《商君書・去强》亦曰：「舉民口之衆，生者著，死者削。」不僅開創了人口出生和死亡的動態登記，而且還注意到按人口性別、年齡和職業的分類統計。③如《商君書・去强》曰：

> 境內倉、口之數，壯男、壯女之數，老弱之數，官士之數，以言說居食者之數，利民之數，馬、牛、芻槀之數。

商鞅以爲只有這樣，才能「兵起而勝敵，按兵而國富」。可見當時意識到人口管理的重要。這種對戶籍管理和登錄的政策，在《雲夢秦簡》中可以很明顯的找到證據。如《封診式》中的《封守》爰書，就有一些戶口登錄的形式：

1.封有鞫者某里士五（伍）甲家室、妻、子、臣妾、衣器、畜產。

2.甲室、人：一宇二內，各有戶，內室皆瓦蓋，木大具，門桑十木〈朱〉。

3.妻曰某，亡，不會封。

4.子大女子某，未有夫。

5.子小男子某，高六尺五寸。

6.臣某，妾小女子某。

7.牡犬一。

（以上五八八一五九〇簡）

這份爰書的形式，第一條首先揭示「某里士五（伍）甲家室、妻、子、臣妾、衣器、畜產。」等；第二條續見「甲的家室和戶口」接著登載「一棟二室，各有入口，室皆瓦葺，設有木造大門。桑樹十株。」；接著列舉戶口，如第三條「妻某在逃，不予查封」；第四條「子，大女子（成年女子）某，未婚。」；第五條「子，小男子（未成年男子）某，高六尺五寸。」；第六條「奴隸」，「婢小女子某」；第七條以「牡犬一條」作結。通過這份查封爰書的書寫登錄形式，可知秦代的戶口排列順序，是戶主、妻、子、奴婢，而且子不是依男女的次序，而是按年齡大小排列的。④

《封診式》中的戶口登錄形式，說明了秦代對於戶籍的管理十分嚴格。此外，由史籍可以看出，秦代的名籍類型有很多不同的種類，如「傅籍」、「弟子籍」、「宗室籍」、「官籍」、「市籍」等，這些名籍的設立各有其作用。由於名籍的建立，除了對行政管理有很大的幫助外，對上計考課也有顯著的作用。因此，秦的上計制度在戰國時期，就已經透過名籍的建立而有很多具體的發展。

前面提到秦所實行的上計制度，並非由縣上計於郡，再由郡上計於朝廷，而是由縣直接上報。如《秦律十八種・倉律》曰：

縣上食者籍及它費大（太）倉，與計偕。都官以計時讎食者籍。（一〇四簡）

律文規定：各縣向太倉上報領取口糧人員的名籍和其他費用，應與每年的帳簿同時繳送。都官應在每年結帳時核對領取口糧人員的名籍。「太倉」是內史的屬官，是朝廷收儲糧食的機構官員，⑤而內史則掌握縣的穀倉廥籍。如《秦律十八種・倉律》曰：「入禾稼，芻稾，輒為廥籍，上內史。」（〇九五簡）⑥這說明縣直接上計於朝廷（內史），其原因，正如高恒先生所謂的是「秦置郡之前，縣是直接由中央領導。秦簡中所見到的法律條文，多頒於普遍設郡以前，因此在上計問題上，未反映出郡縣的隸屬關係。」⑦事實上，上引戰國的各條資料中，也可以看出，戰國各國的上計也是以縣為單位，且都是由縣令直接向國君報告，國君或由丞相協助進行考核。

由《雲夢秦簡》來看，秦代的上計內容有錢糧、公器、衣服及其他各類的會計管理。根據《商君書・禁使》：「十二月而計書已定，事以一歲別計，而主以一聽。」說明上計是每年進行一次，同時也可以知道上計的材料稱為「計書」。以下就《雲夢秦簡》略述秦代的上計內容：

一、錢糧收入方面的上計

《秦律十八種・倉律》曰：

1.入禾稼，芻稾，輒為廥籍，上內史。（〇九五簡）

2.至計而上廥籍內史。入禾、發屚（漏）倉，必令長吏相雜以見之。芻稾如夫。（二四二—二四三簡）

3.稻後禾孰（熟），計稻後年。已穫上數，別粲、穤（糯）秙（黏）稻。別粲、穤（糯）之襄（釀），歲異積之，勿增積，以給客，到十月牒書數，上內〔史〕。（一〇二—一〇三簡）

廥籍是指穀倉之簿籍。第一條規定如將穀物、芻、稾存入倉中，就必須立即詳細記載於穀倉的簿籍上，上報給內史。第二條大致相同，即到每年上報帳目的時候，應將倉的簿籍上報內史。穀物入倉，打開漏倉，必須命史吏會同驗視。芻稾和穀物同例。至於各類糧食的登簿方式，則是各別分開的。如第三條律文規定：稻如在穀子之後成熟，應把稻計算在下一年帳上。收獲後上報產量時，應把用以釀酒的秈稻和糯稻區別開來，每年單獨貯積，不要增積。至於這些租稅的課徵如何呢？《秦律十八種·田律》中可見：

> 入頃芻稾，以其受田之數。無豤（墾）不豤（墾），頃入芻三石、稾二石。（〇七五簡）

其中「頃入芻三石、稾二石」，說明田賦是按照土地面積徵收的。「石」是衡制單位，秦制每石一百二十斤。又規定「無豤（墾）不豤」也都計算在繳納田賦的頃數之內。這些租稅大都以「禾」、「芻」、「稾」實物繳納，而且是以穀物，即「禾」爲主要的繳納實物。如《雲夢秦簡》中多處提到「入禾」、「入禾稼」、「入禾倉」，這說明穀子是秦代田賦的主要部分。⑧這些稅租的以何種方式收藏？收藏於何處？《秦律十八種·田律》中有詳細的記載：

> 入禾倉，萬石一積而比黎之爲户。縣嗇夫若丞及倉、鄉相雜以印之，而遺倉嗇夫及離邑倉佐主稟者各一户以氣（餼），自封印，皆輒出，餘之索而更爲發户。嗇夫免，效者發，見雜封者，以隄（題）效之，而復雜封之，勿度縣，唯倉自封印者是度縣。出禾，非入者是出之，令度之，度之當堤（題），令出之。其不備，出者負之；其贏者，入之。雜出禾者勿更。入禾未盈萬石而欲增積焉，其前入者是增積，可殹（也）。其它人是增積，積者必先度故積，當堤（題），乃入焉。後節（即）不備，後入者獨負之；而書入禾增積者之名事邑里于廥籍。萬石之積及未盈萬石而被（柀）出者，毋敢增積。櫟陽二萬石一積，咸陽十萬

石一積，其出入、增積如律令。長吏相雜以入禾倉及發，見屚之粟積，義積之，勿令敗。（〇八八一〇九四簡）

一般「禾」、「芻」、「稾」分別以一萬石爲一積存入縣倉。這些稅租入倉時，則立即作成「廥籍」，其形式爲：

入禾，萬〔石一積而〕比黎之爲戶，籍之曰：「其廥禾若干石，倉嗇夫某、佐某、史某、稟人某。」是縣入之。（《秦律十八種・效律》二三五簡）

負責人的「名事邑里」都要在廥籍上寫明。⑨然後「到十月牒書數，上內〔史〕。（一〇三簡）地方（縣）上計，一方面便於朝廷掌握全國的糧草數額，另一方面也據此考核地方官吏。

4.縣上食者籍及它費大（太）倉，與計偕。都官以計時讎食者籍。（一〇四簡）

律文規定各縣向太倉上報領取口糧人員的名籍和其他費用，應與每年的帳簿同時繳送。都官應在每年結帳時核對領取口糧人員的名籍。這條律文主要是要求地方對所支出的錢、穀數額，在上計時也要「與計偕」。

二、公器方面的上計

內史不但掌理穀物、芻、稾，還管理公器。如《秦律十八種・均工律》曰：

新工初工事，一歲半紅（功），其後歲賦紅（功）與故等。工師善教之，故工一歲而成，新工二歲而成。能先期成學者謁上，上且有以賞之。盈期不成學者，籍書而上內史。（一七八一一七九簡）

律文要求對於工人「盈期不成學者，籍書而上內史。」⑩《秦律十八種・金布律》曰：

官相輸者，以書告其出計之年，受者以入計之。八月、九月中其有輸，計其輸所遠近，不能逮其輸所之計，□□□

□□□□移計其後年，計毋相繆。工獻輸官者，皆深以其年計之。（一三七—一三八簡）

官府輸送物品，應以文書通知其出帳的年份，接受者按收到的時間記帳。如在八月、九月中輸送，估計所運處所的距離，不能趕上所運處所的結帳，……改入下一年帳內，雙方帳目不要矛盾。工匠向官府上繳產品，都應固定按其產年記帳。輸送當是指上報，記帳則是上計的前置作業。另外，《秦律十八種・內史雜》曰：

都官歲上出器求補者數，上會九月內史。（二五四簡）

都官每年上報注銷而要求補充的器物數量，在九月把帳報到內史。由此看來，既要上報器物注銷的年報，又要上報要求補充的器物計劃。顯然公器也是上計的內容之一。

三、衣物方面的上計

《秦律十八種・金布律》曰：

受（授）衣者，夏衣以四月盡六月稟之，冬衣以九月盡十一月稟之，過時者勿稟。後計冬衣來年。囚有寒者爲褐衣。爲幏布一，用枲三斤。爲褐以稟衣；大褐一，用枲十八斤，直（值）六十錢；中褐一，用枲十四斤，直（值）卌六錢；小褐一，用枲十一斤，直（值）卌六錢。已稟衣，有餘褐十以上，輸大內，與計偕。（一五七—一五九簡）

律文對發放夏衣和冬衣都有時間規定，如夏衣從四月到六月底發給，冬衣從九月到十一月發給，過期不領的不再發給。冬衣因發放時較晚，應記在下一年的帳上。囚犯寒冷無衣可做褐衣。作幏布一條，用粗麻三斤。做發放的褐衣：大褐一件，用粗麻十八斤，值六十錢；中褐衣一件，用粗麻十四斤，值卌六錢；小褐衣一件，用粗麻十一斤，值卌六錢。發放過衣服以後，剩餘褐衣在十件以上，應送交大內，與每年的帳簿同時上繳。律文所謂的「計偕」，在《雲夢秦簡》中只有兩見，（另一見於上引《倉律》一〇四簡）《漢書・武帝紀》曰：

> 徵吏民有明當時之務，習先聖之術者，縣次續食，令與計偕。

師古《注》曰：

> 計者，上計簿使也，郡國每歲遣詣京師上之。偕者，俱也。令所徵之人與上計者俱來，而縣次給之食。後世訛誤，因承此語，遂總謂上計爲計偕。

孫詒讓《周禮正義》曰：

> 漢時，謂郡國送文書之使爲計吏，其貢獻之物，與計吏俱來，謂之計偕物。

陳直先生《漢書新證》曰：

> 計偕有兩類性質，一爲上計簿時所偕之物，……。二爲上計簿時所偕之人。⑪

可見計偕當有二類，一是計吏，一是與計吏俱來的貢獻之物。前者爲上計簿時所偕之人，後者爲上計簿所偕之物。也就是指地方在上計時，將有關的人或物一併送到中央。因此，所謂「已稟衣，有餘褐十以上，輸大內，與計偕。」當是上計吏帶著衣物和帳簿同時上繳。

【附註】

①參見《史記・秦本記》。

②關於「匿戶」，見於《法律答問》第一四六條：可（何）謂「匿戶」及「敖童弗傅」？匿戶弗繇（徭）、使，弗令出戶賦之謂殹（也）。（五三五簡）

③參見黃今言先生《秦漢賦役制度研究》，頁三六九一三八五。

④參見日人池田溫先生《中國古代籍帳研究》，頁五二一五三。弘文館出版社一九八五年版。又見東京大學東洋文化研究所版，一九七

九年。

⑤參見《睡虎地秦墓竹簡注》，頁二十五。

⑥另外，由《秦律十八種・㈣苑律》中的：「內史課縣，大（太）倉課都官及受服者。」（〇八七簡）可以很清楚地看出，中央的內史直接考核各縣，縣以下的「都官」及「受服者」則由派駐的太倉考課。

⑦參見氏著《秦簡中與職官有關的幾個問題》，文載《雲夢秦簡研究》，頁二五七。

⑧參見劉海年先生《睡虎地秦簡中有關農業經濟法規的探討》，文載《中國古代史論集》，「社會科學戰線」編輯部編印，吉林大學出版，一九八一年三月。

⑨參見日人工藤元男先生《秦の內史一主として睡虎地秦墓竹簡による》，文載《史學雜誌》第九〇編第三號，一九八一年。又見李守愛譯工藤氏著《秦內史——依睡虎地簡爲主之研究》），文載《簡牘學報》第十期，一九八一年。

⑩關於秦內史問題請參見本文《緒論編》第二章第四節《內史雜》部分。又工藤元男先生曰：「這些工律及均工律是有關秦官營手工業之規定。但是佐藤武敏氏認爲，秦漢時代之官營手工業幾乎均隸屬少府管轄，又有若干業種隸屬將作大匠、大司農、水衡都尉。（《中國古代工業の研究》第一章《秦漢時代の手工業》吉川弘文館出版，一九六二年）而且根據《百官表》記載，除了水衡都尉以外，這些官吏均是秦以來之官職。因此，這些官名應該出現在工律及均工律上。但是，這些官名不僅沒有全部出現在秦律上，而且由公器之製作現場，以至於公器出入之管理及其廢物處理，一貫加以行政支配的，根據至今所見之記載，確實是內史。」（見前揭書）可爲內史職務之參考。

⑪參見該書頁二九。

第三節　上計的基礎——計及計吏

在《雲夢秦簡》中，「計」的使用十分普遍。凡官府對各方面的會計核驗都稱爲計。一般而言，計有一定的數量和範圍，違反了就必須接受法律的處分。如《效律》曰：

1.計用律不審而贏、不備，以效贏、不備之律貲之，而勿令賞（償）。（三一八簡）

2.計校相繆（謬）殹（也），自二百廿錢以下，誶官嗇夫；過二百廿錢以到二千二百錢，貲一盾；過二千二百錢以上，貲一甲。人戶、馬牛一，貲一盾；自二以上，貲一甲。（三二四—三二五簡）

3.計脫實及出實多於律程，及不當出而出之，直（值）其賈（價），不盈廿二錢，除；廿二錢以到六百六十錢，貲官嗇夫一盾；過六百六十錢以上，貲官嗇夫一甲，而復責其出殹（也）。人戶、馬牛一以上爲大誤。誤自重殹（也），減辠（罪）一等。（三二六—三二八簡）

4.縣、都官坐效、計以負賞（償）者，已論，嗇夫即以其直（值）錢分負其官長及冗吏，而人與參辨券，以效少內，少內以收責之。（一四七簡）

正確性是會計數字的生命，《雲夢秦簡》在會計核驗方面對核算的正確性要求十分嚴格。一旦不合規定，就有罪責。如第一條律文規定：會計不合法律規定，按核驗實物時有超出或不足數的法律罰金，但不令賠償。《雲夢秦簡》把會計差錯分成二類，一類是「計校相繆（謬）殹（也）」，即會計經過核對發現錯誤。其處置情形是：錯數在二百廿錢以下，斥責該官府嗇夫；超過二百廿錢到二千二百錢，貲一盾；超過二千二百錢以上，貲一甲。錯算人口一戶或馬牛一頭，貲一盾；二戶或二頭以上，貲一甲。一類是「計脫實及出實多於律程」（三二六簡）這類是指實不符及亂銷帳，同時造成財產損失，因而處分較重。如第四條規定：會計帳目不足或多過實有數超出法律規定的限度，和不應銷帳而銷了帳，估計其價值，不滿二十二錢，可免罪；二十二錢到六百六十錢，罰該官府的嗇夫一盾；超出過六百六十錢以上，罰該府貲官嗇夫一甲，並仍責令賠償所銷帳的東西。錯算人口一戶或馬牛一頭以上是大誤。如係行查察錯誤，可減辠（罪）一等。二類區別列表如下：

第一類錯誤	第二類錯誤	處　　分
220錢以下		誶官嗇夫
221—2200錢或人戶、馬牛一	22－660錢	貲　一　盾
過2200錢或人戶、馬牛一	過660錢	貲　一　甲

此外，《效律》（上引第四條）還規定：縣、都官在點檢或會計中有罪而應賠償者，經判處後，有關官府嗇夫即將其應償錢數分攤於其官長和群吏，發給每人一份木劵，以便向少內繳納，少內憑劵收取如有盈餘應上繳的，也由官府發給木劵，以便上繳。欠債不得超過當年，如超當年仍不繳納，以及不按法令規定繳納的，均依法論處。

以漢代而言，郡國設有上計吏員，史稱「上計長吏」、「上計吏」和「上計掾」。如《漢書・黃霸傳》曰：「（張）敞奏霸曰，竊見丞相請與中二千石博士雜問郡國上計長吏、守丞、爲民興利除害。」《後漢書・范式傳》曰：「長沙上計掾史到京師，上書表式形狀，三府並辟，不應。」《後漢書・王逸傳》曰：「元初中，舉上計吏。」又《隸釋》南陽太守秦頡碑陰銘曰：「上計掾平氏朱諒季平、上計掾□□育子和、上計史宛單韶、伯、上計史宛□芠□□。」這些是兩漢的上計吏。①以秦代而言，亦當有上計吏，但《雲夢秦簡》中並沒有見到這方面的資料。不過，對於負責「計」事方面的各種專職官吏，見於《效律》的倒有幾條：

1.官嗇夫二甲，令、丞貲一甲；官嗇夫貲一甲，令、丞貲一盾。其吏主者坐以貲、誶如官嗇夫。其它冗吏、令史掾計者，及都倉、庫、田、亭嗇夫坐其離官屬于鄉者，如令、丞。（三一九—三二一簡）

2.尉計及尉官吏節（即）有劾，其令、丞坐之，如它官然。（三二二簡）

3.司馬令史掾苑計，計有劾，司馬令史坐之，如令史坐官計劾然。（三二三簡）

其中「掾計」、「尉計」、「掾苑計」、「官計」即是「計」的各種負責的官吏。葛劍雄先生曰：

> 前述各種「計」和各種負責「計」的官員，非即等於上計，但各種「計」是上計的基礎，正因為地方官吏通過各種「計」，詳盡地掌握了各項統計數字，才能按規定上報朝廷。秦時縣已有千餘，上計當然是由郡匯總縣屬後進行，從存在眾多的專職「計」吏看，上計大約已由專職的官吏負責，而不再由郡守親自執行了。②

以《雲夢秦簡》來看，秦所實行的上計制度，並非由縣上計於郡，再由郡上計於朝廷，而是由縣直接上報。雖然秦昭王時，王稽為河東太守，「三年不上計」，③被視為失職行為。當時河東已設郡，秦國可能已經實行以郡為單位進行上計。但《雲夢秦簡》

中找不到證據。倒是由縣直接上報的例子卻有不少。至於上計吏，由《雲夢秦簡》「與計偕」有二例來看，各縣當有專門的上計吏才是。

關於治獄方面，《雲夢秦簡》有很豐富的司法爰書以及法律條文，但同樣的卻未見有要求地方政府上報治獄情況的資料，這是可惜之一。此外，對於上計之後的考課方式如何？獎勵的形式如何？《雲夢秦簡》中也沒有具體的資料，這是可惜之二。

【附註】

①參見黃今言先生《秦漢賦役制度研究》，頁三九〇。

②參見氏著《秦漢的上計和上計吏》，文載《中華文史論叢》一九八二年第二輯。（一九八二年五月上海古籍出版社）

③參見《史記・范睢蔡澤列傳》。

第四章　秦簡所見的官吏管理制度

法家强調「因任而授官，循名而責實」，因任授官、循名責實；是君上之事；而奉法宣令，則爲臣下之責。因此，統治者根據需要而設官任職，而官吏則有執行其職務的義務，同時官吏在執行職務時，亦有依法執行的義務。此外，法家向重「吏治」，韓非所謂「明主治吏不治民」（《韓非子・外儲說右下》），荀子亦謂「百吏畏法循繩，然後國不亂。」（《荀子・王霸》）秦王朝自商鞅變法以來，就深深體認官吏是治法的對象，因此，十分重視「吏治」。這由《雲夢秦簡》中的《語書》、《爲吏之道》以及其他的各單行法規可以看出。關於官吏的行政管理法規，秦代並沒有成文法典。但秦國在整飾吏治以及以法治國的過程中，相應地制定並頒發了一系列單行的成文法規。這些法規見於《秦律雜抄》的有《除吏律》、《除弟子律》、《中勞律》、《公車司馬獵律》、《傅律》、《敦表律》、《捕盜律》、《戍律》、《游士律》；見於《秦律十八種》的有：《置吏律》、《徭律》、《司空》、《軍爵律》、《傳食律》、《行書》、《內史雜》、《尉雜》、《屬邦》。①它們的內容是多方面的，同時類型完全、結構嚴密，②對於官吏的任免、考課、獎懲、爵制、秩祿，各方面都作了嚴格的規範，這說明了秦對「吏治」的管理十分重視。③本章擬就秦代「官吏的任免」、「官吏的俸祿」、「官吏考課與獎懲」等方面進行討論。

第一節　秦代官吏的任免

關於秦代官吏的選任，在本編第一章《秦簡所見的選官制度

》中，已討論了幾個制度。本節擬就《秦律十八種》中的《置吏律》及《秦律雜抄》中的《除吏律》二個單行法規，以及《秦律十八種》的《倉律》、《金布律》、《效律》幾個經濟法規和《法律答問》的部分資料，來討論官吏任免的一些標準和原則。

一、任官的形式和程序

㈠、官吏必須經過正式任命

秦代官吏的任命必須經過正式委任，任官才發生效用。如《秦律十八種・置吏律》曰：

> 除吏、尉，已除之，乃令視事及遣之；所不當除而敢先見事，及相聽以遣之，以律論之。（二二六簡）

律文對吏或尉的任命，必須有正式的方式，才可派往就任行使職權；如有未經任用而敢先行行使職權，以及私相謀劃而派往就任的，就是違法，要依法論處。這是嚴格的任命權，主要的目的，是防止官吏循私，安插親信。吏和尉是屬於縣級的佐屬，是下級的地方官吏，尚且採用這麼嚴格的任命權，上級的郡、縣要職，或者朝廷的高級官吏的任用自然更加謹慎。

㈡、官吏調職不准帶走佐屬

《秦律十八種置吏律》曰：

> 嗇夫之送見它官者，不得除其故官佐、吏以之新官。（二二六—二二七簡）

律文規定：嗇夫調任新職，不准把原任官府的佐、吏任用到新任官府。這個目的，主要是爲了防止結黨，形成私人派系。同時，也是爲了官吏調動的制度化，以免影響到秦代中央集權的統一步調。

㈢、不准任用廢官

《秦律雜抄・除吏律》曰：

> 任法（廢）官者爲吏，貲二甲。（三二九簡）

律文規定：不得保舉曾被撤職永不敘用的人爲吏，否則貲二甲。另外，《秦律十八種・內史雜》也規定：

令赦史毋從吏（事）官府。（二五八簡）

下吏能書者，毋敢從史之事。（二五九簡）

律文規定犯過罪而經赦免的史不能在官府供職；同時又規定犯了罪的下吏即使能夠書寫，也不准作史的事務。另外，在《秦律十八種・內史雜》中規定刑徒不可任用爲吏，如：

侯（候）、司寇及群下吏毋敢爲官府佐、史及禁苑憲盜。（二六〇簡）

侯（候）和司寇這類刑徒，以及犯罪尚未判決的衆官吏，都不准作官府佐、史及禁苑憲盜。這條規定顯然和《商君書・算地》所謂的「聖人之爲治也，刑人無國位，戮人無官任」有關，④可見秦代對官吏任用的管制很嚴格。

㈣、每年定時任官

《秦律十八種・置吏律》曰：

縣、都官、十二郡免除吏及佐、群官屬，以十二月朔日免除，盡三月而止之。其有死亡及故有夬（缺）者，爲補之，毋須時。置吏律（二二四—二二五簡）

律文有二項規定：其一是縣、都官和十二個郡，任免吏和佐以及各官府屬員，都從十二月一日起任免，到三月底截止。其二是有官吏死亡或因故出缺的，可以補充缺員，同時可以不按照上述規定時間。《雲夢秦簡》規定補缺有其期限，如《秦律十八種・內史雜》曰：

官嗇夫免，□□□□□□□□其官亟置嗇夫。過二月弗置嗇夫，令、丞爲不從令。（二五六簡）

此處「官嗇夫」是指都官和縣所屬機構的主管官吏，（請參見本編第二章《秦簡所見的嗇夫》）律文規定：官嗇夫免職，該官府必須立即任命嗇夫。如果超過二個月仍未任命新嗇夫，「令、丞爲不從令」。在補缺未完成期間，縣必須要有指定其職務代理人，如《秦律十八種·內史雜》曰：

苑嗇夫不存，縣爲置守。（二五七簡）

由於苑囿嗇夫本身的職務比較特殊，是屬於上級任命的官吏，如果不在，縣必須安排代理人。以此來看，縣級佐屬或官嗇夫在補缺官員未到任之前，也會有職務代理人。另外，在《秦律十八種·置吏律》中也有代理人資格的規定，如：

官嗇夫節（即）不存，令君子毋（無）害者若令史守官，毋令官佐、史守。（二二八簡）

律文規定：官嗇夫不在，必須以不會出差錯有爵者和令史代理，不可叫下級的佐、史代理。可見秦在官吏管理上必然有代理制度的存在。

㈤、任佐吏有年齡限制

除佐必當壯以上，毋除士五（伍）新傅。（二五七簡）

《漢舊儀》曰：「無爵爲士伍」，傅指傅籍，是成年之意。但律文規定任命佐必須用壯年以上的人，不要任用剛傅籍而沒有爵位的人。這條規定比較籠統。壯年，古時一般指三十歲，秦代定義如何不得而知。因此這裏所指當是原則性的。

二、廢免官吏的規定

《雲夢秦簡》中所謂「免」是指免除官職；所謂「廢」是指撤職永不敘用。二者同是罷黜官職，但「免」輕於「廢」。

㈠、免

免是免除官職，這類處分往往同「貲二甲」並科使用。大都見於《秦律十八種》和《效律》以及《秦律雜抄》。

《秦律雜抄·除吏律》曰：

1. 除士吏、發弩嗇夫不如律，及發弩射不中，尉貲二甲。發弩嗇夫射不中，貲二甲，免，嗇夫任之。駕騶除四歲

，不能駕御，貲教者一盾；免，賞（償）四歲繇（徭）戍。（三三〇一三三一簡）

這是一篇有關軍事官吏任用和訓練不當的法規。其一、任用士吏或發弩嗇夫不合法律規定，以及發弩射不中目標，縣尉應受罰；至於發弩嗇夫射不中目標，應罰二甲，免職，由縣嗇夫另行保舉；其二、駕騶已任用四年，仍不能駕車，罰負責教練的人一盾；駕車本人則應免職，並補服四年內應服的徭役。本條律文牽涉到地方軍隊和後備人員的訓練，這說明秦的地方政府（縣級）的有關官員，在平時有依法為軍隊訓練射手和駕御戰車後備人員的職責。又《秦律雜抄》有一條關於「包卒為弟子」要受免職和貲罰的規定，律文為：

2.縣毋敢包卒為弟子，尉貲二甲，免；令，二甲。（三三五一三三六簡）

這條也和軍事有關，律文規定：縣不准把卒藏為弟子，違者縣尉貲二甲，免職。這是避免即將服役的下級軍士藉此逃避兵役的規定。由律文看，秦時的學吏弟子在兵役上享有某些特權。由上二例可以看出，秦律在處分免官的同時往往會另加經濟貲罰，以加重其處分。

在《秦律十八種》中有許多在官嗇夫被免職之後，對其業務進行查核的規定，如：《倉律》曰：

1.嗇夫免，效者發，見雜封者，以隄（題）效之，而復雜封之，勿度縣，唯倉自封印者是度縣。（〇八九一〇九〇簡）

《金布律》曰：

2.官嗇夫免，效其官而有不備者，令與其稗官分，如其事。（一五〇簡）

另外，《效律》也有相近的內容，如：

3.嗇夫免而效，效者見其封及隄（題），以效之，勿度縣，唯倉所自封印是度縣，終歲而爲出凡曰：「某廥出禾若干石，其餘禾若干石。」倉嗇夫及佐、史，其有免去者，新倉嗇夫，新佐、史主廥者，必以廥籍度之，其有所疑，謁縣嗇夫，縣嗇夫令人復度及與雜出之。禾贏，入之，而以律論不備者。（二三八—二四〇簡）

4.實官佐、史被免、徙，官嗇夫必與去者效代者，節（即）官嗇夫免而效，不備，代者〔與〕居吏坐之。（二二九簡）

效，即核驗。所謂「官嗇夫免而效」，就是官嗇夫免職對其業務進行核驗。《效律》曰：「官嗇夫免，縣令令人效其官。」（二八五簡）官嗇夫免職是由縣令派人核驗。至於免職或離職的一般佐、史，則由官嗇夫會同「去者」（免職或離職者）一起檢驗，並向新任者交待。如果核驗有虧空不足，即所謂的「不備」時，「令與其稗官分，如其事。」（一五〇簡）也就是說被免職者和有關主事的小吏都要承擔應負的賠償責任。如果官嗇夫免職已經核驗，然後才發現「不備」的情形，則由新任官吏和留任的吏承擔罪責。關於其他罪責劃分，《效律》還有很明確的規定，如原任的吏不進行核驗，新任的吏在職不滿一年，由離職者和留任的吏承擔，新任的吏不承擔；如已滿一年，而未核驗，則由新任官吏和留任的吏承擔，離職者不承擔。

如果是縣令被免職，則由新任的嗇夫（此處指縣令）自行核驗，如《效律》曰：

縣令免，新嗇夫自效殹（也），故嗇夫及丞皆不得除。（二八六簡）

核驗有問題則由原任嗇夫（縣令）和丞承擔罪責。

《法律答問》中也規定：官吏被免職之後，如果發現在職時，有「法（廢）令、犯令」的情事，則要「逮免」（五一三簡）「逮」者「及」也，《律說》所謂的「逮之」，就是追究免職官吏的罪責。《法律答問》另有一條涉及秦的官制保舉制度的答問，律文問，保舉他人爲丞，如已免職，事後本人爲令，被保舉者又有罪，《律說》說明原保舉者（令）「不當免」。（五一五簡）

被免職的官吏，仍有復職的機會。如：《秦律十八種・金布律》曰：

> 官嗇夫免，復爲嗇夫，而坐其故官以貲賞（償）及有它責（債），貧寠毋（無）以賞（償）者，稍減其秩、月食以賞（償）之，弗得居；其免殹（也），令以律居之。（一四九——五〇簡）

由律文來看，官嗇夫免職之後，仍可復爲嗇夫，但對其前任嗇夫時，因犯罪被貲罰或有其他債務，而貧困無力償還時，法律規定「稍減其秩、月食以賞（償）之。」不得令其居作。如果是免職而沒有復職，則可以依法令「居之」。

㈡、廢

廢是撤職永不敘用，這類處分和免一樣，往往同「貲二甲」並科使用。這類處分大都見於《秦律雜抄》。如：

1.●爲（僞）聽命書，法（廢）弗行，耐爲侯（候）；不辟（避）席立，貲二甲，法（廢）。（三三二簡）

2.不當稟軍中而稟者，皆貲二甲，法（廢）。（三三九簡）

3.稟卒兵，不完善（繕），丞、庫嗇夫、吏貲二甲，法（廢）。（三四三簡）

4.縣園殿，貲嗇夫一甲，令、丞及佐各一盾，徒絡組各廿給。縣園三歲比殿，貲嗇夫二甲而法（廢），令、丞各一甲。（三四八—三四九簡）

5.采山重殿，貲嗇夫一甲，佐一盾；三歲比殿，貲嗇夫二甲而法（廢）。（三四九—三五〇簡）

由上引資料可以看出有五種撤職永不敘用的情形：第一，聽朝廷的命書時，不下席站立，罰二甲，撤職永不敘用。第二，不應自軍中領糧而領取的，皆罰二甲，撤職永不敘用。第三，發給軍卒兵器不完善，質量不好，丞及庫的嗇夫和吏，均罰二甲，撤職永不敘用。第四，漆園連續三年被評爲下等，罰漆園的嗇夫二甲，並撤職永不敘用。第五，採礦連續三年被評爲下等，罰其嗇夫二甲，並撤職永不敘用。五條資料中，在廢的同時，都另並科「貲二甲」，「貲二甲」是秦代貲刑中較重的，一般而言，除了一例是「貲二甲一盾」外，最重的都是「貲二甲」。（例子很多，請參見本文第二編）被廢的官吏，除了撤職永不敘用外，還要採取經濟眥罰，以加重其行政責任。

《法律答問》另有一條成例曰：

> 廷行事吏爲詛僞，貲盾以上，行其論，有（友）法（廢）之。（四二九簡）

詛僞，即詐僞。《睡虎地秦墓竹簡注》曰：「詛，讀爲詐。《急就篇》曰：『誅罰詐僞劾罪人』」⑤律文按照成例，官吏弄虛作假，其罪在貲盾以上，依法判決執行，同時撤職永不敘用。

秦代的官吏有所謂的宦籍，如《史記・蒙恬列傳》曰：「高大有罪，秦王令蒙毅法治之。毅不敢阿法，當高罪死，除其宦籍。」因此，官吏被廢，當即除其「宦籍」。宦籍既除，自然永不敘用。前面在任官部分提到《秦律雜抄》的《除吏律》有規定不得保舉曾被撤職永不敘用的人爲吏，如果「任法（廢）官者爲吏」，則要「貲二甲」。（三二九簡）可見已被除去宦籍的官吏，永遠不得保舉任用。由上五條來看，一條是對朝廷不敬，二條和軍事有關，另二條則針對經濟生產的管理。軍事方面主要是恐影響戰力有關，而經濟生產則直接影響國力，因而採用「廢官」的手段來考核官吏。

由《雲夢秦簡》看來，官吏被廢免，同時要採取貲甲盾的民事責任。這當是基於官吏在執行職務時由於自身的過失，而使國家戰力或財產上蒙受損失所作的考量，因此，除了追究其行政責任外，還要負賠償責任。

【附註】

①關於各律的相關內容，請參見本文第一編《緒論篇》第三章《秦簡的內容》中，《法律答問》和《秦律雜抄》部分。

②參見栗勁先生《秦律通論》，頁三五二—三五五。

③參見蒲堅先生《中國古代行政立法》，頁一二一。

④參見高恒先生《秦簡中與職官有關的幾個問題》，文載《雲夢秦簡研究》，頁二五〇。

⑤參見該書頁一〇七。

第二節　秦代官吏的俸祿

秦代官吏的俸祿與其官秩的高低有其一致性，亦即秦的官秩等級以其待遇多少來劃定。高恒先生認爲秦國最晚於商鞅變法時已經實行俸祿制，並曰：

> 隨著世卿世祿的崩潰，封建君臣之間形成了一種「主賣官爵，臣賣智力」的新關係。國君以臣子效勞能力的大小，決定給與俸祿的多少。俸祿制一同於世卿制的基本之點，在於俸祿不可世襲，官吏任職則發給俸祿，免職則停發。實行俸祿制，對於鞏固中央集權制明顯地起著重要作用。①

由《雲夢秦簡》和其他史籍來看，秦代確實是實施秩祿制度的。

一、石是官秩級別的標準

秦代官吏的俸祿，由《韓非子》和《商君書》可以看到一些記載。《韓非子·定法》曰：「商君之法曰：『斬一首者爵一級，欲爲官者爲五十石之官；斬二首者爵二級，欲爲者爲百石之官。』官爵之遷與斬首之功相稱也。」②由此看來，「五十石」爲官秩一級。又《商君書·境內》曰：

> 千石之令，短兵百人。八百之令，短兵八十人。七百之令，短兵七十人。六百之令，短兵六十人。國尉，短兵千人。大將，短兵四千人。

賀凌虛先生謂：「千石、八百（石）、七百（石）、六百（石），俱屬秦縣令長之秩。」③《漢書·百官公卿表》謂秦縣令、長之制曰：

> 縣令、長，掌治其縣。萬户以上爲令，秩千石至六百石；減萬户爲長，秩五百石至三百石。皆有丞、尉，秩四百石至二百石，是爲長吏。

由《商君書·境內》來看，短兵人數與其俸祿成正比，這說明秦官的等秩和俸祿有密切的關係。由《漢書·百官公卿表》所謂的秦代縣令、長萬戶以上和萬戶以下有差，長吏又其次，可以看出秦代的確是以糧穀數額，即石，來表示官秩等級。《雲夢秦簡》中有一條資料，也可以證實秦代是以石來計算官俸的，如《法律答問》曰：

> 可（何）謂「宦者顯大夫？」　宦及智（知）於王，及六百石吏以上，皆爲「顯大夫」。（五六一簡）

宦者意爲仕宦者，律文問何謂「宦者顯大夫？」《律說》解釋是做官達到爲王所知，以及俸祿在六百石以上的，都是「顯大夫」。《漢書·惠帝紀》也有所謂的「爵五大夫、吏六百石以上，及宦皇帝而知名，有罪當盜械者皆頌繫。」顯然六百石是官吏上下的一個界分。又以《漢書·百官公卿表》：「縣令、長，掌治其縣。萬戶以上爲令，秩千石至六百石；減萬戶爲長，秩五百石至三百石。」來看，顯大夫，當是指萬戶以上的縣令長以及官秩更高的官吏。而「宦及知於王」實際上指的是由國君所直接任命的官員，因爲由國君任命，當然爲國君所知。也就是六百石以上，或者由皇帝直接任命爲皇帝所知的，都是秦代的高級官吏。栗勁先生曰：「據《百官表》的記載，丞相、太尉、御史大夫、郎中令、廷尉、內史、少府、郡守、郡尉都是秩二千石或秩比二千石的官吏；丞相長史、太尉長史、御史大夫中丞、太中大夫、廷尉左監、廷尉右監、廷尉正監都是秩千石或秩比千石的官吏；博士、議郎、郎中、庶子、先馬、郡丞、郡守長史、郡尉丞都是秩六百石的官吏；縣令秩千石到六百石，也屬於高級官吏。」④以史籍來看，秦代十分注意這「六百石」的上下官吏區分，如《史記・秦始皇本記》曰：

> 文信侯不韋死，竊葬。其舍人臨者，晉人也逐出之；秦人六百石以上者奪爵，遷；五百石以下不臨，遷，勿奪爵。

「秦人六百石以上者奪爵，遷」，顯然是以六百石爲高級官吏的標準。

二、關於俸祿的給領

關於秦代的俸祿的發給有些學者認爲是按月發給，如高恒先生曰：

> 《周禮・天官・大宰》：「四曰祿位。」鄭注：「祿，若今月奉也。」唐賈公彥疏：「古者祿皆月別給之，漢之月奉亦月給之。」漢代實行的按月發給俸祿的制度係因襲秦制。從秦律有關的規定可以看出，秦時官吏的俸祿已是按月發給。⑤

蒲堅先生亦持此說。⑥以《雲夢秦簡》來看，這個說法是可以成立的。如《秦律十八種・金布律》曰：

> 官嗇夫免，復爲嗇夫，而坐其故官以貲賞（償）及有它責（債），貧窶毋（無）以賞（償）者，稍減其秩、月食以

賞（償）之，弗得居。（一四九－一五〇簡）

本條律文已見前引，是說官嗇夫免職之後，仍可復爲嗇夫，但對其前任嗇夫時，因犯罪被貲罰或有其他債務，而貧困無力償還時，法律規定「稍減其秩、月食以賞（償）之。」所謂「月食」，是指按月領取的口糧。秩和月食並提，口糧和秩應是一起發放。又《秦律十八種・倉律》曰：

月食者已致稟而公使有傳食，及告歸盡月不來者，止其後朔食，而以其來日致其食；有秩吏不止。（一一三簡）

律文規定：按月領口糧的人，糧食已經發給，而因公出差，由沿途驛站供給飯食，以及休假而到月底仍不歸來的，「止其後朔食，而以其來日致其食」。後朔，《睡虎地秦墓竹簡注》曰：「下月初一日。推測月食者在每月初一日領取口糧，所以後朔日應指次月口糧。」⑦因此，「止其後朔食，而以其來日致其食」意爲應停發下月口糧，直到回來再行發給；至於是有秩吏則不停發。由「後朔」，即下月初一，可以推知「月食」的發放是在每月的「朔日」，亦即初一發放。又《秦律十八種・司空》曰：

官長及吏以公車牛稟其月食及公牛乘馬之稟，可殹（也）。（一九五簡）

法律允許官長和吏用官有的牛車領取自己的口糧和官有駕車牛馬的飼料。由以上來看，口糧的發放是以月爲主，月俸當亦如此。至於月食口糧計量的問題，《秦律十八種・倉律》中有一條刑徒的月食計量規定：

隸臣妾其從事公，隸臣月禾二石，隸妾一石半；其不從事，勿稟。小城旦、隸臣作者，月禾一石半石；未能作者，月禾一石。小妾、舂作者，月禾一石二斗半斗；未能作者，月禾一石。嬰兒之毋（無）母者各半石。雖有母而與其母冗居公者，亦稟之，禾月半石。隸臣田者，以二月月稟二石半石，到九月盡而止其半石。舂，月一石半石。隸臣

> 、城旦高不盈六尺五寸，隸妾、舂高不盈六尺二寸，皆爲小；高五尺二寸，皆作之。（一一六——一一九簡）

其中每月發糧有「月禾二石」、「一石半」、「月禾一石半石」、「月禾一石」、「月禾一石二斗半斗」、「各半石」、「禾月半石」、「月一石半石」不等，另有「以二月月稟二石半石」、「到九月盡而止其半石」。根據《秦律十八種・倉律》「入禾倉」、「入禾稼芻稾」、「程禾黍」、「計禾」來看，「所謂「月禾」、「禾月」者，當是指每月領取的穀子。關於秦人的糧食，黃展岳先生認爲秦漢時候的食糧有食糧品類、原糧、或加工糧的區分，而這種區分和秦人「月食」所稟有關。另外，前面談到秦代官俸是以石來計算，但官俸所給付的，究竟是按什麼糧食計算，也是一個有趣的問題。黃展岳先生曰：

> 《說文・鹵部》：「粟，嘉穀實也」又《米部》：「米，粟實也。」意即未脫殼的穀粒（原糧）叫粟，脫殼的穀粒（加工糧）叫米。《說文・禾部》：「禾，嘉穀也。以二月始生，八月而熟，……从木象其穗。」實際上漢人稱穀粒也叫做禾。段注：「伏生、淮南子、劉向所著書皆言張昏中種穀，呼禾爲穀。」《說文・禾部》：「穀，百穀之總名也。」段注：「穀與粟同義。」可見「稻禾」指的是「稻穀」。⑧

由黃氏的說法，可以看出秦代的穀有脫殼和未脫殼之分。至於糧食種類，《雲夢秦簡》可見一些資料，如《秦律十八種・倉律》曰：

> 1.計禾，別黃、白、青。桼（秫）勿以稟人。稻後禾孰（熟），計稻後年。已穫上數，別粲、穤（糯）秥（黏）稻。（一○一——一○二簡）
>
> 2.種：稻、麻畝用二斗大半斗，禾、麥畝一斗，黍、荅畝大半斗，叔（菽）畝半斗。利田疇，其有不盡此數者，可毆

（也）。其有本者，稱議種之。（一〇五—一〇六簡）

3.縣遺麥以爲種用者，殽禾以臧（藏）之。〔粟一〕石六斗大半斗，舂之爲糲（糲）米一石；糲（糲）米一石爲鑿（糳）米九斗；九〔斗〕爲毀（毇）米八斗。稻禾一石。有米委賜，稟禾稼公，盡九月，其人弗取之，勿鼠（予）。（一〇七—一〇九簡）

4.〔稻禾一石〕，爲粟廿斗，舂爲米十斗；十斗粲，毀（毇）米六斗大半斗。麥十斗，爲况三斗。叔（菽）、荅、麻十五斗爲一石。稟毀（毇）粺者，以十斗爲石。（一一〇簡）

上引四例中，屬於加工米類的有：

「粟米」、「糲米」、「糳米」、「毇米」、「粲米」、「毀（毇）粺」；

屬於未加工的原糧的有：

「粲稻」、「穤（糯）稻」、「秙（黏）稻」。

屬於麥類的有：

「麥」、「况」

屬於雜糧的有：

「黍」、「叔（菽）」、「荅」、「麻」、「秫 」

其中「粟米」即脫殼米之謂，可能也是脫殼穀的總稱；「糲米」，《說文》曰：「糲，粟重一䄷爲十六斗大半斗，舂爲米一斛曰糲」；「効米」，《說文》曰：「糳，糲米一斛舂爲九斗曰糳」；「毇米」《說文》曰：「毇，米一斛舂爲八斗」；「粲米」，《睡虎地秦墓竹簡注》曰：「疑讀爲秈，《一切經音義》：四引《聲類》：『秈，不粘稻也』」⑨把粲釋爲秈。不過，《雲夢秦簡》中有刑徒爲「鬼薪白粲」，《漢舊儀》曰：「鬼薪者，男當爲祠祀鬼神伐山之薪蒸也，女爲白粲者以爲祠祀擇米也。」應邵曰：「取薪給宗廟爲鬼薪，坐擇米使正白爲白粲。」顯然「鬼薪」和「白粲」都是爲宗廟採薪和擇米而得名。而所謂「坐擇米使正白」，不正是把米加工，使其變白嗎？由此看來，「粲米」恐怕是經過加工的精良品，而不是指「秈稻」。又《說文》曰：「粲，稻重一秳爲粟二十斗，爲米十斗曰毇，爲米斗六斗大半斗曰粲。」顯然也是指經過加工的米。「毀（毇）粺」，《睡虎地秦墓竹簡》曰：「《說文》曰：『粺，毇也。』。毇粺，加工最精良的米。」⑩」；「麴」，《說文》曰：「麥覈屑也」，即麥麩中還雜有麵。「黍」是黍子。「叔（菽）」是大豆；「荅」是小豆；「秫」，《說文》曰：「稷之粘者」。由這些種類來看，秦的糧食品類不少。

上引關於刑徒「月食」口糧，是以「禾」爲主，黃展岳先生認爲這是脫殼的穀粒，即未經加工的原糧。另外，秦對有爵的人，或一般官吏，其「月食」稟給則不同，待遇較好。如：《秦律十八種・傳食律》曰：

1.御史卒人使者，食粺米半斗，醬駟（四）分升一，采（菜）羹，給之韭葱。其有爵者，自官士大夫以上，爵食之。使者之從者，食糲（糲）米半斗；僕，少半斗。（二四六一二四七簡）

2.不更以下到謀人，粺米一斗，醬半升，采（菜）羹、芻稾各半石。宦奄如不更。（二四八簡）

3.上造以下到官佐、史毋（無）爵者，及卜、史、司御、寺、府，米糲（糲）米一斗，有采（菜）羹，鹽廿二分升二。（二四九簡）

由上引三條可以看出「御史卒人使者」、「其有爵者，自官士大夫以上」、「使者之從者」、「宦奄如不更」、「上造以下到官佐、史毋（無）爵者，及卜、史、司御、寺、府」等有爵或無爵的官吏的食糧稟給，有「粺米」、「糲（糲）米」、「醬駟」、「采（菜）羹」、「韭葱」、「鹽」等。這些傳食供應，雖然沒有說明是每天或每餐，但由計量看應是指每餐。這些比起刑徒自是不同，而事實上，由上三例也可以看出，等級不同所領給的食糧也不同。

由上引月食和傳食的情形來看，秦人的糧食是很多面的。其中加工米糧的製作也不少。以實際來看，秦官的俸祿，不可能以加工過後的米來給付，當以未經脫殼的穀，即粟，為其計秩的標準。另外，秦人在秩祿之外，另稟給的情形，和今日公務員在薪給之外，另有食物配給，大概是相同的。而且都是按月領取。

三、關於有秩吏的問題

前面提到秦代的官吏是以「石」為其官俸的計算單位，而品級也是以石為標準。《法律答問》所謂的「六百石吏以上，皆為顯大夫」即是一個區別。在《雲夢秦簡》中，尚有一個以百石為區分的問題。就是「有秩吏」。

事實上，「有秩吏」所牽涉的是「嗇夫」的問題。特別是「鄉有秩」和「鄉嗇夫」的問題。《漢書・百官公卿表》曰：「鄉有三老，有秩、嗇夫、游徼。三老掌教化；嗇夫職聽訟，收賦稅；游徼循禁盜賊。……皆秦制也。」又《後漢書・百官志》曰：「鄉置有秩、三老、游徼。有秩郡所署，秩百石，掌一鄉人其鄉小者，縣置嗇夫一人。」其中《漢書・百官公卿表》的「有秩嗇夫」，是應連讀或斷開成「有秩」、「嗇夫」，學者有不同的意見。有的認為漢代的鄉有「有秩嗇夫」，如鄭實先生曰：

> 「有秩嗇夫」，應該是一種官吏，而不應該分讀作「有秩」、「嗇夫」歷來注解的人，似乎都沒有搞清楚，有的就只得含含糊糊說「有秩」「所掌與嗇夫同」（錢大昕說）。實際上，《百官表》本身還是比較明確的，前面講了「有秩嗇夫」，後面講到他的職掌時就省掉了「有秩」。⑪

也有認為「有秩」在秦時是一種泛稱，漢時則已成為一種專門官名，故「有秩」非「嗇夫」。如高敏先生就持此說。高氏有幾個觀點：

1.「鄉有秩」和「鄉嗇夫」是有區別的；

2.把「有秩」與「嗇夫」當作兩個官名，在典籍可以看到不少證據；

3.秦的有秩吏是一種泛稱；

4.由《漢書・百官公卿表》「有秩」、「嗇夫」、「游徼」三者並列，說明「有秩」在漢時已是單獨的官名。⑫

也有認爲「有秩嗇夫」既是一官又是兩官，而有秩既是泛稱又是官名。如錢劍夫先生曰：

> 「有秩嗇夫」既是一官又是兩官。首先，《續百官志》講得非常明白：「有秩，郡所署，秩百石，掌一鄉人其鄉小者，縣置嗇夫一人」。這就是，或置有秩，或置嗇夫，當以鄉的大小爲標準。標準如何也有明確規定：「鄉五千户，則置有秩」。「秩」原指官吏的祿廩和品級，秦漢的官制以「百石」爲界限，二百石以上爲「長吏」，「百石以下有斗食佐史之秩，是爲少吏」（《漢書・百官公卿表》）。「有秩」既是「秩百石」，故不同於一般的嗇夫。因而「有秩」既是泛稱，亦爲專名。⑬

也有認爲就秦而言，「有秩」和「嗇夫」兩者不能混淆，但有些既有「有秩」身分，同時又是嗇夫。而漢代「有秩」也沒有變成官職專稱。如朱大昀先生曰：

> 從秦簡中可以看到，凡是泛指「有秩」或「有秩之吏」，如「有秩吏捕闌亡者」、「爲有秩僞寫其印爲大嗇夫」等等，顯然此處所觸及的只是官階，並未管他擔任任何官職。而「嗇夫」卻是泛指各類機構的基層主管。所以，首先應該明確，「嗇夫」與「有秩」不能混爲一談。當然，由於不少「嗇夫」就是由「有秩之吏」來擔任，對這種人來

> 說，他們事實上，既有「有秩」的身分又同時是嗇夫「官」我們也不能說二者沒有任何聯繫。……所謂「鄉有秩」，實際上也是一種「有秩」逐漸成爲某種官稱的專稱或簡稱的趨向的一種表現。根據漢時鄉一級的機構主管一般稱「嗇夫」的慣例，「鄉有秩」也應該是一種嗇夫。只是當時五千户以上的大鄉主管（也即「嗇夫」），要由「有秩吏」擔任，而小鄉嗇夫只要由縣裏委派斗食小吏充任就行了，正是由於這種區別，習慣上便把「有秩」擔任的大鄉嗇夫，簡稱爲「鄉有秩」了。⑭

上引的四種看法，後者都建立在前者的基礎上立論，看法也是越後越周延。由史籍和《雲夢秦簡》來看，漢代的許多制度雖然襲自秦制，但有些進入漢代之後，也因實際的需要而加以變更。有些是局部改變，尚有秦制遺存，有些則是完全變更秦制。因此，以漢的制度來看秦制往會碰到許多困擾。「有秩」和「嗇夫」也是如此。

關於「有秩」，《漢書・百官公卿表》曰：

> 縣令、長，掌治其縣。萬户以上爲令，秩千石至六百石；減萬户爲長，秩五百石至三百石。皆有丞、尉，秩四百石至二百石，是爲長吏。百石以下有斗食、佐史之秩，是爲少吏。

可知漢代的官吏有「長吏」、「少吏」之分。王國維《敦煌漢簡跋》曰：「漢制計秩，自百石始。不及百石者，謂之斗食。百石稱有秩矣。」⑮由此看來，「斗食」和「佐秩」都還不算正式官秩。而「有秩」作爲一種專有名詞，是指有秩祿的官吏中最低的一級。⑯高敏先生曰：

> 《續漢書・百官志》劉昭注「鄉有秩」時引《風俗通》云：「秩則田間大夫，言其官裁有秩耳」，可見「有秩」的最初涵義確是剛剛進入有秩祿之官的意思，是對無秩者而

言。⑰

所謂「剛進入有秩祿之官」，即是指有秩祿的官吏中最低的一級。事實上，在秦孝公時，官職已有品秩之分。《史記・六國年表》秦孝公十三年，「初爲縣有秩史」《史記・范睢列傳》曰：「自有秩以上，至諸大吏，下及王之左右，無非相國之人者。」以《雲夢秦簡》來看，秦時縣一級行政機構中除設令、丞外，還有不少以「史」「令史」、「佐史」等官吏，可見《史記》所謂的「有秩吏」是一種泛稱。朱大昀即認爲從秦簡中可以看到，凡是泛指「有秩」這層官吏時，一般都稱「有秩吏」、「有秩」或「有秩之吏」。因此，以秦代而言，有秩當是一種泛稱，不是官稱。《雲夢秦簡》中，關於「有秩吏」的共有五條，其中三條見於《秦律十八種》（《倉律》二條、《金布律》一條），二條見於《法律答問》：

1.□□□□□不備，令其故吏與新吏雜先素（索）出之。其故吏弗欲，勿強。其毋（無）故吏者，令有秩之吏、令史主，與倉□雜出之，索（索）而論不備。（〇九八—〇九九簡）

2.月食者已致稟而公使有傳食，及告歸盡月不來者，止其後朔食，而以其來日致其食；有秩吏不止。（一一三簡）

3.都官有秩吏及離官嗇夫，養各一人，其佐、史與共養；十人，車牛一兩（輛），見牛者一人。（一三九簡）

4.「僑（矯）丞令」可（何）殹（也）？爲有秩僞寫其印爲大嗇夫。（四二五簡）

5.有秩吏捕闌亡者，以畀乙，令詣，約分購，問吏及乙論可（何）殹（也）？當貲各二甲，勿購。（五〇九簡）

這五條中，或稱「有秩吏」、或稱「有秩」、或稱「有秩之吏」，第一條出倉時，如有不足數的情形，先令原任的吏和新任的吏一起將倉出盡。如果原任的吏不同意，不要勉強。如沒有原任的吏，則令「有秩的吏」、令史主管，和倉□共同出倉。出盡後再處理不足數的問題。這裏的「有秩之吏」是泛稱。第二條已見前引，律文中的「有秩吏」也是泛稱。第五條所謂的「有秩吏捕闌亡者」，指的也是有秩之吏，同樣是泛稱。第四條所指的當是有秩的低官吏僞造丞的官印，冒充大嗇夫。這裏所指的是仍是有秩之吏，是泛指有秩的下級官吏。高敏先生認爲這條答問把「有秩」和「大嗇夫」列在一起，則「有秩」也是官名甚明。這樣推論恐怕仍有問題。因爲把一般「有秩之吏」和「大嗇夫」並列，一樣可以解釋得通，並不表示它就非是一個專門的官稱不可。至於第三條是指都官的有秩吏，一樣也是泛稱。可以說《雲夢秦簡》中所謂的「有秩」、「有秩吏」、「有秩之吏」都是泛指一般百石上下的官吏，並非一個專門的官稱。

依王國維的說法：「漢制計秩，自百石始。不及百石者，謂之斗食。百石稱有秩矣。」計秩自百石始，有秩當在百石以上。百石以下是斗食之吏，則有秩是百石或百石以上的官吏。粟勁先生就認爲有秩吏是一百石以上到六百石以下的官吏。⑱因此，各縣的縣丞、長吏和主管機構的嗇夫都可以稱有秩吏，而不專指嗇夫。

以《漢書・百官公卿表》來看，百石以下的官吏爲斗食之吏，是屬於少吏一層，亦即所謂的是基層官吏。這些百石以下的官吏，在《雲夢秦簡》中可以看到不少，如史、令史、令史掾、卜、求盜、憲盜、害盜、亭校長、亭長都屬於百石以下的斗食之吏。由《秦律十八種・傳食律》來看，斗食之吏和有秩吏的口糧稟給就有很大的差別。又由上引第三條「都官有秩吏及離官嗇夫，養各一人」，而佐、史（斗食之吏）「與共養」，「十人，養一人」。可見百石以上的有秩吏和百石以下的斗食之吏，在待遇上是有很大的差距的。

就官俸而言，秦代是以石爲基準，六百石以上是顯大夫，六百石以下至一百石是有秩吏，一百石以下是斗食之吏。這三者也可以視為秦代官吏的界分。即六百石以上屬於高級官吏，六百石以下至一百石以上屬於中級官吏，一百石以下屬於基層官吏。

【附註】

①參見氏著《秦簡中與職官有關的幾個問題》，文載《雲夢秦簡研究》，二六〇。

②《韓非子・定法》所引商君之法，不見於今本《商君書》，高亨先生《商君書新箋》曰：「這幾句不見今本《商君書》。今本《商君書・境內篇》：『能得甲首一者，賞爵一級，益田一頃，益宅九畝，除庶子一人，乃得入兵官之吏。』與《韓非子》所引大意相同，然而不是韓非所引的語句。（參見《山東大學學報》第一期，一九六三年，三月；又該文收入《商君書注譯》；又氏著《諸子新箋》亦收此文，一九八〇年齊魯書社出版。）

③參見氏著《商君書今註今譯》，頁一五三。臺灣商務印書館一九八八年八月二版。

④參見氏著《秦律通論》，頁三六五。又根據《漢書・百官公卿表》漢官有許多是承自「秦官」，但其中所載秦官的秩祿不太明確，而且可能都已改成漢制。漢代凡吏秩比二千石以上，皆銀印青綬。相國、丞相，為金印紫綬，太尉亦金印紫綬，但御史大夫，掌副丞相，為銀印青綬。銀印青綬為二千石以上，金印紫綬秩比若何，《漢書・百官公卿表》並沒有說明。又《漢書・百官公卿表》師古《注》曰：「漢制，三公號稱萬石，其俸月各三百五十斛穀。」可見秦代官秩有些仍是難以論定的。因此，黃中業先生認為在《漢書・百官公卿表》中所看到的萬石、二千石、比二千石、千石、六百石、五百石、四百石、三百石、二百石、百石等十一個品級和俸祿的等級，是否完全為秦制，仍是有待進一步考證的。（參見氏著《秦國法制建設》，頁一六三。遼瀋書社一九九一年五月。）

⑤同①。

⑥參見氏著《中國古代行政立法》，頁一二六。

⑦參見該書頁三一。

⑧參見氏著《關於秦漢人的食糧計量問題》，文載《考古與文物》一九八〇年第四期。

⑨參見該書二八。又上引亦參見該書頁二七一三〇。

⑩同⑨。

⑪參見氏著《嗇夫考——讀雲夢秦簡札記》，文載《文物》一九七八年第二期。

⑫參見氏著《「有秩」非「嗇夫」辨》，文載《文物》一九七九年第三期。

⑬參見氏著《秦漢嗇夫考》，文載《中國史研究》一九〇八年第一期。

⑭參見氏著《有關「嗇夫」的一些問題》，文載《秦漢史論叢》第二輯，一九八三年，頁一七三一二〇二。

⑮文載氏著《觀堂集林》卷十七。又見《流沙墜簡考釋》二・一〇上。

⑯參見裘錫圭先生《嗇夫初探》，文載《雲夢秦簡研究》頁二八二。

⑰同⑫。

⑱參見氏著《秦律通論》，頁三六五。

第三節　秦代官吏的考課與獎懲

官吏的考課和獎懲，在《雲夢秦簡》關於各級官吏的管理法規中，占有極重要的地位。戰國時期，秦國就以考課嚴謹、賞罰分明著稱。統一後繼續沿用原來的制度，並將之推行於全國。秦代官吏的考課主要是透過「上計」、「評比」和「常態考核」三種方式。關於上計的情形，已見於本編第三章《秦簡所見的上計制度》，本節不擬再做討論。不過，必須再做說明的是秦的上計制度主要的目的，是透過上計的內容來考核官吏的政績。如《商君書・去强》曰：「强國知十三數：竟（境）內倉口（之數），壯男壯女之數，老弱之數，官士之數，以言說取食者之數，利民之數，馬、牛、芻稾之數。」地方透過這十三種內容的統計，再上計於朝廷，朝廷再根據這些數字，來考核官吏政績的優劣。上計的情形如果不理想，朝廷也給予懲罰。如《史記・范雎列傳》曾記載，范雎所推荐的王稽，「拜爲河東守，三歲不上計」，後又因「與諸侯通，坐法誅。」可見上計不佳或不上計，都有可能受懲。

都官和郡、縣對其所屬各官屬的工作也進行評比。評比有「小課」和「大課」之別，由《秦律十八種・廏苑律》來看，小課每季進行一次；大課則在年終舉行。如：

> 以四月、七月、十月、正月膚田牛。卒歲，以正月大課之，最，賜田嗇夫壺酉（酒）束脯，爲旱〈皂〉者除一更，賜牛長日三旬；殿者，誶田嗇夫，罰冗皂者二月。其以牛田，牛減絜，治（笞）主者寸十。有（又）里課之，最者，賜田典日旬；殿，治（笞）卅。（〇八〇—〇八一簡）

膚，即是臚，意爲評比。膚牛，即評比耕牛。律文規定：每年四月、七月、十月和正月評比耕牛。期滿一年（卒歲），於正月舉行大考核。其中「最」者得到獎勵；「殿」者給予懲處。其方法爲：

1.「最」者，即優秀的，賞賜田嗇夫一壺酒、十條乾肉，免除飼牛者一次更役，賞賜飼養人員的負責人資勞三十天；
2.「殿」者，即成績差的，斥責田嗇夫，懲罰飼養人員資勞兩個月。如果使用牛來耕田，牛的腰圍減瘦了，每瘦一寸，笞打主事人十下。

另外，在鄉里中也舉行考核，「最」者，賞賜里典資勞十天；「殿」者，笞打三十下。

《雲夢秦簡》中對官吏的評比資料，除了上引《秦律十八種》中的《廄苑律》外，大都見於《秦律雜抄》。其評比的項目可以看出大都和馬牛及各生產事業有關。如：

1.先賦驀馬，馬備，乃粼從軍者，到軍課之，馬殿，令、丞二甲；司馬貲二甲，法（廢）。（三三七—三三八簡）

2.馬勞課殿，貲廄嗇夫一甲，令、丞、佐、史各一盾。馬勞課殿，貲皂嗇夫一盾。（三五七—三五八簡）

3.省殿，貲工師一甲，丞及曹長一盾，徒絡組廿給。省三歲比殿，貲工師二甲，丞、曹長一甲， 徒絡組五十給。（三四五—三四六簡）

4.縣工新獻，殿，貲嗇夫一甲，縣嗇夫、丞、吏、曹長各一盾。（三四六—三四七簡）

5.城旦爲工殿者，治（笞）人百。（三四七簡）

6.大車殿，貲司空嗇夫一盾徒治（笞）五十。（三四八簡）

7.鬃園殿，貲嗇夫一甲，令、丞及佐各一盾，徒絡組各廿給。鬃園三歲比殿，貲嗇夫二甲而法（廢），令、丞各一甲。（三四八—三四九簡）

8.采山重殿，貲嗇夫一甲，佐一盾；三歲比殿，貲嗇夫二甲而法（廢）。殿而不負費，勿貲。（三田九—三五〇簡）

9.大（太）官、右府、左府、右采鐵、左采鐵課殿，貲嗇夫一盾。（三五一簡）

考評受處罰的項目有：「驀馬」，是供乘騎的馬，如果到軍後考核，「馬殿」；「馬勞課殿」；官營手工業，「省殿」；「省三歲比殿」；「縣工新獻，殿」；「城旦爲工殿者」；「大車殿」；「猷園殿」；「采山重殿」；「三歲比殿」；「大（太）官、右府、左府、右采鐵、左采鐵課殿」。處罰形式或用「貲」，如

「貲二甲」、「貲一甲」、「貲一盾」及「徒絡組五十給」、「徒絡組廿給」；或用「笞」，如「笞卅」、「笞五十」、「笞人百」；或者「廢免」，如：「司馬貲二甲，法（廢）」、「貲嗇夫二甲而法（廢）」。考課獎懲而至廢官，即撤職永不敘用，不可謂不重，況且還須連帶貲二甲的民事賠償。處罰的形式較輕者，爲《秦律十八種・廄苑律》中的「誶田嗇夫」，但即使是「受誶」也是一種行政處罰，且有前科記錄。

由上諸例可以看出，考核和獎懲是相聯繫的。成績優秀的，給予獎勵；成績差的給予懲處。成績差者，或誶、或笞、或貲，或廢不等；成績優者，具體的辦法是記「勞」。《秦律雜抄》中有一條《中勞律》，內容爲：

> 敢深益其勞歲數者貲一甲，棄勞。（三四三—三四四簡）

意即擅自增加自己的勞績年數的，罰一甲，並取消其勞績。《中勞律》雖然只有一條，但仍可以看出當時一定有對官吏勞績評定和計算的方式。這種勞績的計算和今日公務員考績及記功情形當是近似的。《睡虎地秦墓竹簡注》曰：「中勞，常見於漢簡，如《居延漢簡甲編》一一四有『中勞二歲』，二三五九有『中勞三歲六月五日』」①可以看出漢代的勞績是以年、月、日記勞。另外，有過也可能罰若干日，如《居延漢簡甲編》一五四二：功令第卌五：士吏、候長、烽燧長常以秋試射，以六爲程，過六，賜勞矢十五日。」②而《雲夢秦簡》中的《秦律十八種・廄苑律》有「賜牛長日三旬」，即是賜勞績三十天，「賜田典日旬」，即是賜勞績十天。至於「罰冗皀者二月」，即是罰扣飼牛者勞績二個月。又《秦律十八種・軍爵律》曰：

> 從軍當以勞論及賜，未拜而死，有辠（罪）法耐𨒌（遷）其後；及法耐𨒌（遷）者，皆不得受其爵及賜。（二二〇簡）

所謂「從軍當以勞論及賜」，是從軍有功應授爵和賜勞。可知從軍一樣記算勞績。勞積累積若干後，可以得到升遷。高恒先生曰：「漢制，官吏中勞若干後，可以得到升遷。如《西漢會要·職官九》輯錄，漢許多官吏積勞升遷。如『石奮積功勞，孝文時官至大中大夫』、『趙禹以刀筆吏積勞爲御史。』秦制當也如此。《中勞律》其所以作如此規定，防止官吏在記『勞』問題上作弊，就是因爲勞績的數額，影響官吏的升遷。」③《雲夢秦簡》雖然沒有以勞績累積而升遷的實例，但由從文獻記載看，一些因在官任職期間成績卓著，且爲國家立大功者，可以很快晉升高爵。這當也是因爲勞績累積的結果。如《史記·白起列傳》記載秦將白起，由於對外戰爭中屢立戰功，功勛卓著，因而由左庶長直接晉升爲左更、「遷爲國尉」、「遷爲武安君」、「爲上將軍」。這種升遷，當是由於功勛與勞績累積的結果。《雲夢秦簡》看不到這方面的資料，因此，不能具體的看出秦的勞績制度。不過，漢代在邊郡的屯戍制度中倒可以看到不少這方面的的制度。這裏簡單敘述，以便側面來看秦的勞績情形。《居延漢簡》中有些簡，記載了秋射、賜勞、奪勞，（參見本文《軍制篇》第一章第三節之一「關於『勞』的問題」）這些都是以邊郡戍吏的秋射，來考核官吏的一種制度，基本上它是一種考核戍吏勞績的一種方式。至於《居延漢簡》的其他功勞簡，根據李振宏先生的歸納，大致可以分爲三種情況：

㈠、有功無勞

㈡、有功有勞

㈢、功勞合稱④

由《居延漢簡》來看，功與勞是不同的，漢代的功和秦軍功爵的功可能也不一樣。李振宏先生曰：

> 勞績制度的對象，是屯戍邊塞的各級官吏。他們任職即積勞，事異則上功。如果沒有任職積勞的資格，上功則無可能。所以，功勞簡便反映出這樣一個問題，雖然功、勞不

是同一概念，但凡功，卻總是無例外地與勞聯繫在一起。雖然大量的是有勞而無功，但凡功，則必有「勞」相伴隨。⑤

由《居延漢簡》來看，勞績大都和軍事屯戍有關，《雲夢秦簡》中的《中勞律》規定的也和軍事有關。但由《秦律十八種》中《廄苑律》來看，可以相信秦在軍事之外，另有一般官吏的績勞制度。

除了評比、勞績外，《雲夢秦簡》中還有一般性的考核，經常在進行。這些考核有許多資料，都在《效律》中規定。《效律》所謂：「爲官及縣具效律」，表明都官和縣級官吏，如縣令、縣丞、縣尉、縣司馬等都在考核之列。特別是各級主管經濟部門的官吏，如倉嗇夫、倉嗇夫、庫嗇夫、廄嗇夫、苑嗇夫、田嗇夫、亭嗇夫采山嗇夫、髹園嗇夫、發弩嗇夫等，都是考核的對象。考核的內容，包括糧食、木材、皮革、公器等財物的「贏」（餘）或「不備」（不足）、有無損壞和丟失及不合規格等。如《效律》曰：「其有贏、不備，物直（值）之，以其賈（價）多者辠（罪）之，勿贏（累）。」（二六九簡）同時也規定官府的嗇夫和眾吏都應共同賠償不足數的財貨，而上繳多餘的財貨。如：「官嗇夫、冗吏皆共賞（償）不備之貨而入贏。」（二七〇簡）關於這方面的檢核，大都已見於本文第一編《雲夢秦簡》的內容分論部分。大致而言，秦對官吏的考核是多方面的，如：

㈠、糧倉方面的核驗

《秦律十八種・效律》曰：

1.實官佐、史被免、徙，官嗇夫必與去者效代者，節（即）官嗇夫免而效，不備，代者〔與〕居吏坐之。故者弗效，新吏居之未盈歲，去者與居吏坐之，新吏弗坐；其盈歲，雖弗效，新吏與居吏坐之，去者弗坐，它如律。（二二九一二三〇簡）

2.嗇夫免而效，效者見其封及隄（題），以效之，勿度縣，唯倉所自封印是度縣，終歲而爲出凡曰：「某廥出禾若干石，其餘禾若干石。」倉嗇夫及佐、史，其有免去者，新倉嗇夫，新佐、史主廥者，必以廥籍度之，其有所疑，謁縣嗇夫，縣嗇夫令人復度及與雜出之。禾贏，入之，而以律論不備者。（二三八—二四〇簡）

3.倉屚（漏）朽（朽）禾粟，及積禾粟而敗之，其不可食者不盈百石以下，誶官嗇夫；百石以上到千石，貲官嗇夫一甲；過千石以上，貲官嗇夫二甲；令官嗇夫、冗吏共賞（償）敗禾粟。禾粟雖敗而尚可食殹（也），程之，以其秏（耗）石數論負之。（二三一—二三二簡）

4.度禾、芻稾而不備十分一以下，令復其故數；過十分以上，先索以稟人，而以律論其不備。（二三四簡）

其中對檢驗的官員、官員交接、應負罪責有以及穀物的缺補、發放、封緘、登記，都有具體的規定。

㈡、度量衡方面的核驗

在度量衡的核驗和監督方面，《效律》規定了合理的誤差度，超過限度，就加以處罰。如：

1.衡石不正，十六兩以上，貲官嗇夫一甲；不盈十六兩到八兩，貲一盾。甬（桶）不正，二升以上，貲一甲；不盈二升到一升，貲一盾。（二七一—二七二簡）

2.斗不正，半升以上，貲一甲；不盈半升到少半升，貲一盾。半石不正，八兩以上；鈞不正，四兩以上；斤不正，三朱（銖）以上；半斗不正，少半升以上；參不正，六分升一以上；升不正，廿分升一以上；黃金衡贏（累）不正，半朱（銖）〔以〕上，貲各一盾。（二七三—二七五簡）

以上兩條律文，將衡制和量制的合理誤差以及處罰標準，規定的十分明確。可見秦國對度量衡的管理十分嚴格，如有差失，對官吏則追究其行政責任。

㈢、軍用物資方面的核驗

關於軍用物資的管理核驗，核驗的對象有甲旅、皮革、牛馬、殳、戟和弩等方面。這方面大都是登記和錯標次第的問題，如規定甲的旅札數超過或不足簿籍登記數的，多餘的應上繳，不足的責令補賠。（三〇九簡）殳、戟和弩，塗黑色和塗紅色的調換了，不要認爲是超過或不足數的問題，應按標錯次第的法律論處。（三一三簡）器物標記編號與簿籍不合的，「大者貲官嗇夫一盾，小者除。」（三一一簡）牛馬和不能調換的器物錯標了次第，「貲官嗇夫一盾」（三一二簡）同時也規定官府收藏的皮革，「數穋（煬）風之，有蠹突者，貲官嗇夫一甲。」（三一〇簡）由《效律》來看，秦是十分重視軍用物品方面的管理。

㈣、會計方面的核驗

《效律》尙有規定會計方面的核驗，如規定會計不合法律規定而有出入，「以效贏、不備之律貲之，而勿令賞（償）。」（三一八簡）同時也規定了官嗇夫、丞、主管該事的吏以及「其它冗吏、令史掾計者，及都倉、庫、田、亭嗇夫坐其離官屬于鄉者」（三一九—三二一簡）的罪責。《效律》尙規定縣尉的會計以及縣尉官府中的吏，如犯有罪行，「其令、丞坐之，如它官然。」（三二二簡）司馬令史掾管理苑囿的會計如有罪，「司馬令史坐之，如令史坐官計劾然。」（三二三簡）。《效律》規定會計經過核對發現差誤或會計帳目不足或多過實有數而超出法律的限定，亦即依其會計差誤的多寡來定其罰責，其中「直（値）其賈（價），不盈廿二錢」（三二六簡）可免罪，如係自行查覺錯誤，可「減辠（罪）一等」（三二六—三二八簡）

㈤、官有器物的核驗

《秦律十八種・效律》曰：

1.效公器贏、不備，以齎律論及賞（償），毋（無）齎者乃

直（值）之。（二四四簡）

2.公器不久刻者，官嗇夫貲一盾。（二四五簡）

官有器物的檢驗原則和標準，大致和倉庫的管理檢驗相同。

㈥、其他方面的核驗

《效律》有一條是針對工匠到它縣領漆，漆的質量和汞的量數不足的，所定有罰責。如：

工稟髼它縣，到官試之，飲水，水減二百斗以上，貲工及吏將者各二甲；不盈二百斗以下到百斗，貲各一甲；不盈百斗以下到十斗，貲各一盾；不盈十斗以下及稟髼縣中而負者，負之如故。（三一四—三一六簡）

另一則是朝庭如徵發運輸的勞役，百姓有到縣裡雇車或轉交給別人運送的，「以律論之」（三一七簡）的規定。

由《秦律十八種·效律》可以看出，秦代十分重視監督和檢查，亦即秦通過檢查實現其對經濟管理的監督，以提升經濟生產的品質。至於罪責方面，《效律》特別規定：同在一個官府中任職而所掌管的方面不同，分別承擔所管方面的罪責。如：「官嗇夫免，縣令令人效其官，官嗇夫坐效以貲，大嗇夫及丞除。縣令免，新嗇夫自效殹（也），故嗇夫及丞皆不得除。」（二八五—二八六簡）由此看來，秦律雖然規定有許多罰責，有許多連坐的情形，但基本上，仍是強調「同官而各有主殹（也），各坐其所主」的原則。其他則依其職務採取相關的貲罰。

除了《效律》之外，《雲夢秦簡》對官吏還有其他方面的考核和懲處。如《法律答問》對違反法令進行懲處，如：

可（何）如爲「犯令」、「法（廢）令」？律所謂者，令曰勿爲，而爲之，是謂「犯令」；令曰爲之，弗爲，是謂「法（廢）」殹（也）。廷行事皆以「犯令」論。（五一二簡）

對於「法（廢）令、犯令」的如果已經免職或調任，一樣也「遝之」，即追究。（五一三簡）另外，《法律答問》也規定「郡縣除佐，事它郡縣而不視其事者」以「小犯令論」。（五一四簡）可見同樣是「法（廢）令、犯令」，輕重亦有別。對於斷獄失當或不公、縱囚，《法律答問》也有懲處。如：

1.以乞鞫及爲人乞鞫者，獄已斷乃聽，且未斷猶聽殹（也）？獄斷乃聽之。失鋈足，論可（何）殹（也）？如失刑辠（罪）。（四八五簡）

2.論獄〔何謂〕「不直」？可（何）謂「縱囚」？辠（罪）當重而端輕之，當輕而端重之，是謂「不直」。當論而端弗論，及傷其獄，端令不致，論出之，是謂「縱囚」。（四六三簡）

《法律答問》雖然只說「如失刑辠（罪）」、是謂「不直」、是謂「縱囚」，罪任多重並沒有規定。但由《史記・秦始皇本記》所載：「三十四年適（謫）治獄吏不直者，築長城及南越地。」，對於「不直」的司法官吏處以相當於「遷刑」的處分。

《法律答問》對「貪污」也加以處分，如：

「府中公金錢私貣用之，與盜同法。」（四〇二簡）

這是官吏利用職權，侵占公款，同時私自放債而從中牟利，秦律規定以「與盜同法」論罪。另外，對有秩吏作假求取賞金，也加以論處，如：

有秩吏捕闌亡者，以畀乙，令詣，約分購，問吏及乙論可（何）殹（也）？當貲各二甲，勿購。（五〇九簡）

對於官吏玩忽職守，弄虛作假，也加以懲處。如《秦律雜抄》：

1.大夫斬首者，䙴（遷）。（三三五簡）

大夫職在指揮，若在戰場放棄指揮的職責，而謀求個人斬首受爵，秦律規定要處以遷刑。又如《法律答問》曰：

2.廷行事吏爲詛僞，貲盾以上，行其論，有（又）法（廢）之。（四二九簡）

3.嗇夫不以官爲事，以奸爲事，論可（何）殹（也）？當䙴（遷）。䙴（遷）者妻當包不當？不當包。（四三一簡）

官吏弄虛作假或者不以官職爲事，專作壞事，或廢或遷。可見秦律在懲處方面十分嚴厲。由上舉的例子可以看出，秦對官吏的獎懲，大都著重在懲罰方面，這在《雲夢秦簡》可以十分清楚地看到。這種情形，正是實踐了商鞅學派所提出的「王者刑九賞一」的理論。官吏在任職期間，如不依法盡職，或不執行法令或違反法律，就是「廢令」和「犯令」，將依法受到懲處。這種懲處包括追究行政責任、民事責任和刑事責任。⑥由這些規定，可以看出秦對官吏的考核制度是相當完備的。通過這些考核，加強了不同職務的官吏崗位責任制，同時也檢驗了官吏的工作能力，對不稱職的庸官能夠及時淘汰，從而保證了行政效能的提高。另外，《雲夢秦簡》雖然强調「同官而各有主殹（也），各坐其所主」的原則。但也大量地看到，上下級官吏的連帶處分制度，這種連帶責任的規定，對於加强上級官吏的責任感無疑也有積極地意義的。⑦

【附註】

①參見該書頁八三。

②參見該書頁二三。

③參見氏著《秦簡中與職官有關的幾個問題》，文載《雲夢秦簡研究》，頁二五三。

④參見氏著《居延漢簡中的勞績制度》，文載《中國史研究》，一九八八年，二月。

⑤同④。

⑥參見黃中業先生《秦國法制建設》，頁一六七。

⑦參見蒲堅先生《中國古代行政立法》，頁一二八。

第四篇　軍制篇

秦國向重軍事，自商鞅變法以來，歷代國君都以獎勵耕戰爲基本國策，社會生產迅速發展，結果使秦國一躍而爲七國中實力最强的國家。同時，又由於商鞅是個十分重視軍事的政治家，除了本身帶過軍隊、上過戰場外，也有一些軍事著作。①這些軍事著作雖然都已亡佚，但《商君書》中的《境內》、《立本》、《畫策》、《兵守》、《戰法》等篇，依然可以看到不少軍事思想及法規。由秦國重視農戰的政策來看，秦國應該有很完備的軍事法規才是，但由於軍事法規大都適用於軍隊內部，因此，在《雲夢秦簡》中只能看到一部分和軍事有關的法律規定。不過由文獻以及「兵馬俑」來看，仍然可以看出一些秦國軍事制度的梗概。本編擬就「軍功爵制」、「兵役制度」、「軍隊編制」、「供給制度」這幾方面加以探討。

【附註】

①參見鄭良樹先生《商鞅及其學派》，頁二四三。商鞅關於軍事方面的著作，已全部遺失，但《商君書》的《戰法》、《立本》兩篇仍可看到商鞅的軍事觀。

第一章　軍功爵制在秦國的意義

所謂軍功爵制，就是因軍功而賜給爵位、田宅、食邑、封國的爵祿制度。朱師轍先生曰：「以爵賞戰功，故云軍爵。」①這個制度是繼西周五等爵制之後所產生出來的一種新制度。基本上，在屬性上它是屬於平民的一種爵制。而平民具有爵位，是亂世所產生的一種制度。《鹽鐵論・險固》文學引《傳》曰：「庶人之有爵祿，非升平之興，蓋自戰國始也。」杜正勝先生曰：「漢初經學家認爲平民具有爵位是亂世的結果，這種爵一般稱爲『軍功爵』。其始於戰國，嚴格說是秦國商鞅變法後創立的。」②《史記・商君列傳》曰：

> 有軍功者，各以率受上爵。……宗室非有軍功論，不得屬籍。明尊卑爵秩各以差次，名田宅臣妾衣服以家次。有功者顯榮，無功者雖富無所芬華。

以實際來看，軍功可以說秦國用來鼓勵士氣、提高戰力的一項重要措施，對秦國的整個軍事制度有很大的影響。同時，對秦人來說，則是爭取更高的社會地位的主要途徑。而這也正是商鞅變法的主要內容。在《雲夢秦簡》的《軍爵律》中我們可以看到有關軍爵的一些內容，在《封診式》中也可以看到一些案例的關係人的爵名，在其他的律文中也可以看到一些有爵、或者無爵者的活動。這些資料在整體上雖然並不多，但卻充分說明了軍功爵制在商鞅變法之後，已經成了一種非常完備的制度，同時在秦的社會結構和秦人的生活中，也產生了一些微妙的變化。

關於秦國的爵制，比較完整的記載是《漢書・百官公卿表》中的「二十種爵」，但這二十種爵制和商鞅時所確立的軍功爵制在內容上有一些出入，同時，由於這種爵制產生的背景是在春秋戰國，可以說是繼西周五種爵制之後所發展出來的一種新制度。因此，本章在談及秦國的軍功爵制之前，也準備簡單地說明春秋戰國軍功爵制的發展。

【附註】

①參見《商君書解詁》卷五。又參見朱紹侯先生《軍功爵制研究》頁三。

②參見氏著《編戶齊民》，頁三一七。

第一節　關於軍功爵制的發展

軍功爵制是春秋戰國所發展出來的一種新制度，是各國諸侯根據當時的政治形勢向其臣民所頒布的一種新的爵祿制度。在這之前的西周，也有一套封建爵制，這種爵制是依據封建宗法所建構的，爲貴族所獨享，一般庶民是無法受爵的。

一、五等爵制和新興的軍功爵制

西周封建爵制的內容，就是傳統所謂的「五等爵」。《禮記・王制》曰：

王者之制爵祿，公侯伯子男凡五等。

《孟子・萬章下》曰：

1.天子一位，公一位，侯一位，伯一位，子男同一位，凡五等也。

2.君一位，卿一位，大夫一位，上士一位，中士一位，下士一位，凡六等。

3.天子之制，地方千里，公侯皆方百里，伯七十里，子男五十里，凡四等，不能五十里，不達於天子，附於諸侯，曰附庸。

以《禮記》來看，五等爵是不包括天子的。《孟子》則把天子也列入五等爵的範疇中。以實際來看，孟子的第一種說法，是指天子和各諸侯之間的爵級關係，天子是各諸侯共同的首長；第二種則是各國的內部秩序，也就是公、侯、伯、子、男各諸侯在其國家爲國君是一級，以下爲卿又一級，大夫爲又一級，士分三級，上士爲一級，中士爲又一級，下士爲又一級，共六級。五等和六等，基本上，是一種內外之分。《新書・階級》曰：

古者聖王制爲列等，內有公卿大夫士，外有公侯伯子男。

以實際來看，天子不在五等爵中，而子男分爲二等。傳統子爵都在五等爵中，但《孟子》將其與男爵同一級，崔述認爲這是未成諸侯的一種稱呼，亦即在諸侯中沒有資格列入列等，只好附入最低的「男」這一級。崔氏曰：

孟子曰：天子一位，公一位，侯一位，伯一位，子男同一位，凡五等。夫爵既有五矣，何以其等止分爲四？公、侯、伯、既各爲一等矣，何以子、男獨同爲一等？蓋子也者未成諸侯之稱也。既未成諸侯，則其班當隨乎其最卑者，是以與男同一位也。……子也者，本未成乎諸侯之稱：漸而卿稱之，漸而大夫稱之，漸而布衣之士亦稱之者也。猶之乎「君」，本國君之稱，漸而卿大夫亦稱君（《儀禮》：公、士、大夫皆稱爲君），至後世而朋友亦相稱爲君也。……①

崔氏之說雖未必妥當，但也頗可參考。對於五等爵的序列，杜正勝先生曰：

不論那一種系統，近人對公、侯、伯、子、男的序列是頗懷疑的（傅斯年1930）。與其他史料相料，疑者認爲同一個人，爵稱並不一致（楊樹達1954，頁二四九）；而且自公侯以下的等級差別也不存在。我們的看法略有不同。所謂爵稱不一致，主要有二種情形，一是國君在本國自稱公；二是葬時加諡爲公；故毋論爲侯，爲伯，或爲子男，都有可能稱最高爵的「公」。②

郭沫若先生則認爲「王公侯伯實乃國君之通稱」③同時認爲五等

爵乃周末儒者託古改制之所爲。郭氏理由有三：

> 其一，諸侯每稱王；……其二，公、侯、伯、子、男無定稱；……其三，男之稱謂罕見。……準上，可知王、公、侯、伯、子、男實古國君之通稱。……五等爵祿，實周末儒者託古改制之所爲。蓋因舊有之名稱，而賦之以等級也。④

郭氏稱五等爵爲「實周末儒者託古改制之所爲。蓋因舊有之名稱，而賦之以等級也。」周谷城先生認爲「與其謂先有名稱，然後賦以等級，不如謂事實上有了等級，而名義隨著發生。」⑤可見公、侯、伯、子、男五等爵制在事實上是存在的。朱紹侯先生曰：「根據魯史《春秋》考察，在周代的地方諸侯中，確有公侯伯子男五種爵稱。在《春秋會要》『世系』條中，除周以外包括四裔共收有大小國家一百七十四個，其中公爵有四，侯有二十五，伯爵二十一，子爵三十七，男爵三，附庸六，爵稱不明的七十八不管這五種爵稱之間，有沒有嚴格的等級差別，周代確實存在公侯伯子男的封爵制是無可懷疑的。」⑥前面提到五等爵制是一種封建爵制，屬於貴族所獨享和世襲，庶人無法受爵。因此，軍功爵制的產生基本上就是對五種爵制的一種反制。另一方面，五等爵制的主要內容是「授民以疆土」，⑦軍功爵制的授爵標準不同，這種新興的爵制，只要是在政治上或是軍事上建立事功，就有機會受爵。各諸侯可以依其臣民軍功的大小授與不同的爵位。授爵的內容包括免除徭役，減免租稅，或賞賜一定數量的土地，有的可以封君食邑，享有一些政治、經濟的特權。這些內容中的土地封邑，基本上，只是享有「衣食租稅」而已，對於封地內的土地和人民不能完全占有。⑧由此可以看出軍功爵制並沒有像五等爵那種「授民以疆土」授爵內容。

軍功爵制的產生和西周末年以及春秋時代的王室衰微以及諸侯爭霸有關。由於天子權力式微，各諸侯國在政治和軍事上的競爭十分激烈。在這些競爭中，一些侯國取得了勝利，逐漸强大起來；另一些侯國遭到失敗，逐漸衰亡下去。爲了在兼併戰爭中，取得霸主的地位。因此，各國都極力選拔下層人才。而爲了讓出身於下層的人才能盡心竭力的服務，各諸侯國在賜民宅、免徭役之外，也逐漸開放爵位給庶民士卒。這種因功授爵的情形，在齊、晉、秦、楚、宋等國都已出現。春秋普遍錫命授爵的情形，雖然不能就說是採行軍功爵制，但至少軍功爵制的雛形卻已出現。

以文獻來看，秦國在春秋時就已有軍功爵制。《左傳・襄公十一年》曰：

> 秦庶長鮑、庶長武，帥師伐晉以救鄭。

庶長是秦二十爵之一，在二十種爵中，有四種庶長爵名：左庶長、右庶長、駟車庶長、大庶長。《後漢書・百官志五注》引劉劭《爵制》曰：「《春秋傳》有庶長鮑。……自左庶長以上至大庶長，皆卿大夫，即軍將也，所以將庶人、更卒也，故以庶更爲名。大庶長，即大將軍也，左右庶長即左右偏裨將也。」栗勁先生曰：「庶長原爲庶民之長，征調庶民作戰，由庶長統帥，庶長就成爲軍職，經商鞅變法又轉爲爵名。」⑨但以《左傳》的記載來看，秦在春秋時就有此一爵名。又《史記・秦本紀》曰：

> 寧公生十歲立，立十二年卒。……寧公卒，大庶長弗忌、威壘、三父廢太子而立出子爲君。

寧公時在春秋，可見此時已有軍功爵制。又《左傳・成公十三年》曰：

> 五月丁亥，晉師以諸侯之師，及秦師戰於麻隧，秦師敗績，獲秦成差及不更父女。

杜《注》曰：「不更，秦爵。」以二十種爵來看，不更爲第四爵，可見秦國在春秋亦有此爵。由上所舉可以看出秦國在春秋時期就已開始實行軍功爵制了。但整體來說，這一時期並沒有形成完整的制度。秦國的軍功爵制眞正建立完整而系統，循序以進，由卑而尊，由下而上的，當是始於商鞅變法時所制定的爵制。在這之前，雖然也有軍功爵制的資料反映，但都不是完整而系統的。從春秋到商鞅變法以前所看到的爵稱也大都是庶長、大庶長而已，不是很全面。如《史記・六國年表》有二條關於庶長的記錄：

1.秦厲共公十年（西元前四六七年）
庶長將兵拔魏城。
2.秦厲共公二十六年（西元前四五一年）
左庶長城南鄭。

《史記・秦本紀》也有三條資料：

1.秦懷公四年（西元前四六七年）
庶長鼂與大臣圍懷公。
2.出子二年（西元前四二五年）
庶長改迎靈公之子獻公於河西而立之。
3.秦獻公二十三年（西元前三六二年）
秦獻公使庶長國伐魏少梁，虜其太子。

這幾條資料說明了在商鞅以前就已有軍功爵制，商鞅的爵制是在這些舊有的爵制基礎上加以擴充改良的。綜上所述可知，軍功爵制乃濫觴於春秋。主要原因在於舊的封建結構，已經逐漸改變。此時天子無權，權在諸侯，禮樂征伐自諸侯出。各國爲了富國強兵，爭霸諸侯，於是積極延攬下層人才爲己所用，因功賜爵的新制度於焉產生。

二、軍功爵制的確立

軍功爵制的確立是進入戰國以後的事。前面提到軍功爵制產生的背景在舊的封建結構逐漸改變時，各國爲了富國強兵，爭霸諸侯，都積極延攬下層人才爲己所用，因功賜爵的新制度於焉產生。這種情形在戰國尤爲顯著。

戰國時期，在政治上原先的封建關係已維繫不住，各國的政治也逐漸走向一個結構嚴密而權力集中的新形態。因此，不論在政治、軍事、社會上都產生了巨大的變革。春秋時代，天子無權，權在諸侯；戰國初則諸侯無權，權在大夫。而大夫則不奪不饜，上升爲新的國君。西周禮自樂征伐自天子出，春秋由諸侯出，戰國則由大夫出。春秋以前，諸侯由天子所封，權力來自天子，尙須尊王；戰國諸侯，大半來自篡奪，甚至自己稱王，天子威權剝落斯盡。春秋時舊制尙存，故仍著重恢復舊秩序；戰國時舊制蕩然無存，各國銳意革新，以求因應新的形勢。春秋時雖然也積極延下層人才，但貴族仍爲政治的中心；戰國時，平民開始大量湧入政治舞臺。

另一方面，由於兼併戰爭，使得封建破滅、宗法解體，土地擴張，權力集中，使國的性質有了基本上的改變。春秋時政治結構基本上仍大半保留封建，君臣之間尙保留氏族共同體的休戚情勢；戰國時則改爲郡縣制，君臣、臣民之間，完全是利害權責的關係。因此，在戰國以前的君臣穩定關係，在戰國時已不復存在。從戰國時游士遨遊各邦，擇主而事的例子，可知新的君臣對待關係必然產生。又由於利害權責是君臣對待的一個重要關鍵，君若視臣如犬馬，則臣亦視君爲路人，因此，君臣上下的疏離感也必然產生。在這種情形下，國君如想讓臣民爲國效死，必須另有一套新的策略和方法。

在這種新的形勢下，軍功爵制自然就成了各國君主用來招攬人才的重要手段之一。前面提到在春秋時已有一些國家實行因功賜爵的軍功爵制，但都還是局部的，開放給庶民的爵級可能也是有限的。但在戰國則不同，各國除了在軍事上的競爭外，在政治上更是銳意革新。舊有的五等制已不能適應新的形勢，軍功爵制因此進一步得到了發展的機會。

在戰國時，各國爲了因應新的形勢都有許多變法的措施。同時，也强調了以「功」的大小來作爲受爵的標準，不是按受爵者與國君關係的親疏，這是新的爵位制度的特點。如魏國的李悝替魏國主持變法，建立了「食有勞而祿有功」的任官制度，主張「奪淫民之祿，以來四方之士」⑩就是主張將爵祿賜給有功於國的人。另外，魏國在吳起的主持下，建立一支新型的軍隊組織——武卒，武卒的選拔十分嚴格，一旦獲選，待遇自然不同。除免除其全家徭役和賜給田宅外，並在建立軍功後，賜給官爵和上等田宅。如吳起曾下令曰：「明日且攻亭，有能先登者，仕之國大夫，賜之上田上宅。」⑪這種賜爵制，和李悝的「盡地力之敎」的經濟政策相輔相成。

在韓國，申不害雖然在政治上尙無爲，但仍進行一些改革，尤其在任官方面。申不害是個講究「術」的法家，他所講的「術」，主要是指任用、監督和考核臣下的方法。《韓非子・定法》曰：「今申不害言術，而公孫鞅言法。術者，因任而授官，循名而責實，操生殺之柄，課群臣之能者也。此人主之所執也。」申子又主張「爲人君者操契以責其名」⑫在循名責實方面，另又強調「見功而與賞」的原則，如《韓非子》引申不害之言曰：

……法者見功而與賞，因能而受官。⑬

又《戰國策・韓策》亦曰：

> 申子請仕其從兄官，昭侯不許也。申子有怨色，昭侯曰：「非所學於子者也，聽子之謁，而廢子之道乎？又亡其行子之術，而廢子之謁乎？子嘗教寡人「循功勞，視次第」，今有所求此，我將奚聽乎？」申子乃辟舍請罪，曰：「君眞其人也。」

所謂「法者見功而與賞，因能而受官」、「循功勞，視次第」者，正是強調任官以功勞爲準的新義。另外，《韓非子・詭使》曰：「陳善田利宅，所以勵戰士也。」正是以善田利宅作爲軍功賞賜的一種手段。

在楚國，吳起認爲楚國的「貧國弱兵」，是由於大臣大重，封君太眾」這些大臣、封君「上逼主而下虐民」，要使楚「富國強兵」，必須從改革爵制、吏治上著手，於是提出了「使封君之子孫，三世而收爵祿，裁減百吏之祿秩，損不急之枝官，以奉選練之士。」⑭的改革方案。吳起斷然剝奪了世襲貴族的官職爵位，下令「貴人往實廣虛之地」，⑮這一改革雖然觸動了楚國世襲貴族的根本利益，但卻建立完全以功勞大小爲標準的賜爵制度。⑯同時，吳起的變法也收到了具體的成效，使楚國成爲七雄之一。

齊國從田桓公開始，便在稷下設官立學，以招徠各派學者著書立說和議論政治。齊威王時，更注重任賢使能的用人政策。鄒忌並推行所謂的「謹擇君子毋雜小人其間」，「謹修法律而督奸吏」。⑰另外，在爵制方面，軍功爵制仍繼續推行。《孫臏兵法・殺士》有所謂的「明爵祿」，認爲要士卒效死，必先明爵祿之賞，才能使士卒知所奮勇。「明爵祿」之賞正是軍功爵的一種表現。

燕國在七雄中最弱，但在中期，燕昭王「卑身厚幣以迎賢者」⑱於是各國賢才聞訊，「樂毅自魏往，鄒衍自齊往，劇辛自趙往，士爭趨燕。」⑲樂毅被任爲亞卿，其亡趙致燕惠王書中提到所謂「賢聖之君，不以祿私其親，功多者授之，不以官隨其愛，能當者處之。」⑳燕國同時也建立了「無功不當賞」㉑的觀念。另外，樂毅也曾因軍功而被封君，如《史記・樂毅列傳》曰：

> 樂毅攻入臨淄，盡取齊寶財物祭器輸之燕。燕昭王大悅，親自濟上勞軍，行賞饗士，封樂毅於昌國，號爲昌國君。

因軍功而封君，可見燕國也建立了軍功爵制。

綜上所述，可知戰國的諸侯中，普遍建立軍功爵制來獎勵軍功。當然，由於戰國時期各國國情不同，以及各國發展的差異，所以各國推行軍功爵制的程度和規模也不盡相同。（關於秦國部分詳下文）另外，必須補充說明的是各國在用人的過程中也十分重視客卿制度。客卿就是拜客爲卿，這在戰國是特有的一種官稱。以客出仕病在「或一言契合立擢卿相」，㉒而以軍功出仕也有勇力和智能上的矛盾問題。客卿制度基本上則是這二個方式（以客出仕和軍功出仕）結合之後出現的。所以客卿制度，第一步先是拜客爲亞卿，保持了以客出仕的特點；第二步在拜爲正卿或相之前，一般都得率兵征戰，經過嚴峻的戰爭考驗，在獲取軍功之後，方能實現其正卿和相的地位，而這也正體現出軍功出仕的特點。

【附註】

①參見《崔東壁遺書・豐鎬考信別錄》卷之三《周制度雜考》。

②參見氏著《編戶齊民》頁三一九。

③參見氏著《中國古代社會研究》，頁二三四—二三七，第四編《周代彝銘中的社會史觀》。

④參見氏著《金文叢考・金文所無考》又見上引《古國古代社會》文字略有不同，如云：「其一，諸侯可稱王；……其二，公、侯、伯、子、無定稱；……其三，無男爵之稱謂。……由上可知王公侯伯子男實古國君之通稱。……。」

⑤參見氏著《中國政治史》，頁六九。

⑥參見氏著《軍功爵制研究》，頁四。

⑦參見《大盂鼎銘》。

⑧同⑥。

⑨參見氏著《秦律通論》頁三一。

⑩參見《韓非子・和氏》。

⑪參見《韓非子・內儲說上》。

⑫參見《申子・大體》。

⑬參見《韓非子・外儲說左上》。

⑭同⑩。

⑮參見《呂氏春秋・貴卒》。

⑯同⑥，一九。又參見黃留珠先生《中國古代選官制度述略》，頁七三。

⑰參見《史記・田敬仲完世家》。

⑱參見《史記・燕召公世家》。

⑲同⑰。

⑳參見《戰國策・燕策二》。

㉑參見《戰國策・燕策》。

㉒參見趙翼《陔餘叢考》卷十八。

第二節　秦國的軍功爵制

從上節所述，可知戰國時期，軍功爵制的發展已經十分普遍。但是眞正把軍功爵制加以運用發展的卻是秦國。秦孝公時商鞅主持變法運動，內容涉及到政治、經濟、軍事、文化各方面，其中以軍功爵制最爲重點。商鞅規定：

> 有軍功者，各以率受上爵。……宗室非有軍功論，不得屬籍。明尊卑爵秩各以差次，名田宅臣妾衣服以家次。有功者顯榮，無功者雖富無所芬華。①

在此可以看出，商鞅所實行的是「效功而取官爵」的任官受爵原則。其一規定「有軍功者，各以率受上爵。」其二規定「宗室非有軍功論，不得爲屬籍。」一般庶民只要有軍功，就可以受爵；至於國君的宗族如果沒有軍功，就不能列入宗室的屬籍，享受宗室的特權。②個人完全靠戰功來獲得爵位，在這裏商鞅透過「明尊卑爵秩各以差次，名田宅臣妾衣服以家次。」來建立一個新的等級標準。這樣就使「有功者顯榮，無功者雖富無所芬華。」在軍功爵制的標準之下，人的政治或社會地位完全由軍功來決定。

《商君書・刑賞》曰：「利祿官爵，摶出於兵。」又曰：「富貴之門，必出於兵。」這說明秦人要獲得富貴爵祿，捨軍功別無他途。實施新的軍功爵制，如果可以眞正做到「有功必賞」，《商君書・錯法》認爲軍隊將無敵於天下：

> 人君不可以不審好惡。好惡者，賞罰之本也。夫人情好爵祿而惡刑罰，人君設二者以御民之志而立所欲焉。夫民力盡而爵隨之，功立而賞隨之，人君能使其民信於此如明日月，則兵無敵矣。

一、文獻所見的秦代軍功爵制

關於秦國的軍功爵見於文獻的不少，其中最早的見於《商君書・境內》，內容爲：

> 軍爵，自一級已下至小夫，命曰校、徒、操出公爵。自二級已上至不更，命曰卒。……吏自操及校以上，大將盡賞。行間之吏也，故爵公士也，就爲上造也；故爵上造，就爲簪裊；就爲不更。故爵爲大夫，爵吏而縣尉；則賜虜六，加五千六百。爵大夫而爲國治，就爲〔官〕大夫；故爵爲〔官〕大夫，就爲公大夫；就爲公乘；就爲五大夫，則稅邑三百家。故爵爲五大夫，〔就爲左右庶長；故左右庶長；就爲左更，故四（三）更就爲大良造。〕皆有賜邑三百家，有賜稅三百家。爵五大夫有稅邑六百家者，受客〔卿〕；大將御參，皆賜爵三級；故客卿相盈論，就正卿。
>
> （按自「軍爵」以下至「就爲大良造」爲杜正勝先生據《商君書解詁》、《商君書新箋》、《商君書平議》所改，「受客〔卿〕爲作者據文意所加」。）

《商君書》所載的十六種爵爵制和《漢書・百官公卿表》所記不同。《漢書・百官公卿表》所記是完整而具體的二十等的軍功爵制：

> 爵一級曰公士，二上造，三簪裊，四不更，五大夫，六官大夫，七公大夫，八公乘，九五大夫，十左庶長，十一右庶長，十二左更，十三中更，十四右更，十五少上造，十六大上造，十七駟車庶長，十八大庶長，十九關內侯，二十徹侯，皆秦制，以賞軍功。

《後漢書·百官志五注》引劉劭《爵制》曰：

> 商君爲政，備其法品爲十八級，合關內侯，列侯凡二十等，……一爵曰公士者，步卒之有爵者爲公士者。二爵曰上造，造，成也。古者成士升於司徒曰造士，雖依此名，皆步卒也。三爵曰簪裊，御駟馬者。要裊，古之名馬也。駕駟馬者其形似簪，故曰簪裊也。四爵曰不更，不更者爲車右，不復與凡更卒同也。五爵曰大夫，大夫者，在車左者也。六爵曰官大夫，七爵爲公大夫，八爵爲公乘，九爵爲五大夫，皆軍吏也。吏民爵不得過公乘者，得貰與子若同產。。然則公乘者，軍吏之爵最高者也。雖非臨戰，得乘公卒車，故曰公乘也。十爵爲左庶長，十一爵爲右庶長，十二爵爲左更，十三爵爲中更，十四爵爲右更，十五爵爲少上造，十六爵爲大上造，十七爵爲駟車庶長，十八爵爲大庶長，十九爵爲關內侯，二十爵爲列侯。自左庶長以上自大庶長，皆卿大夫，皆將軍也，所將皆庶人、更卒也，故以庶、更爲名大庶長即大將軍也。左右庶長即左右偏將裨將軍也。

杜正勝先生依劉劭《爵制》的內容將秦國的二十等軍功爵分成以下四組：

一	二	三	四
1.公士	5.大夫	10.左庶長	19.關內侯
2.上造	6.官大夫	11.右庶長	20.徹侯（列侯）
3.簪裊	7.公大夫	12.左更	

4.不更	8.公乘	13.中更
	9.五大夫	14.右更
		15.少上造
		16.大上造
		17.駟車庶長
		18.大庶長

關於劉劭的分類，杜正勝先生曰：「《周禮・大宗伯》曰：『九命作伯』，與公士至五大夫的九等固不相干；而左庶長至大庶長是上下的九等階級，和分司專職的九卿也是兩回事。不過，二十等爵粗分成四大等級，比於封建時代的士、大夫、卿和諸侯，尙不失為合理的分類，和商鞅制爵的本意亦頗相合。」③關於秦國的二十等爵制，另有其他資料，如徐復的《秦會要訂補》曰：

> 《左傳》成公十三年《正義》曰：秦之官爵有不更之名。《漢書》稱：商君為法於秦戰斬首一者，賜爵一級。其爵名：爵一級曰公士，二上造，三簪裊，四不更，五大夫，六官大夫，七公大夫，八公乘，九五大夫，十左庶長，十一右庶長，十二左更，十三中更，十四右更，十五少上造，十六大上造，十七駟車庶長，十八大庶長，十九關内侯，二十徹侯。按《左傳》此有不更父女，襄十一年有庶長鮑、庶長武，春秋之世，已有此名，蓋後世以漸增之，商君定為二十，非是商君盡新作也。又《墨子・號令篇》：「丞及吏比於丞者，賜爵五大夫。」孫詒讓曰：「五大夫制在商鞅前」據此，則秦爵二十等，有承自前朝者，亦有襲用山東諸侯舊名，至商君佐孝公始為定制耳。

又《史記・秦本紀集解》曰：

> 《漢書》曰：商君為法於秦，戰斬一首，賜爵一級，欲為官者五千石（按千乃十之訛）。其爵名：一為曰公士，二上造，三簪裊，四不更，五大夫，六官大夫，七公大夫，

> 八公乘，九五大夫，十左庶長，十一右庶長，十二左更，十三中更，十四右更，十五少上造，十六大上造，十七駟車庶長，十八大庶長，十九關內侯，二十徹侯，皆秦制，以賞軍功。

另外，《後漢書・百官志》、《漢舊儀》、《通典・職官》、《北堂書鈔・封爵下》也有二十等爵的記載。④以上這些記載的爵制名稱和順序大致相同，只有一小部分略有出入。⑤由這些資料中可以看出軍功爵制不僅是一個等級制度，而且也是一種職務制度。這說明秦制有官爵合一的現象。如白起在秦昭王十三年爲左庶長，明年爲左更，明年爲大良造，⑥只記其爵而未及其官，這是因爲爵可以表官的原故。⑦此外，二十種爵雖然「皆秦制也」，但有些記載在解釋上所反映的並不是秦制，如劉劭《爵制》中所講的「吏民爵不得過公乘者，得貰與子若同產。」就是漢制，在秦代沒有這樣的規定。⑧當然在各種資料中，我們也可以看出二十等爵有不少爵名是沿用秦制舊名，有些則可能是採用山東各國的爵名。如上節所引的不更、庶長，原本就是秦爵。而這些爵名早在商鞅變法之前就已存在。在山東方面，齊國有「列大夫」，⑨趙國有「上大夫」，⑩魏國有「公大夫」⑪趙、魏、楚有「五大夫」，⑫韓有「公乘」。⑬這些爵名大部分出現的時間都在商鞅變法前後，對於商鞅在爵制方面的改革一定有影響。同時對於經過長期發展形成的二十種爵，也必然有影響。《秦會要訂補》曰：「秦爵二十級，有承自前朝者，亦有襲用山東諸侯舊名。」這個看法是正確的。

二、秦簡可見的爵稱

《商君書・境內》所載的軍功爵制只有十六級，這和其後文獻所載不盡相同。可見《漢書》及以後所記的二十種爵並不是商鞅時期所確定下來的，劉劭《爵制》謂：「商君爲政，備其法品爲十八級，合關內侯，列侯凡二十等。」事實上，並不完全如此。同時在商鞅至《漢書・百官公卿表》所記的二十種爵中，我們還可以看到一些資料，這就是新出土的《雲夢秦簡》。在《雲夢秦簡》中有一些爵名並未見於二十種爵，如《雲夢秦簡》中的「顯大夫」（五六一簡）或即五大夫，「官士大夫」（二四六簡）如果是一個爵名，則未見於二十種爵；又《秦律十八種・傳食律》謂：「『不更以下到謀人』，粺米一斗，醬半升，采（菜）羹、芻稾各半石。宦奄如不更。『上造以下』到官佐、史毋（無）爵者，及卜、史、司御、寺、府，糲（糲）米一斗，有采（菜）羹，鹽廿二分升二。（二四八—二四九簡）其中「不更以下到謀人」不更是四級爵，謀人當屬於第三級的「簪裊」，⑭或即是「簪裊」的別稱，而這一爵稱也不見於二十種爵。這說明二十種爵並不是商鞅時期就已制定完成，而是逐漸發展形成的。其形成的時間當是晚於《雲夢秦簡》所出現的時間的下限，甚至可能是西漢初期才固定下來的。

《雲夢秦簡》中可見的爵稱是一至五級，即公士、上造、謀人（簪裊）、不更、大夫，這其中以公士的出現率最高。另外，「官士大夫」可能即「官大夫」，「顯大夫」可能即「五大夫」。以下分別列舉見於《雲夢秦簡》者：

1.第一級——公士

- 公士以下居贖刑辠（罪）、死辠（罪）者，（二〇一簡）
- 及隸臣斬首爲公士（二二二簡）
- 謁歸公士而免故妻隸妾一人者（二二二簡）
- 公士以下刑爲城旦（三三三簡）
- 得比公士贖耐不得（五五五簡）
- 幾訊典某某、甲伍公士某某：甲黨（倘）有〔它〕當封守而某等脫弗占書（五九〇簡）
- 某里公士甲自告曰（五九五簡）

- 爰書：某里公士甲、士五（伍）乙詣牛一（六〇三簡）
- 強攻群盜某里公士某室（六〇八簡）
- 某里士五（伍）甲、公士鄭才（在）某里曰丙共詣斬首一（六一四簡）
- 爰書：某里公士甲縛詣大女子丙（六二二簡）
- 里人公士丁救，（六六四簡）
- 爰書：某里公士甲等廿人詣里人士五（伍）丙（六七一簡）

2.第二級——上造

- 上造以下到官佐、史毋（無）爵者，（二四九簡）
- 上造以上不從令，（三二九簡）
- 上造以上爲鬼薪，（三三三簡）
- 上造甲盜一羊，（四二〇簡）
- 爵當上造以上，（四八三簡）

3.第三級——謀人（簪裊）

- 不更以下到謀人，（二四八簡）

4.第四級——不更

- 不更以下到謀人，（二四八簡）
- 宦奄如不更。（二四八簡）

5.第五級——大夫

- 故大夫斬首者，（三三五簡）
- 大夫甲堅鬼薪，（四九七簡）
- 大夫寡，（五二六簡）
- 告曰：某里五大夫乙家吏。（六二二簡）
- 丞某告某鄉主：某里五大夫乙家吏甲詣乙妾丙，（六二三簡）
- 一生子爲大夫。（八〇五・一簡）
- 大夫先畀兕席，（＊七三九簡）

・子爲大夫。（九九九・一簡）

6.官士大夫（或即爲第六級的官大夫）

・自官士大夫以上，（二四六簡）

7.顯大夫（或即爲第九級的五大夫）

・可（何）謂「宦者顯大夫？」（五六一簡）

・皆爲「顯大夫」。（五六一簡）

由上舉資料可以看出商鞅所制定的軍功爵制在秦國的確曾經施行過。另外，在「公士」條中有二條比較特別的資料提到「公士以下」，如：

・公士以下居贖刑辠（罪）、死辠（罪）者，（二〇一簡）

・公士以下刑爲城旦（三三三簡）

「公士以下」不見於《漢書・百官公卿表》中所列的二十種爵制中，但卻見於《商君書・境內》，如云：「軍爵，自一級已下至小夫，命曰校、徒、操出公爵。自二級已上至不更，命曰卒。」這裏說明了在第一級「公士」之下到「小夫」，還有三級，即校、徒、操。《商君書》稱一級以下至小夫爲「軍爵」，可能在公士以下的三級也是屬於有爵的。由於「出公爵」一語，容易誤解，朱師轍先生認爲乃「謂在軍爵之外」⑮顯然認爲這三級不在軍功爵制中。楊寬先生《戰國史》曰：「秦爵原是軍隊中官、兵等級身分。軍隊中地位最低的兵叫「小夫」，那是沒有爵位的。」⑯但朱紹侯先生卻認爲一級以下至小夫的三級爵稱，仍然屬於軍功爵制的範圍。⑰以《商君書》的文意來看，公士以下的這三級可能是有爵的。

從上可知秦的軍功爵制是經過常期發展所形成的，商鞅根據秦國的爵稱舊名，再吸取山東各國改革的經驗，制定了秦國的軍功爵制。而從《雲夢秦簡》我們可以看到這個爵制實際上是一直被秦國所採用的。（關於軍功爵的實際運作及對秦人的影響，請見下節）而在商鞅之後，秦的軍功爵制也繼續發展出一些新的內容，《雲夢秦簡》所見的幾個新爵名，或者爵名異稱，可以說明了這個現象。至於《漢書・百官公卿表》所謂的二十種爵，在秦國統一前，至少在《雲夢秦簡》所顯現的時間下限，是還未完全定形的。

【附註】

①參見《史記・商君列傳》。

②從《雲夢秦簡》中可以看出秦國的宗室貴族即使沒有爵位，一樣可以享有部分特權。如《法律答問》曰：「內公孫無爵者，當贖刑，得比公士贖耐不得？得比焉。」雖有特權也只能比照有爵中的最低一級中的公士，這和有爵的宗室當有很大的差別。

③參見氏著《編戶齊民》頁三二九。

④三書所記大抵和上引書類同，不一一臚列。茲將各家所記二十等爵異同列表如下，以清眉目：

	一	二	三	四	五	六	七	八	九
1	公士	公士	公士	公士	公士	公士	公士	公士	公士
2	上造	上造	上造	上造	上造	上造	上造	上造	上造
3	簪裊	簪裊	簪裊	簪裊	簪裊	簪裊	簪裊	簪裊	簪裊
4	不更	不更	不更	不更	不更	不更	不更	不更	不更
5	大夫	大夫	大夫	大夫	大夫	大夫	大夫	大夫	大夫
6	官大夫	官大夫	官大夫	官大夫	官大夫	公大夫	官大夫	公大夫	公大夫
7	公大夫	公大夫	公大夫	公大夫	公大夫	官大夫	公大夫	官大夫	官大夫

8	公乘	公乘	公乘	公乘	公乘	公乘	公乘	公乘	公乘
9	五大夫	五大夫	五大夫	五大夫	五大夫	五大夫	五大夫	五大夫	五大夫
10	左庶長	左庶長	左庶長	左庶長	左庶長	左庶長	左庶長	左庶長	左庶長
11	右庶長	右庶長	右庶長	右庶長	右庶長	右庶長	右庶長	右庶長	右庶長
12	左更	左更	左更	左更	左更	左更	左更	左更	左更
13	中更	中更	中更	中更	中更	中更	中更	中更	中更
14	右更	右更	右更	右更	右更	右更	右更	右更	右間
15	少上造	少上造	少上造	少上造	少上造	少上造	少上造	少上造	少上造
16	大良造	大上造	大上造	大上造	大上造	大上造	大上造	大上造	大上造
17		駟車庶長	駟車庶長	駟車庶長	駟車庶長	駟車庶長	駟車庶長	駟車庶長	駟車庶長
18		大庶長	大庶長	大庶長	大庶長	大庶長	大庶長	大庶長	大車庶長
19		關內侯	侯	關內侯	關內侯	關內侯	關內侯	關內侯	關內侯
20		徹侯	列侯	徹侯	列侯	徹侯	徹侯	徹侯	徹侯
	一	二	三	四	五	六	七	八	九

1.阿拉伯數字代表等級

2.「一」代表《商君書・境內》
「二」代表《漢書・百官公卿表》
「三」代表《漢舊儀》
「四」代表《後漢書・百官志》
「五」代表劉劭《爵制》
「六」代表《北堂書鈔》
「七」代表《通典・職官》
「八」代表《史記・集解》
「九」代表《秦會要訂補》

3.《商君書・境內》：原「就爲左右庶長」至「就爲大良造」爲錯簡，上引《境內》篇已據俞樾《平議》更正。而「左右庶長」原作「大庶長」，高亨先生《商君書注釋》謂：大乃左又（左右）合文，形似而誤。本表據此改定。朱紹侯先生以「左庶長」爲「客卿」，「右庶長」爲正卿，以《境內》來看，這個看法是正確的，但爵名恐怕仍應以「左、右庶長」爲正。又朱氏以「大庶長」爲十二級，而各書皆以「大庶長」爲第十八級。（《秦會要訂補》作「大車庶長」）朱氏因以「大庶長」爲第十二級，造成了「左更」以上各上推一級，因此從十二級以上和各書所記有異。（按朱氏所排《境內》篇的級別共十七級，分別如下：1.公士、2.上造、3.簪裊、4.不更、5.大夫、6.官大夫、7.公大夫、8.公乘、9.五大夫、10.客卿、11.正卿、12.大庶長、13.左更、14.中更、15.右更、16.少上造17.大良造）

⑤其間差異請參見㉙所附「各書所記二十等爵異同表」又關於各書所記的差異，朱紹侯先生提出四點可爲參考。第一：官大夫、公大夫的順序不同。熟是熟非，已難判斷。不過，據《商君書・境內》來看當以六級官大夫，七級公大夫爲是。第二：大八級大庶長，《秦會要訂補》記爲大車庶長，與其古文獻不同。顯然是因涉及十七級

駟車庶長，而衍一「車」字。第三：第三級簪褭《北堂書鈔》引作「簪梟」。按「褭」爲馬名，而「梟」爲鳥名，兩者實不同，可能「梟」與「褭」字形相似而致訛。第四：十九級關內侯《漢舊儀》作「侯」，與其他各書記載不同，可能是書寫、印刷時脫落了「關內」二字而致誤。（按本文未引《漢舊儀》此文，但上表第三書即《漢舊儀》，請參閱。又上引朱文請參見氏著《軍功爵制研究》頁三二。）

⑥參見《史記・白起列傳》。

⑦參見杜正勝先生《編戶齊民》頁三三〇。

⑧參見朱紹侯先生《軍功爵制研究》頁三二。

⑨《史記・孟子荀卿列傳》曰：「自如淳于髡以下，皆命曰列大夫。」《管子・輕重乙》曰：「命大夫藏五百鍾，列大夫藏百鍾」列大夫即齊爵。

⑩《史記・廉頗藺相如列傳》曰：「相如既歸，趙王以爲賢大夫使不辱於諸侯，稱相如爲上大夫。」上大夫即趙爵。

⑪《韓非子・內儲說上》曰：「龐敬，縣令也，遣市者行，而召公大夫而還之。」公大夫即魏爵。

⑫《戰國策・趙策三》建信君曰：「秦使人來仕，僕官之丞相，爵五大夫。」《戰國策・魏策四》信陵君將仕縮高五大夫，使爲持節尉。《戰國策・楚策》楚杜赫說楚王以取趙，王且予之五大夫。」是趙、魏、楚三國有五大夫。

⑬《韓非子・說林上》曰：「張譴相韓，病將死，公乘無正懷三十金而問其疾。」是韓有公乘。

⑭見於《雲夢秦簡》的前四級中與《商君書・境內》相同的爲第一級的「公士」、第二級的「上造」和第四級的「不更」，簡文謂「不更以下到謀人」，則「謀人」爵級低於第四級，而一、二級已知爲「公士」和「上造」，以此推知「謀人」當即第三級的「簪褭」。

⑮參見《商君書解詁定本》卷五。

⑯參見楊寬先生《戰國史》頁二八一。

⑰參見朱紹侯先生《軍功爵制研究》頁三五一三六。

第三節 秦簡所反映的軍功爵制

前文提到軍功是秦代用來鼓勵士氣、提高戰力的一項重要措施。它對秦國的整個軍事制度有很大的影響。同時，對秦人來說，則是爭取更高的社會地位的主要途徑。在《雲夢秦簡》的《軍爵律》中我們可以看到有關軍爵的一些內容，在《封診式》中也可以看到一些案例的關係人的爵名，在其他的律文中也可以看到一些有爵、或者無爵者的活動。這些資料在整體上雖然並不多，但卻充分說明了軍功爵制在商鞅變法之後，已經成了一種非常完備的制度，同時在秦的社會結構和秦人的生活中，也產生了一些微妙的變化。

由於秦國採取了有功必賞的軍功政策，因此，秦國的戰鬥力很強，《戰國策・韓策一》張儀曰：

> 秦帶甲百餘萬，車千乘，騎萬匹。虎摯之士，跿□科頭，貫頤奮戟者，不可勝計也。秦馬之良，戎兵之眾，探前趹後，蹄間三尋者不可勝數也。山東之卒，被甲冑以會戰，秦人捐甲徒裎以趨敵，左挈人頭，右挾生虜。夫秦卒之與山東之卒也，猶孟典之與怯夫也，以重力相壓，猶烏獲之與嬰兒也。夫戰孟賁烏獲之士，以攻不服之國，無以異乎墮千鈞之重，集於鳥卵之上，必無幸矣。

秦軍之所以如此勇猛，原因即在於秦國強力實行軍功爵制的結果。由此看來，軍功爵制對秦國的統一戰爭是有很大的影響的。

《雲夢秦簡》中有《軍爵律》，律文只有兩條，內容規定了執行軍功賞賜的具體政策：

1.從軍當以勞論及賜，未拜而死，有辠（罪）法耐䙴（遷）其後；及法耐䙴（遷）者，皆不得受其爵及賜。其已拜，賜未受而死及法耐䙴（遷）者，鼠（予）賜。《軍爵律》（二二〇—二二一簡）

2.欲歸爵二級以免親父母爲隸臣妾者一人，及隸臣斬首爲公士，謁歸公士而免故妻隸妾一人者，許之，免以爲庶人。工隸臣斬首及人爲斬首以免者，皆令爲工。其不完者，以爲隱官工。（二二二—二二三簡）

第一條律文規定：從軍有功應授爵和賞賜的，如還沒有拜爵本人已死，而其後嗣有罪應處耐遷的；以及本人依法應耐遷的，「皆不得受其爵及賜」。如已經拜爵而還沒有得到賞賜，本人已死及依法應耐遷的，仍給予賞賜。從這條律文可以看出封爵之前和封爵之後是不同的。這種「未拜」、「已拜」之所以有區別，主要在於授爵和賞賜是分開進行的。由律文看，是先授爵，然後再賞賜。第二條律文規定：要求退還爵位兩級，用來贖免現爲隸臣的親生父母一人；以及隸臣斬獲敵首應授爲公士，而請求退還公士的爵，用來贖免現爲隸妾的妻一人。可以允許。所贖的都免爲庶人。工隸臣斬獲敵首和有人斬首來贖免他的，都令作工匠。如果形體已有殘缺，則以爲隱官工（不易爲人看見工作處所的工匠）。

由第一條律文來看，軍功爵制的手續和程序牽涉到三個層面，其一是「勞」，其二是「論」，其三是「賜」。

一、關於「勞」的問題

關於「勞」的問題，本文在《官制篇》第四章第三節《秦代官吏的考課和獎懲》分已經談過，從《雲夢秦簡》和其他相關資料來看，一般官吏和軍吏都一樣以勞績來決定升遷和爵位的授與。以軍事方面來看，上文所謂的「從軍當以勞論及賜」這是強調勞績的累積，有了「勞」之後，再行「論」和「賜」。這裏的「勞」當是指廣義的勞，是把功也一併計入。在《雲夢秦簡》中並沒有勞的升遷的實際記錄，但漢簡中倒是提供了不少這方面的資料。如漢代在邊郡的屯戍制度中就可以看到不少這方面的制度。《居延漢簡》中若干簡，記載了秋射、賜勞、奪勞。如：

1.□月庚戌朔，已卯，甲渠鄣候誼敢言之，府書曰：烽燧長秋射令尉□及縣試臬□都尉府，謹都燧長偃如牒謁以令賜偃勞十五日　敢言之。（二八・一五）

2.五鳳二年九月庚辰朔，己酉，甲渠候漢彊敢言之，府書曰候長、士吏、烽燧長以令秋射署功勞，長吏雜試□□封移都尉府，謹移第四燧長奴□□□□□□□敢言之。（六・五）

3.右以令秋射二千石賜勞名籍及令（二六一・一一）

4.右秋射二千石以令奪勞名籍及令（二〇六・二一）

以上所舉是以邊郡戍吏的秋射，來考核軍事戍吏的一種考核勞績的一種方式。至於《居延漢簡》的其他功勞簡，大致可以分爲三種情況：

㈠、有功無勞

1.□水都尉李由勞二歲五月二日（一三一・一）

2.肩水候官弁山燧長公乘司馬成中勞二歲八月十四日……（一三・七）

㈡、有功有勞

1.居延甲渠第六燧長□中功二，勞一月八□（四八五・一七）

2.信都相長史□尊功一，勞三歲六日□（五三・七）

㈢、功勞合稱

1.長李利□元二年功勞三歲九月一日……（五三・一六）

2.居延甲渠候官第廿七燧士伍李宮建昭四年功勞案（一五七·九）①

這是對戍吏、卒的一種升遷考核，而戰功也當在這個範圍之內。一般實際的戰鬥，秦國是以「首功」來授爵的。這在後面再論。《秦律雜抄》中有一條《中勞律》，內容為：

敢深益其勞歲數者貲一甲，棄勞。（三四三—三四四簡）

意即擅自增加自己的勞績年數的，罰一甲，並取消其勞績。《中勞律》雖然只有一條，但仍可以看出當時一定有對勞績評定和計算的方式。同時，這也說明了有人為了增加勞績擅改年數的。為什麼要增加年績呢？主要就在於勞績和賜爵有關。

二、關於「論」的問題

「論」是《雲夢秦簡》常用的語詞，其意大抵有兩方面，其一是決罪，這一部分大都用在《秦律十八種》、《法律答問》和《封診式》的律文中；②其二是考評，這是指論功行賞方面。

在軍功爵制方面所使用的「論」字，在《雲夢秦簡》中並不多，只有三例，都作「論功行賞」解。第一例見於上引《軍爵律》第一條。第二例見於《秦律雜抄·敦（屯）表律》：

軍新論攻城，城陷，尚有棲未到戰所，告曰戰圍以折亡，叚（假）者，耐；敦（屯）長、什伍智（知）弗告，貲一甲；伍二甲。（三六三—三六四簡）

本律是「論」攻城有關的賞罰事宜。律文規定就最近攻城的功績論賞時，如在攻陷敵城後還未進入戰場的，報告卻說在圍城中死亡而弄虛作假的，應處以耐刑；敦（屯）長、同什的人知情不報，貲一甲；同伍的人貲二甲。「論」既有「決罪」之意，因此在論功之外，亦有「論罪」之意。由本律可以看出「論功」或「論罪」在軍旅中是時常在進行的。第三例亦見於《秦律雜抄》：

戰死事不出，論其後。有（又）後察不死，奪後爵，除伍

人；不死者歸，以爲隸臣。（三六五簡）

律文規定在戰爭中陣亡者，「論其後」，就是依其功勞大小將爵位授予其子。如果後來發現該人未死，應褫奪其子的爵位，同時懲治其同伍的人。至於「該死」而未死的人回來，就罰爲隸臣。《史記・秦本紀》曰：「（昭襄王）五十年十月，武安君白起有罪，爲士伍，遷陰密。」《集解》曰：「嘗有爵而以罪奪爵，皆稱士伍。」《漢書・景帝紀》師古《注》曰：「謂奪其爵，令爲士伍，……謂之士伍，言從士卒之伍也。」依上二例，本律所謂「奪後爵」，可能是將其後人所有的爵位都奪去而免爲一般的庶人，即士伍。③

三、關於「賜」的問題

「賜」就是賜爵。《韓非子・定法》曰：

> 商君之法曰：「斬一首者爵一級，欲爲官者爲五十石；斬二首者爵二級，欲爲官者爲百石之官。」遷爵之遷與斬首之功相稱也。

由《韓非子》可以看出秦的賜爵是以「首功」爲重點。但首功的計算則未必如《史記・秦本記集解》所說的一首爵一級，若依此推算，斬二十首級，則遷至二十級爵，斬三十級又將何以賜爵？更何況秦國的高爵並不多見。可見秦國軍功賜爵必有其計算的原則，絕不是「一首爵一級」。關於軍功賜爵，《史記》提供了一條線索，《商君列傳》曰：「有軍功者，各以率受上爵。」所謂的「率」，當是秦人論功行賞的計算方法。又《商君書・境內》曰：

> 1.軍爵，自小一級以下至小夫年命曰校、徒、操，出公爵。自二級以上至不更，命曰卒。其戰也，五人來薄（束簿）爲伍，一人羽（逃）而輕（剄）其四人，能人得一首則復。五〔十〕人一屯長，百人一將。其戰，百將、屯長不得

斬首；得三十三首以上，盈論，百將、屯長賜爵一級。

2.攻城圍邑，斬首八千已上，則盈論；野戰斬首二千，則盈論。吏自操及校以上，大將盡賞行間之吏也。

由這二條可以看出秦國論功行賞、論功賜爵的條件和原則。第一條規定在百將、屯長率領下的五十人或百人的小部隊，如果能夠斬敵三十三首以上，盈論（即評滿功），百將和屯長可以賜爵一級。第二條五百主、國尉以上率領大部隊，在攻城圍邑時斬敵八千以上，盈論；野戰斬敵二千，盈論。自操、徒、校以上都由大將主持賞賜。而其原則是各進爵一級。但由引文可以看出，帶領五十人或百人之百將、屯長並不是依個人戰功，而是以集體的戰功爲戰功。也就是說百將、屯長以下的軍吏是靠個人斬首的級數來計功，一旦升爲百將、屯長之後，則是以其所率領的部隊的首級總數來論功，而不是「一首爵一級」。由於百將和屯長是以部隊的總成績來計爵，因此，個人不必爲首功而殺敵。上引「其戰，百將、屯長賜爵一級。」朱師轍《商君書解詁》曰：「百將、屯長責在指揮，故不得斬首。」關於這一點在《雲夢秦簡》中可以得到佐證，《秦律雜抄》曰：「故大夫斬首者，遷。」故大夫是本爵爲大夫者，這種身份的人如果在陣前斬首，應加以流放。不斬首則無首級，可見秦國首功的計算絕對不是「一首爵一級」。

由於秦國的軍功爵制實行得十分徹底，透過戰功可以提昇個人的社會和政治地位。同時，封爵之後也可以當官爲吏，贖罪免刑，更可以免除親人的奴婢身份。因此，秦人十分在意軍功的獲取。有時爲了軍功甚至有士兵互爭首級的情事發生。如《封診式》就有二例：

1.軍戲某爰書：某里士五（伍）甲縛詣男子丙，及斬首一，男子丁與偕。甲告曰：「甲，尉某私吏，與戰刑（邢）丘城。今日見丙戲旞，直以劍伐痍丁，奪此首，而捕來詣。

」診首，已診丁，亦診其痍狀。（六一一—六一二簡）

2.□□某爰書：某里士五（伍）甲、公士鄭才（在）某里曰丙共詣斬首一，各告曰：「甲、丙戰刑（邢）丘城，此甲、丙得首殹（也）；甲、丙相與爭，來詣之。」診首□鬐髮，其右角痏一所，袤五寸，深到骨，類劍迹；其頭所不齊䐈䐈然。以書讂首曰：「有失伍及菌（遲）不來者，遣來識戲次。」（六一四—六一六簡）

這二份爰書和邢丘之役有關。秦攻邢丘事在秦昭王四一年（西元前二六六年）。爰書內容說明士伍甲捆送甲子丙和首級一個，與男子丁同來。甲報告說在戰爭中，丁獲得首級，丙企圖殺死丁，奪取丁的首級，爲甲所捕獲。由這份爰書充分說明了秦人爲了爭取軍功，不惜自相殘殺，奪取同僚所獲的首級。第二份爰書，則是甲和丙在參加邢丘戰役時，爲了一具首級而相爭不上下，告到官長那裏。經過檢查，懷疑是戰死秦軍的首級，於是用文書徵求辨認首級。由這份爰書可以看出秦人爲了軍功，居然以戰死的同袍首級充作敵人的首級以邀功。從這二分爰書可以充分說明在長期實施軍功爵制下，秦人十分在意軍功的獲取。而秦國整個社會上也十分強調有爵無爵的差別，自商鞅立法以來所確立的所謂「有功者顯榮，無功者雖富無所芬華。」使得擁有爵位的人，在社會上享有特殊的地位。在這種前提下，秦軍自然就成爲一支善戰的軍隊，前引《戰國策・韓策》謂秦軍的戰鬥力遠遠超過山東各國的戰鬥力，這充分說明了軍功爵制是秦國軍隊保持較高戰鬥力的重要原因之一。

當然在軍功爵制之下，秦人獲得爵位的重要途徑是軍功，而軍功又強調首功。在這種「計首授爵」的政策之下，使得秦軍變成了殺人狂，不僅在戰爭中斬殺敵人，同時也可能殺害同袍。再者秦軍爲了增加首級的數量往往採取滅絕人性的大屠殺，從文獻上可以看到秦軍在很多對外戰爭時的大屠殺的記錄。另一方面，爲了增加首級數量，甚至殺良冒功。所謂「秦用衞鞅計，制爵二十等，以戰獲首級者計而受爵。秦人每戰勝，老弱婦人皆死，計功賞至萬數。」④這是軍功爵制所引發的弊病。軍功爵制雖然對秦的統一前期的兼併戰爭有不可磨滅的貢獻，但發展到後來卻成了滅絕人性的大屠殺，反而造成六國的抗秦決心，間接阻礙了其統一的時間。⑤

【附註】

①參見李振先生《居延漢簡中的勞績制度》，文載《中國史研究》，一九八八年二月。

②關於用在決罪的「論」，請參考下例（以下所收大約占《雲夢秦簡》此一用法的三分之二左右）：

・自從令、丞以下智（知）而弗舉論（〇五八簡）
・智（知）而弗敢論，（〇六〇簡）
・論及令、丞。（〇六一簡）
・以其診書告官論之。（〇八四簡）
・以犯令律論吏主者。（一二四簡）
・皆以律論之。（一四八簡）
・以律論度者，（一九一簡）
・以其秏（耗）石數論負之。
・而以律論其不備。（二三四簡）
・平辠（罪）人律論之，（二四二簡）
・留者以律論之。（二五〇簡）
・論各可（何）殹（也）？（三七五簡）
・問乙可（何）論？（三七九簡）
・同論。（三七九簡）
・毋論。（三八〇簡）
・當幷臧（贓）以論；（三八二簡）

・當以三百論爲盜；（三八四簡）
・可（何）論妻？（三八五簡）
・以論耐，（四〇三簡）
・問甲及吏可（何）論？（四〇五簡）
・廷行事以不審論，（四〇八簡）
・不當論，（四一四簡）
・交論。（四四四簡）
・論獄〔何謂〕「不直」？（四六三簡）
・當以告不審論，（四七六簡）
・以亡論。（五〇一簡）
・廷行事皆以「犯令」論。（五一二簡）
・問甲同居、典、老當論不當？（五五三簡）
・所坐論云可（何）（六二四簡）
・令終身毋得去䙴（遷）所論之，（六二七簡）

③關於士伍請參閱本篇第二章第三節之二「關於士伍的身份」部分。

④參見《史記・魯仲連列傳注》引譙周曰。

⑤關於這一點，必須再說明。由於秦軍爲了首功，對於降卒往往「詐而坑殺之」，如白起在長平戰役中就坑殺了趙卒四十萬，這種濫殺無辜的大屠殺正是「計首授爵」獎勵軍功所引起的必然結果。但「天下見降秦之將頭顱似山，歸秦之眾骸積如丘，則後日之戰，死當死耳，何眾肯服，何城肯下乎？」（《史記・白起列傳集解》引何晏曰。）何況大屠殺必然引起山東六國的恐懼、仇怨和反抗，當時各國都稱秦爲「虎狼之國」，「天下之仇讎」（《史記・蘇秦列傳》）魯仲連曰：「彼秦者，棄禮義而上首功之國也，權使其士，虜使其民。彼即肆然而爲帝過而政於天下，則連有蹈東海而死耳，吾不忍爲之民也。」（《史記・魯仲連列傳》）這種反抗之心，使秦對六國的戰爭產生了很大的阻力。其後白起有鑑於此，因此，並不主張大屠殺。其後又經呂不韋、尉繚二人的努力，才逐漸改變了這

種「計首授爵」制度，使秦統一的阻力消失大半。

第二章　秦國的兵役制度

第一節 户籍制度

秦國實行農戰政策，同時，也實施普遍征兵的制度。爲了適應這種情況，就相應地採取了戶籍制度。事實上，戶籍是徵兵和徭役的主要依據，秦爲了富國强兵與諸侯爭雄，因此，對戶籍的管理非常重視。

戶籍就是名籍、戶版或名數。《周禮・宮伯》鄭衆《注》曰：「版，名籍也，以版爲之。今時（漢）鄉戶籍，謂之戶版。」《漢書・高帝紀》五年夏五月：「民前或聚保山澤，不書名數。」師古《注》曰：「名數，謂戶籍也。」又《釋名》曰：「籍者籍也，籍疏人名戶口故也。」又《急就篇》第二九章曰：「籍受證驗記問年」，這說明登錄、列舉人民戶口的就是戶籍。漢時，凡著有名籍或列次戶籍的，或稱「編戶齊民」。這種制度在西周初年就已經存在，日人池田溫先生在《中國古代籍帳研究》一書中提到：

> 在〔康王〕廿五年（或卅五）的《小盂鼎》上，詳記著討伐鬼方，「隻𦤆（獲馘）四千八百□十二馘」，「孚（俘）人萬三千八十一人」等，乃列舉捕虜之數，而行告捷獻馘之禮；《逸周書》世俘解記述周武王討伐商紂滅殷，傳云「馘磨億有七萬七千七百七十有九，俘人三億萬有二百三十」。關於此處的磨，孫詒讓氏認爲是與歷同聲的假借字，幷解釋凡是計校名數的簿書，通叫做歷，即所執的馘和俘的名籍；貝塚茂樹氏亦繼承此說，解釋磨等於歷，即

> 指載人名册而服力役的人民的身分。郭沫若與顧頡剛兩氏則認爲磿是直接指鬲（奴隸），人是指自由民和居官者，奴隸的人數與名必須登記於簿籍，以防逃亡而備稽查，故叫做歷。作爲《逸周書》之磿的解釋，無論採取上述的哪一種説法，古代曾有十數萬乃至三十餘萬人這樣俘虜名籍的存在，是可以想定的。①

春秋時代由於稅畝制的出現，及基於課稅和徵兵的需要，因此，戶口和土地的登錄也日趨發達。到了戰國，戶籍制度更是進步。秦在戰國時，也實行了戶籍制度，《史記・秦本記》曰：「獻公十年，爲戶籍相伍。」這是「戶籍」名稱的首次出現。其主要的內容是把全國人口編成以五家爲一伍的組織，將戶籍管理和什伍編制結合起來。其後，商鞅在變法時，進一步對戶籍加以整頓。《商君書・境內》曰：「四境之內，丈夫女子，皆有名於上，生者著，死者削。」又《商君書・去彊》曰：「彊國知十三數：舉民眾口數，生者著，死者削。」又曰：「境內倉、口之數，壯男壯女之數，老弱之數，官士之數，以言說取食者之數，利民之數，馬、牛、芻稾之數。欲彊國不知十三數，地雖利，民雖眾，國愈弱至削。」可見商鞅在變法時也十分重視戶籍的管理，同時也認爲「欲彊國」必須知此十三項之數，否則「地雖利，民雖眾，國愈弱至削。」可見商鞅在變法時十分重視這種戶口及其他方面的計量。

戶籍是以戶爲單位登記人口，主要的內容有二，一是年齡，一是身分。關於年齡，在「傅籍」部分另作討論。秦代對戶口的重視，由《雲夢秦簡》中也可以看出一些跡象，如《秦律雜抄・傅律》曰：

> 匿敖童，及占痒（癃）不審，典、老贖耐。百姓不當老，至老時不用請，敢爲酢（詐）僞者，貲二甲；典、老弗告，貲各一甲；伍人，户一盾，皆䙴（遷）之。（三六〇一

三六一簡）

這是對戶籍制度弄虛作假，法律規定的處罰。官方要知道或了解百姓是否作假，事實上也必須靠對戶籍的掌握程度。事實上，人口也是戶籍政策的主要課題之一。當然，統治者透過對人口民力的掌握，也可以做人力的一些保護措施。從歷史的發展來看，人口是國家富强的一個重要因素。考古和文獻資料表明：春秋戰國以前中國人口的發展，基本上是處在一種自生自滅的自然增殖狀態。春秋時代，由於諸侯爭霸，戰事頻繁，人口資源對政治軍事和經濟發展的重要性增加。再者，由於戰爭和重稅等因素，使人口普遍減少。因此，許多國家透過强制的手段加速人口的再生產過程，迅速增加人口的數量。如越王勾踐就曾制定人口政策，規定：

> 壯者無取老婦，老者無取壯妻。女子十七不嫁，其父母有罪；丈夫二十不娶，其父母有罪。生丈夫，二壺酒，一犬；生女子，二壺酒，一豚；生三人，公與之母；生二人，公與之餼。②

這種帶有國家干預的人口政策，進入戰國尤烈。秦國的人口政策，也是在這種背景下所呈現出來的。在戰國時期，秦國為了富國强兵，爭取兼併戰爭的勝利，從秦孝公任商鞅變法起就十分重視農戰。而要發展農業和進行戰爭都需要大量的人力。而秦國在當時的土地約占天下的三分之一，資源財富約占十分之六，人口卻僅占十分之三左右。人口數量不足，成為制約秦國政治、經濟和軍事發展的嚴重問題。③為此，秦政府必然會採取必要的人口生產和人力保護的措施。從《商君書》和《雲夢秦簡》中可以看到不少關於秦國在這方面的努力。

秦的人口政策，大致可以分為以幾個重點：

㈠、殖民計劃

前面提到秦國的土地占天下的三分之一，地廣人稀，《商君書・徠民》曰：「今秦之地，方千里者五，而穀土不能處二，田數不滿百萬，其藪澤、溪谷、名山、大川之材物、貨寶，又不盡爲用，此人不稱土地也。」而三晉的情形正好相反，是「彼土狹而民眾，其宅參居而并處；其寡萌賈息民，上無通名，下無田宅，而恃姦務末作以處；人之復陰陽澤水者過半。此其土不足以生其民也，似有過秦民之不足以實其土也。」爲了開發秦國的土地，提高秦國的生產力和戰鬥力，《商君書・徠民》主張把三晉的人民移殖過來。如：

> 今王發明惠，諸侯之士來歸義者，今使復之三世，無知軍事；秦四境之內，陵阪丘隰，不起十年徵，著於律也。足以造作夫百萬。曩者臣曰：「言意民之情，其所欲者田宅也，晉之無有信也；秦之有餘也必，若此而民不西者，秦士戚而民苦也。」今利其田宅，而復之三世，此必與其所欲，而不使其所惡也。然則山東之民無不西者。

以三代免地租、免徭役，不必服兵役來優待三晉移民；如果移墾地是山陵、坡腹、小丘及窪角，則十年不徵收其賦稅。對秦國而言，只是暫時免除這些移民的徭役、賦稅和兵役，但卻可以把「先王制土分民之律」糾正過來，充實土地，開闢荒郊。而這一套，對秦而言，是有益而無害。所謂「徠三晉之民，……此其損敵也。」又「今復之三世，而三晉之民可盡也。」總的來說，徠民雖然不能直接增加兵力，但卻增加秦國的生產，此其一；三晉失去人民，相對減低生產力，此其二；以得之於徠民之糧支援軍隊，攻打三晉，此其三。因此「徠民計劃」無形中削弱三晉三倍。④

㈡、嚴禁秦人外流

爲了加强秦的人口控制，防止人力外流，秦律有嚴格的規定。如《秦律雜抄・游士律》曰：

> **游士在，亡符，居縣貲一甲；卒歲，責之。有爲故秦人出**

曰：，削籍，上造以上爲鬼薪，公士以下刑爲城旦。（三三二一三三三簡）

律文規定有幫助秦人出境或除去名籍的，上造以上罰爲鬼薪，公士以下刑爲刑旦。《法律答問》對偷渡出境的處罰，如：

1.人臣甲謀遣人妾乙盜主牛，買（賣），把錢偕邦亡，出徼，得，論各可（何）殹（也）？當城旦黥之，各畀主。（三七五）

這條律文問男奴甲主謀叫婢女乙偷主人的牛，把牛賣掉，帶著賣牛的錢一同逃越國境，在出邊塞時被捕獲。《律說》解說當以城旦的樣子施以黥刑，並交還主人。這個案例之所以「城旦黥之」，主要在於「邦亡」之罪。一般而言，盜牛、羊、豬等物，罪不至「城旦黥之」。再者，臣妾是主人的的財產之一，若主人遭臣妾盜，國家又依一般的盜罪對臣妾處以徒刑，則主人等於蒙受雙重損失，因此，臣妾盜主可能比照家罪，亦即主人可以決定對其是否施以肉刑。以《封診式》的《告臣》和《黥妾》二條爰書來看，只要主人對奴妾不滿，是可以隨時報請官府加以處置的。因此，盜主只是對主人財產權的損害，但「邦亡」則是破壞國家威權，官府自可不經主人同意而對之施以肉刑。事實上，從《法律答問》另一條可以看出「邦亡」罪是處以「黥城旦」的。如：

2.當貲盾，沒錢五千而失之，可（何）論？當誶。告人曰邦亡，未出徼闌亡，告不審，論可（何）殹（也）？爲告黥城旦不審。（四一八簡）

控告他人「邦亡」，實際沒有私自出境，控告者當以誣人以應「黥爲城旦」不實而論處。依秦律的反坐制度來看，邦亡，即逃越國境當以黥城旦的重罪論處。《法律答問》又曰：

3.邦亡來通錢，過萬，已復，後來盜而得，可（何）以論之？以通錢。（五五一簡）

逃出國境的人向國內行賄，數目超過萬錢，已得到寬免，如犯罪被捕，仍要處以行賄罪。可見秦國是嚴禁國人偷渡出境的，其主要的防止人力外流。

另外，《雲夢秦簡》甚至還禁止少數民族「去夏」的。《法律答問》曰：

「臣邦人不安其主長而欲去夏者，勿許。」可（何）謂「夏」？欲去秦屬是謂「夏」。（五四六簡）

所謂「夏」，就是華夏，指的是中原各國，這些是在種族上和文化上都不同於少數民族的國家。但區別「諸夏」的標準，主要在於文化是否相同，而不在於種族。秦在孝公以前，「不與中國諸侯之會盟，戎翟遇之」，被摒棄在「諸夏」之外，其後文化水準提高，克服落後的一面，始擠身「諸夏」之林。因此，秦當然就以夏自居。⑤律文中所謂的「去夏」，就是離開秦國的意思。秦律規定不准少數民族隨意離開秦境。又《法律答問》曰：

「眞臣邦君公有辠（罪），致耐辠（罪）以上，令贖。」可（何）謂「眞」？臣邦父母產子及產它邦而是謂「眞」。可（何）謂「（七簡）

「臣邦父、秦母」所生的孩子不能算是少數民族，必須認定是「夏子」。《雲夢秦簡》中雖然沒有「秦父，臣邦母」的規定，但其所生子，被認爲是「夏子」是無可懷疑的。《雲夢秦簡》中沒有特別提到，主要是因爲這在當時根本不成問題。由此推知少數民族如果和秦人通婚，其子女概爲秦人，不能認爲是少數民族。其所以如此者，原因即在秦要爭取大量的人力之故。當然可以肯定的是，秦在這方面的戶籍建立也是十分清楚的。由律文中要特別强調是「夏子」來看，秦在戶籍登記上，對於種族身分恐怕是會特別註明的。

㈢、調整生活結構，鼓勵生育

《史記・商君列傳》曰：

民有二男以上不分異者，倍其賦。

家二男以上不分異者，倍其賦，是指「有二男而不別爲活者，一人出兩課。」⑥於是又規定「令父子兄弟同室內息者爲禁」，這些表明，只是「倍其賦」還不能使所有家有二男者自行「分異」，於是第二個規定禁止父子兄弟同室內息。在這種規定之下，「故秦人家富子壯則出分，家貧子壯則出贅」⑦，其目的，主要是爲了增加更多的小家庭，調整生活結構，鼓勵生育，以有利於發展生產、徵收賦稅和擴充兵源。

㈣、嚴禁擅殺子女、妻室、弟子

秦律禁止民間擅自殺子，但如果是先天畸形的嬰兒，法律則不加禁止。如《法律答問》曰：

1.「擅殺子，黥爲城旦舂。其子新生而有怪物其身及不全而殺之，勿辠（罪）。」今生子，子身全殹（也），毋（無）怪物，直以多子故，不欲其生，即弗舉而殺之，可（何）論？爲殺子。（四三九—四四〇簡）

由「擅殺子，黥爲城旦舂。」來看，殺子是不被允許的。但先天畸形兒則不在此限，如果嬰兒正常，只是因爲「多子故」，「不欲其生」而殺之，法律規定要以「殺子」論處。又《法律答問》曰：

2.士五（伍）甲毋（無）子，其弟子以爲後，與同居，而擅殺之，當棄市。（四四一簡）

3.「擅殺、刑、髡其後子，瀐（讞）之。」可（何）謂「後子」？官其男爲爵後，及臣邦君長所置爲後大（太）子，皆爲「後子」。（四四二簡）

所謂「弟子」，《睡虎地秦墓竹簡注》曰：「此處應指其弟之子。」⑧以侄爲後嗣，在一起居住而擅自將他殺死，法律規定「當棄市」。至於擅自殺死、刑傷或髡剃其「後子」的，都要定罪。所謂「後子」，即是經過官方認可的爵位繼承人和臣邦君長立爲後嗣的太子，都是後子。《荀子・正論》注「嗣子」，楊樹達先生認爲後子即作爲嫡嗣的長子。⑨由上引三條資料可以看出，殺子的罪至重。秦律另又規定不准奴隸隨意殺子，如《法律答問》曰：

4.人奴擅殺子，城旦黥之，畀主。（四四三簡）

5.人奴妾治（笞）子，子以胋（枯）死，黥顏頯，畀主。相與鬥，交傷，皆論不殹（也）？交論。（四四四簡）

私家奴隸殺子和笞子使其患病而死，都要施加肉刑。可見私家奴隸，殺子亦在禁止之列。

秦之所以要禁止殺子，主要的，還是著眼於對「人力」資源的考量。《法律答問》另有一條規定：

妻悍，夫毆治（笞）之，夬（決）其耳，若折支（肢）指、扶體（體），問夫可（何）論？當耐。（四四八—四四九簡）

因妻凶悍，將之責打，而撕裂耳朵，或折斷其四肢、手指，或造成脫臼。法律規定其夫應處耐刑。這種處罰雖然是在傷害罪的範圍，但法律特別禁止，顯然也是基於這是對「人力」的一種破壞。

㈤、禁止私鬥

《史記・商君列傳》曰：「爲私鬥者，各以輕重被刑大小。」《商君書》所謂的「私鬥」，主要是指《戰法》所謂的「邑鬥」而言。能夠操縱邑鬥的，多是各邑中的重要人物，直接受害的多是一般百姓。同時這種邑鬥對直接生產者和農業者也有很大的破壞力，不利於富國强兵和對外作戰，因此，爲法律所禁止。另外，《雲夢秦簡》中有許多禁止人民間彼此的私鬥，如：

1.律曰：「鬥夬（決）人耳，耐。」今夬（決）耳故不穿，所夬（決）非珥所入殹（也），可（何）論？律所謂，非必珥所入乃爲夬（決），夬（決）裂男若女耳，皆當耐。（四五〇簡）

2.或與人鬥，縛而盡拔其須（鬚）麋（眉），論可（何）殹（也）？當完城旦。（四五一簡）

3.或鬥，齧斷人鼻若耳若指若脣，論各可（何）殹（也）？議皆當耐。（四五三簡）

4.士五（伍）甲鬥，　拔劍伐，斬人髮結（髻），可（何）論？當完爲城旦。（四五四簡）

5.鈹、戟矛有室者，拔以鬥，未有傷殹（也），論比劍。（四五五簡）

6.鬥以箴（針）、鉥、錐，若箴（針）、鉥、錐傷人，各可（何）論？鬥，當貲二甲；賊，當黥爲城旦。（四五六簡）

7.或與人鬥，夬（決）人脣，論可（何）殹（也）？比疻痏。（四五七簡）

8.或鬥，齧人頯若顏，其大方一寸，深半寸，可（何）論？比疻痏。（四五八簡）

9.鬥，爲人毆殹（也），毋（無）疻痏，毆者顧折齒，可（何）論？各以其律論之。（四五九簡）

10.「邦客與主人鬥，以兵刃、投（殳）梃、拳指傷人，𢷎以布。」　入齎錢如律。（四六〇簡）

由上引的例子，可以看出私鬥的內容很多，法律都加以禁止，主要的目的，除了維護治安的意義之外，尙有減少人力浪費的用意。《商君書・墾令》曰：「重刑而連其罪，則褊急之民不鬥，很剛之民不訟，怠惰之民不游，費資之民不作，巧諛惡心之民無變也。五民者不生於境內，則草必墾矣。」《商君書・戰法》所謂「王者之政，使民怯於邑鬥，而勇於寇戰。」由此看來，禁止私鬥的主要用意是爲了秦國人力的損失，以利農戰。

戶籍制度的主要目的是爲了掌握國家人力的資訊，人力的保護和人口的掌握正是戶籍制度的主要意義。《商君書・墾令》就主張政府必須編纂戶口登記簿，以掌握全國人口的確實數字。而《去彊》篇所謂的「舉民眾口數，生者著，死者削。民不逃粟，野無荒草，則國富，國富者强。」生者著，死者削，正是爲了完全掌握人口的數字，而這也正透顯出戶口登記的重要。另外，而《去彊》所謂「知十三數」，也是爲了掌握人口年齡和職業分布層的資訊，這種對人口資訊的掌握是絕對有利於國家未來發展的。譬如說，國家如果透過戶籍制度掌了人口的年齡，就等於掌握了國家的生產力和戰鬥力。《商君書・兵守》曰：

> 三軍：壯男爲一軍；壯女爲一軍；男女之老者爲一軍，此之謂三軍也。壯男之軍，使盛食、厲兵，陳而待敵；壯女之軍，使盛食、負壘，陳而令待令……老弱之軍，使牧牛馬羊彘，草木之可食者，收而食之，以獲其壯男女之食。

這種對壯男及壯女老弱的掌握及職守的分配，正是戶籍制度的功能彰顯。總之，秦透過戶籍制度的推行，完全掌握了人力的資訊，對於其生產和戰鬥提供了有利的資源。

至於戶籍登錄的方式，在有關的文獻中並沒有看到資料，不過，《雲夢秦簡》倒是出現了一些戶籍登簿的形式。本文在《官制篇》中，有關「秦代的上計制度」部分提到了秦國不僅開創了人口出生和死亡的動態登記，而且還注意到按人口性別、年齡和職業的分類統計。而在《雲夢秦簡》中可以很明顯的找到證據。如《封診式》中的《封守》爰書，就有一些戶口登錄的形式：

> 1.封有鞫者某里士五（伍）甲家室、妻、子、臣妾、衣器、畜產。
> 2.甲室、人：一宇二內，各有戶，內室皆瓦蓋，木大具，門桑十木〈朱〉。
> 3.妻曰某，亡，不會封。
> 4.子大女子某，未有夫。
> 5.子小男子某，高六尺五寸。

6.臣某，妾小女子某。

7.牡犬一。（以上五八八—五九〇簡）

這份爰書的形式，第一條首先揭示「某里士五（伍）甲家室、妻、子、臣妾、衣器、畜產。」等；第二條續見「甲的家室和戶口」接著登載「一棟二室，各有入口，室皆瓦葺，設有木造大門。桑樹十株。」；接著列舉戶口，如第三條「妻某在逃，不予查封」；第四條「子，大女子（成年女子）某，未婚。」；第五條「子，小男子（未成年男子）某，高六尺五寸。」；第六條「奴隸」，「婢小女子某」；第七條以「牡犬一條」作結。通過這份查封爰書的書寫登錄形式，可知秦代的戶口排列順序，是戶主、妻、子、奴婢，而且子不是依男女的次序，而是按年齡大小排列的。⑩

《封診式》中的戶口登錄形式，說明了秦代對於戶籍的管理十分嚴格。此外，由史籍可以看出，秦代的名籍類型有很多不同的種類，如「傳籍」、「弟子籍」、「宗室籍」、「官籍」、「市籍」等，這些名籍的設立各有其作用。由這些名籍的建立，可以看出戶口制度的進行應是十分徹底的。

【附註】

①參見該書四一—四二。

②參見《國語・越語》。

③參見吳小强先生《從雲夢秦簡看戰國代人口再生產類型》，文載《西北大學學報》，一九九一年第二期，第二十一卷。

④參見鄭良樹先生《商鞅及其學派》，頁二七六。

⑤參見于豪亮先生《秦王朝關於少數民族的法律及其歷史作用》，文載《雲夢秦簡研究》頁三九二—三九三。

⑥參見《史記・商君列傳》張守節《正義》。

⑦參見《漢書・賈誼傳》。

⑧參見《睡虎地秦墓竹簡》頁一一〇。

⑨同⑧。又參見楊氏《積微居金文餘說》卷一。

⑩參見日人池田溫先生《中國古代帳籍研究》，頁五二一五三。

第二節 傅籍制度

兵役制度的有一個最根本問題，就是「役齡」。而役齡的關鍵在於「傅籍」。秦漢時期關於兵役和徭役的服役和止役年齡到底是多少，役期有多長，過去一直存有各種不同的看法。而服役年齡又和傅籍制度有著不可分割的關聯性。因此，在兵役制度部分有必要談談傅籍制度的問題。

秦漢時期的傅籍過去也有爭論，這其中又尤以秦國的傅籍問題最爲嚴重。事實上，秦國的傅籍問題是研究戰國、秦漢徭、戍、賦及里、伍連坐等問題關鍵所在。而關於秦國傅籍標準，過去也是一個懸而未決問題，①同時秦人服役的年齡，長期以來認識也頗爲模糊。《雲夢秦簡》的出土對於這些問題的探討有了比較清楚認識，但即使如此，仍然有各種不同的看法。

所謂傅籍，《漢書・高帝紀》曰：

漢王屯滎陽，蕭何發關中老弱未傅者悉詣諸軍。

師古注曰：

傅，著也，言著名籍，給公家徭役也。

又《史記・孝景本記》曰：

男子二十而傅。

《索隱》引荀悅曰：

傅，正卒也。

又上引《漢書・高帝紀》孟康曰：

古者二十而傅，三年耕而有一年儲，故二十三而後役之。

如淳曰：

《漢舊儀》：民二十三爲正。

由上可知所謂傅籍，就是登記名籍（戶口登記）服役，服役的內容有二方面，一是徭役，二是兵役。

關於秦國的傅籍標準，目前有幾種看法：

一、二十三歲傅籍。

如宋馬端臨《通考・兵考一》曰：

秦制，凡民年二十三年，附（傅）之官疇，屯民一歲，謂之戍卒。

上引《漢書・高帝紀》如淳曰：

律，年二十三傅之疇官，各從其父疇學之，高不滿六尺二寸以下爲罷癃。《漢舊儀》：民二十三爲正。

二、十五歲或十六歲傅籍。

持這種說法較多，主要的根據是《雲夢秦簡》。如高敏先生曰：

秦始皇元年時服役者是以年滿十五周歲爲成年標準的。②

馬非百先生曰：

秦制服役年齡，實在童時，而非「當壯以上」。更具體地說，就是秦制既不同漢景帝的「二十始傅」，更不同於漢昭帝的「二十三傅」，而實實在在是如《大事記》所載的，是十六歲而傅，也就毫無可疑了。③

三、十七歲傅籍

持此說的，也是根據《雲夢秦簡》推算的，與上說只是推算的不同而已。如上海市重型機械製造公司工人歷史研究小組曰：

《大事記》在秦始皇元年欄載有「喜傅」一條……喜生於

> 昭王四十五年（公元前二六二年），喜十七歲。可知秦律傅籍年齡應爲十七歲。④

韓連琪先生曰：

> 按喜生於秦昭襄王四十五年，而秦王政元年爲十七歲。可證民年十七歲爲始傅之年。⑤

黃今言先生曰：

> 「喜傅」時年當是十七歲。由此也就表明，在秦始皇初期或秦始皇時代，是以十七歲爲「始傅」年齡的。⑥

杜正勝先生曰：

> 秦人以十月爲歲首恐在統一之前，則喜生於昭王四十五年初，而在秦王政年底傅，居滿十七歲。由於國家每年登錄户口有一定時間，如秦在歲末，而個人出生不必在年初，所以一般傅籍年齡大概是十六歲，虛歲十七。⑦

于豪亮、李均明先生曰：

> 秦簡《編年記》在秦昭王四十五年（西元前二六三年）記「十二月甲什鷄鳴時，喜產」；在「今元年」即秦始皇元年（西元前二四六年）記「喜傅」。從秦昭王四十五年到秦始皇元年經過了十七年，所以「喜傅」時正是十七歲。這就很清楚地表明了秦代規定十歲「始傅」。⑧

四、男子身高五尺六寸為傅籍標準

持此說者爲高恒先生，高氏列舉《雲夢秦簡》中的一些身高資料，並謂：「秦簡中的下述材料，有助我們了解在確定傅籍的年齡問題上，也是採用當時的習慣，即以身高定成年未成年是否達到傅籍年齡。」又曰：

> 秦民傅籍的法定身高很可能就是「六尺五寸」。唐賈公彥説，周秦間「七尺」，謂年二十五。如按此比例折算，身高「六尺五寸」，應爲十七、十八歲的成童。秦規定的傅

籍是十七歲左右。……喜傅籍的年齡是滿十六歲、虛十七歲。這個歲數恰與「高六尺五寸」合。⑨

五、以成親立戶為傅籍的標準

羅開玉先生認爲秦的傅籍標準是立戶。亦即傅籍內容決定了傅籍的標準。羅氏曰：「秦的傅籍標準可能是立戶。」又曰：

> 但通常是成親後從父母家裏分出來單獨成一户。因爲傅籍後就要承擔一户人而不是一個人的徭、使、戍、賦及里、伍連坐等責任，而單獨一人是難以承擔起這些重擔的。民有二男以上必須分異。但並非要求第二個兒子一出世或在兒童時代就叫他分家。這在秦簡中是有記載的。秦律規定「夫、妻、子五人共盜，皆當刑城旦……。夫、妻、子十人共盜，當刑城旦……。」這說明秦國普遍存在超過「二男以上」又未分家立户的大家庭。如果他們不「盜」，並不觸犯法律。又上律中的「子」己都能盜，又能負法律責任，最小的怕也有「六尺」高了，其兄長們怕早己超過了「六尺五寸」，或超過十五、十六歲，但卻未分家，即未分別傅籍。這也反映了秦是以成親作爲立傅籍户的通常標準。⑩

以上五種說法，在《雲夢秦簡》出土後，已證明第一說以「二十三歲」爲傅籍標準是錯誤的，其餘四說的立論都建基於《雲夢秦簡》。第二、三兩說是以墓主喜的年齡來推算秦國的傅籍，之所以會有十五、十六和十七歲的區別主要在於虛歲和實歲的不同，以及秦國歲首的問題，大致說來，二、三說可以合爲一說，就是以年齡爲傅籍標準，但以十七歲爲正確的推算；第四說以身高來推論，這在《雲夢秦簡》中的確可以看到不少例證；至於第五說以成親立戶爲傅籍的標準，我們在《雲夢秦簡》中也可以看到不少資料說明傅籍的標準是以「戶」爲基本單位的，如徭、使、賦及里、伍連坐等，就是以「戶」爲單位在進行的，而事實上這也是「戶籍制度」的主要內容。但如果以成親作爲立戶傅籍的標準，仍然是有問題的。

以下就《雲夢秦簡》中的資料來看看秦國傅籍的情形，以及秦國兵役的年齡問題。

以《雲夢秦簡》所顯現的實際情況來看，身高是秦國用來作爲判斷一個人是否成年的一個重要標準。秦國在早期應該是不以實際的年齡來做爲傅籍或役齡的標準，之所以如此是有其客觀因素的。因爲古來平民的年齡記錄往往不甚精確，同時，在戶籍政策上也可能未能全面精確地掌握年齡的申報。⑪另一方面，從文獻來看，秦國到秦王政十六年（西元前二三一年）才「初令男子書年」，可見秦國在這之前並未落實年齡的實際統計。而只能以身高作爲判定的標準。因此，可以這麼說，在秦王政十六年以前，秦國的年齡主要的判斷依據是「身高」，在秦王政十六年以後，男子開始書年，《雲夢秦簡・編年記》中在秦王政十六年時，有「自占年」（〇二三簡）三字，就是年齡申報或登記在戶籍或國家檔案上。而申報年齡主要的就是基於兵役、賦役等政策的落實。可見年齡的申報是在秦王政十六年以後才被重視的。

準此而言，「身高」和「年齡」都是秦國傅籍和徵兵的主要依據。

首先，先看《雲夢秦簡》中身高的資料。

《雲夢秦簡》中的確有以身高來判定「大」和「小」的。如《秦律十八種・倉律》曰：

> 隸臣、城旦高不盈六尺五寸，隸妾、舂高不盈六尺二寸，皆爲小；高五尺二寸，皆作之。（一一八——一一九簡）

本條律文爲發於刑徒口糧的的各種規定，其中規定了男性的隸臣和城旦身高不滿「六尺五寸」，女性刑徒身高不滿「六尺二寸」都屬於「小」。相對的身高超過這個標準的，就是「大」了。法律並且規定身高只要達到「五尺二寸」的都要勞作。這裏已很清楚地規定了成年的身高標準。《秦律十八種・倉律》又曰：

> 小隸臣妾以八月傅爲大隸臣妾，以十月益食。（一二〇簡）

律文中有大、小隸臣妾之分。刑徒在從事勞作時的口糧分配，大小各有不同。如《秦律十八種・倉律》曰：

> 隸臣妾其從事公，隸臣月禾二石，隸妾一石半；其不從事，勿稟。小城旦、隸臣作者，月禾一石半石；未能作者，月禾一石。小妾、舂作者，月禾一石二斗半斗；未能作者，月禾一石。（一一六——一七簡）

因此，高未滿「五尺二寸」的小隸臣妾在從事勞作時，是按照上面的規定領取，並不增加口糧。但如果在八月「傅爲大隸臣妾」後，從十月起開始加發口糧。⑫由律文來看在未傅之前，是爲「小隸臣妾」，一旦傅籍就成爲「大隸臣妾」。顯然地，小隸臣妾傅籍爲大隸臣妾的身高標準是：男「高六尺五寸」，女「高六尺二寸」。

另外，在法律責任的認定上，《雲夢秦簡》也呈現出身高的標準來。在秦律中，只有當人們能夠明辨是非、控制自己的行爲並對自己的行爲有負責能力的時候，有了犯罪行爲才會被法律認定爲犯罪，並按法律的規定予以處罰。在一般的情況下年齡應是被確認爲刑事責任能力的標準之一。⑬但在《雲夢秦簡》中，不是按年齡，而是以身高作爲刑事能力的標準。如《法律答問》曰：

> 1.甲小未盈六尺，有馬一匹自牧之，今馬爲人敗，食人稼一石，問當論不當？不當論及賞（償）稼。（五二八簡）
>
> 2.甲盜牛，盜牛時高六尺，毄（繫）一歲，復丈，高六尺七寸，問甲可（何）論？當完城旦。（三七六簡）

第一條因甲小，「未盈六尺」，而不應論處，同時，也不須賠償禾稼。第二條甲盜牛時高六尺，囚禁一年之後再量，為六尺七寸，當處完城旦的刑。這裏沒有說明論為「完城旦」是因為高六尺七寸才量刑的，還是因為他原來「身高六尺」所應判的罪。但由「盜牛時高六尺」，卻繫獄一年來看，身高六尺就須定罪了。另外，第一條是以身高不滿六尺而不必負法律責任，顯然地，負不負責任的標準就是身高。而這「身高六尺」的標準，如果以前引《秦律十八種・倉律》的規定來看是屬於「小」的。又《法律答問》曰：

> 女子甲為人妻，去亡，得及自出，小未盈六尺，當論不當？已官，當論；未官，不當論。（五三六簡）

女子甲為人妻而私逃，被捕獲或自首，但因「小未盈六尺」，因此有兩種不同的處置。如果婚姻經過官方認可，則視同成年，而加以論處；如果未經認可，則可能仍以未成年看待，是不予論處的。這一條也可以說明「六尺」是秦國作為論罪量刑的界分和依據之一。

此外，秦律對於唆使未成年犯罪，罪至重。如《法律答問》曰：

> 甲謀遣乙盜殺人，受分十錢，問乙高未盈六尺，甲可（何）論？當磔。（四三七簡）

秦尺一尺等於今尺二三・一公分，六尺合今尺一三九公分左右，這種身材大約在十三、四歲上下。不滿六尺當是未成年，秦律規定如果唆使「未盈六尺」的未成年，要處死刑中的磔刑。

由以上看，以身高來判定一個人的成年與否，在秦代是官方法定的一種方法。這種以身高作為年齡大小的判定傳統，不自秦始。《周禮・鄉大夫》曰：

> 國中自七尺以及六十，野自六尺以及六十五。

這是透過身高來辨別人口的「可仕者」。又《論語・泰伯》曰：「托六尺之孤」，《荀子・仲尼》曰：「五尺豎子」《管子・乘馬》曰：「童五尺」，《呂氏春秋・上農》曰：「凡民自七尺以上，屬諸三官。」都是以身高來說明成年和未成年。這說明秦以身高判定成年與否是有其歷史淵源的。準此而言，秦國在「初令男子書年」之前，傅籍是可能以身高作爲依據的。另外，在《封診式》的《封守》爰書中，也有一條資料，可能和傅籍有關，如：

> 鄉某爰書：以某縣丞某書，封有鞫者某里士五（伍）甲家室、妻、子、臣妾、衣器、畜産。甲室、人：一宇二内，各有户，内室皆瓦蓋，木大具，門桑十木〈朱〉。妻曰某，亡，不會封。子大女子某，未有夫。子小男子某，高六尺五寸。臣某，妾小女子某。牡犬一。（五八八—五九〇簡）

在這份查封爰書中有關人的部分，只有一處提到身高，即「子小男子某，高六尺五寸。」其他的人都沒有身高記錄。何以會如此呢？這其中「子大女子某」當是指傅籍成年的女兒，「妾小女子某」是指還未成年的女婢。而「子小男子某」，如果以《秦律十八種・倉律》所謂的「隸臣、城旦高不盈六尺五寸，隸妾、舂高不盈六尺二寸，皆爲小。」（一一八——一九簡）來看，「子小」當在六尺五寸以下，但《封守》爰書所記正好是「六尺五寸」，應要寫成「子大」才對。而查封者不記士伍及其他人身高，卻只記此子的身高，而這個高度又正好是成年的標準，（即「大」的標準）高恒先生認爲這一記錄「顯然是有意的」，同時又謂「結合秦律的有關規定來看，該爰書記錄『小男小某』的身高，只能是爲了表示某甲之子已經達到了傅籍的法定身高。」⑭

至於年齡，在前引第二、第三項中，各家論述已十分清楚。《編年記》中喜的個人資料，正是秦在「初令男子書年」之後，以年齡作爲傅籍標準的一個證據。由《編年記》知喜生於昭王四十五年（公元前二六二年），至秦王政元年時爲十七歲。而喜在此年寫上「喜傅」二字，這可以說明在喜在十七歲時傅籍，這同時也說明了秦始皇時，十七歲正是「始傅」之年。以十七歲爲「始傅」之年，在《雲夢秦簡》的其他資料中也可以得到佐證。如《秦律雜抄・傅律》曰：

匿敖童，及占㾓（癃）不審，典、老贖耐。（三六〇簡）

《法律答問》亦曰：

可（何）謂「匿户」及「敖童弗傅」？匿户弗繇（徭）、使，弗令出户賦之謂殹（也）。（五三五簡）

敖童，《新書・春秋》曰：「敖童不謳歌。」此處的是指未成年之人。又《說文》曰：「敖，出游也。」因此，敖童即游童。又古人男子以十五歲以上未冠者爲成童。如果隱匿成童，里典、伍老應贖耐。又《秦律十八種・內史雜》曰：

除佐必當壯以上，毋除士伍新傅。

壯是指壯年士伍，律文規定任命佐，要用壯年，不要用剛剛符合服役標準的人。「新傅」而不予任用，主要是因爲新傅者年齡不到壯年，若以古人二十而行冠禮謂之成人的情形來看，新傅者顯然不是二十歲上下的壯年。準此而言，「始傅」當在二十歲以下。而《編年記》的「始傅」爲十七歲，是符合上述的情況的。

如果以年齡來看，在秦始皇時期秦國男子在十七歲必須傅籍。但傅籍之後是否馬上就服兵役呢？從《編年記》來看，喜是在傅籍二年之後，才服役參加戰爭的。《編年記》曰：

今元年，喜傅。（〇〇八・二簡）

二年。（〇〇九・二簡）

三年，卷軍。八月，喜揄史。（〇一〇・二簡）

《史記・秦始皇本紀》曰：「二年，麃公將卒攻卷，斬首三萬。」以秦攻魏卷在始皇二年，今據《編年記》，始皇出兵攻卷當在三年。喜在元年傅籍，三年從軍攻卷。顯然不是傅籍之後，立刻從軍。許多學者認爲「傅」是法律規定開始服兵役、勞役的年齡。⑭但開始服役並不表示馬上服役。由於秦代的傅籍的實際情形，在《雲夢秦簡》出土前一直不明，是以入漢以後，對於傅籍以及服役年齡的解釋，各家很不一致。前引《漢書・高帝紀》曰：「漢王屯滎陽，蕭何發關中老弱未傅者悉詣諸軍。」孟康曰：

古者二十而傅，三年耕而有一年儲，故二十三而後役之。

如淳曰：

《漢舊儀》：民二十三爲正。

前文已說過指出以二十三爲傅籍之始是錯誤的。孟康之注謂古者二十而傅，當是漢制，不是秦制。《漢書・高帝紀》所謂的：「漢王屯滎陽，蕭何發關中老弱未傅者悉詣諸軍。」其中的「傅」，應該仍是沿自秦制，是以十七歲爲傅籍之始。蓋因此時楚漢戰爭非常激烈，劉邦戰敗，軍隊蒙受重大損失，爲了補充兵員，蕭何把「關中老弱未傅者」都徵調到前線去作戰，那裏可能還把十七歲「始傅」改爲「二十而傅」或「二十三傅之疇官」呢？漢承秦制，秦代這種規定必然爲漢初所一直沿用。⑮漢代對「始傅」年齡作出明確的規定是在漢景帝二年（西元前一五五年），「令天下男子年二十始傅」，⑯而這才是對秦制「始傅」年齡的修改。同時也是前此所無的創制。

前引孟康《漢書・高帝紀注》所云雖非秦制，但謂「古者二十而傅，三年耕而有一年儲，故二十三而後役之。」傅籍三年之後才「役之」，和《編年記》所記喜在傅籍之後二年才正式服役，卻有契合之處。同時孟康所了解的「始傅」，事實上，是漢昭帝時的措施。也就是說，「始傅」年齡在漢昭帝時又有一次變更。這次變更是將景帝時的「二十始傅」，改爲「二十三歲始傅」。《鹽鐵論・未通》曰：

御史曰：古者，十五入大學，與小役；二十冠而成人，與戎事；五十以上，血脈溢剛，曰艾壯。《詩》曰：方叔元老，克壯其猶。故商師若烏，周師若荼。今陛下哀憐百姓

> ，寬力役之政（征），二十三始傅，五十六而免，所以輔耆壯而息老艾也。

鹽鐵會議是在漢昭帝六年時所召開，引文中所謂的陛下即漢昭帝，可見此時已改為「二十三歲始傅」了。如淳《注》引的《漢律》「年二十三傅之疇官」，《漢舊儀》、《漢儀注》所說的「民有二十三為正，一歲為衛士，一歲為材官、騎士」所反映的正是昭帝以後的漢制，不是秦制。

另外，要補充說明的是，秦國雖然在十七歲始傅，但也有十五受兵的情形。如《史記・白起列傳》記秦昭王四十七年，白起攻趙，「秦（昭）王聞趙食道絕，王自救之河內，賜民爵各一級，發年十五以上悉詣長平。」這裏所謂的「發年十五以上悉詣長平」可能是比較特殊的情況，不一定就是正式服兵役的年齡。可能是為了因應前線的緊迫需要，而採取的一種權宜措施，並非昭王時期的法定起役年齡。

至於停役的年齡，亦即免老的規定如何，《雲夢秦簡》中也有一些資料。不過，這些資料中對於免老的具體年齡則失載。《雲夢秦簡》有二處提到「免老」，如《秦律十八種・倉律》曰：

> 其老當免老、小高五尺以下及隸妾欲以丁粼者一人贖，許之。（一二八簡）

《法律答問》曰：

> 免老告人以為不孝，謁殺，當三環之不？不當環，亟執勿失。（四七二簡）

「免老」，是年老除役之意。又《秦律雜抄・傅律》曰：

> 匿敖童，及占痒（癃）不審，典、老贖耐。百姓不當老，至老時不用請，敢為酢（詐）偽者，貲二甲；典、老弗告，貲各一甲；伍人，戶一盾，皆罨（遷）之。（三六〇—三六一簡）

律文中規定不應免老或者已經免老而不加以申報、敢弄虛作假的，罰二甲，其他的人則受連坐。這些免老規定中對於免老的具體年齡並無記載。《漢舊儀》曰：

> 秦制二十等爵，男子賜爵一級以上，有罪則減，年五十六免。無爵為士伍，年六十乃免老。

以此看來，秦國免老可能有兩種規定：一是有爵者五十六歲免除服兵役的義務；無爵者則須到六十歲才能免除。

綜上可知，秦國的傅籍有兩種情形，其一是以身高作為傅籍的標準，其標準為男子六尺五寸；女子六尺二寸；其二是以十七歲為傅籍的標準。至於秦國的服役起始年齡是在十七歲傅籍之後，但不一定從十七歲就立即服役；免老停役，有爵者五十六，無爵者則至六十。

【附註】

①參見羅開玉《秦國傅籍制考辨——讀雲夢秦簡札記》，文載《中國歷史文獻研究集刊》第三集頁二一一，一九八三年。

②參見氏著《關於秦時服役者的年齡問題探討》，文載《鄭州大學學報》一九七八年二期。又見於氏著《雲夢秦簡初探》。

③參見氏著《雲夢秦簡大事記集傳》，文載《中國歷史文獻研究集刊》二集，八二頁，一九八一年。又馬氏此說亦見於《雲夢秦簡中所見的歷史新證舉例》，文載《鄭州大學學報》一九七八年第二期。

④參見《從雲夢秦簡〈大事記〉看秦統一六國和反復辟鬥爭》，文載《文物》一九七六年第七期。

⑤參見氏著《睡虎地秦簡〈編年記〉考證》，文載《先秦兩漢史論叢》，一九八六年六月。

⑥參見氏著《秦漢賦役制度研究》，頁二五九。

⑦參見氏著《編戶齊民》，頁一九。

⑧參見氏著《秦簡所反映的軍事制度》，文載《雲夢秦簡研究》，頁一八二。

⑨參見《秦律中的徭、戍問題——讀雲夢秦簡札記》，文載《考古》一九八〇年第六期。

⑩參見氏著《秦國傅籍制考辨——讀雲夢秦簡札記》，文載《中國歷史文獻研究集刊》三集，頁二一一，一九八三年。

⑪同⑦。頁二一。

⑫秦以十月爲歲首，律文規定「以十月益食」，顯然是傅籍之後從第二年的頭一個月開始加發口糧。

⑬關於責任能力，我國的刑法並未予以積極的規定，僅對若干情形消極規定缺乏或減輕責任能力而已。如刑法第一八條第一項所規定的未滿十四歲之未成年、第一八條第二項未滿十八歲之未成年、第一八條第三項滿八十歲之老年、第一九條第一項心神喪失、第一九條第二項精神耗弱、及第二〇條瘖啞等，凡不在此列者，都是具有責任能力的人。這其中年齡又與精神之成熟程度，通常和身體的發育並行不悖，是以法律對於一定年齡的未成年者對其行爲的處罰，和成年人所實施的自是不同。以今日而言，年齡是刑事責任能力的重要標準之一。（參見蔡墩銘先生《中國刑法精義》頁一五六——一六二。）秦律則以身高作爲刑事能力判定的標準，在秦以後的法律，則不以身高，而是直接以年齡的大小爲依據。如《漢書・刑法志》曰：「年未滿七歲，賊鬥殺人及犯殊死者，上請廷以聞，得減死。」這種情形也可能因秦王政十六年以後「初令男子書年」以後，年齡成了一個重要的判定因素有關。

⑭同⑨。

⑮如于豪亮、李均明等先生就如是說，說見氏著《秦簡所反映的軍事制度》，同⑧。

⑯同⑧。

⑰參見《漢書・景帝紀》。

第三節　什伍制度和連坐制度

什伍制度是秦國的一項重要制度。什伍制度在我國出現的早期，是民政、軍事合一的雙重性組織。《周禮・地官・司徒》曰：

五家爲比，十家爲聯。五人爲五，十人爲聯。

前者爲地方基層組織，後者爲軍事編制。①而這種編制，首先在於它是一種軍事編制，以利於戰時徵兵的需要。其次，這一編制在秦國建立了戶籍制度後，大力運用，「爲戶籍相伍」（《史記・秦始皇本紀》）成爲鄉里的重要組織，同時便於國家掌握人口的數字，以利於賦稅的征收和行政上的管理。②

不論是軍事方面或者地方基層的組織，什伍制度的實施和連坐是相互聯繫的。《史記・商君列傳》曰：「令民爲什伍，而相牧司連坐。」相牧司，即相牧伺，是互相檢舉糾發。至於「連坐」，司馬貞《索隱》曰：「一家有罪而九家連舉發，若不糾舉，則十家連坐。」由《雲夢秦簡》來看，「連坐」在秦國的確有其實際的運作。但由於《索隱》引劉氏曰：「五家爲保，十保相連。」又《正義》曰：「或爲十保，或爲五保。」同時，《索隱》亦云：「十家連坐」，致使歷來都將「什伍」看成是「五家爲伍，十家爲什」。③以資料來看，五家爲「伍」，是沒有疑問的，但十家爲「什」，在《雲夢秦簡》出土後，似乎有再檢討的必要。

一、關於什伍的檢討

前面提到什伍制度早期是民政、軍事合一的雙重性組織。而這種編制，首先在於它是一種軍事編制，然後再將之運用到民間的基層組織。但基本上這兩者是密切配合的。也就是說，在行政系統上有一戶，軍隊組織中就有一丁。杜正勝先生曰：「先秦文獻凡論及地方行政系者，多與軍隊組織配合。這些文獻包含經典、子書及史傳，來自多源的資料，恐怕反映一些實情，不是純粹私家議論。」④以戶籍制度而言，其目的之一就是爲了便於掌握徵兵的人口資訊，而透過基層的什伍制度，正可以使兵役人口得到更精確的掌握。

關於軍事系統的什伍制度，這方面的資料其實不多。大致而言，一般是以五人、十人爲軍事編制的最小單位。《尉繚子・制談》曰：「古者士什伍」，《尉繚子・伍制令》曰：

> 五人爲伍，伍相保也；十人爲什，什相保也；五十人爲屬，屬相保也；百人爲閭，閭相保也。

這個編制是以五人、十人、五十人、百人作爲編序。而其中最小的編制就是「伍」制。但由資料來看，許多編制是以五人、五十人爲爲基數。西周時，軍隊組織中一車有十徒，謂之「什」，至春秋以下二十五徒供一車，分成五個單位，每個單位就是伍。可見早期的什伍制度似乎和車乘徒卒有關。關於軍隊的整個編制問題在本編第三章會談到，本節從略。

本節所要談的是秦國戶籍編制上的什伍制度。在行政系統上，基層的組織中，「什伍」也可以說是最小的組織編制。而其中又以「伍」的組織更甚於「什」。所謂的「伍」，是指五家，亦即所謂的「五家爲伍」。《雲夢秦簡》中有許多「伍」、「伍人」、「士伍」等資料，證明在基層組織中，「伍」是非常重要的，民間所有的事情幾乎都是透過「伍」來進行的。而秦國同伍的人，也互稱「伍人」《法律答問》曰：

> 可（何）謂「四鄰」？「四鄰」即伍人謂毆（也）。（四六九簡）

四鄰就是就是同伍的人，一家有四鄰，合爲五家。可證「伍」確爲五家所組成，所謂「五家爲保」是也。又《漢書・尹賞傳》曰：「鄉吏、亭長、里正、父老、伍人。」句下，師古《注》曰：

「五家爲伍，伍人者，名其同伍之人也。」可見「伍」是閭里結構中最基層的單位。

同伍的人互稱「伍人」，但「伍人」作爲一種名詞，在《雲夢秦簡》中才首次出現。⑤基本上，自家和前後左右四鄰合成一個政治社會單位，⑥彼此之間互相保任，相互監督。（詳見後）這種編制在原則上，是以四鄰爲主，但也不是所有的相鄰之家都編成一「伍」，有些可能是在其組建之外的。如《法律答問》曰：

大夫寡，當伍及人不當？不當。（五二六簡）

律文規定在大夫數少時，並不和其他合編爲伍。由律文推知大夫爵級的家庭一樣得編入不同的「伍」，但如果相鄰的大夫不足五家時，並不和他人合編。可見身份不同的人當是編入不同的伍制。

又《秦律十八種·金布律》曰：

賈市居列者及官府之吏，毋敢擇行錢、布，擇行錢、布者，列伍長弗告，吏循之不謹，皆有辠（罪）。(一三五簡)

律文規定商賈和官家府庫的吏，都不准對錢、布貨幣有所選擇，如果有選擇使用而「列伍長弗告」、「吏循之不謹」，都有罪。《睡虎地秦墓竹簡注》曰：「列，市肆。《漢書·食貨志》：『小者坐列販賣。』注：『列者，若今市中賣物行也。』賈市居列者，即市肆中的商賈。」⑦則「列伍長」，當即商賈伍人之長。準此而言，商賈之家，似乎也是另外編伍。而這大概就是所謂的「市籍」。由文獻看，秦漢時的確有所謂的「市籍」，⑧這種市籍，主要是對商人單獨設立的戶籍冊。凡是本人或者入了市籍或者曾經入過市籍以及父母、祖父母入過市籍者，亦即由祖先或自身當過商人的，就不能和「編戶齊民」享受同樣的權力，同時也不能和他們共伍，需要另立戶籍。⑨由此看來，商賈之家也不在一般正常的「伍」制組建之內。

另外，秦國有大量的官私奴隸，這些奴隸由於沒有正式的戶籍。他們可能成立家庭，但一旦屬於官奴隸，則隸屬公家；若爲私家奴隸，則隸屬於私人，並沒有正式的戶籍。如《封診式》的《封守》爰書中曰：

> 鄉某爰書：以某縣丞某書，封有鞫者某里士五（伍）甲家室、妻、子、臣妾、衣器、畜。甲室、人：一宇二內，各有户，内室皆瓦蓋，木大具，門桑十木〈朱〉。妻曰某，亡，不會封。子大女子某，未有夫。子小男子某，高六尺五寸。臣某，妾小女子某。牡犬一。（五八八——五九〇簡）

在這分爰書中，很明顯的，臣妾隸屬士伍，沒有單獨編戶。在其他《告臣》、《黥妾》爰書中亦然。隸臣妾尚有所謂的「小隸臣妾」，他們雖然是一個家庭成員，但卻不是一個完全獨立的編戶家庭。由於不在編戶之內，因此也就不必承擔徭役和賦稅。（隸臣妾參加徭役，大部分是代替主人。）另一方面，在《雲夢秦簡》中也從不見將奴隸稱爲「伍人」或者「士伍」的，這些都說明，奴隸並沒有資格參加戶籍上的編「伍」。

至於「什」，傳統的解釋是「十家爲什」。如《後漢書・百官志》曰：

> 里有里魁，民有什伍，善惡以告。本注曰：里魁掌一里百家。什主十家，伍主五家，以相檢察。

《史記・商君列傳》司馬貞《索隱》曰：「一家有罪而九家連舉發，若不糾舉，則十家連坐。」《索隱》引劉氏曰：「五家爲保，十保相連。」又《正義》曰：「或爲十保，或爲五保。」陳傅良《歷代兵制》亦曰：「爲戶籍什伍，孝公用商鞅，初爲轅田，遂破井田，開阡陌，以前後漢參考秦法，五戶爲伍，十戶爲什。」都將「什」視爲十家。但在《雲夢秦簡》中，「什」字只出現一次，而這僅有的一次，指的卻是軍事上的編制。⑩因此可以這麼說，屬於行政系統的基層編制中的「什」制，在《雲夢秦簡》是一次也沒有出現。這說明一個可能：就是秦國在基層組織中，根本不存在「什」這個編制。

由《雲夢秦簡》來看，里之下有伍。如果有「什」的編制的話，則當在里下伍上。里的組織當是：

里──→　什──→　伍

但從《雲夢秦簡》所顯示的資料來看，看不出「什」制組織的存在。反倒是伍和里的關係十分密切，如《雲夢秦簡》中，里、伍同時出現的有下列資料：

1.某里──士伍

- 封有鞫者某里士五（伍）甲家室、妻、子、臣妾、衣器、畜產。（五八八簡）
- 以五月晦與同里士五（伍）丙盜某里士五（伍）丁千錢，（五九五簡）
- 某里士五（伍）甲、乙縛詣男子丙、丁及新錢百一十錢、容（鎔）二合，（五九九簡）
- 爰書：某里公士甲、士五（伍）乙詣牛一，（六〇三簡）
- 此首某里士五（伍）戊〇（也），（六〇八簡）
- 與丁以某時與某里士五（伍）己、庚、辛、，（六〇八簡）
- 某里士五（伍）甲縛詣男子丙，（六一一簡）
- 某里士五（伍）甲、公士鄭才（在）某里曰丙共詣斬首一，（六一四簡）
- 爰書：某里士五（伍）甲縛詣男子丙，（六一七簡）
- 辭曰：「某里士五（伍）甲臣。」　（六二〇簡）
- 爰書：某里士五（伍）甲告曰：（六二六簡）
- 士五（伍）咸陽才（在）某里曰丙，（六二七簡）
- 爰書：某里士五（伍）甲告曰：（六三〇簡）

・爰書：某里典甲詣里人士五（伍）丙，（六三二簡）
・爰書：某里士五（伍）乙告曰：（六五三簡）
・爰書：某里士五（伍）妻甲告曰：（六六四簡）
・爰書：某里公士甲等廿人詣里人士五（伍）丙，（六七一簡）
・爰書：某里士五（伍）甲詣男子乙、女子丙，（六七五簡）

2.士伍——居某里

・辭曰：士五（伍），居某里。（五八六簡）
・辭曰：甲故士五（伍），居某里。（五九七簡）
・辭曰：士五（伍），居某里。（六〇八簡）
・辭曰：士五（伍），居某里，（六七六簡）

3.同里——士伍

・以五月晦與同里士五（伍）丙盜某里士五（伍）丁千錢，（五九五簡）
・謁鋈親子同里士五（伍）丙足，（六二六簡）
・甲親子同里士五（伍）丙不孝，（六三〇簡）

4.里人——士伍

・里人士五（伍）丙經死其室，（六四三簡）

這麼大量的里和伍之間的活動記錄，說明里下有伍。如果有「什」的話，爲什麼卻沒有「什」的記錄呢？此其一。又從連坐上看，里中有人犯法「四鄰、典、老」都要連坐。如《法律答問》曰：

> 賊入甲室，賊傷甲，甲號寇，其四鄰、典、老皆出不存，不聞號寇，問當論不當？審不存，不當論；典、老雖不存，當論。（四八六簡）

其中四鄰是伍人，典即里典、里正，老即伍老。同伍之人在家爲賊所傷，如果伍人外出不在，可以不論罪，但如果知而不救，則需論罪。至於里典和伍老，不論外出與否都要論罪。從里典以下，伍老、伍人都需負連帶責任。《秦律雜抄・傅律》亦曰：

> 匿敖童，及占瘁（癃）不審，典、老贖耐。百姓不當老，至老時不用請，敢爲酢（詐）僞者，貲二甲；典、老弗告，貲各一甲；伍人，户一盾，皆14.（遷）之。（三六〇—三六一簡）

在傅籍和兵役問題上弄虛作假，里典、伍老和伍人都受連帶處分。《法律答問》另有二條或云「同居、典、伍」，或云「同居、典、老」，如：

> 1.律曰「與盜同法」，有（又）曰「與同辠（罪）」，此二物其同居、典、伍當坐之。（三九〇簡）
>
> 2.甲誣乙通一錢黥城旦辠（罪），問甲同居、典、老當論不當？不當。（五五三簡）

由上引資料來看，里之下的活動，尤其是連坐制度上，大都集中在「里典」、「伍老」、「四鄰」或「伍人」身上，就是不見「什」制中的什麼人，須受到連帶處分。此其二。另外，在《封診式》的《封守》爰書中，在查封行動之後，所作的例行訊問，曰：

> 幾訊典某某、甲伍公士某某：「甲黨（倘）有〔它〕當封守而某等脱弗占書，且有辠（罪）。」（五九〇—五九一簡）

這種例行訊問，被訊者通常都是里中是稍具身分的人（如里典和同伍公士），但律文顯示一樣沒有訊問「什」級的什麼人，此其三。由這幾點來看，說明了司馬貞的《索隱》對「什」制的解釋並不可靠。同時，在《雲夢秦簡》這麼大宗的資料中沒有存在「什」制的資料，顯然不是秦律或者抄寫《雲夢秦簡》的人有意造成的疏忽，而是秦國的基層組織中根本就不存在「十家爲什」的編制。⑪

透過以上的檢討，在秦國，至少在《雲夢秦簡》所顯示的這一階段，並沒有「十家爲什」的「什」制。但《史記・商君列傳》明載秦國有「什伍制度」，《韓非子》中的《定法》和《和氏》兩篇亦均提到商鞅在秦孝公時，施行「什伍制度」。⑫可見秦國的確是有「什伍制度」的，問題只在它是以什麼形式的編制出現。關於這一點，吳益中先生認爲秦「什伍制」即里伍制，「什」和「里」是同一級組織的兩種稱法，只不過，「什」是就里的編制伍數而言，而里是這級組織的正式名稱。理由有三：

一、從戰國秦漢人所使用的「什」字看，「什」字不同於「十」這一基數詞，不是表示「十個」的數量，而都是用於比例和倍數關係。因此，《史記・商君列傳》「令民爲什伍而相牧司連坐」中的「什伍」，即是伍的十倍，而不能把「什」理解成十家。《史記・商君列傳》《索隱》所引：「劉氏云：『五家爲保，十保相連』」的解釋，是正確的。

二、商鞅變法所建的編戶制度，是源於管仲所創的齊制。《國語・齊語》載管仲所創齊制爲軌、里、連、鄉。秦制據《韓非子・八經》所載爲：伍、官（閭之誤，即里也）、連、縣。這說明秦之伍、里和齊之軌、里編制相同。又《後漢書・百官志》注引《風俗通》曰：「里有司，司五十家。」漢制承秦，則秦里亦爲五十家。所以，據上引劉氏「什伍」爲「五家爲保，十保相連」的解釋，秦的「什伍」實際就是里、伍。

三、查諸史籍，戰國秦漢人將「什」和「伍」連稱時，從未指過所謂的「五家爲伍，十家爲什」的編制，而都指的是五家爲伍，十伍爲里的編制。如《管子・禁藏》曰：「夫善牧民者，非以城郭也，輔之以什，司之以伍。伍無非其人，人無非其里，里無非其家。」其中上言「什」和「伍」，下言「里」和「伍」，說明「什伍」和里伍名異而實同。所以，「什」和「里」是同一級組織的兩種稱法，只不過，「什」是就里的編制伍數而言，而里是這級組織的正式名稱。⑬

吳氏所論，秦的「什伍制」就是「里伍制」，以前引《雲夢秦簡》資料來看，是極可能的。同時，這也可以說明何以在《雲夢秦簡》中不見「什」制的活動，因爲事實上「里」本身就是「什」，既已云里，就不勞稱「什」了。另外，一里爲十「伍」，亦即爲「什」。顯然，一里，即一「什」，爲五十家。這在臨沂銀雀山漢初墓出土的竹簡，也可以看到同樣的資料，如該簡中可能屬於《田法》的簡牘中曰：

> 五十家而爲里，十里而爲州，十州（原誤作鄉）而爲鄉（原誤作州）。……⑭

其中即稱五十家而爲里，與一里爲十「伍」相合。這可以間接說明一「什」（即里）爲十「伍」的可能性。

以上是關於「什伍制度」的編制問題，以實際而言，伍爲五家編制是無疑問的，但「什」應不是十家，而是五十家，亦即一里。準此而言，「什伍制度」亦可稱爲「里伍制度」。

二、關於士伍的身份

在秦國的什伍組織中，同伍的人彼此互稱「伍人」。同時「伍人」作爲一種名稱，也是在《雲夢秦簡》中才首次出現的。關於伍人已見前述，不贅。在《雲夢秦簡》中，另有一種和伍人同屬於伍制，而又反覆出現的稱呼——「士五（伍）」。

「士伍」這一稱呼，在《秦律十八種》、《法律答問》、《封診式》中都曾反覆出現，尤其是《封診式》中的案例，絕大部分都和「士伍」有關。「士五（伍）」基本上是伍人，但和伍人在概念上是不同的。「伍人」是以戶爲單位，包括家屬和四鄰，在概念上，它也包括「士五（伍）」、「公士」、女性及男性中的老、小，是一種泛稱。但「士五（伍）」，指的卻是個人。另外，「伍人」在《雲夢秦簡》中在用字上，用「伍」字；而「士五（伍）」卻用「五」字。這二者在用字上也有嚴格的區分。「伍」既可以用在集體也用在個人，而「五」字只用於一般的個人。如：

- 毋除士五（伍）新傅。（二五七簡）
- 士五（伍）甲盜一羊，（三九九簡）
- 士五（伍）甲盜，（四〇三簡）
- 士五（伍）甲盜，（四〇五簡）
- 士五（伍）甲毋（無）子，（四四一簡）
- 士五（伍）甲鬥，（四五四簡）
- 今士五（伍）甲不會，（五三三簡）
- 辭曰：「士五（伍），居某里。」（五八六簡）
- 封有鞫者某里士五（伍）甲家室、妻、子、臣妾、衣器、畜產。（五八八簡）
- 幾訊典某某、甲伍公士某某：「甲黨（倘）有〔它〕當封守而某等脫弗占書，（五九〇簡）
- 男子某辭曰：「士五（伍），（五九三簡）
- 「以五月晦與同里士五（伍）丙盜某里士五（伍）丁千錢，（五九五簡）
- 辭曰：「甲故士五（伍），（五九七簡）
- 某里士五（伍）甲、乙縛詣男子丙、丁及新錢百一十錢、容（鎔）二合，（五九九簡）
- 爰書：某里公士甲、士五（伍）乙詣牛一，（六〇三簡）
- 辭曰：「士五（伍），（六〇八簡）
- 此首某里士五（伍）戊〇（也），（六〇八簡）
- 與丁以某時與某里士五（伍）己、庚、辛、，(六〇八簡)
- 某里士五（伍）甲縛詣男子丙，（六一一簡）
- 某里士五（伍）甲、公士鄭才（在）某里曰丙共詣斬首一，（六一四簡）

・爰書：某里士五（伍）甲縛詣男子丙，（六一七簡）
・辭曰：「某里士五（伍）甲臣。」（六二〇簡）
・爰書：某里士五（伍）甲告曰：（六二六簡）
・「謁鋈親子同里士五（伍）丙足，（六二六簡）
・士五（伍）咸陽才（在）某里曰丙，（六二七簡）
・爰書：某里士五（伍）甲告曰：（六三〇簡）
・「甲親子同里士五（伍）丙不孝，（六三〇簡）
・爰書：某里典甲詣里人士五（伍）丙，（六三二簡）
・到某士五（伍）丙田舍二百步。（六四一簡）
・里人士五（伍）丙經死其室，（六四三簡）
・爰書：某里士五（伍）乙告曰：（六五三簡）
・訊丁、乙伍人士五（伍）□，（六六二簡）
・爰書：某里士五（伍）妻甲告曰：（六六四簡）
・爰：某里公士甲等廿人詣里人士五（伍）丙，(六七一簡)
・爰書：某里士五（伍）甲詣男子乙、女子丙，(六七五簡)
・辭曰：「士五（伍），（六七六簡）⑮

由上舉的資料來看，「士五（伍）」都作「士五」毫不例外。（共出現三十五條，三十六次）另外，睡虎地十一號秦墓出土的七件漆耳杯的外底，都有「士五軍」的針刻文字。其中「士五」就是「士伍」，軍是名字，指的是個人。在《法律答問》中，有許多對於有關的人稱的使用上，凡有職務和爵位的，都稱職務和爵位，如嗇夫、里典、害盜、求盜、大夫、上造、公士、舍人；沒有職位和爵位的，一般都標明身份，如百姓、士伍、罷癃；刑徒和奴隸也都標明刑種和官私奴隸，城旦舂、鬼薪白粲、隸臣妾、人奴妾等，也有一些以抽象的代詞來表示，如伍人、曹人、甲、乙、丙、丁等。在《雲夢秦簡》中的甲、乙、丙、丁，除了標明身份的人（如上引某里士五甲、某里士五丙）之外，一般多指士五（伍）或類似士五（伍）這種身分的人，屬於一般庶民。⑯羅開玉先生曰：「大量的秦簡資料證明，只要是無爵的適齡男性百姓，無論是他稱或自稱，『士伍』都是不可分割的習用稱謂。」⑰但「士伍」作爲一種庶民身分，在《雲夢秦簡》出現以前仍有很大的分歧。

關於「士五（伍）」的身份，有以下幾種說法：

㈠、無爵爲士伍

《漢舊儀》曰：

> 秦制二十爵，男子賜爵一級以上，有罪則減，年五十六免；無爵爲士伍，年六十乃免老。

衛宏認爲「無爵爲士伍」。

㈡、有爵被奪爲士伍

《史記・秦本紀》曰：

> （昭襄王）五十年十月，武安君白起有罪，爲士伍，遷陰密。

《集解》引如淳曰：

> 嘗有爵而以罪奪爵，皆稱士伍。

這是認爲曾經有爵因罪被奪，而爲士伍。又《漢書・景帝紀》曰：

> （景帝元年）秋七月，詔曰：「吏受所監臨，以飲食免，重；賤賣貴買，論輕。廷尉與丞相更議著令。」廷尉信謹與丞相議曰：「吏及諸有秩受其官屬所監、所治、所行、所將，其與飲食計償費，勿論。它物，若買故賤，賣故貴，皆坐臧爲盜，沒入臧縣官。吏遷徙免罷，受其故官屬所將監治送財物，奪爵爲士伍，免之。無爵，罰金二斤，令沒入所受。有能捕告，畀其所受臧。

師古《注》引李奇曰：「有爵者奪之，使爲士伍，有位者免官也。」師古曰：「此說非也。謂奪其爵，令爲士伍，又免其官職，即今律所謂除名也。謂之士伍者，言從士卒之伍也。」師古《注

》和裴駰《集解》的解釋相似，都認爲士伍原是有爵之被奪者。

㈢、有爵因罪被奪而爲刑徒

前引《史記・秦本記》謂「武安君白起有罪，爲士伍，遷陰密。」明人董說據此以爲「士伍」即「刑徒」。⑱清人沈寄簃先生，則將「士伍」與「夷三族」、「斬首」同列爲刑罰的一種。⑲這是將奪爵爲士伍者視爲刑徒。

在《雲夢秦簡》出土後，前二說大致無誤，第三說認爲士伍是刑徒或奴隸則有問題。《史記・秦本記》所謂「武安君有罪爲士伍，遷陰密。」有罪爲士伍，當指「有罪被削爵爲庶民」，削爵是一種是處分，但削爵卻未必是刑徒。以「遷陰密」而言，基本上雖然仍是一種遷刑。但它是作奪爵之後的一種附加刑，並不是所有奪爵者，都處遷刑。也就是奪爵爲士伍之後，未必就是刑徒，除非有附加刑。因此，並不能說「士伍」就是「刑徒」。以文獻而言，秦國的確是有所謂的「遷民政策」的。秦的遷民政策在秦孝公用商鞅變法時，已發其端。⑳其後惠文王、莊襄王諸君，也都繼續採行，但限於國勢，僅局限於一隅。至始皇統一之後，乃實行大規模的移徙。馬非百先生認爲秦國實行遷民政策，其利有三，一是政治方面的；二是經濟方面的；三是國防方面的。㉑這些遷人中，有「奪爵而後遷者」，也有「遷而勿奪爵者」。如嫪毐舍人奪爵遷蜀者四千餘家，及呂不韋死，其舍人臨者，秦人六百石以上奪爵遷，五百石以下不臨遷勿奪爵。㉒有「鋈足謁遷者」，如《雲夢秦簡》中的《封診式・遷子》曰：「爰書：某里士五（伍）甲告曰：『謁鋈親子同里士五（伍）丙足，䙴（遷）蜀邊縣，令終身毋得去䙴（遷）所，敢告。』」（六二六簡）㉓此外，尙有一些政策性的遷民，基本上這類遷民和奪爵以及罪行無關，如秦國對自由民以「拜爵」和「除復傜役」的方式，鼓勵遷徙，《商君書・徠民》以除復和賜爵鼓勵徙民，又始皇二十八年南登琅玡，因徙黔首三萬戶於琅玡臺下，被徙者「復十二歲」，三十五年徙三萬麗邑，五萬家雲陽，「皆復不事十年」。㉔這些都和奪爵和罪行無關。可見秦國所謂的「遷」，不完全是指刑徒。劉海年先生以《雲夢秦簡》中的《法律答問》、《秦律十八種》、《封診式》的資料加以綜合分析，歸納「士五（伍）」的基本特徵爲：

一、傅籍之後至六十歲免老前的男性；

二、無爵或曾有爵而被奪爵者；

三、非刑徒和奴隸。㉕

以《雲夢秦簡》來看，這分析是正確的。《雲夢秦簡》顯示秦國對有爵之人、士伍、刑徒和奴隸的量刑輕重是不同的。關於秦國的刑罰原則，在商鞅變法時，就已爲秦律確定了「刑無等級」的原則，即《史記·太史公自序》中所謂的「不別貴賤，一斷於法。」在這一原則下，任何犯法者雖然都要受到刑罰的懲處。但問題在於同犯一罪，所受的懲罰，有時卻因犯罪人身份等級的不同而有不同。黃中業先生歸納秦國這種因犯罪者身份而異的量刑原則有五個類型：

一、爵位的有無、高低與刑罰上的輕重不等；

二、官吏和百姓在刑罰上的輕重不等；

三、主人與奴隸在刑罰上輕重不等；

四、父與子在刑罰輕重上不等；

五、士伍和商賈、作務、贅婿、後父、隸臣妾在刑罰上的輕重不等。㉖

從這樣的量刑原則來看，不同身份的人，刑罰自然有異。而從《雲夢秦簡》中，可以看出秦律對「士伍」的刑罰既不像對有爵者的人那樣寬厚，也不像對刑徒那樣的苛刻。㉗準此而言，「士伍」絕不是有爵之人，但也絕不是刑徒。

至於師古《注》曰：「謂之士伍者，言從士卒之伍也。」從上舉大批的士伍資料來看，「士五（伍）」都是活動在閭里中的人，而不是在軍隊中。可見士伍只是一般無爵而適齡的百姓。當然從士伍的發展來看，士伍早期的身份當和軍中什伍有關。羅開玉先生曰：「《說文》：『士，事也。數始於一，終於十，从一从十。孔子曰：推十合一爲士。』可見『士』與『什』有關。『伍』可能爲『伍人』之省。即『士伍』最初的意思是既要參加地方上的『伍』，也要參加軍中的『什伍』。考考歷史，有關西周以前的文獻中有確無關於『士伍』的記載。因此，我認爲『士伍』這個稱謂可能直接起源於商鞅時的『什伍』制。制度變了，習用的稱謂一般不立刻發生變化。」㉘以實際來看，士伍稱呼源自於軍中是極可能的，但從《雲夢秦簡》來看，在後來的發展中，士伍已不限於在軍隊中，而是指一般無爵或被奪爵的庶民。

三、關於什伍連坐

秦國的什伍連坐基本上是在里中進行的，《史記・商君書》曰：「令民爲什伍而相牧司連坐」，司馬貞《索隱》曰：「一家有罪而九家連舉發，若不糾舉，則十家連坐。」又《史記・高祖本紀》《集解》引張晏曰：「秦法，一人犯罪，舉家及鄰伍坐之。」《史記・孝文本紀》》《集解》引應劭曰：「秦法，一人有罪，並坐其家室。」《文獻通考》曰：「秦之法，一人有姦，鄰里告之；一人犯罪，鄰里告之。」由上引資料可以看出，秦的連坐實不出閭里範圍。《韓非子・制分》曰：「去微奸之道奈何？其務令之相規其情者也。則使相規奈何？曰：蓋里相坐而已。」蓋，陳其猷先生曰：「當爲盍字之誤」㉙盍，合也。蓋里，即合里。可證什伍連坐的範圍在里中。又上引資料中，可以看出連坐的範圍，計有「家室」、「十家」（此雖有誤，前已說明，此處旨在引述一家之說）、「鄰伍」、「鄰里」。另外，還有「三家」之說，如《淮南子・泰族訓》曰：「商君爲秦立相坐之法」高誘《注》曰：「相坐之法，一家有罪，三家坐之。」不論所言如何，連坐之法都在里中進行。

上引諸說，除司馬貞《史記索隱》提到連坐一詞外，其餘各家都云「坐」之。以《雲夢秦簡》而言，也只「言坐」而未及「連坐」一詞。不過，《雲夢秦簡》中所謂的「坐」，通常指的就是「連坐」。以上引資料中來看，連坐的對象，計有「家室」、「鄰伍」及「鄰里」。以《雲夢秦簡》來看，什伍連坐的情形大約有以下幾種：

㈠、家屬連坐

一人犯罪，家屬要受連坐。如《法律答問》曰：

> 可（何）謂「室人」？可（何）謂「同居」？「同居」，獨户母之謂殹（也）。「室人」者，一室，盡當坐辠（罪）人之謂殹（也）。（五七一簡）

秦律把犯罪者家屬分爲「同居」和「室人」。《律說》解釋，所謂「同居」，就是同一戶中同母的人，當指兄弟姊妹；「室人」，就是就是一家人。這二者都因罪人而連坐。《法律答問》又曰：

> 「盜及者（諸）它辠（罪），同居所當坐。」可（何）謂「同居」？户爲「同居」，坐隸，隸不坐户謂殹（也）。（三九二簡）

律文規定盜竊和其他類似罪犯，同居應該連坐。本條律文所謂的同居，就是同戶，範圍較大，所指不只是「同母所生的人」。《律說》並強調同居中的奴隸犯罪，主人要連坐；至於主人犯罪，奴隸則不連坐。奴隸之所以不受主人犯法株連，主要是由於奴隸無權告發主人，即使告發了，官府也作爲「非公室告」，不予受理。㉚又《法律答問》曰：

> 律曰「與盜同法」，有（又）曰「與同辠（罪）」，此二物其同居、典、伍當坐之。云「與同辠（罪）」，云「反其辠（罪）」者，弗當坐。（三九〇簡）

律文說「與盜同法」，又說「與同辠（罪）」，這兩種情形同時具備，同居、里典、和同伍的人都應連坐。至於說「與同辠（罪）」又說「反其罪」的，同居、里典和同伍的人不應連坐。由以上所引可以看出在家屬連坐方面，區分爲兩種，一是「同居」，一是「室人」。

㈡、同伍連坐

同伍就是四鄰，一人犯法同伍之人都要連坐。如《秦律雜抄・傅律》曰：

> 百姓不當老，至老時不用請，敢爲酢（詐）僞者，貲二甲；典、老弗告，貲各一甲；伍人，户一盾，皆罨（遷）之。（三六〇一三六一簡）

百姓不應免老，或應免老，如有詐僞情事，本人受罰之外，典老如果不告發，各罰一甲；同伍的人也要受罰。並且全都加以流放。另外，前引《秦律十八種・金布律》賈市居列，擇行錢布者，「列伍長弗告」的話就有罪。（一三五簡）列伍長就是同伍之長，列伍長受罰主要在於其有督導之責，其他伍人則未必受連坐。由於商賈不和一般庶民編伍，連坐的內容可能不完全一樣，但基本上，同伍連坐是沒有疑問的。必須說明的是：不是所有的伍人都要受同「伍」的人的連坐。如《法律答問》曰：

> 吏從事于官府，當坐伍人不當？不當。（五二五簡）

前面提到大夫不只和相鄰大夫合編成伍，並不和一般庶民爲伍。但大夫以下的低階官吏則要編入一般的「伍」中，但官吏在官府中服役時，仍然有享有不受伍人連坐的特權。律文既然說明「從事于官府」」時不當連坐，如果在家休假，可能就要受伍人連坐。

㈢、同里連坐

同里之人連坐的情形比較特殊，除非是嚴重政治犯外，一般而言，同里之人都不受株連。里人的關係雖然不比伍人密切，在

《雲夢秦簡》中，也沒有任何里人連坐的記錄，但仍然可以看出里人之間，彼此是相連在一起的。如《封診式》的《毒言》爰書中，「某里公士甲等廿人詣里人士五（伍）丙，皆告曰：丙有毒言，甲等難飲食焉，來告之。」這是里人的聯合告發行動。在文獻上倒可以看到，如《論衡・語增》曰：「荊軻爲燕太子丹刺秦王，後株軻九族，其後恚恨不已，復夷軻之一里。一里皆滅。」

㈣、里典、伍老連坐

里典、伍老是里中的基層負責人，同伍之人在家爲賊所傷，里典和伍老，不論外出與否都要論罪。（四八六簡，已見前引）在傅籍和兵役問題上弄虛作假，里典、伍老都受連帶處分。（三六〇——三六一簡已見前引）上引律曰「與盜同法」，有（又）曰「與同辠（罪）」，里典、伍老當連坐。（三九〇簡）由規定來看，典老受連坐的機會較多，懲罰也較重。

綜上所述，可以知道秦的什伍連坐都在里中進行，連坐的目的在於「相牧司」，也就相互監督。透過連坐制度，使什伍制度的運作更加健全。但在另一方面，爲了保證什伍連坐的完全發揮，對於受理檢舉十分謹慎，同時也不准「誣告」。《法律答問》規定：

> 「伍人相告，且以辟辠（罪），不審，以所辟辠（罪）辠（罪）之」。有（又）曰：「不能定辠（罪）人，而告它人，爲告不審。」今甲曰伍人乙賊殺人，即執乙，問不殺人，甲言不審，當以告不審論，且以所辟？以所辟論當殹（也）。（四六六—四六七簡）

由律文可以看出二點：其一是伍人相告不實，就以其罪論處控告者；其二是不能確定罪人，而對他人進行控告，稱爲所告不實。除了相互監督之外，在什伍之間，也相互保護。如《左傳・襄公二十五年》曰：「親其民人，明其伍候。」杜預《注》曰：「使民有部伍，相爲候望。」上引《法律答問》中：「賊入甲室」條（四八六簡）賊入甲室，甲並沒有犯罪，里典、伍老、伍人卻須連坐。其原因即在於彼此間有互相保護的責任。

【附註】

①參見羅開玉先生《秦國「什伍」「伍人」考》，文載《四川大學學報》，一九八一年第二期。

②參見黃中業先生《秦國法制建設》，頁二〇。

③如《後漢書・百官志》曰：「里有里魁，民有什伍，善惡以告。本注曰：里魁掌一里百家。人主十家，伍主五家，以相檢察。」陳傅良《歷代兵制》曰：「爲戶籍什伍，孝公用商鞅，初爲轅田，遂破井田，開阡陌，以前後漢參考秦法，五戶爲伍，十戶爲什。」都將「什」視爲十家。

④參見氏著《編戶齊民》，頁二一六。

⑤同①。

⑥同④。

⑦參見該書頁三六。

⑧參見《漢書・晁錯傳》及《漢書・何武傳》。

⑨參見黃今言先生《秦漢賦役制度研究》，頁三八六。

⑩這條律文爲：「軍新論攻城，城陷，尚有棲未到戰所，告曰戰圍以折亡，㑌（假）者，耐；敦（屯）長、什伍智（知）弗告，貲一甲；伍二甲。」（三六三—三六四簡）由律文可以很清楚地看出，這是軍隊的「什伍」編制，不是閭里編制。

⑪參見吳益中先生《秦什伍連坐制度初探》，文載《北京師院學報》，一九八八年第二期。又羅開玉先生亦曰：「秦國地方上以里轄『伍』，二者根本不存在『十家連坐』的『什』。」（《秦國「什伍」「伍人」考》，文載《四川大學學報》，一九八一年第二期）杜正勝先生亦曰：「從秦漢簡牘來看，閭里之中『伍』的組織更重於『什』，也許沒有『什』也說不定。」（參見《編戶齊民》，頁一

三一。)

⑫《韓非子・定法》曰：「公孫鞅之治秦也，設告相坐而責其實，連什伍而同其罪。」《和氏篇》曰：「商君教秦孝公以連什伍，設告坐之過」。以韓非對商鞅和秦制的了解，所言必有實據。由此可見秦國確有什伍之制。

⑬同⑪所引吳文。

⑭參見《銀雀山竹書〈守法〉、〈守令〉等十三篇》，文載《文物》一九八五年第四期。

⑮簡文作「士五」，睡虎地秦墓竹簡整理小組將之稱爲「士五（伍）」，稱士伍是漢以後的習慣，不是秦的習慣。本文在引用「士五」一詞時，亦從整理小組所釋都在「五」字之後加一（伍）字。

⑯參見劉海年先生《秦漢「士伍」的身份與階級地位》，文載《文物》一九七八年第二期。

⑰同①。

⑱參見《七國考・秦刑法考》。

⑲參見《沈寄簃遺書・歷代刑法考・刑制總考二》。

⑳《史記・商君列傳》曰：「孝公用商鞅，下變法之令，行之三年，秦民初言令不便者，有來言令便者，鞅曰：此亂化之民也。盡遷之於邊城。其後民莫敢議令。」是爲秦國遷民之始。

㉑參見氏著《秦集史》，頁九一六—九一七。

㉒參見《史記・秦始皇本紀》。

㉓關於遷刑的其他資料，請參見本文第二編「遷刑」部分。

㉔參見邢義田先生《秦漢史論稿》，頁四一七。

㉕同⑯。

㉖參見氏著《秦國法制建設》，頁二一〇——一一三。

㉗同⑯。

㉘同①。

㉙參見氏著《韓非子集釋》。

㉚《法律答問》曰：「子告父母，臣妾告主，非公室告，勿聽。」（四七四簡）可見秦律是禁止子告父母和奴婢告主的。

第三章　秦國的軍隊編制

第一節　軍隊編制的問題

秦獻公時代所實行的「爲戶籍相伍」制度，將全國人口按五家爲一伍的方式進行編組。事實上，戶籍是徵兵的依據，秦國爲了富國强兵與諸侯爭雄，對戶籍的管理十分重視。秦在戶籍上做這種帶有軍事性質的編制，主要是爲了適應普遍徵兵制度的需要而建立的。因此，秦國軍隊的編制和什伍組織有著密切的關係。關於「什伍制度」已見於兵役制度部分，這裏謹就軍隊的編制進行考察。

軍隊的人數衆多，必有行伍部校，即所謂「結部曲整行伍」，①方能使軍隊發揮作用。據《周禮・夏官》記載：

> 凡制軍：萬二千五百人爲軍。王六軍，大國三軍，次國二軍，小國一軍。將軍皆命卿。二千又五百人爲師，師帥皆大夫。五百人爲旅，旅帥皆下大夫。百人爲卒，卒長皆上士。二十五人爲兩，兩司馬爲中士。五人爲伍，伍皆有長。

其中軍、師、旅、卒、兩、伍即是部伍編制。各級編制中各有負責軍官。

關於秦國軍隊的編制，《尉繚子・兵教上》有伍長、什長、卒長、伯長、兵尉、裨將、大將等七級軍官。②《尉繚子・伍制令》關於軍隊的組織有伍（五）、什（十人）、屬（五十人）、閭（百人）。《商君書・境內》曰：

> 五人爲一屯長，百人一將。其戰，百將、屯長不得斬首，

> 得三十三首以上，盈論，百將、屯長賜爵一級。五百主，短兵五十人。二百五，主將之。千石之令，短兵百人。八百之令，短兵八十人。七百之令，短兵七十人。六百之令，短兵六十人。國尉，短兵千人。大將，短兵四千人。

容庚先生《秦金文錄》所收的秦代銅符《新郪虎符》曰：

> 甲兵之符，右才（在）王，左才（在）新郪。凡興士被甲，用兵五十人以上，必會王符，乃敢行之。燔隊史（事）雖母（毋）會符行殹。③

《雲夢秦簡》中的《秦律雜抄・敦表律》曰：

> 軍新論攻城，城陷，尚有棲未到戰所，告曰戰圍以折亡，叚（假）者，耐；敦（屯）長、什伍智（知）弗告，貲一甲；伍二甲。（三六四簡）

由上引資料可知秦軍編制最小的單位是什伍制，即五人爲伍，十人爲什。十人以上尙有五十人、百人。至於秦國軍隊的編序，《雲夢秦簡》只有一條「什伍」的資料，（已見上引）無法說明。不過，五人或五十人當是其編制基數。由於資料不足，以下引兩個說法以爲參考。袁仲一先生曰：「秦軍編制的序列應是五人、五十人、一百人、五百人、一千人、一萬人。萬人爲一軍。這七級每級的名稱，除伍人爲伍，十人爲什兩級名稱已知外，其餘五級的名稱歷史失載。《周禮・地官・小司徒》記載：『五人爲伍，五伍爲兩，四兩爲卒，五卒爲旅，五旅爲師，五師爲軍。』即伍（五人）、兩（二五人）、卒（一百人）、旅（五百人）、師（二千五百人）、軍（一萬二千五百人）等六級編制。此與秦軍編制有別。」④袁氏的編制序列頗值參考。不過，由《商君書・境內》和《尉繚子・兵教上》中的各級軍官相對應，也可以看出一些編序，如黃中業先生曰：「《境內》篇的『屯長』相當於《兵教上》的「伍長」；『百將』相當於『卒長』，統率一百人；秦行什伍制度，在屯長和百將之間，應有什長一職；『五百主』

相當於『伯長』，統率五百人；『二五百主』相當於『兵尉』，統率一千人（按短兵百人推算」；『國封尉』相當於『裨將』，統率一萬人（按短兵千人推算）；『將』相當於『大將』，統率四萬人（按短兵四千人推算）。」⑤此一說法和袁氏所言也有出入。大抵而言，由於秦代軍制的資料有限，《商君書・境內》的官名中，除「屯長」仍見於《雲夢秦簡》外，所謂「百將」、「五百主」、「二五百主」，都不見於《雲夢秦簡》和文獻，恐非正式的軍銜名。但其中所述的人數序列，也可參考。

秦代軍隊的組織，平時有宿衛軍、防邊軍及郡縣軍三種，是采取兵役的方式徵發和組織的。戰時從郡縣調兵，臨時任命統帥出征；戰爭結束，則兵歸田，將釋兵。前二者不見於《雲夢秦簡》，第三種組織則可以看到一些資料。

郡縣軍，是各由該郡縣適齡服兵役的人員所組成，即所謂的「一歲作正卒」。即秦人一生只要當一年郡縣兵和一年戍卒或一年衛士。秦人在「始傅」至「免老」都有當兵的義務，在「一歲爲正卒」之後，則退爲後備役，成爲「後備軍人」。⑥遇有戰事，隨時應徵再次入伍，直到免老爲止。

郡縣的軍隊由郡尉，即都尉統領。《漢書・百官公卿表》曰：「郡尉，秦官，掌佐守典武職甲卒」《雲夢秦簡》沒有都尉的資料。《漢書・嚴助傳》曰：「秦之時，賞使尉屠睢擊越。」《注》曰：「張晏曰：郡都尉姓屠名睢者也。」又《史記・王翦傳》曰：「荆人因隨之，三日三夜不頓舍，大破李信軍，入兩壁，殺七都尉，秦軍走。」《資治通鑑・秦紀二》此段胡《注》曰：「此都尉將兵從伐楚者也。秦列郡有守、有尉、有監。然秦漢之制，行軍亦自有都尉。可見秦軍郡級有都尉。從《商君書・境內》記載來看，那時還沒有都尉。秦軍設置都尉，是從郡都尉領兵出征開始。⑦

秦代縣級的軍事負責人是縣尉，《雲夢秦簡》中的尉，指的即是縣尉。縣尉負責縣的軍事和治安。《後漢書・百官志》縣下本《注》曰：

> 尉主盜賊，凡有賊發，主名不立，則推索行尋，案察奸宄，以起端緒。

秦代的縣尉，亦當同此。不過，《雲夢秦簡》中縣尉尚有其他各種重要的職權和任務。如縣尉對於其下屬的訓練如果成果不彰，要負法律責任，《秦律雜抄・除士律》曰：

> 除士吏、發弩嗇夫不如律，及發弩射不中，尉貲二甲。發弩嗇夫射不中，貲二甲，免，嗇夫任之。（三三〇一三三一簡）

由此看來縣尉平時有軍事訓練之責。又縣尉徵發縣民戍守要依《戍律》行事，如《秦律雜抄・戍律》曰：

> 同居毋并行，縣嗇夫、尉及士吏行戍不律，貲二甲。（三六七簡）

同居者不要同時徵發戍邊，如不依法徵發戍邊，縣尉要受貲罰。《秦律雜抄・戍律》又曰：

> 令戍者勉補繕城，署勿令爲它事；已補，乃令增塞埤塞。縣尉時循視其攻（功）及所爲，敢令爲它事，使者貲二甲。（三六九一三七〇簡）

由律文來看，縣尉對戍守者所修築的城牆應經常巡視檢查，同時不得叫他們做其他的事務。另外，對於軍糧需嚴加管理，如果有不應自軍中領取口糧而領取的，縣尉沒有察覺，也要受到處分。如《秦律雜抄》曰：

> 不當稟軍中而稟者，皆貲二甲，法（廢）；非吏殹（也），戍二歲；徒食、敦（屯）長、僕射弗告，貲戍一歲；令、尉、士吏弗得，貲一甲。（三三九一三四〇簡）

至於縣如果將卒藏爲弟子以逃避兵役的，縣尉也要受處分。如《秦律雜抄》曰：

縣毋敢包卒為弟子，尉貲二甲，免；令，二甲。（三三五一三三六簡）

由上引資料可以看出縣尉的職務十分繁雜，責任也重大。以秦代重視農戰政策的情形之下，軍事的條文必然也多，但由於《雲夢秦簡》的主要內容在法制而不在軍事，因此，能看到屬於秦律方面的軍事法規並不多。但是，相信在這方面一定還有的規定。另外，從文獻來看，秦的縣尉不只一位，而有四人之多。《商君書・境內》曰：「其縣過過三日有不致士、大夫勞、爵，能其縣四尉。」可見秦時一縣有四尉，之所以如此者，主要是因秦正在進行統一戰爭，軍事活動特別多，一縣四尉是為了配合形勢的實際需要而設的。

【附註】

①參見《文選》卷一，張衡《西京賦》。

②參見黃中業先生《秦國的法制建設》，頁一九八。《尉繚子》一書中有不少秦國的軍事法規可供參考，黃氏曰：「傳世的《尉繚子》一書共二十四篇，前十二篇講軍事理論，後十二篇，即：《重刑令》、《伍制令》、《分塞令》、《束伍令》、《經卒令》、《勒卒令》、《將令》、《踵命令》、《兵教上》、《兵教下》、《兵令上》、《兵令下》。這十二篇（實則是十篇）作為十項單行的軍事法規，比較完整地反映了當時軍事法規的體系和基本內容。」又曰：「從《尉繚子》一書的講『開塞』、談『農戰』、重『刑罰』的特點來看，書中的十項軍事法規，很可能在相當大的程度上反映了秦國軍事法規的一些基本內容，不失為研究秦國軍事法規的寶貴資料。」（參見該書頁一九七。）

③參見《秦金文錄》，頁四〇一四一。又秦《杜虎符》亦曰：「凡興士被甲，用兵五十人以上，必會王符，乃敢行之。」文與《新郪虎符》同。

④參見氏著《秦始皇兵馬俑研究》，頁二一三—二一四。

⑤參見氏著《秦國法制建設》，頁一九八。

⑥關於「正卒」問題，向有爭論，《漢書・食貨志》曰「董仲舒說上曰：……至秦則不然，用商鞅之法，改帝王之制……又加月爲更卒，已復爲正，一歲爲屯戍，一歲力役，三十倍於古。」又《漢舊儀》、《漢官儀》曰：「民年二十三，爲正一歲，以爲衛士一歲，爲材官、騎士，習射御騎戰陣。八月，太守、都尉、令、長、相、丞、尉令都試，課殿最。……年五十六免老。乃得免爲庶民，就田里，應合選爲亭長。」上二條記載的爭論在於斷句，目前較一致的看法是「爲正一歲，屯戍一歲」。勞貞一先生認爲漢代兵役是「一歲爲正卒，一歲作衛士」（參見《漢代兵制及漢簡中的兵制》，文載中央研究院《歷史語言研究所集刊》，第十本）即作此解。熊鐵基先生亦持此說。（說見《試論秦代的軍事制度》，文載《秦漢史論叢》，第一輯。）

⑦參見于豪亮先生《雲夢秦簡所見職官考略》，文載《于豪亮學術文存》，頁一〇〇。

第二節 秦代軍隊的訓練

秦國軍隊向以訓練有素著稱，在戰國七雄中實力最强。戰國諸雄爲了彼此的爭戰，都十分重視士卒的戰技，亦即軍事訓練。如荀子與臨武君曾在趙孝成王前評論齊國鼓勵戰技訓練的方法曰：

> 齊人隆技擊，其技也，得一首者則賜贖、錙金，無本賞矣。①

齊人是以賜贖和金錢的方式鼓勵戰技，可見齊國很重視士卒的戰技。杜正勝先生曰：

《管子·七法》論「爲兵之數（術）」有八：聚財、制器、選士、政教、服習、遍知天下和明於機數。財通材。聚精材，論百工，於是成銳器，即求武器之精良，〈幼官〉所謂「選士利械則霸」者也。器械成，於是訓練戰士，〈七法〉和〈幼官〉都講述春秋角試以練士卒，和銀雀山新出竹簡的〈王兵〉如出一轍。②

魏國也一樣重視軍事訓練，因此，戰鬥力很強。但這二個國家的軍士卻比不上秦之銳卒。但齊國以賞賜的方式來重視技擊，其弊病在於「無本賞」。也就是齊人「其技擊之術，斬得一首則官賜錙金贖之。斬首，雖戰敗亦賞，不斬首，雖勝亦不賞，是無本賞也。」③《荀子·議兵》曰：

齊之技擊，不可以遇魏氏之武卒，魏氏之武卒，不可以遇秦之銳卒。

由此，可見秦的軍事訓練成果十分可觀，齊魏之武卒皆不是秦的敵手。

以《雲夢秦簡》來看，秦的軍事訓練是縣爲單位來進行的。上節提到秦郡縣的都尉、縣尉平時有軍事訓練之責。秦的郡縣兵，是各由該郡縣適齡服兵役的人員所組成，入伍之後就「一歲作正卒」、「一歲爲屯戍」。這些郡縣兵在平時都必須接受嚴格的軍事訓練，訓練的內容則因兵種而異。由《雲夢秦簡》來看，秦國的確十分重視軍事訓練，同時，秦對訓練的考課十分嚴格。如《秦律雜抄·除吏律》曰：

除士吏、發弩嗇夫不如律，及發弩射不中，尉貲二甲。發弩嗇夫射不中，貲二甲，免，嗇夫任之。（三三〇—三一簡）

士吏和發弩嗇夫是低於縣尉的軍吏，發弩則是持弩的戰士。弩，即機弩，是一種遠程的兵器，不但射程遠，同時殺傷力也强。使用這種兵器的士兵在當時軍隊是非常重要的一支力量，而這種兵器非經訓練，不能發揮其功能，因此，秦國對這種兵種的訓練十分嚴格。縣尉對這種兵種的訓練，如果成果不彰，須受懲罰。這條律文說明了秦的弩兵必須經過訓練。秦國弓弩兵的訓諫內容如何，《雲夢秦簡》看不出來。不過，由秦始皇兵馬俑坑所出土的大批弓弩遺迹和銅弩機、銅鏃等遺物，（參見圖一）可以看出秦

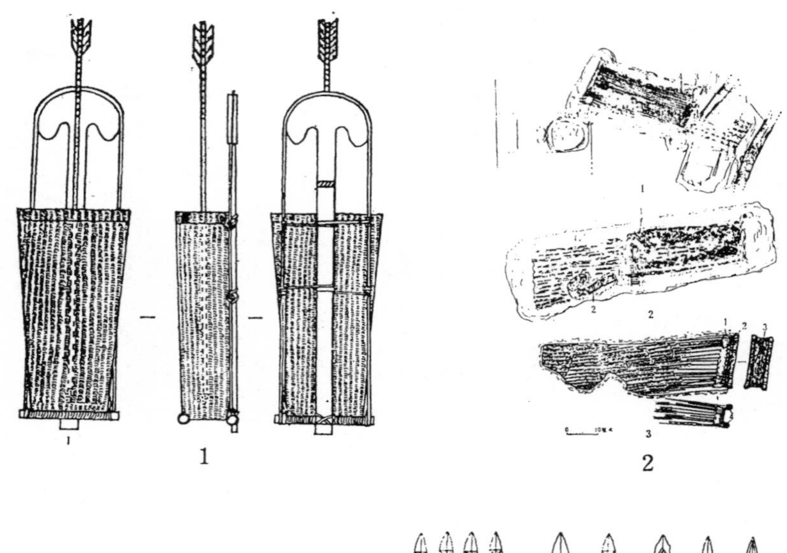

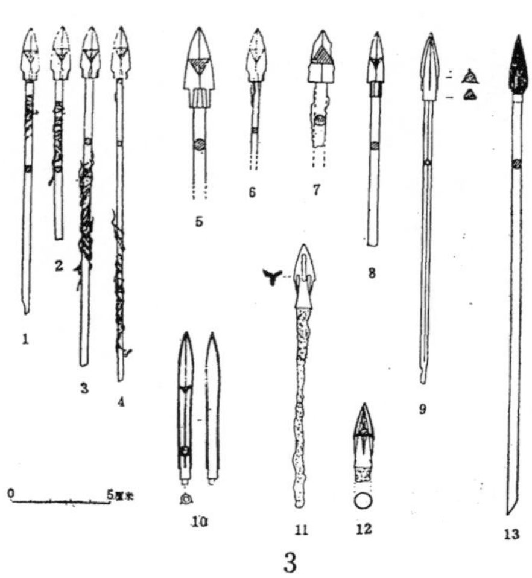

（圖一）
1.秦俑一號坑箭及箭箙遺迹
2.秦俑一號坑弩遺迹及復原圖
3.秦俑一號坑銅鏃及鐵鏃

國必然是十分重視弓弩兵的。至於弓弩兵的訓練，由秦始皇兵馬俑所展現的射姿可以看出部分內容。秦始皇兵馬俑坑中有許多立射和坐姿的步兵俑，其中作立射的有一二七個，位於步兵俑方形軍陣的陣表，這些應是輕裝步兵中的弓箭手。作坐姿的有一六〇個，坐姿是弓、弩射擊的一種重要姿勢（當然也是步兵的一種重要動作）唐人王琚《射經》曰：「凡射必中席而坐，一膝正當垛，一膝橫順席，執弓必中在靶之中，且欲當其弦心也。以弓當左膝前，豎按席，稍吐，下弰向前，微令上傾向右。」王氏所論坐姿和秦俑坐姿稍有區分。秦俑坐姿是左腿蹲曲，左膝正當垛（即靶），右膝跪地，前後縱順席（不是橫順席）；左足、右膝及右足尖三點呈三角形，上射挺直，臂部緊貼右足跟，身體的重量靠左足、右膝及右足尖三點支撐。射擊時「支左絀右」，重心穩，用力省，便於瞄準，易於射中目標。同時坐姿也比立姿射擊目標小，不易為敵方的箭射中，是防守和設伏的一種理想射姿。④相信就是（參見圖二）相信這些都是秦國弓弩兵種的寫實動作。由《秦律雜抄》強調「發弩射不中」、「發弩嗇夫射不中」都要接受處罰來看，秦國在這方面訓練可以說是十分嚴格的。又《秦律雜抄・除吏律》曰：

1

2

（圖二）跪射圖
1.漢武氏祠前畫像
石像圖
2.晉女史箴圖

駕騶除四歲，不能駕御，貲教者一盾；免，償四歲繇戍。（三三一簡）

駕騶，《睡虎地秦墓竹簡注》曰：「即廄御，為長官駕車的人。當時戰車還有一定地位，所以對駕騶有嚴格的要求。」④由於當時戰車在戰爭中仍占有重要地位，因此，駕車要經過嚴格的訓練。如果駕騶經過四年訓練仍不能駕車，教練要受貲罰；受訓者應免職，同時要補服四年內應服的徭役。秦是個軍事强國，有戰車千乘，騎萬匹，步兵百餘萬。這些雄厚的軍力，在《雲夢秦簡》中並不能看出。但秦始皇陵一、二、三號兵馬俑坑卻提供了大量的秦國軍隊的資料，在兵馬俑坑內所埋藏的大量戰車、騎兵和步兵俑，可以說是秦國龐大軍隊的縮影。「根據已經發掘獲得的部分資料推算，三個兵馬俑坑內總共約有戰車一百三十餘乘，駕車的陶馬五百餘匹，騎兵的鞍馬一一六匹，各類武士俑（包括車兵、騎兵和步兵俑）七千餘個。這樣眾多的戰車、騎兵和步兵俑，按照一定的隊形排列，組成軍陣。」⑤由這麼龐大的地下資料可以看出秦國軍隊的實力，以及戰車所扮演的角色仍然十分吃重。

另外，由這些資料來看，騎兵也是秦代的主要兵種之一。中原地區的人在殷周時期大都乘車，戰爭以車戰為主。騎兵的出現較晚。進入戰國中期，中原各國大都已經建立了龐大的騎兵部隊，根據蘇秦的說法：燕國是「帶甲數十萬，車六百乘，騎六千匹」；趙國是「帶甲數十萬，車千乘，騎萬匹」；魏國是「武士二十萬，奮擊二十萬，廝徒十萬，車六百乘，騎五千匹」楚國是「帶甲百萬，車千乘，騎萬匹」。⑥秦國的整個兵力比其他各國都要大些，秦國由於地處西北，原就是產馬之地，而且向來也以養馬盛行而著稱於世。因此，早在秦穆公時期就已建立了騎兵。《韓非子・十過》記載：秦穆公二十四年，秦以「革車五百乘，疇騎二千，步卒五萬，輔重耳入之於晉，立為晉君。」「疇騎」即騎兵，這說明「秦國擁有大量的騎兵」⑦在商鞅時期，秦國對騎兵的應用已十分廣泛，如《呂氏春秋・無義》記載商鞅曾以「伏卒與車騎以取公子卬。」《商君書・徠民》曰：「論境內所能給軍卒車騎。」而據《史記・張儀列傳》的記載：

1.秦帶甲百餘萬，車千乘，騎萬匹。

2.秦馬之良，戎兵之眾，探前趹後，蹄間三尋者不可勝數。

《史記・白起列傳》曰：

（秦軍）張二奇兵以劫之……奇兵二萬五千人絕趙軍後，又一軍五千騎絕趙壁間。

可見騎兵是秦對外戰爭的一個主要力量，在重視騎兵的情形之下，對於戰馬的訓練也必然十分嚴格。《雲夢秦簡》就有一條關於戰馬考核的資料。如《秦律雜抄》曰：

驀馬五尺八寸以上，不勝任，奔摯（縶）不如令，縣司馬貲二甲，令丞各一甲。先賦驀馬，馬備，乃粼從軍者，到軍課之，馬殿，令、丞二甲；司馬貲二甲，法（廢）。（三三七一三三八簡）

《說文》曰：「驀，上馬也。」《廣韻》曰：「驀，騎驀。」律文所指即爲騎兵所用的馬。秦律規定這種馬如果沒有經過很好的訓練，以致「奔摯（縶）不如令」縣司馬、令、丞都要負責任。如果馬的質量太差，在考課時被評爲下等縣令、丞要受處分，而縣司馬「貲二甲」之外，同時革職永不敘用。律文同時也規定要先徵取驀馬，等馬數已足，就在從軍人員中選用騎士。由此可見秦國十分重視戰馬的訓諫和騎兵的選用。而這當然也和秦國重視騎兵的傳統有關。由於騎兵的機動性大，在戰爭時所展現的氣勢也强，同時又可以結合車戰，因此，秦在對各國的統一戰爭中，大量地應用這個兵種。這由秦始皇陵的兵馬俑以及《雲夢秦簡》中可以看秦國出對這一兵種重視的程度。

除了《雲夢秦簡》之外，在《尉繚子》一書中也可以了解到一些秦國的部伍訓練的情況。如《尉繚子・兵教上》曰：

伍長教其四人，以板爲鼓，以瓦爲金，以竿爲旗。擊鼓而進，低旗則趨，鳴金則退，麾而左之，麾而右之，金鼓俱擊而坐。伍長教成，合之什長；什長教成，合之卒長；卒長教成，合之伯長；伯長教成，合之兵尉；兵尉教成，合之裨將；裨將教成，合之大將。大將教之，陳於中野，置大表三百步而一。既陳，去表百步而決，百步而趨，百步而鶩，習戰以成其節。乃爲之賞罰。

《尉繚子・勒卒令》曰：

百人而教戰，教成合之千人，千人教成合之萬人，萬人教成合之三軍。三軍之衆有分有合，爲大戰之法，教成試之以閱。

這是整個部伍軍陣的訓練，說明了秦國對於軍隊的訓練非常重視。

【附註】

①參見《荀子・議兵》。

②參見氏著《編戶齊民》，頁三八八。

③參見《荀子・議兵》楊倞《注》。

④參見袁仲一先生《秦始皇陵兵馬俑研究》，頁一五四——一五五。

⑤參見該書頁七九。

⑥同④，頁七五。

⑦參見《史記・蘇秦列傳》。

⑧參見林劍鳴先生《秦史稿》第四章，頁一〇七。

第三節　軍事指揮和紀律

一、軍隊指揮

秦國軍隊的指揮權在將帥，不過《雲夢秦簡》中並沒有完整的資料。《秦律雜抄》有一條曰：

故大夫斬首者，署（遷）。（三三五簡）

這是一條戰場指揮的規定。故大夫是本爵爲大夫者，秦律規定這種官職者在陣前不得斬首，如果違反將受流放的處罰。《商君書・境內》曰：「其戰，百將、屯長不得斬首。朱師轍《商君書解詁定本》曰：「百將、屯長在指揮，故不得斬首。」很顯然地，大夫領軍作戰，職在指揮，若逕自殺敵，除有與士卒爭首功之外，尙會影響指揮。由《雲夢秦簡》看，大夫（或百將、屯長）有指揮之權。《尉繚子・武議》曰：

吳起臨城，左右進劍。起曰：將專主旗鼓耳。臨難決疑，揮兵指刃，此將事也；一劍之任，非將事也。

這是吳起在魏國擔任西河郡守與秦軍臨戰前所發表的談話。吳起認爲將帥職在發號施令，在危急時解決疑難，同時指揮軍隊作戰，這才是將帥之責；至於持兵器與敵人直接搏鬥，並非將帥責。戰爭的勝利，需靠戰略和戰術的配合，而其主要關鍵則在於將帥。諸葛亮《將苑・假權》曰：

夫將者，人命之所縣也，成敗之所繫也，禍福之所倚也。①

將帥如此重要，則將帥的任命自是十分愼重。以戰國而言，大規模的征戰，或國君自將，或以太子將，或以相爲將，以秦國而言即是如此，如《史記・秦本紀》曰：

繆公任好元年，自將伐茅津……（五年）秋，繆公自將伐晉，戰於河曲……十五年，（晉）興兵將攻秦。繆公發兵，使丕豹將，自往擊之……二十五年，周王使人告難於晉、秦。秦繆公將兵助晉文公入襄王。

《史記・張儀列傳》曰：

> 儀相秦四歲，立惠王爲王。居一歲，爲秦將，取陜。築上郡塞。

這種以國君自將、以太子將，或以相爲將的情形，各國都有。除了上三種之外，當然還有其他立將情形。但一般而言，立將都十分愼重。《史記・王翦列傳》曰：

> 秦將李信者，年少壯勇，嘗以兵數千逐燕太子丹至於衍水中，卒破得丹，始皇以爲賢勇。於是始皇問李信曰：「吾欲攻取荆，於將軍度用幾何人而足？」李信曰：「不過用二十萬」。始皇問王翦，王翦曰：「非六十萬人不可」。始皇曰：「王將軍老矣，何懼也？李將軍果勢壯勇，其言是也。」遂使李信及蒙恬將二十萬南伐荆。王翦言不用，因謝病，歸老於頻陽。……（荆人）大破李信軍……始皇聞之，大怒，自馳如頻陽，見謝王翦曰：「寡人以不用將軍計，李信果辱秦軍。今聞荆兵日進而西，將軍雖病，獨忍棄寡人乎！」王翦謝曰：「老臣罷病悖亂，唯大王更擇賢將」。始皇曰：「已矣，將軍勿復言！」……於是王翦將六十萬人，始皇自送至霸上。

由上看來，秦的大型戰爭是由國君親自選將，一旦任命，就有掌握幾十萬大軍及指揮作戰的實權。另外，由秦統一之後的幾個對外戰爭，如北逐匈奴，南擊揚越的統帥，也都是由始皇親自選派任命的，如《史記・蒙恬列傳》曰：

> 始皇二十六年，蒙恬因家世得爲秦將，攻齊，大破之，拜爲内史。秦已幷天下，乃使蒙恬將三十萬眾北逐戎狄，收河南。築長城……暴師於外十餘年，居上郡。是時蒙恬威振匈奴。始皇甚尊寵蒙氏，信任賢之。

以上所引都是將帥，一般的中級武將的任命大致是將帥所任命，從編制上來看，將帥級的軍事長官爲上將軍、將軍，由國君（中央）委派，中下級的軍官如都尉、縣尉、士吏當是按一定的軍功累進，然後由將帥任命。（地方軍和中央軍有別，地方常駐的軍官，當以軍功爲主）這些軍官在一定的權限內擁有自己的指揮權。此外，將帥在戰場上擁有絕對的指揮權，所謂進退惟時，軍中事不由君命，皆由將出。《史記・孫子列傳》曰：「將在軍，君命有所不受。」《漢書・周亞夫傳》曰：「軍門都尉曰：『軍中但聞將軍之令，不聞天子之詔。』」可見國君一旦任命將帥，則將帥擁有絕對獨立的指揮權。但即使如此，秦代的調兵權似乎仍在國君手上，將帥本身並沒有調兵權。如《秦金文錄》所收的秦代銅符《新郪虎符》曰：

> 甲兵之符，右才（在）王，左才（在）新郪。凡興士被甲，用兵五十人以上，必會王符，乃敢行之。燔隊史（事）雖毋（毋）會符行殹。

可見五十人以上的兵員調動，沒有國君的兵符是不可以隨意調動的。

二、戰場紀律

秦國對於戰場紀律規定很嚴厲，《秦律雜抄・敦表律》曰：

> 軍新論攻城，城陷，尚有棲未到戰所，告曰戰圍以折亡，叚（假）者，耐；敦（屯）長、什伍智（知）弗告，貲一甲；伍二甲。（三六三—三六四簡）

軍隊因最近攻城而論刑賞，如果敵城已經攻陷，尚有遲遲未進入戰場，而報告的人卻說「未到者在包圍戰中死傷」，如果發現是僞報，僞報者應科以耐刑。屯長、什長、伍長的人知情而不報，罰一甲；同伍的人罰二甲。

《雲夢秦簡》另有一條對於在戰爭中被敵人俘虜後又歸來的人，秦律規定一律給予嚴厲處分。如《秦律雜抄》曰：

> 戰死事不出，論其後。有（又）後察不死，奪後爵，除伍

人；不死者歸，以爲隸臣。（三六五簡）

「不出」者，不屈也。律文規定在戰爭中死事不屈的，應將爵授予其子。如果後來察覺該人未死，應褫奪其子的爵位，同時懲治同伍的人。至於未死歸來的人，一律收爲隸臣，變成刑徒。這個處罰，和敵人投降的處置一樣。如《秦律雜抄》曰：

寇降，以爲隸臣。（三六六簡）

投降的敵人罰作隸臣，顯然地，秦國視在戰爭中被敵人俘虜後又歸來的人，和敵人投降爲同一罪責。不過，以秦律而言，即使被判爲刑徒隸臣，同樣可以再上戰場。《秦律十八種・軍爵律》曰：

1.欲歸爵二級以免親父母爲隸臣妾者一人，及隸臣斬首爲公士，謁歸公士而免故妻隸妾一人者，許之，免以爲庶人。（二二二—二二三簡）

2.工隸臣斬首及人爲斬首以免者，皆令爲工。其不完者，以爲隱官工。（二二三簡）

第一條規定隸臣斬獲敵首應授爲公士，而請求歸還公士爵位用來贖免現爲隸妾的妻子一人，可以允許。如果要用來贖免現爲隸臣妾的親生父母，就得退還兩級的爵位。第二條規定工隸臣斬獲敵首和有人斬首來贖免他的，皆令作工。如果形體已有殘缺，則以爲「隱官工」。由這二條看來，隸臣仍然有上戰場的。如果隸臣在戰場上立功或斬獲敵首，一樣可以自贖和贖人。

在戰場上需要遵守的紀律，《法律答問》中尙有一條「竇署」的資料：

可（何）謂「竇署」？「竇署」即去殹（也），且非是？是，其論可（何）殹（也）？即去署殹（也）。（五六七簡）

所謂「竇」，《說文》曰：「空也」；所謂「署」，即崗位。律文以常語「去署」解說「竇署」，意爲擅離崗位。律文並沒有說明「去署」的罪責如何，但認爲「竇署」當以「去署」論罪。《睡虎地秦墓竹簡注》曰：「去署，擅離崗位，常見於漢簡，如《居延漢簡甲編》四七六有『第十二隧長張寅迺十月庚戌擅去署』，一八六二有『迫有行塞者，未敢去署也』。②又《墨子・號令》曰：

勇敢爲前行，伍坐，令各知其左右前後。擅離署，戮。

這是說命勇敢的吏卒爲前行，依伍而坐，各人都有固定的位置。有擅離崗位者，即處以「戮刑」。③《墨子》有許多部分和秦律相近，其中《城守》甚至被稱爲秦人之書，④因此，以《墨子》此文來看，秦代對於「竇署」的罪恐怕也不輕。另外，由《墨子》其他的資料來看，在守城時，擅離崗位的罪的確很重，如《號令》曰：

1.皆就其守，不從令者斬。

2.四面之吏亦皆自行其守，如大將之行，不從令者斬。

在戰爭中守城，不論軍民「不從令」和「犯令」都是極其嚴重之事。因此，秦律有可能是以斬刑或戮刑來論處。不過，在《商君書》中對於攻城不力，「不能死之」的情形，論處並不算是十分重，如《境內》曰：

其攻城圍邑也……陷隊之士知疾鬥，得斬首隊五人，則陷隊之士，人賜爵一級。死則一人後；不能死之，千人環睹，黥劓於城下。

陷隊之士，即今之敢死隊。敢死隊主要負責急衝拚鬥，每隊斬首五人，則每人賜一級。一人戰死，則一人繼之；不能戮力戰死的，則在千人環視目睹下，在城下接受黥刑或劓刑論處。這種情形，除了說明敢死隊可能是在志願的情況下，因此才處以此刑外，另一個可能的情形是商鞅時期的罪責和後來因基於統一戰爭的需要所制定的軍事法規有所不同。

秦國對軍隊士氣的維持和培養也特別重視，如《法律答問》

有二條資料，一是「恐衆心」，一是「廣衆心」。二者對於軍隊士氣有正反兩面不同的影響，因此，秦律定有特別的懲罰和獎勵。如《法律答問》曰：

「譽適（敵）以恐衆心者，翏（戮）。」「翏（戮）」者可（何）如？生翏（戮），翏（戮）之已乃斬之之謂殹（也）。（四二一簡）

所謂「譽適（敵）」，就是贊揚敵人，所謂「衆心」，就是軍心、士氣。律文規定「贊揚敵人而動搖軍心的人，應戮。」所謂「戮」，是對處斬刑的人，在行刑前先刑辱示衆，然後再斬首。這種行爲處刑之所以麼嚴厲，主要原因在於動搖軍心會影響軍事的行動。「譽適」一詞，也見於《墨子・號令》，文曰：

譽適，少以恐衆，亂以爲治，敵攻拙以爲巧者，斷。

又《墨子・迎敵祠》曰：

其出入爲流言，驚駭恐吏民，謹微察之，斷，罪不赦。

要掌握戰爭的勝利，精神因素非常重要，戰鬥勝利，往往與在於戰鬥精神之盛衰有關。因此，歷來戰爭都十分重視士氣的激發和培養。如《孫臏兵法・延氣》曰：

孫子曰：合軍聚衆，〔務在激氣〕。復徙合軍，務在治兵利氣。臨境近敵，務在厲氣。戰日有期，務在斷氣。今日將戰，務在延氣。……氣不利則拙，拙則不及，不及則失利，失利……。

戰爭爲關係國家存亡的大事，必須盡全部精神和物質之力合力以赴，始能在戰場上獲得勝利。所謂「戰雖有陣，而勇爲本也。」蓋戰爭是憑武器和陣法取勝，但是使用武器和陣法，則有賴於人的精神和智慧。因此，在戰場上，必須士卒個個都有殺身成仁，視死如歸的精神，始能克敵制勝。而這種精神就是所謂的士氣。因此，古代在戰爭前往往都會宣布戰爭的目的和敵人的罪惡，以使全民都瞭解爲何而戰，起同仇敵愾之心。商周時期，在出征前都由君主或統帥，以「誓詞」宣告出征的目的，同時激發士氣，此即所謂的「誓師」。而誓師必告於宗廟、天地、神明，以使神人共鑒。《尙書》所載《甘誓》、《胤征》、《湯誓》、《泰誓上》各篇，均爲當時君主在戰爭前的宣告文字，亦即今之所謂的「戰爭宣言」。誓師是爲國家極爲莊嚴慎重之事，爲一國國君之所爲，其目的在於勵眾勝敵。至於軍隊已出征，則培養士氣和維持士氣則爲統兵將帥之事。《孫臏兵法・延氣》所謂的「激氣」、「利氣」、「厲氣」、「斷氣」、「延氣」，都是爲了培養士氣和維持士氣。可知在戰爭中，士氣的重要，因此秦律對於「譽適（敵）以恐眾心者」，採取最嚴厲的「戮刑」。

相對的，秦律對於能夠激勵士氣的，也給予獎勵。如《法律答問》曰：

> 「廣眾心，聲聞左右者，賞。」將軍材以錢若金賞，毋（無）恆數。（四二二簡）

廣者，擴也。「廣眾心」，即發揚士氣。《孫臏兵法・威王問》曰：

> 田忌曰：「敵眾且武，必有戰道乎？」孫子曰：「有。埤壘廣志，嚴正輯眾，避而驕之，引而勞之，攻其不備，出其不意，必以爲久。

所謂「廣志」，就是發揚士氣士卒的戰志，與《法律答問》所謂的「廣眾心」意同。秦律規定：「能夠振作士氣使將軍知道他名聲的人，應予賞賜。」由將軍酌量賞給錢或黃金，沒有固定的數目。

綜上所述，可知秦代對於將帥的任命十分慎重，同時對於身負指揮之責的將領或大夫，也嚴禁斬首取功。在軍紀和士氣方面也都有嚴格的賞罰規定。這種嚴厲的規定，使得秦軍的戰鬥力遠遠超過山東各國軍隊的戰鬥力。⑤

【附註】

①《諸葛亮集》張澍《注》曰：「澍案：《隋書・經籍志》，諸葛亮《將苑》一卷。又按《中興書目》，《將苑》一卷，凡五十篇，論爲將之道。李夢陽謂即《心書》也。今仍改稱《將苑》。」按《將苑》五十篇宋元以前未見著錄，至明王士騏編諸葛亮集始收，名爲《心書》，後人多斥爲僞託，如清姚際恆《古今僞書考》曰：「稱諸葛亮撰僞也。」《四庫提要》亦認爲該書多竊《孫子》書，而附以迂陋之言。本文所引蓋取其意。

②參見《睡虎地秦墓竹簡》，頁一四〇。

③關於「戮刑」，傳統上有殺、辱二層意思，在戰場上擅離崗位，罪至重，不可能只是辱而已，亦含有殺意。此罪當是先辱後斬。請參見本文第二編第二章《秦律的刑罰類別》有關死刑一節。

④參見李學勤先生《秦簡與〈墨子〉城守各篇》，文載《雲夢秦簡研究》，頁四〇四。

⑤參見李均明、于豪亮先生《秦簡所反映的軍事制度》，文載《雲夢秦簡研究》一九六頁。

第四章　秦國軍事的供給制度

軍事供給的種類很多，大凡軍隊所使用的各種武器和各種軍用物資，都在其供給範圍。本章擬於「兵器和鎧甲」、「士兵的服裝」、「軍馬的放牧和徵集」、「糧芻的供應」等四方面來討論。

第一節　兵器和鎧甲

關於兵器和鎧甲的供給、製作與保管，《雲夢秦簡》提供了不少資料。以資料來看，秦國軍隊所使用的各種兵器都由國家提供，這些兵器有專門保管武器的倉庫，這些倉庫相信就是所謂的「武庫」，其主管即庫嗇夫。《漢書・毋將隆傳》曰：「武庫兵器，天下公用，國家戰備，繕治造作，皆度大司農錢。……古者諸侯方伯得顓征伐，乃賜斧鉞。漢家邊吏，職在距寇，亦賜武庫兵，皆任其事然後蒙之。春秋之誼，家不藏甲，所以抑臣賊、損私力也。」毋將隆所言是漢代的情形，漢代的武器由國家所統管，京師有專門收藏的機構，地方上也有武庫和工官。秦的情形大致也是如此。

秦國軍隊所使用的兵器由國家統一製作和保管，秦國設有這方面的倉庫，其主管即庫嗇夫。如《效律》曰：

1.殳、戟、弩，桼洀相易殹（也），勿以為贏、不備，以職（識）耳不當之律論之。（三一二簡）

2.甲旅札贏其籍及不備者，入其贏旅衣札，而責其不備旅衣札。（三〇九簡）

3.官府臧（藏）皮革，數穋（煬）風之，有蠹突者，貲官嗇夫一甲。（三一〇簡）

第一條是關於兵器的保藏規定，殳是指用竹束成的長棒形武器，律文規定殳、戟和弩塗黑色和塗紅色的調換，不要認爲是超過或不足的問題，而要按標錯次第的法律論處。第二條是關於甲的保管規定，律文規定甲的旅札數超過或不足簿籍登記數的，多餘的應上繳，不足的責令賠償。要上簿登記，主要是基於入庫保藏的責任問題。第三條是皮革方面的保藏規定，律文規定官府收藏皮革，應經常曝晒風吹。如果有被蟲咬壞的，罰主管的官嗇夫一甲。由這三條資料來看，秦國對於兵器和軍用物資的保藏十分講究，如果在保藏方面有任何差失，都要負法律責任。之所以如此，主要是因爲秦國的兵器都是由國家發給。因此，對於保藏單位（如現在軍中的經理單位）的管理考課自然嚴格，以保證兵器的完善。《秦律雜抄》中有一條資料曰：

稟卒兵，不完善（繕），丞、庫嗇夫、吏貲二甲，法（廢）。（三四三簡）

發給士兵的兵器，質量不好，丞和庫嗇夫及吏各罰二甲，並革職永不敘用。由這條可以看出兩點，其一，保藏單位對兵器必須作品質保證，如果不合規定，負責官員都要接受法律責任；其二，士卒的兵器都是國家統一發給。關於秦國兵器由國家發給，文獻上也有一條資料，如《史記・秦始皇本紀》曰：

二年冬，陳涉所遣周章等將西至戲，兵數十萬。二世大驚，與群臣謀曰：「奈何？」少府章邯曰：「盜已至，眾彊，今發近縣不及矣。酈山徒多，請赦之，授兵以擊之。

二世所赦酈山徒眾有多少人並不清楚，但秦國要一下發給眾多武器，平時必然是有保藏和給放的制度。這可以說明秦國所貯藏的武器是爲了戰時發給士卒的。也就是說秦國的士卒是不需要自備武器的。這和西周的情形不同，西周時代服兵役的人要自備武器，如《尚書・費誓》記載伯禽在費誓師時，曰：

徂茲淮夷、徐戎並興，善敹乃甲胄，敿乃干，无敢不弔；備乃弓矢，鍛乃戈矛，礪乃鋒刃，无敢不善。

又曰：

甲戌，我惟征徐戎，峙乃糗糧，无敢不逮，汝則有大刑。

顯然伯禽是對要服役的國人把甲、冑、干、戈、弓、矢、乾糧等裝備自備好，以征徐戎，如果準備不好就要受大刑。由此可見在西周時，服兵役需自備武器。早期的秦人服兵役也是自備甲兵的，如春秋時代即是如此。《詩經・秦風・無衣》曰：

王於興師，修我矛戟，與子偕作；
王於興師，修我甲兵，與子偕行。

《無衣》是秦哀公時期的作品，《左傳・定公四年》載楚申包胥至秦乞師，「秦哀公爲之賦無衣」。這時尚在春秋晚期，可見早期的秦是自備兵器上戰場的。

秦國的兵器什麼時候改由國家供給，文獻上並沒有資料可以判斷，不過，在商鞅鼓勵耕戰後，士卒的成份改變，一般的庶民和刑徒在自備武器上，有其經濟上的困難。因此，改由國家發給。由《雲夢秦簡》中可以看到大量用「貲甲盾」的方式當作經濟懲罰的手段來看，武器一定不是一種便宜的物資。熊鐵基先生曰：

秦簡中動輒貲甲、盾，一方面説明需要量大，另一方面亦説明戰士的甲盾是國家提供的。①

另外，由《秦律十八種》中的《工律》也可以看出武器是由官方供給。如：

公甲兵各以其官名刻久之，其不可刻久者，以丹若髼書之。其叚（假）百姓甲兵，必書其久，受之以久。入叚（假）而而毋（無）久及非其官之久也，皆沒入公，以齎律責之。（一六一九一七〇簡）

「公甲兵」，即公有武器。「刻久」，即刻上記號。這是說公有武器都應刻記其官府的名稱，不能刻記的，用丹或漆書寫。百姓領用武器，必須登記武器上的標記，按照標記收還。如果繳回所領的武器而其上沒有標記和不是該官府標記的，都沒收歸官，並依《齎律》責令賠償。由這條律文可以看出二點，其一，武器都有官府名稱標記，其二，百姓的武器都是向官府領用。百姓領用官有武器，可能是要服兵役或參加屯戍。另外，對於領用公有器物上的官府標記如已快磨損得無法辨識時，秦律規定要在還沒有完全磨滅前重新標記。如《秦律十八種・工律》曰：

> 敝而糞者，靡蚩其久。官輒告叚（假）器者曰：器敝久恐靡者，遝其未靡，謁更其久。其久靡不可智（知）者，令齎賞（償）。叚（假）器者，其事已及免，官輒收其叚（假），弗亟收者有辠（罪）。其叚（假）者死亡、有辠（罪）毋（無）責也，吏代賞（償）。毋擅叚（假）公器，者（諸）擅叚（假）公器者有辠（罪），毀傷公器及□者令賞（償）。（一七一——七三簡）

律文規定器物用舊而恐標記磨滅的，要趁標記尚未磨滅前，報請重新標記。器物的標記如果已經無法辨識的，令以錢財賠償。借用器物，其事務已完和免除時，官府應立即收回所借器物，不及時收回的有罪。如借用者死去或犯罪而未將器物追還，由有關官吏代爲賠償。不得擅自借用官有器物，凡擅借官有器物的有罪，毀損官有器物和……的令之賠償。本條律文並沒有特別提到兵器，所指的公器即官有器物，可能兵器也在這個規定範圍內。

兵器既然由國家發給，國家自然會有專門製作的機構。前面提到兵器有專門保管武器的倉庫，其主管即庫嗇夫。秦律規定發給士卒的武器如「不完繕」，庫嗇夫和庫吏要受「罰二甲，法（廢）」的處分。由出土兵器和其他器物銘文來看，庫的主要任務是管理兵甲和車等作戰物資，但庫同時也從事兵器、車器的製造，除此之外，也製造鼎、鍾等其他器物。西漢的《銀雀山漢簡》中的《庫法》有一些縣庫製兵器的規定，如：

……三□田艾（刈）諸器，非甲戟矢弩及兵橥韋鞮之事，及它物唯（雖）非守御之具也，然而庫之所爲也，必……

另外，裘錫圭先生曰：

秦至西漢前期的兵器、車器，有在器上單獨銘記某一縣邑之名的，如薛戈、成固戈、涉戈、河陰戈、平周戈、高奴戈、栒矛、孱陵矛、枳矛、西華車器等這些兵器、車器大概就是縣庫的製品。②

可見庫是縣級的武器生產機構。除了縣級生產機構外，郡級也有製造的機構。《秦律雜抄》中有所謂的「工師」，即是郡級的工官。在出土的秦國兵器中，如上郡戈、蜀守武戈、隴西戈等兵器上，凡是銘文記「工師某、丞某」的，多爲郡級工官所造。如：

1.廿五年，上郡守□造，高奴工師灶，丞申，工鬼薪詘。

2.廿六年，蜀守武造，東工師宦，丞□，工□。武。

縣級的庫生產車器之外，司空機構也生產戰車，如《秦律雜抄》曰：

大車殿，貲司空嗇夫一盾徒治（笞）五十。（三四七—三四八簡）

生產大車考評落後，司空嗇夫和徒都要受處分。另外，《秦律十八種·司空律》中有不少關於大車生產和維護的規定，如：

1.及大車轅不勝任，折軲上，皆爲用而出之。官府叚（假）公車牛者□□□叚（假）人所。（一九二—一九三簡）

2.或私用公車牛，及叚（假）人食牛不善，牛訾（胔），不攻間車，車空失，大車軲紋（盭）；及不芥（介）車，車蕃（藩）蓋強折列（裂），其主車牛者及吏、官長皆有辠（罪）。（一九三—一九四簡）

3.爲鐵攻（工），以攻公大車。一脂、攻間大車一兩（輛）

，用膠一兩、脂二錘。攻間其扁解，以數分膠以之。爲車不勞，稱議脂之。（一九六一一九七簡）

4.城旦舂毀折瓦器、鐵器、木器，爲大車折輮（輮），輒治（笞）之。（二一五簡）

由上引四條資料，可以很明顯地看出司空也掌理公車（包括戰車和官用牛車）的製造，而且對車輛的保養修繕十分重視，如果疏忽造成車翻軲扭，或是車圍、車傘斷，負責官吏都要受懲，同時，對於車輛保養的用油、膠方面也有詳明的規定。另外，對於公車的質量、產量、規格也都有極嚴格的規定和考課。這說明秦國十分重視公車的製造和保養。由秦始皇兵馬俑坑所出土的戰車來看，不但製作十分精良進步，戰車的種類也不少，這些戰車依車上的乘員和職掌的不同可以分爲四種，一是一般戰士乘的戰車，二是高級軍吏乘的指揮車，三是佐車，四是駟乘車。③由這些戰車的形制來看，秦國的公車製造水準很高。又由上引第三條資料來看，車輛的保養要用油、膠，可見秦國的戰車已不完全是木車，至少在輿、軸部分完全可以金屬爲之。

關於兵器的製造，在郡縣之外，中央也有承造的機構。秦始皇兵馬俑坑所出土的大批銅戈、矛、戟、鈹、等兵器上大都刻有銘文「寺工」二字。④這標明是中央官府寺工所造的兵器。袁仲一先生曰：

寺工一名不見於文獻記載。考其來源，寺通作侍，取意侍御宮廷之意。秦代侍御宮廷者多稱作宮某或寺某，如主王者犬者稱宮狡士，宮中巡查者稱爲宮均人，在宮中負責夜間看守任務的受過刑的宮內奴隸稱爲宮更人。爲宮廷及陵園建築燒造磚瓦的機構有宮水、寺水。可見「寺工」是屬於爲宮廷服務的官署機構名。它的主要職責是製造兵器，另外兼作車馬器和宮廷日常生活用的銅器。⑤

《漢書・百官公卿表》曰：

少府，秦官，掌山海池澤之稅，以給供養，有六丞。

少府有「工室」，也是中央主造兵器和和宮廷御用物的官署機構，其職責和「寺工」相似。少府工室所承造的兵器目前可見的有：

1.五年相邦呂不韋戈

2.少府矛

3.十二年少府工儋矛

其中「五年相邦呂不韋戈」的戈銘文中有「少府工室鄰」五字，戈內背面鑄有「少府」二字，說明少府工室屬於少府。《漢書・百官公卿表》中「少府」的屬官有若盧、考工室等，其中若盧主藏兵器，考工室則主造器械。這說明在秦國的中央除了寺工之外，另有考工室承造兵器。

以上所述秦國的三級兵器生產機構，中央的考課如何不得而知。郡縣的考課，在《雲夢秦簡》中可以看到一些資料。如《秦律雜抄》曰：

1.省殿，貲工師一甲，丞及曹長一盾，徒絡組廿給。省三歲比殿，貲工師二甲，丞、曹長一甲，徒絡組五十給。（三四五—三四六簡）

2.非歲紅（功）及毋（無）命書，敢爲它器，工師及丞貲各二甲。縣工新獻，殿，貲嗇夫一甲，縣嗇夫、丞、吏、曹長各一盾。城旦爲工殿者，治（笞）人百。（三四六—三四七簡）

3.大車殿，貲司空嗇夫一盾徒治（笞）五十。（三四七—三四八簡）

「工師」是指郡級的工官，、「縣工」是指縣級的工官，這些承製的工官，所承造的兵器、戰車等物，如果在評時被爲下等，司空嗇夫、工師、丞、曹長及徒都要受處分；連續三年被評爲下等，則加重處罰。不是本年度生產的產品，如果沒有朝廷命書，也不可以擅自製造。製造器物的大小、長短有一定的規格，考課檢驗也有一定的標準，如《秦律十八種・工律》曰：

爲器同物者，其小大、短長、廣亦必等。（一六五簡）

因爲有規格的要求，所以在器物上要刻有官府和製造者的名字。如《秦律十八種・工律》曰：

公甲兵各以其官名刻久之，其不可刻久者，以丹若髼書之。（一六九簡）

前引各出土秦器中大都刻有職名和人名，此外秦始皇兵馬俑坑中出土不少兵器，這些兵器上，督造者、官署名、官職名及人名都有。如：

年　　代	相　邦	寺工	丞	工
始皇三年	呂不韋	讋	義	窵
四年	呂不韋	讋	我	可
五年	呂不韋	讋	義	成
七年	呂不韋	周	義	竟
十五年		敏		黑
十六年		敏		窵

由兵馬俑坑的秦國兵器和其他地方所出土的兵器來看，秦國「物勒工名」的制度十分完善。相信這和秦國十分重視公器驗核是有關聯的。這些秦器把主管者或主管官署及工師、工人名字都刻於

其上，主要的就是爲了責任歸屬的問題。

另外，必須强調是秦國的兵器雖然是由國家供給，主要的生產也掌握在國家手上。但是，由於秦國基於統一戰爭需要大量的武器裝備，因此在經濟貲贖和收贖的法律中，特地採用軍事裝備中的「甲」、「盾」、「絡組」作爲繳納物，以擴大戰略物資的來源，同時刺激這些物資的生產。⑥在這樣的前提下，我們可以說秦國的在民間手工業必然參與製作兵器，至少在甲、盾、絡組方面的手工業是發達的。同時，製甲、盾的下游業——皮革業也必然受到刺激。林劍鳴先生曰：「秦律中常常有『貲一甲』、『貲一盾』的條律，表明民間可以自製甲、盾，製皮革爲家庭手工業的不可少的部分。」⑦以戰國時期戰禍酷烈和秦統一戰爭的情形來看，秦國必然耗費大量的軍費，在「甲兵不足」的情形下，以貲甲盾的方式擴充軍用物資，以減輕軍費預算，進一步達到其「足甲兵」的政策。

因此，在兵器的製作上，除了官方公有的兵器製作之外，民間應該也有兵器製造業。

【附註】

①參見氏著《試論秦代軍事制度》，文載《秦漢史論叢》第一輯，一九八一年九月。

②參見氏著《嗇夫初探》，文載《雲夢秦簡研究》，頁三〇六。

③參見袁仲一先生《秦始皇兵馬俑研究》，頁七五。

④除了兵馬俑坑外，另有幾件署名「寺工」的兵器，如始皇二十一年寺工車轡、始皇二年的寺工□戈。

⑤同③。頁一九八。

⑥參見石子政先生《秦律貲罰甲盾與秦統一戰爭》，文載《中國史研究》一九八四年二月。

⑦參見氏著《秦史稿》，頁二九〇。

第二節　士兵的服裝

秦國士兵的衣服是自備還是國家供給？文獻沒有記載。《雲夢秦簡》中有幾條關於授衣的條文，但所指的是刑徒，並不包括軍隊在內。在這些資料中，可以看出秦代刑徒的衣服是要自備的。不過，如果無能自備，則可由公家發放，但要繳納衣價或以勞役抵償。衣服發放的時間，夏衣係四自六月，冬衣則九月至十一月發放。①

《雲夢秦簡》雖然沒有士兵衣服的任何規定，但由和《雲夢秦簡》一起出土的兩件木牘，可以看出秦國士兵的衣服是自備的。這兩件木牘出土於雲夢睡虎地四號秦墓，內容是兩封家書。是我國目前出土最早的兩封家信實物。②這兩封家信，是參加淮陽戰役的士兵黑夫和驚兄弟二人向家中要錢和衣服所寫的信。其中《黑夫尺牘》（M4：11）曰：

> 二月辛巳，黑夫、驚敢再拜問中，母毋恙也？黑夫、驚毋恙也。前日黑夫與驚別，今日復會矣。黑夫寄益就書曰：「遺黑夫錢，毋操夏衣來。」今書即到，母親安陸絲布賤，可以為禪裙襦者，母必為之，令與俱錢偕來。其絲布貴，徒錢來，黑夫自以布此。黑夫等直佐淮陽，攻反城久，傷未可知也。願母遺黑夫用勿少。……勉力也。

《驚尺牘》（M4：6）曰：

> 驚敢大心問衷，毋得毋恙也？……與從軍，與黑夫居，皆毋恙也。……錢、衣，願母幸遺錢五、六百，□布謹善者毋下二丈五尺。……用垣柏錢矣，室弗遺，即死矣。急急急！

第一封信是黑夫和驚合寫給中（衷）的，中即四號墓墓主。兩封信的內容都向他們的母親要衣、布和錢。其中黑夫要的是「禪裙襦」，周師鳳五注曰：「禪裙襦，單層無裏的衣服。《說文》：

『禪，衣不重。』《方言》四：『汗襦，陳、魏、宋、楚之間或謂之禪襦。」③可知黑夫所要的其實就是「夏衣」。驚所要的綌布二丈五尺，綌，《說文》曰：「治敝絮也」，驚信中並沒有提到棉絮，可能也是要做夏衣。由這兩封家信中，可以很明顯地看出秦代服兵役是要自備衣服的。黑夫和驚二人從軍時可能是冬天，因此穿著冬衣從軍。寫第一封信時，是在「二月辛巳」，天氣還未完全熱起來，所以信中向家中索衣並不很急。第二封信雖未寫明日期，可能天氣已經轉熱，需要換季。因此，急需夏衣。第二封信用「急！急！急！」三字，充分透顯出他們兄弟需要夏衣和錢的焦急心情。如果衣服是由國家供給的話，根本就不需向家中急索。從這一點也間接說明了秦國的兵制是屬於徵兵制，而不是募兵制。至於向家中索錢，也可能是由於是徵兵制，從軍純粹是義務，因此沒有薪俸。

如果從《雲夢秦簡》記載了刑徒有「授衣」和「稟衣」的規定來看，軍中也可能有授衣的情形。而且也可以比照《秦律十八種》中《金布律》的規定，在領完衣服後，按衣價繳錢。不過，由黑夫和驚兄弟二人索衣的孔急來看，實在令人懷疑秦國軍中是否有這項制度。由於《雲夢秦簡》中沒有任何軍中「授衣」和「稟衣」的記載，無法斷定是否有這項制度，但從雲夢睡虎地四號秦墓的《黑夫尺牘》和《驚尺牘》可以看出秦國的士兵從軍是需要自備衣服的。

【附註】

①關於衣服發放的問題，在《雲夢秦簡》中有一些對刑徒的規定，這些基本都是根據其經濟條件規定了衣服的供應標準和繳納費用的具體辦法。《秦律十八種·司空律》曰：「凡不能自衣者，公衣之，令居其衣如律然。」（二〇四一二〇五簡）律文中規定刑徒如果不能自備衣服的，由官府給予衣服，然後叫他按法律規定以勞役抵償

衣價。「如律然」，所指的就是《金布律》。衣服發放的時間，《秦律十八種・金布律》中有規定：「受（授）衣者，夏衣以四月盡六月稟之，冬衣以九月盡十一月稟之，過時者勿稟。」（一五七簡）可知夏衣從四到六月發放，冬衣則從九月到十一月發放，過期則不再補發。領了衣服要按規定繳納衣價。又《秦律十八種・金布律》規定：「稟衣者，隸臣、隸之毋（無）妻者及城旦，冬人百一十錢，夏五十五錢；其小者冬七十七錢，夏卌四錢。舂冬人五十五錢，夏卌四錢；其小者冬卌四錢，夏卅三錢。隸臣妾之老及小不能自衣者，如舂衣。」（一六一——一六二簡）其中隸臣、府隸中沒有妻的以及城旦，小者（小隸臣之類）和舂所要繳納的冬夏價格，至於隸臣妾中老的和小的則按舂的標準給衣，長官的臣妾，則按隸臣妾的標準給衣。另外，對於囚犯用的衣服，在原料上也有規定，如：「後計冬衣來年。囚有寒者爲褐衣。爲幏布一，用枲三斤。爲褐以稟衣；大褐一，用枲十八斤，直（值）六十錢；中褐一，用枲十四斤，直（值）卌六錢；小褐一，用枲十一斤，直（值）卅六錢。已稟衣，有餘褐十以上，輸大內，與計偕。」（一五七——一五九簡）由此看來，秦代刑徒的衣服是要自備的。

②參見黃盛璋先生《雲夢秦墓兩封家信中有關歷史地理的問題》，文載《文物》一九八〇年第八期。又周師鳳五曰：「其一是名叫『黑夫』與『驚』的兩個男子共同具名寫給『中』的信（即『黑夫尺牘』），長二十三點四、寬三點七、厚零點二五公分，寫於秦王政二十四年（西元前二二三年）；另一是『驚』寫給『衷』的信（即『驚尺牘』），下半已殘，殘存十六、寬二點八、厚零點三公分。無年月，據內容推測略晚於黑夫尺牘。按：由商鞅量推知秦一尺等於二十三點一公分，則此兩枚木牘即秦國尺牘無疑，實爲我國出土最早的兩封家信實物。」（參見周師鳳五《從雲夢秦簡談秦代文學》，文載《古典文學》第七集，頁一五二——五三。一九八五年。

③參見周師鳳五《從雲夢秦簡談秦代文學》，文載《古典文學》第七

集，頁一五五。一九八五年。

第三節　軍馬的放牧和徵集

《說文》訓馬爲「武」，可見馬和軍事有關。從軍事上看，古代的車戰離不開馬，其後發展的騎兵更離不開馬。因此，自來人們總是把馬和軍事聯繫在一起。如《後漢書・馬援傳》曰：

> 馬者，甲兵之本，國之大用。安寧則以別尊卑之序，有變則以濟遠近之難。

事實上，馬的用途很廣，《周禮・夏官・校人》曰：

> 辨六馬之屬，種馬一物，戎馬一物，齊馬一物，道馬一物，田馬一物，駑馬一物。

鄭玄《注》曰：

> 種，謂上善似母者，以次差之，玉路駕種馬；戎路駕戎馬；金路駕齊馬；象路駕道馬；田路駕田馬；駑馬給宮（官）中之役。

以鄭《注》來看，是就馬的好壞等級而言，但同時也說出了馬的各種用途。平日既可用於交通、田事，天下有變也可以「濟遠近之難」，可見馬的用途很廣。但隨著車戰和騎兵的興起，馬的用途大都被用在戎事、武備上。尤其從戰國以降，隨著騎兵的興起，各國都很重視騎戰，同時也大都建立了龐大的騎兵部隊，根據蘇秦的說法，各國的戰車和騎兵部隊的數目是：

> 燕國：車六百乘，騎六千匹。
>
> 趙國：車千乘，騎萬匹。
>
> 魏國：車六百乘，騎五千匹。
>
> 楚國：車千乘，騎萬匹。

由於各國都很重視騎戰，軍馬的需求自然也大大地增加，因此各國都十分重視馬政。

根據《史記·張儀列傳》的記載，秦國戰車和騎兵數目是：

> 車千乘，騎萬匹。

有這麼多的戰車和騎兵自然是需要大量的軍馬，因此馬的來源就很重要。秦國由於地處西北，原就是產馬之地，而且向來也以養馬盛行而著稱於世。秦人的祖先非子是以善養馬而爲周孝王主馬於汧渭之間。①秦德公卜居雍時，「後子孫飲馬於河」這時畜牧在秦人的經濟生活中占有重要地位。②春秋時，秦穆公時期就已建立了騎兵。《韓非子·十過》記載：秦穆公二十四年，秦以「革車五百乘，疇騎二千，步卒五萬，輔重耳入之於晉，立爲晉君。」「疇騎」即騎兵，這說明「秦國擁有大量的騎兵」。戰國時，「秦馬之良，戎兵之衆，探前趹後，蹄間三尋者不可勝數。」③此時爲了戰爭的需要，養馬業更盛，中央和地方都有廄苑，同時在「邊郡置六牧師令」，可見秦國歷來就很重視養馬。

關於馬的資料，《雲夢秦簡》中有不少。從《雲夢秦簡》來看，秦國馬匹的供應，主要是來自於官方的廄苑。如《秦律十八種·廄苑律》曰：

> 將牧公馬牛，馬〔牛〕死者，亟謁死所縣，縣亟診而入之。其入之其弗亟而令敗者，令以其未敗直（值）賞（償）之。其小隸臣疾死者，告其□□之；其非疾死者，以其診書告官論之。其大廄、中廄、宮廄馬牛殹（也），以其筋、革、角及其賈（價）錢效，其人詣其官。其乘服公馬牛亡馬者而死縣，縣診而雜買（賣）其肉，即入其筋、革、角及索（索）入其賈（價）錢。錢少律者，令其人備之而告官，官告馬牛縣出之。（〇八三—〇八六簡）

官有的牛馬有專人放牧，牛馬死在外面還要及時上報和上繳，如果是大廄、中廄、宮廄的馬牛應以其筋、革、角和肉的價錢呈繳，上繳的錢如果不夠，還得賠償。律文中出現了大廄、中廄和宮廐三種不同的廐苑名稱，這說明秦國的縣邑有不少禁苑和馬牛苑。《秦律十八種・田律》規定：

邑之紤（近）皂及它禁苑者，麛時毋敢將犬以之田。百姓犬入禁苑中而不追獸及捕獸者，勿敢殺；其追獸及補獸者，殺之。河（呵）禁所殺犬，皆完入公；其它禁苑殺者，食其肉而入皮。（〇七二─〇七四簡）

其中「皂」，即是牧養牛馬的苑囿。由律文可以看出秦國的廐苑分爲禁苑和馬牛苑兩種。禁苑是專門畜養禽獸的，不准人畜進入馬牛苑則是牧養國家馬牛的地方。《秦律十八種・徭律》曰：

縣葆禁苑、公馬牛苑，興徒以斬（塹）垣離（籬）散及補繕之，輒以效苑吏，苑吏循之。（一八四簡）

律文規定縣應維修禁苑和牧養官有馬牛的苑囿，同時要徵發徒眾爲苑囿建造塹壕、墻垣、藩籬，並加以補修。另外，置有苑吏管理苑囿事務。從《秦律十八種》中的《田律》、《徭律》涉及到苑囿，並且還有專門的《廐苑律》來看，秦國的苑囿可能遍及郡縣，數量也相當可觀。④

另外，在秦始皇兵馬俑坑的出土也可以窺知秦國養馬規模的盛大。從資料來看，秦國的京都附近，當是聚集著以「廐」爲單位大批馬匹，在秦始皇陵外城曾發現象徵性的馬廐坑九十餘座，每坑埋眞馬一匹，跪坐陶俑一件。馬頭前的陶罐盆上，刻有「左廐」、「中廐」、「宮廐」、「三廐」、「大廐」等字樣。⑤這些名稱同時也見於上引的《秦律十八種・廐苑律》中，由此推知「廐」已不單是飼養馬匹的地方，可能也是作爲一個馬政機關的官署。

郡縣的馬政機關的負責人，就是「廐嗇夫」、「皂嗇夫」和「苑嗇夫」。⑥「禁苑」、「公馬牛苑」的主管是苑嗇夫，《秦律十八種・內史雜》曰：

苑嗇夫即不存，縣爲置守，如廐律。（二五七簡）

苑嗇夫通常是由內史任命，是直屬於中央的。因此，苑嗇夫不在時，縣應安排代理其職務的人員，同時依《廄律》行事。《效律》司馬令史坐罪的規定，如：

司馬令史掾苑計，計有劾，司馬令史坐之。（三二三簡）

司馬令史掾管理苑囿的會計，如果會計有罪，司馬令史應承擔罪責。由這條看來，縣屬的苑囿在會計方面由司馬令史掾管理，而司馬令史當即掌管一縣軍馬的縣司馬。苑囿的會計有問題，縣司馬要負責，這說明苑囿所牧養的馬和軍事用途有很密切的關係。

秦國對於軍馬的管理有特別的規定，如《秦律雜抄》曰：

蓦馬五尺八寸以上，不勝任，奔摯（縶）不如令，縣司馬貲二甲，令丞各一甲。先賦蓦馬，馬備，乃粼從軍者，到軍課之，馬殿，令、丞二甲；司馬貲二甲，法（廢）。（三三七—三三八簡）

驀馬是供乘騎的軍馬，這條律文完全是針對軍用馬匹。對於飼養的軍馬如果訓練不佳，或者徵用到軍後，評比殿後，主管官員都要處罰，縣司馬的處罰最重，在貲罰之外，並革職永不敘用。由於秦軍騎兵所用的軍馬是由廄苑徵取，馬的優劣會影響到作戰的勝敗，因此，負責廄苑軍馬的縣司馬就有著直接的責任。由這條律文可以看出，軍馬的牧養和訓練在秦國是一件十分重要的事，同時軍隊中騎兵的馬是由廄苑中徵取。關於馬匹的管理和考評，《秦律雜抄》還有一些規定，如：

1.傷乘輿馬，夬（決）革一寸，貲一盾；二寸，貲二盾；過二寸，貲一甲。課駃騠，卒歲六匹以下到一匹，貲一盾。志馬舍乘車馬後，毋（無）敢炊飭，犯令，貲一盾。已馳馬不去車，貲一盾。（三五五—三五七簡）

2.膚吏乘馬篤、辈（胔），及不會膚期，貲各一盾。馬勞課殿，貲廄嗇夫一甲，令、丞、佐、史各一盾。馬勞課殿，貲皂嗇夫一盾。（三五七—三五八簡）

這二條主要是針對車用馬的規定。第一條律文中，所謂的「乘輿馬」，《漢書・昭帝紀注》曰：「乘輿馬，謂天子所自乘以駕車輿者。」即指帝王駕車的馬。這種馬的皮如果破傷，主管官員要受處罰。「駃騠」，是朝廷的良馬。《淮南子・齊俗注》曰：「北翟之良馬也」《史記李斯列傳》曰：「而駿良駃騠不實外廄」，可見秦朝廷在當時已使用這種好馬。⑦對於駃騠這種良馬法律有特別的考課規定。第二條也是針對車用馬的考課，車用馬服役的勞績被評爲下等，廄嗇夫、皂嗇夫、令、丞、佐、史都要受處分。

另外，《秦律雜抄》還規定不准利用公家馬匹牟利，如：

> 吏自佐、史以上負從馬、守書私卒，令市取錢焉，皆䙴（遷）。（三三八一三三九簡）

以上是關於秦國馬政管理、軍馬牧養方面的各種情況和相關規定。除了官方的牧養之外，民間的畜牧業也十分重視馬匹的飼養。前面提到秦國有養馬的傳統，尤其在統一的過程中，由於傳統的影響和富國强兵的需要，秦國的統治者在耕戰政策之外，始終也一直强調耕牧並重。同時由於官方重視馬牛及其他禽畜的放牧和畜養的政策，因此，民間也必然會受到政策的影響和鼓勵。因此，秦國的民間畜牧業也十分發達。秦國民間的畜牧業，在《雲夢秦簡》中的《日書》有許多的反映。

《日書》甲種記有許多「馬」、「馬日」、「牛日」、「羊日」、「豬日」、「犬日」、「鷄日」等六畜繁衍良日、忌日的占辭。如《日書》甲種《星》篇的占文曰：

1.馬良日：乙丑、乙酉、乙巳、乙亥、己丑、己酉、己亥、己巳、辛丑、酉、辛亥、癸丑、其忌：丙子、丙午、丙寅、丁巳、丁未、戊寅、戊戌、戊子、庚寅、辛卯。（八一二・二簡）

2.牛良日：庚辰、庚申、庚午、辛酉、壬戌、壬申、壬午、癸酉、甲辰、甲申、甲寅。其忌：己丑、己未、己巳、己卯、戊寅、戊戌、戊子、己巳。戊午不可殺牛。（八一三・二一八一四・二簡）

3.羊良日：乙丑、乙酉、乙巳、己酉、己丑、己巳、辛酉、辛丑、辛巳、庚辰、庚寅。其忌：壬戌、癸亥、癸酉，春三月庚辰，可以筑（築）羊卷，即入之，羊必千。（八一五・二一八一六・二簡）

4.豬良日：庚申、庚辰、壬辰、壬申、甲申、甲辰、己丑、己酉、己巳。其忌：乙亥、乙巳、乙未、丁巳、丁未。（八一七・二簡）

5.犬良日：癸酉、癸未、甲申、甲辰、甲午、庚辰、庚午、辛酉、壬辰。其忌：己丑、己巳、己未、己卯、乙巳、戊子、戊寅、戊戌。有妻子毋以己巳、壬寅殺犬，有央（殃）。（八一九・二一八二〇・二簡）

6.雞良日：甲辰、乙巳、丙午、戊辰、丙辰，可以出入雞。

雞忌日：辛未、庚寅、辛巳，（八二一・二簡）

另外，《日書》乙種也有一組六畜的「良日」、「忌日」（九六三一九七一・一簡）。這些「良日」、「忌日」除了顯示出民間的信仰外，各種「宜忌日」也大多根據六畜在當經濟地位不同而有不同。其中，馬牛最多，而鷄居末。從《日書》中尚有「市良日」和「金錢良日」來看，六畜的良、忌日應該包括繁殖、飼養和交換。《日書》甲種還有許多「入馬牛」的記載，如：

1.收日：可以入人民、馬牛、禾粟、入室、取（娶）妻及它物。（七五二・二簡）

2.閉日：可以劈決池、入臣徒、馬牛、它生（牲）。（七五四・二簡）

「入馬牛」即是買進馬牛，是一種交易行爲。這說明了馬牛的飼養和買賣交換在當時是很普遍的。《日書》甲種曰：

> 禖祝曰：先牧日丙，馬禖合神。東鄉、南鄉，各一馬□□□□中土，以爲馬禖，穿壁直中，中三腏。四廄行。大夫先敊兕席，今日良。白肥豚，清酒美白粱。到主君所，主君笱屏，詷馬敺其央（殃），去。其不羊（祥）。令其口耆□□耆歙律律，弗□自行。弗亮自出。令其鼻能糗（臭）鄉（香），令耳悤（聰）、目明，令背頭爲身衡，𧢲（脊）爲身剛，腳爲身□，尾善敺□，腹爲百草囊。四足善行，主君勉歙（飲）食，吾歲不敢忘。（*七四○—*七三七簡）

「禖」是古代的求子之祭，亦指求子所祭的神。馬禖，即秦人對馬神的祭祀。饒宗頤先生曰：「《日書》（簡七四○反）題馬字，下云『禖祝曰』，似其下即馬祭之祝辭。《說文》：『禖，祭也。』馬有禖祝，知禖不限於祈子之祭。《禮記・月令》仲春之月，祠於高媒，鄭注『變媒言禖，神之也。」文字學家一向以媒釋禖，而桂馥《說文義證》則謂：『（禖）祭也者，義未詳。』今從此簡『馬禖合神』句，可明『禖』與『禂』同爲馬祭。」⑧由文意看，秦國民間的馬神祭祀主要是爲了祈求馬神驅除馬的疾病與災難，同時也祈求馬神對祭祀者所養的馬能達到善馬的標準。由祭祀的祝辭「令其鼻能糗（臭）鄉（香），令耳悤（聰）、目明，令背頭爲身衡，𧢲（脊）爲身剛，腳爲身□，尾善敺□，腹爲百草囊。四足善行。」來看，極像是一篇素樸的《相馬經》。這篇馬禖祝辭說明了秦國民間的養馬事業十分盛行。秦國政府爲了鼓勵民間畜牧業可能也制定了一些辦法，對民間養馬者給予優待。如《法律答問》曰：

> 甲小未盈六尺，有馬一匹自牧之，今馬爲人敗，食人稼一石，問當論不當？不當論及賞（償）稼。（五二八簡）

律文問甲年紀小，身高未滿六尺，有馬一匹，自己放牧。現因馬被人驚嚇，吃了別人的禾稼一石，問是否應論罪？《律說》解說

：不應論處論，也不應賠禾稼。由這條可以看出二點：其一，未成年者不負刑事責任。根據《秦律十八種・倉律》記載，男子在五尺六寸以上、女子在六尺二寸以上，才被看成是成年，負有法律的責任。（「隸臣、城旦舂高不盈六尺五寸，隸妾、舂高不盈六尺二寸，皆爲小。」一一八簡）秦尺一尺等於今尺的二三・一公分，六尺五寸約合今一五〇公分；六尺二寸，約合今一四三公分。以秦時的尺制推算這個年紀大約十五歲上下。這條刑事或民事裁量說明了未滿六尺的「小」者可以不負法律責任。其二，法律對養馬者給予優待。在此必須說的是，本條裁量雖因甲年少無意，但秦律對養馬者的優待可見一斑。同時，律文「有馬一匹自牧之」一句，充分說明了秦國民間有自己的養馬事業。

另外，秦國官方在全國的資訊普查上，也將馬牛的統計和戶口的統計視爲同等重要，倘若錯計就要接受處分。如《效律》曰：

> 1.計校相繆（謬）殹（也），……人戶、馬牛一，貲一盾；自二以上，貲一甲。（三二四一三二五簡）
>
> 2.計脫實及出實多於律程，……人戶、馬牛一以上爲大誤。誤自重殹（也），減辠（罪）一等。(三二六一三二八簡)

在會計經過核算發現誤差，錯算人口一戶或馬牛一頭就是大誤，應受處罰。如係自行查覺錯誤，則可減一等。由此看來，馬牛統計和人口統計是同樣重要而不能有錯的。

秦人所畜養的馬是否供給官方成爲軍馬，由於沒有資料，無可判斷。不過《漢書・汲黯傳》提供了一有個資料，或許可以作爲參考：

> （武帝初）匈奴渾邪王帥眾來降，漢發車二萬乘。縣官之錢，從民貰馬。民或匿馬，馬不具。上怒，欲斬長安令。黯曰：長安令亡罪，獨斬臣黯，民乃肯出馬。……

由這則資料來看，漢代官方缺馬時，可以「從民貰馬」。秦國對戰馬的需求十分大，在不足時，也可能以交易的方式來向民間購買馬匹的。

【附註】

①參見《史記·秦本記》。

②參見龔留柱先生《秦漢時期軍馬的牧養和征集》，文載《史學月刊》（鄭州）一九八七年六月。

③參見《史記·張儀列傳》。

④參見吳樹平先生《雲夢秦簡所反映的秦代社會階級狀況》，文載《雲夢秦簡研究》，頁九九。

⑤參見《秦始皇陵東側馬㈣坑鑽探清理報告》，文載《考古與文物》一九八〇年第四期。

⑥參見本文第三編《官制篇》第二章《秦簡所見的嗇》部分。

⑦參見《睡虎地秦墓竹簡》頁八六。

⑧參見氏與曾憲通先生合著之《雲夢秦簡日書研究》，頁四二。

第四節　糧芻的供應

糧芻就是官兵口糧和牲口飼料，是軍事制度中很重要的一環。所謂「兵馬未動，糧草先行」，糧草的重要由此可知。《孫子兵法·軍爭》曰：「是故軍無輜重則亡，無糧食則亡，無委積則亡。」王晳《注》曰：「委積，謂薪芻蔬材之屬，軍持三者以濟，不可輕離也。」因此，軍用糧芻的供應和轉輸，一直都很受重視。

從《雲夢秦簡》可以看出秦國軍隊的糧芻是由國家所供應的。《秦律雜抄》曰：

不當稟軍中而稟者，皆貲二甲，法（廢）；非吏殹（也）

，戍二歲；徒食、敦（屯）長、僕射弗告，貲戍一歲；令、尉、士吏弗得，貲一甲。（三三九—三四〇簡）

律文規定不當在軍中領糧而領取了，都罰二甲並革職永不敘用。這說明軍人是向軍中領糧的。不該領而領，同食的軍人不報告也有罪；縣令和縣尉以及士吏沒有察覺也有罪。軍糧既由國家供應，爲了確保糧食的供應不匱，法律規定不准舞弊，盜賣軍糧。如《秦律雜抄》曰：

1.軍人買（賣）稟稟所及過縣，貲戍二歲；同車食、敦（屯）長、僕射弗告，戍一歲；縣司空、司空佐史、士吏將者弗得，貲一甲；邦司空一盾。（三四〇—三四二簡）

2.軍人稟所、所過縣百姓買其稟，貲二甲，入粟公；吏部弗得，及令、丞貲各一甲。（三四二簡）

第一條是軍人在領糧的地方和路經的縣盜賣軍糧，要罰戍邊二年。第二條是軍人領糧的地方和所經的縣的百姓和賣了軍糧，罰二甲，同時沒收糧食。這二條同時也都有連帶的責任追究，主要是加强相關主管官員或同袍的監督。另外，《秦律雜抄》中還規定不准縣截奪軍用物資。如：

輕車、䞣張、引強、中卒所載傳〈傳〉到軍，縣勿奪。奪中卒傳，令、尉貲各二甲。（三三六簡）

「輕車」，《周禮・車僕注》曰：「所用馳敵致師之車也。」即用以衝擊敵陣的戰車；「䞣張」《漢書・申屠嘉傳注》曰：「弩，以手張者曰擘張，以足蹋者曰蹶張。」蹶張就是律文中的䞣張，《說文》曰：「漢令曰：䞣張百人。」此處所指是用腳踏張的硬弩；「引强」，《史記・絳侯列傳》曰：「常爲材官引彊（强）」此處指開張强弓；「中卒」，即中軍中之卒。①這四種軍種用傳車轉運的物資，縣不准截奪。如果截奪中卒傳送的物資，縣令、縣尉各罰二甲。此處所講的軍用物資，當指糧食、芻稾和軍用器械。

由上可知秦國軍隊的糧芻是由國家所供應的。任何人都不得盜賣軍糧，同時縣也不得截奪軍糧和軍用物資。只有軍人才有資格自軍中領取軍糧。②

秦國軍隊口糧的供應如何，在《秦律十八種》中的《倉律》和《傳食律》可以看出一個梗概。如《秦律十八種・倉律》曰：

有事軍及下縣者，齎食，毋以傳貣（貸）縣。(一一二簡)

律文規定到軍中辦事的人應自帶口糧，不得食用軍糧。這說明無論軍中或地方都有按時發放口糧。本文在官制篇部分曾提到秦國口食發放的情形，在此可以再看看。《秦律十八種・倉律》曰：

月食者已致稟而公使有傳食，及告歸盡月不來者，止其後朔食，而以其來日致其食；有秩吏不止。（一一三簡）

律文規定：按月領口糧的人，糧食已經發給，而因公出差，由沿途驛站供給飯食，以及休假而到月底仍不歸來的，「止其後朔食，而以其來日致其食」。後朔，即下月初一，于豪亮先生曰：「朔字本義爲月朔之朔，即每月初一，甲而引申有月字之義，故月字與朔字常以義同而相轉注。」③可知「月食」的發放是在每月的「朔日」，亦即初一發放。至於月食口糧計量，《秦律十八種・倉律》中有一條刑徒的月食計量規定：

隸臣妾其從事公，隸臣月禾二石，隸妾一石半；其不從事，勿稟。小城旦、隸臣作者，月禾一石半石；未能作者，月禾一石。小妾、舂作者，月禾一石二斗半斗；未能作者，月禾一石。嬰兒之毋（無）母者各半石。雖有母而與其母冗居公者，亦稟之，禾月半石。隸臣田者，以二月月稟二石半石，到九月盡而止其半石。舂，月一石半石。隸臣、城旦高不盈六尺五寸，隸妾、舂高不盈六尺二寸，皆爲小；高五尺二寸，皆作之。（一一六——一九簡）

刑徒	操作情形	月（禾）
隸臣	從事公	二石
	不從事	勿稟
隸妾	從事公	一石半
	不從事	勿稟
小隸臣 小城旦	作者	一石半
	未能作	一石
小隸妾 小舂	作者	一石二斗半斗
	未能作	一石
隸臣田	二月一九月	二石半
	十月一一月	二石
嬰兒	無母者	半石
	母冗居公	半石

以上是刑徒的月食口糧，只能作爲參考。軍人的月食口糧當然也會有定額，而且一定比刑徒的待遇要好。但是在《雲夢秦簡》中沒有這方面的資料。不過，在《秦律十八種》的《傳食律》中，對於各級官員和隨從作了不同的每日的伙食規定。由於其上所規定的供應標準都和爵級有關，可能就是軍中的伙食供應標準，或者軍中伙食至少可以比照這個供應標準。《傳食律》曰：

1.御史卒人使者，食粺米半斗，醬駟（四）分升一，采（菜

）羹，給之韭葱。（二四六簡）

2.其有爵者，自官士大夫以上，爵食之。使者之從者，食糲（糲）米半斗；僕，少半斗。（二四六—二四七簡）

3.不更以下到謀人，粺米一斗，醬半升，采（菜）羹、芻稾各半石。（二四八簡）

4.宦奄如不更。（二四八簡）

5.上造以下到官佐、史毋（無）爵者，及卜、史、司御、寺、府，糲（糲）米一斗，有采（菜）羹，鹽廿二分升二。（二四九簡）

供應／人員	主食 粺米 糲米	副食			
		醬	菜羹	韭葱	鹽
不更謀人	粺1斗	½升	有		
宦者	粺1斗	½升	有		
御史卒人	粺½斗	¼升	有	有	
使者隨從	糲½斗				
僕	糲⅓斗				
上造以下至佐、史、卜、司御、寺、府	糲1斗				有
大夫及官大夫	未詳，當按爵級規定的標準				

④

由《傳食律》和上表可以看出秦國的官吏或軍官的膳食供應標準大體可以分爲五個等級：一是「其有爵者，自官士大夫以上，爵食之。」這是指爵位五級以上的人，其具體的膳食供應內容不明。當是按爵級規定的標準供應。二是「不更以下到謀人」，這是指爵位三、四級的人，每餐供應粺米（精米）一斗，醬半升及采（菜）羹，另有飼牛馬的料芻稾各半石；另外，「宦奄」比照「不更」標準。三是「御史卒人使者」，御史部屬每餐供應粺米半斗，醬駟（四）分升一及采（菜）羹，同時，還有韭葱。四是「上造以下到官佐、史毋（無）爵者，及卜、史、司御、寺、府，」每餐供應糲（糲）米一斗，有采（菜）羹，另外還供應鹽廿二分升二。五是「使者之從者」，每餐供應糲（糲）米半斗；「僕」則爲三分之一斗。從《傳食律》的五個等級供應標準來看，不同的爵級和職務給予不同的待遇。以主食而言，爵位高的供應精米，爵位低的則供應粗米。在定量方面也有差別，多的爲一斗，少的僅少半斗（三分之一斗）。

另外，在副食供應方面，爵位高的可以享受醬和菜羹，有的還供應韭葱，爵位低的僅有菜羹而無醬。至於僕和使者的隨從人員驛站並不供應副食。

還有一項比較特別的供應，就是食鹽的供應。這方面的標準是怎樣並不清楚，以《傳食律》來看，僅規定「上造以下到官佐、史毋（無）爵者，及卜、史、司御、寺、府」有「鹽廿二分升二」。

透過《秦律十八種》中的《倉律》和《傳食律》只能對秦國口糧的發放看個大概。有些情形可能也適用於軍中，仍須說明：在《雲夢秦簡》中並沒有明確的軍中各級人員的口糧資料。熊鐵基先生在《秦漢軍事制度史》一書中錄了《居延漢簡考釋》（釋文之部）第三二五頁的一些簡文，記載了一些漢代士兵口糧的資料，在此借來簡述一下，熊氏所引簡文如下：

令史曰會粟三石三斗三升少，十二月□□自取卩。

尉史□伊粟三石三斗三升少，十二月□□自取卩。

尉史皇楚粟三石三斗三升少，庚子自取卩。

尉史郭當粟三石三斗三升少，戊十二月戊申自取卩。

尉史郭充粟三石三斗三升少，十二月癸酉自取卩。

鄣卒孫捐之粟三石三斗三升少，十月壬申自取卩。

鄣卒趙志之粟三石三斗三升少，十月癸酉自取卩。

鄣卒禹定之粟三石三斗三升少，十月癸酉自取卩。

施刑桃勝之粟三石，十一月庚子自取卩。⑤

從令史到鄣卒每月領口糧均爲「三石三斗三升少」，折合大石二石。熊氏另收一些少於這些定量的，如：

□大石一石八斗，始元三年四月乙丑朔，以食一人盡。甲午卅日積卅人三六升。

出麇大石一石八斗，以食吏一人，十一月己卯朔己卯□。

□大石九石，以食吏卒五人，四月丁未盡。丙子積百五十人二六升。

出粟大石一石七斗四升，始元二年七月庚子朔，以一食吏人盡。戊辰廿九日積廿九人二六升。⑥

由這些簡文來看通常只有一石八斗，也有少到一石七斗四升的。這些數字就是漢代士兵的口糧，秦國士兵的口糧可能與此相去不遠。不過，在此也不敢據以爲斷，只能當作一種參考。

另外在馬匹方面，秦國也有供應的標準。同時由於馬所食者，芻也，草也。因此，秦人在田賦的課徵的繳納物上，不僅要入禾、入禾稼，還要入芻、稾。當時所謂的「入禾」、「入禾稼」等，指的就是穀粟等實物田租；⑦而「入芻稾」，則是指飼料和禾桿等實物田租。《秦律十八種・田律》曰：

1.入頃芻稾，以其受田之數。無豤（墾）不豤（墾），頃入芻三石、稾二石。芻自黃䵚及蘑束以上皆受之。入芻稾，

相輸度，可𣪠（也）。（〇七五—〇七六簡）

2.禾、芻稾徹（撤）木、薦，輒上石數縣廷。勿用，復以薦蓋。（〇七七簡）

芻是飼料，禾是禾稈，都是馬牛等牲口的飼料。律文規定每頃應繳的芻稾，按照所受田地的數量繳納，無論墾種否與，每頃都得繳納「芻三石、稾二石」。芻從稈葉和亂草夠一束以上的都收受。第二條律文規定穀物、芻稾撤下木頭和草墊，應向縣廷報告。《淮南子・氾論訓》曰：

秦之時，……入芻稾，頭會箕斂，輸於少府。

《注》曰：

入芻之稅，以供國用。

從《雲夢秦簡》可以看出芻稾和禾有同等的地位，在田賦的繳納上一樣徵收。這些芻稾繳納物，主要的就是國家用來飼養馬牛的飼料。而馬牛的飼料也像人一樣是按月發給的，如《秦律十八種・田律》曰：

乘馬服牛稟，過二月弗稟、弗致者，皆止，勿稟、至。（〇七八簡）

馬匹飼料的標準也有規定，《秦律十八種・倉律》曰：

駕傳馬，一食禾，其顧來有（又）一食禾，皆八馬共。其數駕，毋過日一食。駕縣馬勞，有（又）益壺〈壹〉禾之。（一一四簡）

禾指的是糧食，律文規定每次駕用傳車的馬，都要餵食一次糧食回程時再餵一次糧食，並規定八匹馬都要一起餵。如連駕幾次，不得超過每天餵食一次，如果路遠馬疲累，可以加餵一次。在這裏律文規定了馬匹飼養的糧食供應量，但並沒有規定草料，即芻稾的供應量。《雲夢秦簡》中也沒有草料供應的標準，可能在計量上是以束爲標準。前面提到芻從稈葉和亂草夠一束以上的都收受，可能芻稾在入倉時就是成束的。另外，律文還規定領取飼料時要有憑證。如《秦律十八種・田律》曰：

> 稟大田而毋（無）恒籍者，以其致到日稟之，勿深致。（〇七八簡）

「致」，《禮記・曲禮》曰：「獻田宅者操書致」朱駿聲《說文通訓定聲》曰：「按猶券也」此處所指爲領取飼料的憑證。(33)律文規定超過兩個月未領或發送的話，「皆止，勿稟」（〇七八簡）可見秦國在飼料的發放和領取上規定也是十分嚴格的。

【附註】

①參見《睡虎地秦墓竹簡》頁八一。

②參見袁仲一先生《秦始皇兵馬俑研究》，頁二二一。

③參見氏著《秦律叢考》，文載《于豪亮學術文存》，頁一三五。

④參見栗勁先生《秦律通論》，頁四四三—四四四。

⑤參見熊氏該書頁二七〇—二七一。又熊氏所引《居延漢簡考釋》（釋文之部）一書，爲商務印書館一九四九年士月初版，筆者未見此書。

⑥同⑤，頁二七一—二七二。

⑦參見黃今言先生《秦漢賦役制度研究》，頁八四。

⑧同①。頁二二。

第五篇　結論篇

本文的研究主題除緒論篇外，大致可以分爲三大方面，一是刑律部分，二是官制部分，三是軍制部分。透過文獻和《雲夢秦簡》實物的結合來考察，得結論如下：

第一　秦簡的刑律考察

本文在秦律方面的考察，基本上是著重於刑律部分，尤其刑罰體系上。《雲夢秦簡》雖然不是秦律的全部，其內容卻十分廣泛，它包括了刑法、民法、行政法、經濟法、訴訟法以及獄政方面的內容，從中仍可看出秦國法律制度的梗概。事實上，它不僅爲我們了解商鞅變法後的秦國法制建設，提供了直接而豐富的資料，同時也爲先秦和秦漢之際的法制史研究，提供了可靠的佐證，使一些長期臆斷和模糊不清的問題得以澄清。

透過《雲夢秦簡》，在刑律方面——即秦律的刑罰體系部分，可以歸納以下四點結論：

其一，關於死刑：

死刑是生命刑，是刑罰之最重者，其目的在置人於死地。依據《雲夢秦簡》和《史記・秦本記》來看，秦的刑罰是非常殘酷的，而這主要表現在其所適用的死刑方面。其所以然者，是由於秦國在戰國初期還遠處於落後的狀態，因此，仍保留著封建法制殘酷的刑罰本質。從秦簡來看，秦律中出現的死刑有五種：一是「戮」、二是「磔」、三是「棄市」、四是「定殺」、五是「生埋」。而著於文獻記載的，還有車裂、腰斬、梟首、坑（阬）、賜死。透過本篇的考索，可以了解到秦的死刑使用的十分廣泛。

戮刑是對處斬刑的人，在行刑前先刑辱示衆，然後再斬首。《法律答問》中有一則答問，說明對於贊揚敵人而動搖軍心的犯罪行為，法律規定應處以戮刑。而所謂「戮」，就是活著的時候先讓他受到侮辱以後再斬。《法律答問》前一句是引用秦刑律的原文，後一句則是對「戮」這種刑罰的解釋說明。通過《法律答問》，頗有助於我們對「戮」刑的了解，對戮的理解有很大的幫助。以文獻來看，「戮」含有「殺」和「辱」二層意思。其執行的情形雖然不是很明確。但由《法律答問》來看，戮的執行情形是「生翏（戮），翏（戮）之已乃斬之之謂殹（也）。」這裡所說的處戮刑方法實際上和春秋各國所執行的情形，大致是一致的，在執行程序上，當是「先辱之，而後斬殺之」。另外由《法律答問》中所載的戮刑方式，和《左傳》及《史記・鄭世家》的記載一致，都是先辱後斬來看，秦律中的戮刑，事實上是由周的刑罰中繼承下來的。

磔是以分裂肢體的方法將人處死，也有將之視為「車裂」的。《法律答問》有一條教唆未成年盜劫殺人，分到十錢，而處磔刑的答問。（四三七簡）由這條答問，教唆未成年盜殺人的刑罰很重。磔刑的內容，《法律答問》並未具體說明。《史記・李斯列傳》《索隱》曰：「磔謂裂其支體而殺之。」可知磔是將犯人肢體碎裂分解的一種酷刑。不過，也有將磔刑當作「車裂」的。如《荀子・正論》曰：「斬斷枯磔」，楊倞都《注》曰：「磔，車裂也。」另有將磔釋為「張其尸」的，如《漢書・景帝紀》師古《注》曰：「磔，謂張其尸也」，《說文》曰：「磔，辜也。」段《注》曰：「辜之言枯也，謂磔之。……言磔者，開也，張也，刳其胸腹而張之，令其乾枯不收。」據上可知，磔刑當是由「刳其胸腹而張之」，進而演變為一種分裂肢體的死刑，再由分裂肢體進而演變「車裂」的方式，而車裂之後又「張其尸」，「令其乾枯不收」。

棄市是在市中當衆處死。《釋名》曰：「市死曰棄市，市，衆所聚，與衆人共棄之也。」棄市見於秦簡的有二條，都見於《法律答問》。其內容都和人倫有關，前者是士伍甲無子，以其侄爲後嗣，在一起居住，而擅自將他殺死，後者是同母不同父的人通奸，二者都應棄市。棄市作爲一種死刑，其方式如何，秦簡並未有具體資料。《漢書・景帝紀》師古《注》曰：「棄市，殺之於市也。謂之棄市者，取刑人於市，與衆棄之也。」顯然棄市是在闤市中執行死刑的。《周禮・掌戮》鄭玄《注》認爲是：「殺以刀刃。」《史記・高祖本紀》司馬貞《索隱》曰：「按禮云：刑人於市，與衆棄之。故今律謂絞刑爲棄市。」司馬貞是唐人，今律就是唐律，可見唐代的棄市是「絞刑」。循上推知，棄市的特性是「殺之於市」、「與衆棄之」、「刑人於市」的。這種刑罰，孔穎達以爲殷代已有，如《禮記・王制》「刑人於市，與衆棄之」，孔穎達《注》曰：「刑人於市，與衆棄之者，亦謂殷之法，謂貴賤皆刑於市。」《周禮・秋官》曰：「加明梏以適市，而刑殺之。」又曰：「凡殺人者，踣諸市。」「刑盜於市」，可見周也有刑人於市之法。又《史記・李斯列傳》曰：「殺大臣蒙毅等，公子十二人僇死咸陽市，十公主矺死於杜。」可見刑人於市的傳統由殷至秦都有。而由景帝時所謂「改磔曰棄市」來看，二者雖同爲死刑，棄市顯然刑輕於磔刑。

定殺是秦簡死刑中很特別的一種方式，就秦簡而言，此刑乃將人活活投入水中淹死。就刑罰來說，「定殺」雖爲死刑，但應不是秦律中的常刑。《法律答問》有二條關於「定殺」的資料，其一是：「癘者有罪，定殺」，這個刑罰是對特定犯人－癘者所設的刑罰。亦即秦律規定：痲瘋病人犯罪，應採投入水中的死刑。癘者在未觸犯法律的情況下，也有罪嗎？秦律何以會有「癘者有罪，定殺」的法律規定呢？從秦簡來看，患有癘者，只要不犯罪，或是先犯罪才罹患癘病，是不會被處死的，頂多只受到隔離的處置。但若已患了痲瘋病，卻又再犯罪，此即所謂的「惡上加惡」，秦律對此則很嚴苛，採行「定殺」這種以水淹死的殘酷形式。

生埋是以活埋的方式將人處死。《法律答問》對患有痲瘋病的癘者採取「定殺」的刑罰，律說在對「定殺」做解說時，謂：「『定殺』可（何）如？生定殺水中之謂殹（也）。或曰生貍（埋），生貍（埋）之異事殹（也）。」（四九一簡）「律說」的意思是「定殺」就是把患有痲瘋病的犯人活活的投入水中淹死；而有的人認爲「定殺」就是「活埋」，但「活埋」和律文所規定的「定殺」是兩回事，若將定殺解釋活埋是不合律文本意的。《法律答問》既然認爲「活埋」不是「定殺」，顯然的，在「定殺」之外另有「生埋」的法定刑罰。在文獻上，可見秦代另有一種將人活埋的死刑，即「坑（阬）」。《史記・秦始皇本紀》曰：「嘗與王生趙時母家有仇怨，皆阬之。三十四年使御史悉案問諸生，相傳告引，乃自除犯禁者四百六十餘人，皆阬之咸陽。」阬，當是生埋的一種，秦簡雖然只有一條「生埋」的資料，然以文獻來看，秦當有生埋，亦即「坑」這一傳統的。因此，這種「生埋」或「坑」成爲秦律中的法定刑罰，應是可以確定的。

其二：關於肉刑：

肉刑又叫身體刑，是殘害人的肌膚、肢體、生理機能的一種刑罰，亦即沈家本所謂的「斬人肢體，鑿其肌膚」的刑罰。《雲夢秦簡》的肉刑有黥、劓、刖（斬左趾）、宮（腐）、笞（掠）、耐（完）、髡、鋈足。其中黥、劓、刖（斬左趾）、宮（腐）四種，在內容上當是繼承自先秦五刑中屬於肉刑的部分。不過，秦簡的肉刑大部分都和徒刑（自由刑）結合使用，如「黥爲城旦」、「黥爲城旦舂」、「城旦黥之」、「黥城旦辠」、「黥劓（劓）以爲城旦」、「斬左止（趾）爲城旦」、「刑爲鬼薪」、「刑爲隸臣」等，這和先秦的肉刑是有區別的。

黥刑又稱墨刑，是在犯人額部或臉面刺字塗墨的刑罰，也是古代五刑中之最輕者。在秦律中也是肉刑中較輕的刑罰。關於黥刑的施刑方式，《說文》曰：「黥，墨刑，在面也。」《雲夢秦簡・法律答問》曰：「女子爲隸臣妻，有子焉，今隸臣死，女子北其子，以爲非隸臣子殹（也），問女子論可（何）殹（也）？或黥顏頯爲隸妾，或曰完，完之當殹（也）。（五四四簡）其中顙是額頭，面是臉部，顏是眉目之間，指的是額中央，頯，即權，通顴，指的是額兩側（兩顴）。由是觀之，墨黥的施刑方式乃在犯人的額頭、額兩側或臉面上刻字塗墨。這種刑罰對受刑人既是一種肉體折磨，也是一種精神侮辱。蓋因此刑會在刑罰部位留下深色傷疤，終身不褪，成爲一種刑罰和恥辱的象徵。在秦律中黥刑的適用比較普遍，大致可以歸納爲以下幾類：一爲與盜有關的黥刑；二爲與傷害有關的黥刑；三爲與殺子有關的黥刑；四爲處罰奴婢驕悍的黥刑；五爲與誣人有關的黥刑；六爲與婚姻有關的黥刑；七爲與賄賂有關的黥刑。

劓刑是割去犯人鼻子的一種刑罰。劓刑的適用範圍較廣，亦分爲獨立刑和附加刑使用。《史記・商君列傳》曰：「秦孝公時，公子虔復犯約，劓之」，便是劓作爲獨立刑使用的。秦律中，劓刑並無單獨使用的判例。通常是和黥刑加在一起，作爲徒刑的附加刑。但也有不作爲徒刑附加刑使用的。如《封診式》的〈黥妾〉爰書案例中，劓刑並未作爲徒刑的附加刑，主要是由於私家奴隸通常在施加肉刑之後，即發還主人，不必服勞役之故。以秦律來看，肉刑通常乃以黥刑爲基礎，繼則兩刑相加，逐漸加重。大抵而言，秦律中的劓刑是承自商周，而楚漢之間至漢初則沿用秦律。

刖刑是斷足的刑罰，稱剕、臏，一般通稱作刖。刑的部位，或碎膝蓋，或截腿骨，或斷腳趾，是肉刑中，僅次於宮刑的酷刑。秦律中的刖刑，不稱「刖」，而曰「斬止（趾）」。春秋戰國，各國普遍存有刖刑。《雲夢秦簡》中「斬左止」的資料有二。準此而言，可見秦國對刖刑的使用十分謹慎，不敢濫施。這可能和秦國連年戰爭，而打仗和生產都需要大量勞力有關係。前謂秦的主要肉刑爲黥刑，而此刑除了有終身恥辱的象徵外，其刑罰本身並不影響人的行動，因此不會影響「打仗和生產需要的大量勞力」，所以秦國乃以黥刑作爲作爲肉刑的的主刑。

宮刑又稱腐刑，是肉刑之最重者。秦律中有關宮刑的資料，僅一見於《法律答問》，謂之「腐罪」。所謂「腐罪」，就是犯了應處宮刑的罪。律文規定少數民族的君長，爵位在上造以上，犯了應判爲宮刑的罪，可以判爲「贖宮」。贖宮並非是指判爲宮刑後可贖之，乃是指「臣邦眞戎君長，爵當上造以上」這一類人，若犯腐罪，則可判爲「贖宮」。秦律中稱「有罪當贖」，是指對某些人的某些犯罪可判爲「贖」，並非指判刑後，再令贖。《法律答問》中的「腐刑」，說明了秦確實是有宮刑這類的刑罰。至於文獻，也有不少關於此類刑罰的秦代資料。如《史記・呂不韋傳》、《史記・蒙恬列傳》皆有宮刑的記載。惟《史記・秦始皇本紀》有所謂「隱宮徒刑七十餘萬人，分作阿房宮，或作驪山。」其中「隱宮」當是「隱官」之誤。《正義》謂：「隱宮，受宮刑者」，亦誤。馬非百先生則認爲「宮」字乃「官」字之誤。（參見本文第二編）以《雲夢秦簡》證之，「隱宮」確有可能乃「隱官」之誤。由於過去總是誤解《史記・秦始皇本紀》：「隱宮徒刑七十餘萬人」爲七十餘萬刑徒被處宮刑，是以認爲秦代宮刑的使用很廣。以《雲夢秦簡》來看，秦代確有「宮刑」一類的刑罰，而文獻之，如嫪毒例。然其受刑人數則恐未必如是之廣。

笞刑是以荆條或竹木皮抽打犯人的背部或臀部的一種刑罰，是對輕罪者所處的「薄刑」。由性質看，笞刑其實是鞭刑的一種。這類刑罰主要的方式是以荆條、稻枝或竹木爲刑具，來鞭笞犯罪者的背部或臀部。此刑自古即不在五刑之內，但以性質而言，笞刑本身仍是「身體刑」。這種刑罰的目的雖然不在「斬人肢體，鑿其肌膚」，卻足造成犯人肉體痛苦、健康失常，甚至死亡。但這種足以造成犯人肉體痛苦的「痛苦刑」，在《雲夢秦簡》中卻仍可多見。此刑大都散見於《法律答問》、《封診式》、《秦律雜抄》及《秦律十八種》中的《廄苑律》和《司空》中。笞打的數量不等，有「笞十」、「笞三十」、「笞五十」、「笞百」及「熟笞之」等不同的等級，適用的範圍頗廣。由於秦的笞刑任意性很大，在應用到司法審訊上時，往往帶給犯人極大的痛楚，冤獄也往往因此而生。如《史記・李斯列傳》曰：「趙高治斯，榜掠千餘，不勝痛，自誣服。」「自誣服」即是冤獄。笞刑之生，原是微罪薄刑，其目的正如《唐律疏議》所謂：「笞者擊也，又訓爲恥。言人有小愆，法須懲戒，故加捶撻以恥之。」以秦律而言，其笞十、廿、五十者當是薄刑，即便「笞百」者，比起漢代動輒笞三百、五百，實屬薄刑。然其「熟笞之」，不論是作爲法定刑罰或是刑訊手段，皆爲其任意而不合理之處。

　　鋈足乃是類似加腳鐐的刑罰，嚴格講來並不是肉刑。但此刑對身體會造成某種程度的痛苦和不便，因此可以說是一種痛苦刑。鋈足向有二說：一說以爲刖足，一說應爲在足部施加刑械，與釱足、踏足類似。以《雲夢秦簡》的資料來看，鋈足「應爲在足部施加刑械，與釱足、踏足類似。」《雲夢秦簡》中，關於鋈足的資料有四，三條見於《法律答問》，一條見於《封診式》。本文在刖刑部分，特別強調秦國對刖刑的使用十分謹慎，同時刖刑在秦代的使用也很少，此乃因秦國需要大量的人力，以應付「打仗和生產」的需要。依此需要，刖刑一方面轉化成徒刑的附加刑，另一方面，也必然會尋求代用的刑罰。準此而言，作爲一種在犯人足部施加器械而可以使其身體有某種程度痛苦和不便，卻又不會造成生理缺陷的「鋈足」，自然就成爲秦代普遍適用的一種刑罰。

其三：關於象徵性刑罰：

秦律的象徵性刑罰，主要有三，即髡、耐和頗富爭議的完刑。此三種象徵性刑罰，乃由肉刑式微所發展出來的一種象徵性肉刑。肉刑的式微，除了因為歷史的發展和時代的需要，使勞役成為秦代對罪犯的主要刑罰外，和「象刑」制度的發展也有一定程度的關係。

「象刑」是一種帶有象徵性恥辱的刑罰方式，亦即所謂的「恥辱其形象」。這種「象徵性恥辱」的刑罰觀念在戰國時，被諸子提了出來，同時也被大量地應用。另一方面，這個時期徒刑也逐漸變成刑罰的主流，而肉刑則逐漸變成徒刑的附庸。因此，此時所出現的一些象徵性刑罰，多半也和徒刑結合，而成為徒刑的附加刑。（當然，秦的耐刑也有不少是作為主刑用的，而不完全是作為徒刑的附加刑。）如秦代的一些象徵性的刑罰－髡、耐、完等刑，從其性質來看，仍具有肉刑的象徵意義，可以說是古代肉刑的殘餘。在秦簡中，可以看到大量的耐刑（總共出現四十八次）和少量的髡刑（只出現三次），及爭議性很大的完刑資料（共出現二十四次）。這些資料對我們研究秦代刑罰的發展，尤其是由肉刑轉向徒刑，以及徒刑加上附加刑的使用，是很有幫助的。

髡刑是秦的徵性刑罰之一，是剃光犯人頭髮的一種刑罰。在秦簡中，「髡」字的使用很少，只見三例，均見於《法律答問》。這三例中，「髡」大都被用在私刑上。不過，在秦律中是否存在髡刑？仍有爭議。由於「髡」和殺、刑二者並列，使人很容易肯定秦代確實有這種刑罰存在的。（如劉海年、栗勁曰）也有認秦的「髡」，只是私刑不是法定刑罰的。（如王森曰）以上是關於秦是否有髡刑的兩種意見。本文認為秦簡中所出現的三個「髡」字和「刑」、「殺」一樣，都應作動詞解釋，不能釋為刑名。但這也並不表示秦代沒有髡刑的刑名。秦律規定，擅自髡剃他人頭髮要治罪。如《法律答問》曰：「士五（伍）甲鬬，拔劍伐曰：，斬人髮結，可（何）論？當完爲城旦。」（四五四簡）這說明秦人對頭髮十分重視外，也同時說明秦時髡剃頭髮會被視爲一種受刑的標誌，自然不許任何人擅自施加於人。由《太平御覽》卷六五九引《風俗通》曰：「秦始皇遣蒙恬築長城，徙士犯罪依止鮮卑山，後遂繁息，今皆髡頭衣赭，亡徒之明效也。」顯然髡刑在秦代確實是曾經存在的。

如果說秦代曾經有髡刑的刑罰存在，那何以在秦簡中卻無法看到這些具體的資料呢？關於這一點，則和「完刑」有十分密切的關係。（詳下文）。

耐刑是秦的象徵性刑罰之一，在秦簡中，「耐」字的出現率很高，總共有四十八次，是秦代很普遍的一種刑罰。耐刑是剃光犯人鬢毛的刑罰。《禮記・禮運》《正義》曰：「古者犯罪以髡其鬚，謂之耐罪。」髡爲動詞，剃光也，髡其鬚，即剃光其鬢毛。《說文》曰：「耐，罪不至髡也。」段玉裁《注》曰：「不剃其髮，僅去其鬚，是曰耐。亦曰完。謂之完者完其髮也。」《孝經・開宗明義》曰：「身體髮膚，受之父母，不敢毀傷，孝之始也。」準此而言，髮膚亦可等同身體，或者是看成是身體的一部分。依此意義，則這種剃去犯人鬚毛的耐刑，亦可視爲肉刑。不過，肉刑中的黥刑、劓刑、刖刑、宮刑，都是殘害人體生理機能的一種報復性的刑罰，而耐（以及髡、完）刑則只是剃除鬢鬚，並不虧體。雖然，剃掉毛髮在重視髮膚的時代，終究是件嚴重的事。杜正勝所謂的「猶有肉刑的象徵意義，亦可謂是古代肉刑之殘餘。」理即在此。可見耐刑在秦代其實是作爲肉刑的象徵刑罰用的。

秦律中耐刑的適用範圍很廣，使用也很頻繁。一般而言，耐刑輕於髡刑。髡刑乃剃光其髮，而保留頭髮僅去鬚鬢就是耐刑。《說文》所謂「耐，罪不至髡也。」段《注》所謂「不剃其髮，僅去鬚鬢，是曰耐。」可見耐刑是由髡刑發展出來的寬刑。

關於「完刑」的解釋，爭論有三：一是認爲耐就是完，二是認爲髡就是完，三是認爲完不是一種刑罰。「完」字在秦簡中總共出現二十二次。其中作「完刑」解的有十三次，都出現在《法律答問》中。由統計資料，可以看出「完刑」的出現率次於耐刑而多於髡刑。

關於完刑歷來存有的不同說法，由於資料本身的分歧，使得完刑的原始義很難掌握。再者，由於漢律多承秦律，因而許多說法亦多從漢律上推秦律。有些學者和舊說所以認爲髡完二者區分明顯，主要即在於漢律是如此的。在秦代法制資料尙缺時，以此上推尙稱合理。一旦有出土資料可以直接分析判斷時，有些成說自然就有重新思考的必要。

以秦律而言，未有單獨使用的「完刑」。在《秦律十八種・軍爵律》及《法律答問》中，雖然各有一條單獨以「完」的刑名出現，卻非獨立的完刑。而其他「完」字大都和「城旦」合用，這似乎說明「完」在秦時並無單獨成刑的事例，當然這也並不表示秦代就沒有這種刑罰。

以《雲夢秦簡》的資料來看，本文認爲「完刑」應即是「髡刑」替代刑，或者以「完刑就是髡刑」的可能性較大。（說見本文第二篇）大抵而言，完刑是一頗具爭議的刑名。以《雲夢秦簡》而言，它絕不是耐刑。至於說它和肉刑是相對的，本身根本不是刑罰，一樣無法自圓其說。惟有將完刑視爲「髡刑」或者是「髡刑的替代刑」，才足以說明「髡」字在《雲夢秦簡》出現率奇低的特異現象。

其四：關於遷、貲、贖和誶刑：

所謂遷刑，就是流刑。是把罪犯押解到偏遠或邊境地區的一種刑罰。流是放逐，古代的「流宥五刑」，就是以流放的方式寬宥有罪人的刑罰，亦即將被寬宥的人放逐到偏遠或邊境地區去。

這種奪人身體上和居住上自由的刑罰，異名甚多，或稱放、或稱弃、或稱逐、或稱屏、或稱讁、或稱遣、或稱流竄刑。傳統上，都稱這種刑罰爲流刑，《雲夢秦簡》則稱「遷」。

《雲夢秦簡》中的「遷刑」對象大都是罪犯（說見本文第二篇），而一般庶人和俘虜所適用的徙遷，只見於史籍，不見於該簡。《雲夢秦簡》適用遷刑的，有以下幾種情況：一爲大夫陣前斬首；二爲嗇夫瀆職且以奸爲事；三爲官吏假公濟私；四爲捕盜知法犯法；五爲隱匿成童及申報癈疾不確實；六爲口舌毒言者；七爲親父請遷其子。除此七種形態外，尙有幾條和遷刑有關，但不是造成遷刑要件的資料。其一是百姓（不是罪人）以自願戍邊五年的方式爲現爲隸妾的母親或親姊妹中的一人贖免其隸妾身份而成爲庶人的，可以允許。而其前提則是必須本人沒有犯「讁罪」的，同時也不能算抵軍戍時間。其二是有贖遷罪，而願繳錢的，刑期則以每天八錢折抵。基本上這是屬於贖刑的範圍。

秦代的遷刑，並非很重的刑罰。一般比「斬左止，又黥以爲城旦」、「黥劓以爲城旦」、「黥爲城旦」等刑爲輕。遷刑之較重者，由《雲夢秦簡》來看，頂多在遷刑之外，再加上「鋈足」或「貲二甲」、「貲各一甲」、「一盾」。從文獻來看，遷還可以加上奪爵與否的處罰，如《史記・秦始皇本記》曰：「秦人六百石以上奪爵，遷；五百石以下不臨，遷，不奪爵。」不過，刑期似乎也可以改判，如《史記・秦始皇本記》曰：「十二年秋，復嫪毒舍人遷蜀者。」就《雲夢秦簡》而言，是沒有這種返回原籍的事例的。

另外，「讁」和「逐」，也都是秦代的流刑。

《雲夢秦簡》中使用最頻繁的罪刑是「貲」刑，根據本文的統計，《雲夢秦簡》總共出現一百六十一次「貲」字。其中大部分是「貲甲」、「貲盾」、「貲布」，也有「貲戍」、「貲徭」和「居貲贖債」的。由《雲夢秦簡》中可以看出秦律條款對違法和過失行爲，廣泛地採用「貲」罰懲處。「貲」，是有罪而被罰令繳財物。《說文》曰：「貲，小罰以財自贖也。」段《注》曰：「貲字本義如是，引申爲凡財貨之稱。」可知「貲」是以罰財物自贖爲主，屬於一種經濟制裁，類似今日的罰鍰、罰金。

《雲夢秦簡》中可見的貲刑分爲兩大方面，一是貲財物，一是貲勞役。

貲財物是一種經濟制裁，主要表現在「貲甲」和「貲盾」上。在形態歸納上，其所適用範圍頗廣，上至官吏，下至庶民，都是「貲」罰的對象。除了「貲甲」和「貲盾」外，《雲夢秦簡》尙有針對秦人以外的邦客的「貲布」。

「貲勞役」可分爲「貲徭」和「貲戍」兩種。如《法律答問》有「貲徭三旬」（三七七簡）、《秦律雜抄》有「貲戍一歲」（三四〇簡）、「貲戍二歲」（三四一簡）及「貲日四月居邊」（三六三簡），這些都是屬於「貲勞役」。《說文》和段（注》把「貲」義說成「以財物自贖」、「有罪而被罰令繳財物」是把「貲」的內涵縮小了，從《雲夢秦簡》所保存的「貲」刑材料來看，正可以補充《說文》釋義的不足。

《雲夢秦簡》中贖字總共出現三十六次，適用的種類很多。「贖」是犯法而按律被判爲「贖」的，這一類的罪，包括「贖遷」、「贖耐」、「贖黥」、「贖鬼薪鋈足」、「贖宮」、「贖死」。這種「贖」刑，基本上是以二種方式來贖的，一是用法定的貨幣來贖，一是以役居作來贖。

《雲夢秦簡》中「贖刑」和「貲刑」是不同的，前者是允許以法定財物代替業經判處的刑罰；後者則是依法判處交納相應財物的刑罰。前者所贖都與本刑相關，然後再以財易之；後者則直接規定罰金數目多少和徭戍時間長短。換言之，贖刑是以金錢或勞役換其刑罰，相當於贖金；而貲刑相當於罰金，是直接收索犯罪者的錢財以爲懲罰。二者不能混爲一談。關於「贖」，《說文

》曰：「贖，貿也。」又曰：「質也，以財拔罪也。」朱熹曰：「贖刑，使之入金而免其罪。」可知贖刑是用錢財代替或抵銷其刑罰的一種制度。

秦律的贖刑，本文根據《雲夢秦簡》歸納，大致有以下二大類：一為贖金類，又分為以下幾種：㈠贖耐；㈡贖遷；㈢贖黥；㈣贖宮、贖鬼薪鋈足；㈤贖死。二為役贖類，又分為以下幾種原則：㈠有罪而無力交納財物者令居；㈡「居贖」是按日計價折抵；㈢役贖的執行可以代贖；㈣男女奴隸役贖必須穿囚衣帶囚具；㈤一家二人以上可以輪替；㈥農作期有四十天假；㈦刑徒需加監管。

誶即訓誡、申斥、責罵。秦代把「誶」當作一種的行政處罰，適用於一般於犯有輕微罪的官吏身上。是秦代很特別的一項刑罰，基本上，這種刑罰比貲罪要來得輕。由《雲夢秦簡》來看，「誶」大都是官吏在行政上的處罰。其適用的範圍大都是在評比和驗核上出問題的，也有是屬於執行職務不力以及判刑不當的。細分之則有：一、會計核驗方面；二、糧倉管理方面；三、在評比方面；四、在執行職務方面；五、在判刑不當方面。基本上，「誶」刑是秦律中比較特殊的刑稱，亦是輕於貲刑的一種刑罰。

第二　秦簡的官制考察

在官制方面的考察，《雲夢秦簡》也提供了一些重要的資料。在緒論部分本文提到：秦代的官制對我國的政治制度影響很深，而惲敬的《三代因革論》曰：「自秦以後，朝野上下，所行者皆秦制也。」譚嗣同《仁學》亦云：「二千年之政，秦政也。」又《漢書・百官公卿表》中，亦多有「某官，秦官」的記載，可見漢制多承秦制，而秦的官制對漢以後的影響不喻可知。然因秦代所遺史料過少，只能透過《漢書・百官公卿表》考察，而《漢書・百官表》的資料又不完全可靠。因此，《雲夢秦簡》的出土，對秦國官制可以說是一個很好的補充。

透過《雲夢秦簡》，在官制方面略有四端：

其一，關於選官制度：

選官制度就是仕進制度，是一個國家或政權選拔官吏的制度。本文針對《雲夢秦簡》所反映「世官制度」、「學吏制度」及「法官法史制度」三個選官形式加以探討。

其中世官制是官職世襲的制度，此一制度，在夏商開始萌芽發展，至西周爲鼎盛。在世官制度下，官職被限定在貴族範圍內。秦在商鞅變法之前，所行的即是西周的世官制度。春秋時期，由於明賢思想顯著發展，世官制開始衰落。到了戰國，由於貴族驕淫矜夸，根本不足任國事，任賢觀念因而大盛。一些國君終於打破貴庶界線，從庶民中選用人材。由是，隨著社會生產方式的變化，世官制度終於崩潰，代之而建立的是唯賢、唯功的新選官制度。秦國在商鞅變法之後，世官制度也這種風潮之下開始解體。即使是《雲夢秦簡》，也只能從「葆子」和「史」的資料中，看到一些世官遺存。

透過「學吏制度」，則可看出「吏」大都是縣級從事具體事務的基層小官。欲爲吏者必須懂得「爲吏之道」，所謂「爲吏之道」，就是做官的方法；而《爲吏之道》中所謂的「吏有五失、五善」，即是官吏有五種缺點和五種優點；「凡良吏皆明法律令」，就是凡是好的官吏都熟悉法律條文。

學吏弟子在學室中接受教育，以便將來從事文書、檔案和書記等職務。一個出身寒微、無財勢可依的人，欲登入仕途，須有一個「學吏」的過程。此一過程，可能是正式向吏員去做學徒，也可能是依附吏員私下學習。但都有一個前提，就是要「以吏爲師」。衆所周知，秦由於「大發吏卒興戍役，官獄職務繁」，又因施行郡縣制度，各項業務都以縣爲基本單位。因此，需要衆多的基層小吏。由是，則經學吏而登仕的機會大增，學吏之風於焉大興。

秦特別強調以法治國，所謂「明主之治天下也，緣法而治。」故重法官法吏。由史籍和《雲夢秦簡》來看，秦的這一套「法官法吏制」基本上是得到貫徹的。當然以秦代史料的缺乏，史籍在這一方面記載是少了點，甚至語焉不詳，過去雖有學者整理，但仍受時間久遠及材料的限制，只能考察到部分痕迹。《雲夢秦簡》的出土後，可以看出秦代對法官法吏制的推行十分徹底。如《法律答問》共有二百一十簡，約佔《雲夢秦簡》的五分之一，內容共有一百八十七條，多採用問答的形式，其中對秦律某些條文、術語以及律文的意圖都作出明確的解釋。其所以如此者，主要的是因秦自商鞅變法以後，主張由國君制訂統一政令和設置法官法吏統一解釋法令。《法律答問》的出現，提供了秦國法官法吏制付諸實行的最有力證據。

其二，關於秦簡所見的嗇夫：

《雲夢秦簡》全文提到嗇夫官稱的有一百多次，是秦國官吏出現最多一個職稱。可見的種類有十餘種，如大嗇夫、縣嗇夫、離官嗇、田嗇夫、倉嗇夫、廄嗇夫、皀嗇夫、庫嗇夫、都亭嗇夫、髼園嗇夫、司空嗇夫、發弩嗇夫、采山嗇夫等，基本上，嗇夫是秦國的基層主管。《管子・君臣》曰：「吏嗇夫任事，人嗇夫任教。教在百姓，論不在撓，賞在信誠，體之以君臣，其誠也以守戰。如此，則人嗇夫之事究矣。吏嗇夫盡有訾程事律，論法辟、衡權、斗斛，文劾不以私論，而以事爲正。如此，則吏嗇夫之事究矣。人嗇夫成教，吏嗇夫成律之後，則雖有敦悫忠信者不得善也，而戲豫怠傲者，不得敗也。」依《管子》的分類，嗇夫有二，一爲「吏嗇夫」（亦即官嗇夫），一爲「人嗇夫」。從《雲夢秦簡》來看，秦國的嗇夫，亦可以分爲二大系統。其中「人嗇夫」爲縣級基層的官吏，屬於治民的官吏；「官嗇夫」（亦即吏嗇夫）爲縣級專門事務的基層主管，屬於治事的官吏。《雲夢秦簡》大量的嗇夫資料，說明了秦國十分重視嗇夫此一官職。

其三，關於秦簡所見的上計制度：

所謂上計，就是下級向上級，地方向中央上報。亦即國家要求地方行政官員於每年年終將施政情形上報。上計，是考核地方官吏的一種重要方式，同時也是戶口統計、財政、民政、調查的重要途徑。上計制度不始於秦，透過本文可以了解到秦以前的上計制度及秦國上計的內容。另外，亦可了解上計的基礎即是「計」和「計史」。

秦國在戰國時期的上計制度和其他國家大致相同，但秦獻公十年（西元前三七五年）「爲戶籍相伍」，嚴密了戶口制度；特別是在商鞅變法之後，封建制度得以强化，上計制度也更加完整。由於名籍，對行政管理和上計考課方面，有顯著的關連，因此，秦國也十分重視人口、戶口的管理和掌握。由《雲夢秦簡》的《編年記》和《法律答問》中，有「自占年」（〇二三・二簡）及防止「匿戶」（五三五簡）的法律規定。可以窺知秦國對戶口的管理十分重視。而秦國透過對戶口和名籍的掌握，也使上計制度有很具體的發展。

其四，關於秦簡所見的官吏管理制度：

法家强調「因任而授官，循名而責實」，是以向重「吏治」，韓非所謂「明主治吏不治民」，荀子亦謂「百吏畏法循繩，然後國不亂。」即本乎此。秦自商鞅變法以來，亦深體官吏是治法的重點，十分重視「吏治」。這由《雲夢秦簡》中的《語書》、《爲吏之道》以及其他的各單行法規可以具體看出。秦對官吏的行政管理，內容是多方面的，同時類型完全、結構嚴密，對於官吏的任免、考課、獎懲、爵制、秩祿，各方面都有嚴格的規範，這說明秦對「吏治」的管理十分重視。

透過《雲夢秦簡》可以看出秦代對官吏任免的一些標準和原則。如在任官的形式和程序上，必須有以下規定：

㈠、官吏必須經過正式任命

㈡、官吏調職不准帶走佐屬

㈢、不准任用廢官

㈣、每年定時任官

㈤、任佐吏有年齡限制

從廢、免官吏的規定，亦可看出：廢和免在程度上是不同的。所謂「免」是指免除官職；所謂「廢」是指撤職永不敘用。二者同是罷黜官職，但「免」輕於「廢」。免除了免除官職外，又往往與「貲二甲」並科使用。如有關軍事官吏任用和訓練方面，發弩嗇夫射不中目標，應罰二甲，免職；又駕騶已任用四年，仍不能駕車，本人則應免職，並補服四年內應服的徭役。另外，「包卒爲弟子」要受免職和貲罰的規定。在《秦律十八種》規定官嗇夫被免職之後，應對其業務進行查核的規定，同時對官吏罪責劃分，也有很明確的規定。《秦律十八種・金布律》亦載明被免職的官吏，仍有復職的機會。

廢是撤職永不敘用，這類處分和免一樣，亦往往與「貲二甲」並科使用。由《雲夢秦簡》中可以看到五種撤職永不敘用的情形：一、聽朝廷的命書時，不下席站立，罰二甲，撤職永不敘用。二、不應自軍中領糧而領取的，皆罰二甲，撤職永不敘用。三、發給軍卒兵器不完善，質量不好，丞及庫的嗇夫和吏，均罰二甲，撤職永不敘用。四、漆園連續三年被評爲下等，罰漆園的嗇夫二甲，並撤職永不敘用。五、採礦連續三年被評爲下等，罰其嗇夫二甲，並撤職永不敘用。五條資料中，在廢的同時，都另並科「貲二甲」，以加重其行政責任，「貲二甲」是秦代貲刑中較重的，（除了一例是「貲二甲一盾」外，最重的都是「貲二甲」。）又秦代的官吏有所謂的宦籍，如《史記・蒙恬列傳》曰：「高大有罪，秦王令蒙毅法治之。毅不敢阿法，當高罪死，除其宦籍。」因此，官吏被廢，當即除其「宦籍」。宦籍既除，自然永不敘用。《秦律雜抄》的《除吏律》中，有規定不得保舉曾被撤職永不敘用的人爲吏，如果「任法（廢）官者爲吏」，則要「貲二甲」。（三二九簡）可見被除去宦籍的官吏，永遠不得保舉任用。

由《雲夢秦簡》看來，官吏被廢免，同時要採取貲甲盾的民事責任。這當是基於官吏在執行職務時由於自身的過失，導致國家戰力或財力蒙受損失所作的考量，因此，除了追究其行政責任外，還要負賠償責任。

秦代官吏的俸祿與其官秩的高低有其一致性，亦即秦的官秩等級乃以其待遇多少來劃定。秦國最晚在商鞅變法時已經實行俸祿制度，這在文獻（如《韓非子》和《商君書》）及《雲夢秦簡》中可以得到印證。

「石」是官秩級別的標準，秦代官吏的俸祿，是「五十石」爲官秩一級（《韓非子・定法》），而秦官的等秩和俸祿有密切的關係。《漢書・百官公卿表》所謂「縣令、長，掌治其縣，萬戶以上爲令，秩千石至六百石；減萬戶爲長，秩五百石至三百石；皆有丞、尉，秩四百石至二百石，是爲長吏。」以此可知秦代的確是以糧穀數額，即石，來表示官秩等級。《雲夢秦簡》中亦有一條資料，可以證實秦代是以石來計算官俸的，如《法律答問》曰：「可（何）謂「宦者顯大夫？」宦及智（知）於王，及六百石吏以上，皆爲「顯大夫」。」（五六一簡）其中「六百石」正是官吏上下的一個界分。又依上舉《漢書・百官公卿表》觀之，顯大夫，當是指萬戶以上的縣令長以及官秩更高的官吏。而「宦及知於王」者，實際上指的正是國君所直接任命的官員，蓋由國君任命，自當爲國君所知。換言之，六百石以上，或者由皇帝直接任命而爲皇帝所知者，都是秦代的高級官吏。以史籍來看，秦代十分注意這「六百石」的上下官吏區分。

關於秦代俸祿的發給，有些學者認爲是按月發給，月俸亦當如此。至於月食口糧計量的問題，《秦律十八種・倉律》中有一條刑徒的月食計量規定：依不同的刑徒每月發糧有「月禾二石」、「一石半」、「月禾一石半石」、「月禾一石」、「月禾一石二斗半斗」、「各半石」、「禾月半石」、「月一石半石」不等，另有「以二月月稟二石半石」、「到九月盡而止其半石」等各種不同的計量。又根據《秦律十八種・倉律》「入禾倉」、「入禾稼芻稾」、「程禾黍」、「計禾」等資料來看，所謂「月禾」、「禾月」者，當是指每月領取的穀子。另外，在《秦律十八種・傳食律》中可以看出秦對有爵者，或一般官吏，其「月食」稟給則不同，待遇較好。

關於秦代的官吏，尚有一個以百石爲區分的問題。亦即「有秩吏」的問題。而「有秩吏」所牽涉的則是「嗇夫」的問題。特別是「鄉有秩」和「鄉嗇夫」的爭議。而有秩的爭論則在於它是一種泛稱，還是專門官稱。漢代許多制度雖然襲自秦制，但入漢以後，部分亦因實際需要而加以變更。有些則是局部改變，尚有秦制遺存，有些則是完全變更秦制。因此，以漢的制度來看秦制往會碰到許多困擾。「有秩」和「嗇夫」的問題，亦是如此。漢代的官吏有「長吏」、「少吏」之分。王國維《敦煌漢簡跋》曰：「漢制計秩，自百石始。不及百石者，謂之斗食。百石稱有秩矣。」以此觀之，「斗食」和「佐秩」都還不算正式官秩。而「有秩」作爲一種專有名詞，是指有秩祿的官吏中最低的一級，乃「剛進入有秩祿之官」，亦即指有秩祿的官吏中最低的一級。以《雲夢秦簡》來看，秦時縣一級行政機構中除設令、丞外，還有不少以「史」「令史」、「佐史」等官吏，可見《史記》所謂的「有秩吏」是一種泛稱。而從秦簡中凡是泛指「有秩」這層官吏時，一般都稱「有秩吏」、「有秩」或「有秩之吏」。準此而言，秦的「有秩」當是一種泛稱，不是官稱。

關於秦代官吏的考課與獎懲，在《雲夢秦簡》官吏的管理法規中，占有極重要的地位。戰國時期，秦國就以考課嚴謹、賞罰分明著稱。統一後繼續沿用舊制，並將之推行於全國。秦代官吏的考課主要係透過「上計」、「評比」和「常態考核」三種方式進行。上計的情形如果不理想，朝廷就給予懲罰。都官和郡、縣對其所屬各官屬的工作也進行評比。評比有「小課」和「大課」之別，由《秦律十八種·廄苑律》來看，小課每季進行一次；大課則在年終舉行。另外，在鄉里中也舉行考核，賞「最」罰「殿」。基本上，考核和獎懲是相聯繫的，成績優秀的，給予獎勵；成績差的給予懲處。成績差者，或誶、或笞、或貲，或廢不等；成績優者，具體的辦法是記勞。所謂「從軍當以勞論及賜」，是從軍有功應授爵和賜勞。可知從軍一樣記算勞績。勞績累積若干後，可以勞績制度的對象，是屯戍邊塞的各級官吏。他們任職即積勞，事異則上功。《雲夢秦簡》中的《中勞律》規定的也和軍事有關。但由《秦律十八種》中《廄苑律》來看，可以相信秦在軍事之外，另有一般官吏的績勞制度。

除了評比、績勞外，《雲夢秦簡》中還有一般性的考核，經常在進行。這些考核有許多資料，都在《效律》中規定。特別是經濟部門的主管，如倉嗇夫、倉嗇夫、庫嗇夫、廄嗇夫、苑嗇夫、田嗇夫、亭嗇夫采山嗇夫、髹園嗇夫、發弩嗇夫等，都是考核的對象。考核內容則包括糧食、木材、皮革、公器等財物的「贏」（餘）或「不備」（不足）、有無損壞和丟失及不合規格等。

第三　秦簡的軍制考察

在軍制部分，本文分四個子題來考察。

其一，軍功爵制在秦國的意義：

所謂軍功爵制，就是因軍功而賜給爵位、田宅、食邑、封國的爵祿制度。亦即朱師轍所謂：「以爵賞戰功，故云軍爵。」軍功爵制在商鞅變法之後，基本上，已經形成一種非常完備的制度。在秦代，人們的政治地位、生活待遇幾乎完全決定有爵無爵和爵位的高低。秦國爵制，比較完整的記載是《漢書・百官公卿表》中的「二十種爵」，不過，這二十種爵制和商鞅時所確立的軍功爵制在內容上有一些出入。又由於這種爵制所產生的背景是在春秋戰國，亦可視爲是繼西周「五種爵制」之後所發展出來的一種新制度。

此一新制，乃各國諸侯根據當時的政治形勢向其臣民所頒布的一種新的爵祿制度，其所以轉變之因，乃是基於對五種爵制的反制。五等爵制的主要內容是「授民以疆土」，而軍功爵制的授爵標準不同，這種新興的爵制的基本點，是只要在政治上或軍事上建立事功，就有機會受爵。各諸侯可以依其臣民軍功的大小授與不同的爵位。授爵的內容包括免除徭役，減免租稅，或賞賜一定數量的土地，有的可以封君食邑，享有一些政治、經濟的特權。這些土地封邑，基本上，只是享有「衣食租稅」而已，對於封地內的土地和人民不能完全占有。可知軍功爵制並未有五等爵那種「授民以疆土」授爵內容。

軍功爵制的產生和西周末年、春秋時代王室的衰微，以及諸侯的爭霸有關。以文獻來看，秦在春秋時期即有軍功爵制。如庶長、不更等，雖然不是很全面，但亦說明在商鞅以前已有此制，商鞅的爵制正是在這些舊有的爵制基礎上加以擴充改良的。

軍功爵制的確立，期在戰國。斯時各國爲了富國强兵，都積極延攬下層人才爲已所用，因功賜爵的新制度於焉產生。這種情形在戰國尤爲顯著。由是，平民遂開始大量湧入政治舞臺。另一方面，因爲君臣、臣民結構的改變，利害權責君臣相對的一個重要關鍵，國君如想讓臣民爲國效死，必須另有一套新的策略和方法。在這種新的形勢下，軍功爵制自然就成爲各國君主用來招攬人才的重要手段之一。

依本文所述，可知「功」的大小，爲軍功爵制的受爵標準，亦爲新爵位制度的特點。如魏國的李悝替魏國主持變法，建立了「食有勞而祿有功」的任官制度，主張「奪淫民之祿，以來四方之士」就是主張將爵祿賜給有功於國的人。其後實施這套辦法的也很多。如在韓、楚、齊、燕等國，都已普遍建立了軍功爵制來獎勵軍功。當然，由於各國國情不同，以及發展的差異，其所推行的程度和規模也不盡相同。

眞正把軍功爵制加以運用發展的是秦國。秦孝公時，商鞅主持變法運動，內容涉及到政治、經濟、軍事、文化各方面，其中以軍功爵制最爲重點。其所實行的是「效功而取官爵」的任官受爵原則。其一規定「有軍功者，各以率受上爵。」其二規定「宗室非有軍功論，不得爲屬籍。」一般庶民只要有軍功，就可以受爵；至於國君的宗族如果沒有軍功，則不能列入宗室的屬籍，享受宗室的特權。個人完全以戰功來獲得爵位。商鞅透過「明尊卑爵秩各以差次，名田宅臣妾衣服以家次。」的原則，來建立一個新的等級標準。如此則使「有功者顯榮，無功者雖富無所芬華。」在此一標準之下，人的政治或社會地位完全由「軍功」來決定。《商君書·刑賞》所謂「利祿官爵，摶出於兵。」又謂「富貴之門，必出於兵。」正說明了秦人要獲得富貴爵祿，捨軍功別無他途。

秦二十等爵中有不少爵名乃沿用秦制舊名，有些則可能是採用山東各國的爵名。如不更、庶長等，原就是秦爵，早在商鞅變法之前就已存在。在山東方面，齊國有「列大夫」，趙國有「上大夫」，魏國有「公大夫」趙、魏、楚有「五大夫」，韓有「公乘」。這些爵名大部分出現的時間都在商鞅變法前後，對於商鞅的爵制改革必有影響。同時對於經過長期發展形成的二十種爵，亦必有影響。《秦會要訂補》曰：「秦爵二十級，有承自前朝者，亦有襲用山東諸侯舊名。」這個看法是正確的。但《漢書》及其後所記的二十種爵，則不是商鞅時期所確定下來的。劉劭《爵制》謂：「商君爲政，備其法品爲十八級，合關內侯，列侯凡二十等。」事實上，卻未必然。另外，在《商君書》和《漢書・百官公卿表》所記的二十種爵中，有些資料，可見於新出土的《雲夢秦簡》。而《雲夢秦簡》中有一些爵名，卻未見於二十種爵中，如「顯大夫」（五六一簡）或即五大夫，「官士大夫」（二四六簡）如果是一個爵名，則未見於二十種爵；又《秦律十八種・傳食律》有「不更」「謀人」、「上造」三者，均足以說明二十種爵並不是商鞅時期就已制定完成，而是逐漸發展形成的。其形成的時間當是晚於《雲夢秦簡》所出現的時間的下限，甚至可能是西漢初期才固定下來的。

可知秦的軍功爵制是經過常期發展所形成的，至於商鞅所制定秦國的軍功爵制，從《雲夢秦簡》中可以看出實際上是一直被秦國所採用的。當然在這之間，秦的軍功爵制也繼續發展出一些新的內容，如《雲夢秦簡》所見的幾個新爵名及爵名異稱，正足以說明此一現象。至於《漢書・百官公卿表》所謂的二十種爵，在秦國統一前，至少在《雲夢秦簡》所顯現的時間下限，是還未完全定形的。

軍功爵制對秦國整個軍事制度有很大的影響。對秦人來說，亦爲爭取更高社會地位的主要途徑。在《雲夢秦簡》的《軍爵律》中有不少關於軍爵的內容，在《封診式》中亦記有一些案例關係人的爵名，在其他律文中亦可以看到一些有爵、或者無爵者的活動。這些資料在整體上雖然不多，卻仍充分說明了在商鞅變法之後，軍功爵制已經發展成非常完備的制度，同時在秦的社會結構和秦人的生活中，也產生了一些微妙的變化。

由於秦國的軍功爵制實行得十分徹底，透過戰功可以提昇個人的社會和政治地位。同時，封爵之後也可以當官爲吏，贖罪免刑，更可以免除親人的奴婢身份。因此，秦人十分在意軍功的獲取。有時爲了軍功甚至有士兵互爭首級的情事發生。如《封診式

》就有二例。當然在此一制度之下，秦人獲得爵位的重要途徑是軍功，而軍功又强調首功。在「計首授爵」的政策驅使下，秦軍變成了殺人狂，不僅在戰爭中斬殺敵人，同時也可能殺害同袍，以獲取軍功。再者，秦軍爲了增加首級的數量，亦往往採取滅絕人性的大屠殺。這是軍功爵制所引發的弊病。軍功爵制雖然對秦的統一前期的兼併戰爭有不可磨滅的貢獻，但發展到後來卻成了滅絕人性的大屠殺，反而造成六國的抗秦決心，間接阻礙了其統一的時間。

參考書目

一

○孔安國傳，孔穎達等正義：《尚書正義》藝文印書館影印十三經注疏本。

○曾運乾：《尚書正讀》洪氏出版社，一九八二年十二月再版。

○曾榮汾：《呂刑研究》師大國文研究所碩士論文，一九七六年。

○曾榮汾:《康誥研究》學生書局,一九八一年九月。

○鄭玄注，賈公彥疏，《周禮注疏》藝文印書館影印十三經注疏本。

○孫詒讓：《周禮正義》中文出版社，一九八〇年十二月初版。

○侯家駒：《周禮研究》聯經出版社，一九八七年六月。

○李玉和：《周禮秋官刑法思想研究》師範大學國文研究所碩士論文，一九七七年六月。

○《春秋左傳杜林合註》學海出版社，一九七五年八月初版。

二

○管仲（戴望點校）：臺灣商務印書館國學基本叢書，一九五六年四月臺初版。

○淄博社會科學聯合會、趙宗正、王德敏編：《管子研究》第一輯，山東人民出版社，一九八七年十一月一版。

○戴東雄：《管子的法律思想》中央文物供應社，一九八五年五月。

○孫詒讓：《墨子閒詁》華正書局，一九八七年三月初版。

○岑仲勉：《墨子城守各篇簡注》中華書局，一九五九年。
○郭慶藩：《莊子集釋》木鐸出版社，一九八二年九月初版。
○朱師轍：《商君書解詁定本》鼎文書局，一九七九年二月初版。
○俞樾：《商君書平議》，內在《諸子平議》內。
○王師叔岷：《商君書斠補》，在《諸子斠證》內，世界書局，一九六四年版。
○陳啓天：《商鞅評傳》臺北商務印書館，一九六七年再版。
○高亨：《商君書注釋》中華書局，一九七四年。
○賀凌虛：《商君書今註今譯》臺灣商務印書館，一九七七年八月二版。
○陳奇猶：《韓非子集釋》華正書局，一九七七年四月版。
○王邦雄：《韓非子的哲學》東大圖書公司，一九八三年九月三版。
○張素貞：《韓非子思想體系》黎明文化出版有限公司，一九七四年五月版。
○謝師雲飛：《韓非子析論》大林出版社，一九七三年二月。
○張純、王曉波：《韓非思想的歷史研究》聯經出版社，一九八三年九月。
○張素貞：《韓非子的實用哲學》中央日報，一九九一年一月三版。
○盧瑞鍾：《韓非子政治思想新探》自印本，總經銷三民書局，一九八九年四月。
○徐漢昌：《韓非的法學與文學》文史哲出版社，一九八四年十月修訂三版。
○蔡振修：《韓非的法律思想研究》自印本，一九八六年十月。
○王先謙：《荀子集解》藝文印書館，一九七七年二月四版。
○陳奇猶：《呂氏春秋校釋》華正書局，一九八五年八月初版。

○王師叔岷：《呂氏春秋校補》中央研究院歷史語言研究所專刊三三。
○編者不詳：《尉繚子》莊嚴出版社，一九八五年三月一版。
○錢穆：《先秦諸子繫年》東大圖書公司，一九八六年二月臺東大初版。
○王充撰、劉盼遂集解：《論衡集解》世界書局，一九七五年六月三版。

三

○司馬遷（裴駰集解、司馬貞索隱、張守節正義）：《史記》鼎文書局，一九七五年三月七版。
○班固（顏師古注）：《漢書》鼎文書局，一九七九年二月二版。
○衛宏（孫星衍輯）：《漢舊儀》藝文印書館影印平津館叢書本，一九六七年。
○劉向集錄：《戰國策》上海古籍出版社點校本，一九八五年三月二版。
○董說編、繆文遠訂補：《七國考訂補》上海古籍出版社，一九八七年四月一版。
○孫楷編、徐復訂補：《秦會要訂補》鼎文書局，一九七八年十一月初版。
○許倬雲：《西周史》聯經出版社，一九八四年十月初版。
○郭沫若：《青銅時代》文治出版社，一九四五年三月初版，（翻印本）。
○岑仲勉：《兩周文史論叢》（翻印本）。
○童書業：《春秋史》山東大學出版社，一九八七年五月重版。
○翦伯贊：《先秦史》北京大學出版社，一九九〇年二月一版。
○呂思勉：《先秦史》臺灣開明書局，一九七七年六月臺六版。

○姚秀彥：《先秦史》里仁書局，一九八〇年十月。
○楊寬：《戰國史》谷風出版社，一九八六年九月。
○李學勤：《東周與秦代文明》駱駝出版社（翻印本）
○林劍鳴：《秦史稿》上海人民出版社，一九八一年。又谷風出版社（翻印），一九八六年十二月。
○王云度：《秦史編年》陝西人民出版社，一九八六年七月一版。
○馬非百：《秦集史》中華書局版、一九八二年。
○翦伯贊：《秦漢史》北京大學出版社，一九八三年五月第二版。
○邢義田：《秦漢史論稿》東大圖書公司，一九八七年六月。
○高敏：《秦漢史論集》中州書畫社，一九八二年八月一版。
○黃今言：《秦漢賦役制度研究》江西教育出版社，一九八八年四月一版。
○周天游：《秦漢史研究概要》天津教育出版社，一九九〇年十月一版。
○周谷城：《古史零證》上海新知識出版社，一九五六年。
○郭沫若：《中國古代社會研究》北京人民出版社，一九八二年九月。
○許進雄：《中國古代代社會》臺灣商務印書館，一九八八年九月初版。
○作者不詳：《中國古代社會史論》（翻印本）
○楊寬：《中國古代陵寢制度史研究》谷風出版社，一九八七年五月。（翻印本）
○李超鋼等：《中國古代官吏研究淺論》勞動人事出版社，一九八九年九月。
○黃留珠：《中國古代選官制度考略》陝西人民出版社，一九八九年九月一版。

○侯家駒：《先秦法家經濟統制思想》聯經出版社，一九八五年四月十二月初版。
○林甘泉：《中國封建土地制度史》中國社會科學出版社，一九九〇年八月一版。
○謝天佑：《秦漢經濟政策與經濟思想史稿》華東師範大學出版社。一九八九年三月。
○朱紹侯：《軍功爵制研究》上海人民出版社，一九九〇年一月一版。
○熊鐵基：《秦漢軍事制度史》廣西人民出版社，一九九〇年五月。
○王曉衛、劉昭祥：《歷代兵制淺說》解放軍出版社，一九八六年二月一版。
○楊鴻年、歐陽鑫：《中國政制史》安徽教育出版社，一九八九年三月一版。
○周著：《中國政治史》古楓出版社，一九八六年（翻印本）
○張寅成：《戰國秦漢時代的禁忌》國立臺灣大學歷史研究所博士論文，一九九二一月。

四

○羅振玉：《殷虛書契前編》藝文印書館。
○羅振玉：《殷虛書契後編》藝文印書館。
○董作賓：《董作賓先生全集》藝文印書館，一九七七年十一月初版。
○郭沫若：《殷契粹編》大通書局，一九七一年二月初版。
○嚴一萍：《甲骨學》藝文印書館，一九七八年二月初版。
○郭沫若：《金文叢考》（翻印本）。
○于省吾：《商周金文錄遺》明倫出版社，一九七一年六月初版。

○沈寶春：《商周金文錄遺考釋》師大國文研究所碩士論文，一九八三年六月。

○許慎（段玉裁注）：《說文》藝文印書館，一九六五年十月十版。

○龍師宇純：《中國文字學》再訂本，臺灣學生書局，一九八四年九月四版。

○徐中舒等編：《漢語古文字字形表》文史哲出版社，一九八二年四月初版。

○徐中舒等編：《秦漢魏晉篆隸字形表》四川辭書出版社，一九八六年十月二刷。

○徐富昌：《漢簡文字研究》國立政治大學中文研究所碩士論文，一九八四年六月。

○謝宗炯：《秦書隸變研究》國立成功大學歷史語言研究所碩士論文，一九八九年六月。

五

○睡虎地秦墓竹簡整理小組：《睡虎地秦墓竹簡》（線裝本，附圖版、釋文）《文物出版社，一九七七年九月。

○睡虎地秦墓竹簡整理小組：《睡虎地秦墓竹簡》〈普及版，附釋文、注釋、語釋、索引〉文物出版社，一九七八年十一月。

○睡虎地秦墓竹簡整理小組：《睡虎地秦墓竹簡》〈精裝版，附釋文、注釋、語釋、〉文物出版社，一九九〇年五月。

○高敏：《雲夢秦簡初探》（專著）河南人民出版社，一九七九年一月第一版，一九八一年七月第二版（增訂本）。

○朱紹侯：《軍功爵制試探》上海人民出版社，一九八〇年四月。

○林劍鳴：《簡牘概述》陝西人民出版社，一九八一年出版。

○李學勤：《新出土竹簡帛與楚文化》《楚文化新探》湖北人民

出版社，一九八一年。

〇陳振裕：《簡牘概述》《雲夢睡虎地秦墓》第二章第一節，文物出版社，一九八一年。

〇梁文偉：《雲夢秦簡〈編年記〉相關史事斠斛兼論〈編年記〉性質》國立台灣大學中文研究所博士論文，台北，一九八一年。

〇雲夢睡虎地秦墓編寫組：《雲夢睡虎地秦墓》（附圖版、釋文、並首次發表〈日書〉）文物出版社，一九八一年九月。

〇鄭良樹：《論雲夢〈大事記〉之史料價值》《竹簡帛書論文集》中華書局，一九八二年一月出版。

〇饒宗頤、曾憲通：《雲夢秦簡〈日書〉研究》香港中文大學出版社，一九八二年。

〇余宗發：《雲夢秦簡——佚書研究》國立臺灣師範大學研究所論文，台北，一九八二年。

〇宋豫卿：《秦司空研究——睡虎地秦簡資料爲主》私立文化大學史學研究所碩士論文，台北，一九八二年。

〇黃展岳：《雲夢秦漢墓葬的發掘和秦簡的研究》《新中國的考古發現和研究》（一九五〇——一九八〇）第四章，文物出版社，一九八四年五月。

〇勞榦：《漢晉西陲木簡新考》《中央研究院歷史語研究言所單刊》甲種之二十七，一九八五年。

〇李貞德：《西漢律令中的倫常觀》國立臺大學歷史研究所碩士論文，一九八五年。

〇韓連琪：《先秦兩漢史論叢》齊魯書社，一九八六年出版。

〇吳昌廉（編）：《中華五千年文物——簡牘篇二、三》國立故宮博物院，臺北，一九八六年。

〇余宗發：《秦人出入各家思想分期初探》學海出版社，臺北，一九八七年十二月。

○邢義田：《秦簡簡牘與帛書研究文獻目錄》《秦漢史論稿》東大圖書公司，臺北，一九八七年六月。
○高明士：《有關雲夢秦簡的參考文獻》《戰後日本的中國史研究》明文書局，臺北，一九八七年九月增訂二版。
○段莉芬：《秦簡釋詞》私立東海大學中國文學研究所碩士論文，一九八九年六月。
○羅振玉、王國維：《流沙墜簡考釋》三卷，京都東山學社，一九一四年。
○羅振玉：《簡牘檢署考》雲窗叢刻，一九一四年。
○陳槃：《漢晉遺簡識小七種》中央研究院歷史語研究言所專刊之六十三。
○鄭有國：《中國簡牘學綜論》華東師範大學出版社，一九八九年九月。
○高敏：《簡牘研究入門》廣西人民出版社，一九八九年十月。

六

○劉俊文點校：《唐律疏議》弘文館出版社，一九八六年三月。
○沈家本：《沈寄簃先生遺書甲編》文海出版社，一九六四年九月初版。
○程樹德：《九朝律考》中華書局，一九八八年四月二刷。
○辛子牛：《漢書刑法志注釋》群衆出版社，一九八四年八月一版。
○徐朝陽：《中國刑法溯源》臺灣商務印書館，一九六七年七月。
○黃秉心：《中國刑法史》育光出版社，一九六六年十月再版。
○蔡樞衡：《中國刑法史》廣西人民出版社，一九八三年二月一版。
○楊鴻烈：《中國法律發達史》臺灣商務印書館，一九八八年三月臺二版。

○仁井田陞撰、林茂松譯：《中國法制史新論》環宇出版社，一九七六年一月初版。

○張金鑑：《中國法制史概要》正中書局，一九七四年六月初版二刷。

○張晉藩等：《中國法制史》北京中國人民大學出版社，一九八一年。

○蕭永清：《秦朝的法律制度》《中國法制史簡》第二章第一節三，山西人民出版社，一九八一年。

○法學教材編輯部《中國法制史》編寫組：《秦朝的法律制度》《中國法制史》第五章，群眾出版社，一九八二年。

○游紹尹等：《中國政治法律制度簡史》湖北人民出版社，一九八三年出版。

○李甲孚：《中國法制及其引論》（增訂本）。

○陳光中、沈國峰：《中國古代司法制度》群眾出版社，一九八四年十月。

○栗勁：《秦律通論》山東大學人民出版社，一九八五年出版。

○李鐘磬：《法律制度——秦朝》《中華法系》華欣文化事業中心，臺北，一九八五年。

○寧漢林《中國刑法通史》（第二分冊），遼寧大學出版社，一九八六年八月。

○胡留元、馮卓慧：《西周法制史》陝西人民出版社，一九八八年十二月一版。

○何孝元：《法律思想研究》臺灣商務印書館，一九八一年四月二版。

○王潔卿：《中國法律與法治思想》（自印）總經銷三民書局，一九八八年三月。

○李志敏：《中國古代民法》法律出版社，一九八八年六月一版。
○堀毅：《秦漢法制史論考》法律出版社，一九八八年八月。
○林文慶：《秦律徒刑制度研究》私立文化大學中國文學研究所碩士論文，一九八九年六月。
○劉俊文：《敦煌吐魯番唐代法制文書考釋》中華書局，一九八九三月。
○薛和、徐克謙：《先秦法學思想資料譯注》江蘇古籍出版社，一九九〇年十一月一版。
○大庭脩著、林劍鳴等譯：《秦漢法制史研究》上海人民出版社，一九九一年三月一版。
○黃中業：《秦國法制建設》遼瀋書社，一九九一年五月。
○林劍鳴：《法與中國社會》吉林文史出版社，一九八八年五月。
○王子琳編：《法律社會學》吉林大學出版社，一九九一年一月一版。
○博登海默（Edgar Bodenheimer）著、結構群譯：《法理學--法哲學及其方法》，結構群文化事業有限公司，一九八〇年十月。
○羅傑・科特威爾（Roger Cotterrell）著、結構群譯：《法律社會學導論》結構群文化事業有限公司，一九九一年六月。

【參考書目】之二

○雲夢秦簡整理小組等：《雲夢秦簡部分釋文：㈠、南郡守騰文書㈡、大事記㈢、從騰的〈文書〉看秦代的反復鬥爭》《光明日報》一九七六年四月六日。
○曉涵：《雲夢秦簡〈大事記〉簡述》《光明日報》一九七六年四月廿二日。

○華中師院京山分院政史系理論組：《從雲夢秦簡看秦始皇的反復辟鬥爭》《湖北日報》一九七六年四月廿一日。
○施正：《從雲夢秦簡看秦始皇鎮壓復辟勢力的必要性》《光明日報》一九七六年四月廿九日。
○鄭實：《加強上層建竹領域中的革命專政——從〈南郡守騰文書〉看秦始皇堅持反復辟鬥爭》《光明日報》一九七六年五月十三日。
○鍾志誠：《秦始皇時期反復辟鬥爭的歷史見證——談湖北雲夢出土的秦簡南郡守騰的文書》《華中師院學報》一九七六年第二期。
○季勛：《雲夢睡虎地秦簡概述》《文物》一九七六年第五期。
○張澤棟等：《參加雲夢秦簡墓發掘的幾點認識》《文物》一九七六年第五期。
○蒙默：《秦始皇反復辟功績的歷史見證——讀最近出土的雲夢秦簡》《四川大學學報》（哲學社會科學版）一九七六年五月第二期。
○孝感地區第二期亦工亦農考古短期訓練班：《湖北雲夢睡虎地十一號秦墓發掘報告》《文物》一九七六年第六期。
○雲夢秦墓竹簡整理小組：《雲夢秦簡釋文》㈠《文物》一九七六年第六期。
○田昌五：《秦國法家路線的凱歌——讀雲夢出土秦簡札記》《文物》一九七六年第六期。
○吳樹平：《〈秦律〉是新興地主階級反復辟的銳利武器》《文物》一九七六年第六期。
○雲夢秦簡整理小組：《雲夢秦簡釋文》㈡《文物》一九七六年第七期。
○《秦代竹簡首次出土》《人民畫報》一九七六年第七期。
○《雲夢縣出土一批秦代的竹簡》《解放軍畫報》一九七六年第

七期。

○林甘泉：《秦律與秦朝的法治路線——讀雲夢出土的秦簡》《文物》一九七六年第七期。

○石言：《〈南郡守騰文書〉與秦法家路線》《歷史研究》一九七六年第七期。

○雲夢秦簡整理小組：《雲夢秦簡釋文》㈢《文物》一九七六年第八期。

○湖北孝感地區第二期亦工亦農文物考古訓練班：《湖北雲夢睡虎地十一座秦墓發掘簡報》《文物》一九七六年第九期。

○陳直：《略論雲夢秦簡》《西北大學學報》一九七七年第一期。

○黃盛璋：《雲夢秦簡〈編年記〉初步研究》《考古學報》一九七七年第一期。

○鄭實：《從雲夢秦簡秦代的主要矛盾》《武漢大學學報》一九七七年第六期。

○吳樹平：《秦代社會的階級和階級關係——讀雲夢秦簡札記之一》《文物》一九七七年第六期。

○高恒：《秦律中「隸臣妾」問題的探討——兼批四人幫的法家「愛人民」的謬論》《文物》一九七七年第七期。

○唐贊功：《從雲夢秦簡看秦代社會的主要矛盾》《歷史研究》一九七七年第五期。

○吳榮曾：《論秦律的階級本質——讀雲夢秦簡札記》《歷史研究》一九七七年第五期。

○吳白匋：《從出土秦簡帛書看秦漢早期隸書》《文物》一九七八年第二期。

○鄭實：《嗇夫考——讀雲夢秦簡札記》《文物》一九七八年第二期。

○劉海年：《秦漢「士伍」的身份與階級地位》《文物》一九七

八年第二期。
○馬非白：《雲夢秦簡中所見的歷史新証舉例》《鄭州大學報》一九七八年第二期。
○熊鐵基：《秦代賦稅徭役制度初探》《華中師院學報》一九七八年第一期。
○吳榮曾：《從秦簡看秦國商品貨幣發展狀況》《文物》一九七八年第五期。
○傅振倫：《雲夢秦墓牒記考釋》《社會科學戰線》一九七八年第四期。
○鄭良樹：《論雲夢秦簡大事記之史料價值》《故宮季刊》一九七八年第三期。
○俞偉超：《略釋漢代獄辭文例——一份治獄材料初探》《文物》一九七八年第一期。
○高敏：《關於秦時服役者年齡探討》《鄭州大學報》一九七八年第二期。
○舒學：《我國古代竹木簡發現出土情況》《文物》一九七八年第一期。
○朱紹侯：《軍功爵制試探》《開封師院學報》一九七八年第一期。
○劉海年等：《從雲夢秦簡看秦律的階級本質》《學術研究》一九七九年第一期。
○高敏：《雲夢秦簡初探》（專著）河南人民出版社一九七九年一月第一版，一九八一年七月第二版（增訂本）。以下爲該書目錄：
《編年記）的性質與作者質疑》；《關於秦時服役者年齡探討》；《勞動人民是戍邊徭役的主要承擔者》；《南郡騰守的經歷及其發布〈語書〉的意義》；《商鞅（秦律）與雲夢出土（秦律）的區別和聯繫》；《從出土（秦律）看秦的奴隸制殘余

》；《〈秦律〉是地主階級壓迫剝削農民的工具；《關於〈秦律〉中的「隸臣妾」問題質疑》；《秦簡〈編年記〉與〈史記〉》；《從雲夢秦簡看秦的土地制度》；《從雲夢秦簡看秦的習賜爵制度》；《從雲夢秦簡看秦的若干制度》；《秦簡〈爲吏之道〉中所反映的儒法融合傾向》；《從〈秦律〉的刑罰類別看地主階級的法律實質》；《「有秩」非「嗇夫」辨》；《論秦漢時期的「亭」》；《秦的奴隸制殘余與秦末農民起義》；《見於〈秦律〉中的訴訟、審訊和量刑制度》；《秦簡中幾種稱謂的涵義試析》。

○熊鐵基：《秦代的郵傳制度——讀雲夢秦簡札記》《學術研究》一九七九年第三期。

○黃賢俊：《從雲夢秦簡看秦代刑律及其階級本質》《西南政治學院學報》一九七九年第二期。

○熊克：《「吏誰從軍」解——讀秦簡（編年記）札記》《中國史研究》一九七九年第三期。

○熊鐵基：《釋〈南郡守騰文書〉》——讀雲夢秦簡札記》《中國史研究》一九七九年第三期。

○陳抗生：《秦法和秦人執法》《江漢論壇》一九七九年第三期。

○黃盛璋：《雲夢秦簡辨證》《考古學報》一九七九年第三期。

○劉海年等：《從秦簡（爲吏之道）看秦的治吏思想》《吉林大學社會科學論叢》一九七九年第四輯。

○邢義田：《雲夢秦簡簡介——附對「爲吏之道」及墓主喜職務性質的臆徹測》《食貨月刊》第四期。

○朱紹侯：《秦軍功爵制簡論》《河南師大學報》一九七九年第六期。

○黃中業：《論盜賊》《歷史學季刊》一九七九年第四期。

○林劍鳴：《從雲夢秦簡看秦代的法律制度》《西北大學學報》

一九七九年第三期。
○游紹尹：《秦律的階級本質和基本內容》《理論與實踐》一九七九年第一期。
○巫鴻：《秦權研究》《故宮博物院院刊》一九七九年第四期。
○陳金生：《「城旦」解》《文史》第六輯，一九七九年。
○劉海年：《秦漢訴訟中的「爰書」《法學研究》一九八〇年第一期。
○商慶夫：《睡虎地秦簡（編年記）的作者及其思想傾向》《文史哲》一九八〇年第一期。
○錢劍夫：《秦漢嗇夫考》《中國史研究》一九八〇年第一期。
○陳玉璟：《略論雲夢〈秦律〉的性質）《江淮論壇》一九八〇年第一期。
○王熤：《睡虎地秦墓竹簡的法家思想》《中華文化復興月刊》一九八〇年第一期。
○黃展岳：《雲夢秦律簡論》《考古學報》一九八〇年第一期。
○陳抗生：《「睡簡」雜辨》《中國歷史文獻研集刊》第一集（一九八〇年）。
○曾憲通：《楚月名初探》《中山大學學報》一九八〇年第一期。
○劉海年：《從雲夢初土的竹簡看秦代的法律制度》《學習與探索》一九八〇年第二期。
○林劍鳴：《「隸臣妾」辨》《中國史研究》一九八〇年第二期。
○高恒：《「嗇夫」辨正》《法學研究》一九八〇年第三期。
○于豪亮：《雲夢秦簡所見職官述略》《文史》第八輯（一九八〇年三月）。
○袁仲一等：《秦代中央官署製陶業的陶文》《考古與文物》一九八〇年第三期。

○吳榮曾：《胥靡試探─論戰國時的刑徒》《中國史研究》一九八○年第三期。

○于豪亮：《秦律叢考》《文物集刊》一九八○年第二期。

○朱德熙等：《戰國時的「料」和秦漢時代的「半」》《文史》第八輯（一九八○年三月）。

○田人隆：《「閭左」試探》《中國史研究》一九八○年第四期。

○王好立：《「閭左」辨疑》《中國史研究》一九八○年第四期。

○黃展岳：《關於秦漢人的食糧計量問題》《考古與文物》一九八○年第四期。

○朱紹侯：《軍功爵制在秦人政治生活中的地位》《河南師大學報》一九八○年第六期。

○黃盛璋：《雲夢秦墓兩封家信中有關歷史地理問題》《文物》一九八○年第八期。

○晁福林：《「南郡備警」說質疑》《江漢論壇》一九八○年第六期。

○張政良：《秦律「葆子」釋義》《文史》第九輯（一九八○年六月）。

○駢字騫：《秦「道」考》《文史》第九輯（一九八○年六月）。

○高恆：《秦律中徭戍問題──讀雲夢秦簡札記》《考古》一九八○年第六期。

○李裕民：《從雲夢秦簡看秦代的奴隸制》《中國考古學會第一次年會論文集》一九八○年。

○馬先醒：《舉世笑談（睡虎地秦墓竹簡）──大庭脩、何四維二博士竹書秦律論文書後─》《簡牘學報》一九八○年。

○馬先醒：《簡牘蹤跡》《簡牘學報》一九八○年。

○馬先醒：《簡牘本之經史子集》《簡牘學報》一九八〇年。
○馬先醒：《簡牘形制》《簡牘學報》一九八〇年。
○馬先醒：《簡牘學要義》《簡牘學會》一九八〇年。
○許倬雲：《由新出土簡牘所見秦漢社會》《中央研究院歷史語言研究所集刊》一九八〇年。
○譚世保：《秦史皇的「車同軌、書同文」新評》《中山大學學報》一九八〇年第四期。
○馬子雲：《秦代篆書與隸書淺說》《故宮博物院院刊》一九八〇年第四期。
○大庭脩（著）、林錦生（譯）：《雲夢出土竹簡秦律之研究》《簡牘學報》第七期一九八〇年。
○胡四維（著）、詹泓隆、詹益熙（譯）：《一九七五年湖北發現之秦文物》同上。
○黃賢俊：《對雲夢秦簡中訴訟制度的探索》《法學研究》一九八〇年第五期。
○馬非白：《關於秦國杜虎符之鑄造年代》《史學月刊》一九八一年第一期。
○韓連琪：《睡虎地秦簡（編年記）考証》《中華文史論叢》一九八一年第一輯。
○謝巍：《范睢疑年考》《中華文史論叢》一九八一年第一期。
○張銘新：《關於〈秦律中的居〉——（睡虎地秦墓竹簡）注釋質疑》《考古》一九八一年第一期。
○黃留珠：《略談秦的法官法吏制》《西北大學學報（哲學社會科學版）一九八一年第一期。
○雲夢縣文物工作：《湖北雲夢睡虎地秦漢墓發掘簡報》《考古》一九八一年第一期。
○羅開玉：《秦國「士伍」「伍人」考—讀雲夢秦簡札記》《四川大學學報》一九八一年第二期。

○蘇俊良：《試論秦漢御史制度》《北京師院學報》一九八一年第二期。
○羅開玉：《秦國「少內」考》《西北大學學報》一九八一年第三期。
○安作璋：《從睡虎地秦墓竹簡看秦代的農業經濟》《秦漢史論叢》第一輯（一九八一年）。
○楊寬：《從「少府」職掌看秦漢封建統治者的經濟特權》《秦漢史論叢》第一輯（一九八一年）。
○熊鐵基：《試論秦代軍事制度》《秦漢史論叢》第一輯，一九八一年。
○林劍鳴：《秦代法律制度初探》《法律史論叢》第一輯，一九八一年。
○高恒：《漢律篇名新箋》《法律史論叢》第一輯，一九八一年。
○王瑞明：《雲夢秦簡〈金布律〉試釋》《中國歷史文獻》第二集，一九八一年。
○黃今言：《秦代租稅徭役制度初探》《秦漢史論叢》第一輯，一九八一年。
○劉海年：《睡虎地秦簡中有關農業經濟法規的探討》《中國古史論集》一九八一年。
○吳榮曾：《監門考》《中華文史論叢》一九八一年第三期。
○唐贊功：《雲夢秦簡官私奴隸問題試探》《中華文史論叢》一九八一年第三期。
○舒之梅：《珍貴的雲夢秦簡》《雲夢秦簡研究》中華書局一九八一年七月出版。
○馬雍：《讀雲夢秦簡〈編年記〉書後》《雲夢秦簡研究》中華書局一九八一年七月出版。
○吳榮曾：《秦的官府手工業》《雲夢秦簡研究》中華書局一九

八一年七月出版。
〇唐贊功：《雲夢秦簡所涉及土地所有制形式問題初探》《雲夢秦簡研究》中華書局一九八一年七月出版。
〇熊鐵基：《秦代的封建土地所有制》《雲夢秦簡研究》中華書局一九八一年七月出版。
〇吳樹平：《雲夢秦簡所反映的秦代社會階級狀況》《雲夢秦簡研究》中華書局一九八一年七月出版。
〇于豪亮：《秦簡中的奴隸》《雲夢秦簡研究》中華書局一九八一年七月出版。
〇高恒：《秦簡中的私人奴婢問題》《雲夢秦簡研究》中華書局一九八一年七月出版。
〇于豪亮、李均明：《秦簡所反映的軍事制度》《雲夢秦簡研究》中華書局一九八一年七月出版。
〇劉海年：《秦律刑罰考析》《雲夢秦簡研究》中華書局一九八一年七月出版。
〇高恒：《秦簡中與職官有關的幾個問題》《雲夢秦簡研究》中華書局一九八一年七月出版。
〇裘錫圭：《嗇夫初探》《雲夢秦簡研究》中華書局一九八一年七月出版。
〇高敏：《秦漢時期的亭》《雲夢秦簡研究》中華書局一九八一年七月出版。
〇于豪亮：《秦王朝關於少數民族的法律及其歷史作用》《雲夢秦簡研究》中華書局一九八一年七月出版。
〇李學勤：《秦簡中古文字學考察》《雲夢秦簡研究》中華書局一九八一年七月出版。
〇李學勤：《秦簡與〈墨子〉城守各篇》《雲夢秦簡研究》中華書局一九八一年七月出版。
〇張政烺：《秦律〈集人〉音義》《雲夢秦簡研究》中華書局一

九八一年七月出版。

○于豪亮：《秦簡〈日書〉記時記月諸問題》《雲夢秦簡研究》中華書局一九八一年七月出版。

○黃盛璋：《〈雲夢秦簡初探〉序》《雲夢秦簡初探》河南人民出版社一九八一年增訂版。

○馬先醒：《睡虎地秦簡研究班與其研究專號——〈睡虎地秦簡研究專號〉引言》《簡牘學報》第一〇，一九八一年。

○馬先醒：《睡虎地秦簡中的篇題及其位置》《簡牘學報》第一〇，一九八一年。

○馬先醒：《就簡牘學觀點略論睡虎地秦簡（上）》《簡牘學報》第一〇，一九八一年。

○馬先醒：《簡牘本秦律之律名、條數及其簡數》《簡牘學報》第一〇，一九八一年。

○馬先醒：《睡虎地秦簡刑律律文集錄》《簡牘學報》第一〇，一九八一年。

○馬先醒：《秦國的戍律與屯表律》《簡牘學報》第一〇，一九八一年。

○馬先醒：《「坐」與「連坐」》《簡牘學報》第一〇，一九八一年。

○馬先醒：《秦簡雜考》《簡牘學報》第一〇，一九八一年。

○吳福助：《秦簡語書論究》《簡牘學報》第一〇，一九八一年。

○李紀祥：《秦始皇名諱及其在秦簡研究上之意義》《簡牘學報》第一〇，一九八一年。

○張永成：《秦簡隋筆二則》《簡牘學報》第一〇，一九八一年。

○張永成：《秦簡爲地吏之道之版式及其正附文問題》《簡牘學報》第一〇，一九八一年。

○蔣義斌：《秦簡爲地吏之道在思想史上的意義》《簡牘學報》第一〇，一九八一年。

○湯蔓媛：《從歲睡虎地秦簡看秦代的刑罰類別》《簡牘學報》第一〇，一九八一年。

○張壽仁：《秦漢五徒刑期》《簡牘學報》第一〇，一九八一年。

○黃眞眞：《秦代贖刑考略》《簡牘學報》第一〇，一九八一年。

○陳惠琴：《秦簡中所見的耐刑》《簡牘學報》第一〇，一九八一年。

○睡虎地秦簡研究班：《睡虎地秦簡校誌》《簡牘學報》第一〇，一九八一年。

○金燦著，劉順達，周業滋合譯：《雲夢出土秦簡與秦、漢初之征兵適令》《簡牘學報》第一〇，一九八一年。

○工籐元男著，李守爰譯：《秦內史》《簡牘學報》第一〇，一九八一年。

○高明士：《雲夢秦簡與秦漢史研究——以日本的研究成果中心》《食貨月刊》復刊：三、一九八一年。

○鄭良樹：《七十年代出土竹簡帛書對古籍之影響》（上）（下）《故宮季刊》一五：三、四，一九八一年。

○王曉波：《秦的興亡與法家之治》《大陸雜志》六三：三，一九八一年。

○張溯崇：《竹簡秦律概說》《法聲》一八，一九八一年。

○黃賢俊：《雲夢秦簡中訴訟制度的探索》《法學研究》一九八五年第五期。

○李解民：《開阡陌辨正》《文史》第十一輯，一九八一年。

○高敏：《秦律》所反映的訴訟審訊和量刑制度「鄭州大學學報」一九八一年三期。

○劉海年：《雲夢秦簡的發現與秦律的研究》《法學研究》一九八二年第一期。
○宮長爲等：《「隸臣妾」是秦的官奴婢》《中國史研究》一九八二年第一期。
○黃留珠：《秦仕進制度考述》《中國史研究》一九八二年第一期。
○葉小燕：《秦墓初探》《考古》一九八二年第一期。
○王瑛：《雲夢秦墓竹簡所見某些語法現象》《語言研究》一九八二年第一期。
○蘇誠鑑：《秦「隸臣妾」爲官奴隸歲說——兼論我國歷史上「歲刑」制的起源》《江淮論壇》一九八二年第一期。
○鄭良樹：《論雲夢〈大事記〉之史料價值》《竹簡帛書論文集》中華書局一九八二年一月出版。
○鄭良樹：《論雲夢〈大事記〉札記》《竹簡帛書論文集》中華書局一九八二年一月出版。
○劉海年：《秦代法吏體系考略》《學習與探索》一九八二年第二期。
○于豪亮：《西漢對法律的改革》《中國史研究》一九八二年第二期。
○羅開玉：《秦國傳籍考辨——讀雲夢秦簡札記》《中國歷史文獻集刊》一九八二年第二集。
○葛劍雄：《秦漢的上計和上計吏》《中華文史論叢》一九八二年第二輯。
○高敏：《〈秦律〉反映的訴訟、審訊和量刑制度》《鄭州大學學報》一九八二年第三期。
○呂名平：《秦律貲罰制論》《中南民族學院學報》一九八二年第三期。
○王瑞明：《從雲夢秦簡看秦代中央集權的歷史做作用》《中國

歷史文獻集刊》一九八二年第三集。

○張銘新：《〈秦律〉中的經濟制裁——兼談秦的贖刑》《鄭州大學學報》（社科版）一九八二年第四期。

○羅開玉：《秦國鄉、里、亭新考》《文物與考古》一九八二年第五期。

○宮長爲：《淺談秦代經濟管理中對官吏的幾種規定》《東北師大學報》一九八二年第六期。

○林劍鳴：《四川青川秦木牘內容探討》《考古與文物》一九八二年第六期。

○始皇陵秦俑坑考古發掘隊：《秦始皇陵西側趙背戶村秦刑徒墓》《文物》一九八二年第十期。

○孫民英：《秦始皇陵西側趙背戶村秦刑徒墓質疑》《文物》一九八二年第十期。

○裘錫圭：《〈睡虎地秦墓竹簡〉注釋商榷（一）》《文史》第十三輯一九八二年。

○郭道揚：《秦代的會計》《中國會計史稿》中國財政出版社一九八二年出版。

○陳玉環：《秦律中「隸臣妾」性質再探》《阜陽師範學院學報》一九八二年第二期。

○曹延尊、徐元邦：《簡牘資料論著目錄》《考古學集刊》第二集，一九八二年。

○于豪亮：《西漢適齡男子戍邊三日說質疑》《考古》一九八二年第四期。又見《于豪亮學術文存》中華書局，一九八五年一月。

○四川省博物管、青川縣文化館：《青川縣出土更修田律木牘》《文物》一九八二年第一期。

○于豪亮：《釋青川秦墓木牘》《文物》一九八二年第一期。又見《于豪亮學術文存》中華書局，一九八五年一月。

○楊寬：《釋青川秦牘的田畝制度》《文物》一九八二年第七期。
○黃盛璋：《青川新出秦田律木牘及其相關問題》《文物》一九八二年第九期。
○李學勤：《青川郝家坪木牘研究》《文物》一九八二年第十期。
○張晉藩：《從秦簡〈爲吏之道〉看秦的「治吏」思想》《中國法律史論》一九八二年。
○劉海年：《秦律刑罰的適用原則》（上）（下）《法學研究》一九八三年第一—二期。
○潘世憲：《從竹簡〈秦律〉看秦代的經濟立法》《內蒙古大學學報》一九八三年第一期。
○蔡葵：《試論秦漢時期的生產奴隸》《西北大學學報》一九八三年第一期。
○吳永章：《從雲夢秦簡看秦的民族政策》《江漢考古》一九八三年第二期。
○楊劍虹：《「隸臣妾」簡論》《考古與文物》一九八三年第二期。
○胡平生：《青川秦墓木牘「爲田律」所反映的田畝制度》《文史》第十九輯一九八三年。
○謝巍：《睡虎地秦簡〈編年記〉爲年譜》《江漢論壇》一九八三年第五期。
○錢大群：《談「隸臣妾」與秦代的刑罰制度》《法學研究》一九八三年第五期。
○高恒：《秦律中的刑徒及其刑期問題》《法學研究》一九八三年一月第六期。
○安作璋：《從睡虎地秦墓竹簡看秦統一的原因》《歷史論叢》第三輯一九八三年。

○呂名中：《秦律中的「貲」與「貲贖」》《秦漢史論叢》第二輯一九八三年。
○朱大昀：《有關「嗇夫」的一些問題》《秦漢史論叢》第二輯一九八三年。
○林劍鳴：《「隸臣妾」並非奴隸》《歷史論叢》第三輯一九八三年。
○孔慶明：《從〈秦簡〉看法制研究中的幾個問題》《法律史論叢》第三輯一九八三年。
○劉海年：《論秦始皇的法律思想》《法律史論叢》第三輯一九八三年。
○王瑞明：《雲夢秦簡看秦代中央集權制的歷史作用》《中國歷史文獻研究集刊》第三輯一九八三年。
○楊寬：《雲夢秦簡所反映的土地制度和農業政策》《上海博物館集刊——建管三十週年特輯》（總第二期）一九八三年。
○杜正勝《「編戶齊民」的出現及其歷史意義——編戶齊民的研究之一》《中央研究院歷史語研究所集刊》，五四：三，一九八三年。
○邢義田：《秦漢的律令學——兼論曹魏律博士的出現》《中央研究院歷史語研究所集刊》，五四：四，一九八三年。
○陳漢生：《我國古代贖刑制度述略》《社會科學》（上海）一九八三年第十一期。
○劉海年：《論秦始皇的法律思想》《法律史論叢》一九八三年第三輯。
○李裕民：《秦統治者絕對排斥儒家思想嗎》《山西大學學報》一九八三年第三期。
○王傳生：《從秦簡看社會變革時期經濟生活的法律規範》《法學研究》一九八四年第一期。
○施偉青：《「隸臣妾」的身份復議》《中國社會經濟史研究》

一九八四年第一期。
○張金光：《論秦漢的學史制度》《文史哲》一九九八四年第一期。
○石子政：《秦律貲罰甲盾與統一戰爭》《中國史研究》一九八四年第二期。
○王占通等：《「隸臣妾」是帶有奴隸殘餘的刑徒》《吉林大學學報》（社科版）一九八四年第二期。
○倪正茂：《法網嚴密，一脈相承——秦漢立法概況》《法學雜志》一九八四年第三期。
○栗勁：《秦律和罪刑法定主義》《法學研究》，一九八四年第三期。
○李力：《亦談「隸臣妾」與秦代刑罰制度》《法學研究》，一九八四年第三期。
○栗勁等：《試論秦的刑徒無期刑》《中國政法大學學報》一九八四年第三期。
○馮春田：《〈睡虎地秦墓竹簡〉某些語法現象研究》《中國語文》一九八四年第四期。
○栗勁：《〈睡虎地秦墓竹簡〉譯注斠補》《吉林大學社會科學學報》一九八四年第五期。
○吳九龍：《銀雀山漢簡齊國法律考析》《史學集刊》一九八四年第四期。
○徐鴻修：《從古代罪人收奴刑的變遷看「隸臣妾」「城旦舂」的身份》《文史哲》一九八四年第五期。
○劉海年：《秦簡〈語書〉深析》《學習與探索》一九八四年第六期。
○王云度：《秦簡的出土開闊了秦史研究新天地》《文物天地》一九八四年第六期。
○朱德熙等，《七十年代中國出土的秦漢簡簡冊和帛書》《中國語文研究》一九八四年第六期。
○高敏等：《秦簡「隸臣妾」確為奴隸說——兼與林劍鳴先生商榷》《學術月刊》一九八四年第九期。
○李孝林：《從雲夢秦簡看秦朝的會計管理》《江漢考古》一九八四年第三期。
○楊劍虹：《睡虎地秦簡〈編年記〉作者及其政治態度》《江漢考古》一九八四年第三期。
○劉海年：《秦的訴訟制度》《大中國法學》一九八五年第一、三、四期，一九八六年第二、三、六期·一九八七年第一期連載。
○陳玉璟：《秦簡詞語札記》《安徽師大學報》（哲學社會科學版）一九八五年第一期。
○張平轍：《讀簡牘發微》《蘭州大學學報》（社科版）一九八五年第二期。
○林劍鳴：《〈日書〉——秦代社會的一面鏡子》《文博》一九八五年第三期。
○李力：《秦刑徒刑期辨證》《史學月刊》一九八五年第三期。
○施偉青：《從秦簡看戰國時期秦國保護人力的措施》《中國社會經濟史研究》一九八五年第三期。
○李學勤：《睡虎地秦簡〈日書〉與楚秦社會》《江漢考古》一九八五年第四期。
○李學勤：《何四維〈秦簡遺文〉評介》《中國史研究》一九八五年第三期。
○郭延威：《淺析秦代的刑事檢驗制度》《西北政法學院學報》一九八五年第四期。
○劉海年：《關於中國歲刑的起源——兼談秦刑徒的刑期和隸臣妾的身份》〈上〉〈下〉《法學研究》一九八五年第五—六期。
○王雲：《秦漢的謫戍和過寧更》《遼寧師範大學學報》（社科

版）一九八五年第六期。
○錢大群：《再談「隸臣妾」與秦代的刑罰制度——兼復〈亦談「隸臣妾」與秦代的刑罰制度」》《法學研究》一九八五年第六期。
○林劍鳴：《三辨「隸臣妾」談歷史研究中的方法論問題》《學術月刊》一九八五年第九期。
○張志哲：《秦內史「騰」考述》《江漢論壇》一九八五年第一一期。
○張金光：《關於秦刑的幾個問題》《中華文史論叢》第三三輯一九八五年。
○高恒：《秦漢地方的警察機構——亭》《中國警察制度簡論》群眾出版社一九八五年出版。
○李貞德：《漢初律令中的倫常觀》《史原》一九八五年。
○杜正勝：《從封建制度到郡縣制的土地權屬問題》《食貨月刊》，復刊一四，九，一〇，一九八五年。
○吳福助：《秦簡〈語書〉校釋》《東海大學中文學報》第五期一九八五年。
○杜正勝：《從肉刑到徒刑——兼論睡虎地秦簡所見古代刑法轉變的訊息》《食貨月刊》，復刊一五，五，六，一九八五年。
○饒宗頤：《秦簡中的五行說和納音說》《中國語文研究》一九八五年第七期。
○周鳳五：《從雲夢簡牘談秦代文學》《古典文學》一九八五年第七期。
○啇慶夫：《秦刑律的淵源及其演進》《歷史論叢》第五輯，濟南，齊魯書社，一九八五年一月。
○杜正勝：《從爵制論商鞅變法所形成的社會》《中央研究院歷史語研究言所集刊》第五六本第三分，一九八五年九月。
○王森：《秦律中髡、耐、完刑辨析》《法學研究》一九八六年第一期。
○何幼琦：《論楚國之曆》《江漢論壇》一九八五年第十期。
○高敏：《秦代經濟立法原則及意義》《學術研究》一九八六年第二期。
○楊廣偉：《「完刑」即「髡刑」術》《復旦學報》（社會科學版）一九八六年第二期。
○《日書》研讀班：《〈日書〉——秦國社會的一面鏡子》《文博》一九八六年第五期。
○彭年：《〈約法三章〉新論》《秦漢史論叢》第三輯，一九八六年。
○高尙志：《秦簡律文中的「受田」》《秦漢史論叢》第三輯，一九八六年。
○曾憲通：《秦簡〈日書〉歲篇證》《古文字學與語言學論集》一九八六年。
○李錫厚：《「棄灰罪」考釋》《中國人民警官大學學報》一九八六年第三期。
○杜正勝：《傳統法典始原——兼論李克法經的問題》《勞貞一先生八秩榮慶論文集》一九八六年臺北出版。
○吳福助：《嬴秦牛耕新證》《黎東方先生八秩榮慶論文集》又收《簡牘學報》第十二期，一九八六年。
○林富士：《論雲夢秦簡中的「癘」與「定殺「《史原》第十五期，一九八六年。
○邢義田：《從安田重遷論秦漢時代的徙民與遷徙刑——附錄：論秦漢遷徙刑的運用與不復肉刑》《中央研究院歷史語研究言所集刊》第五十七本，一九八六年。
○劉海年：《戰國齊國法律史料的重大發現》《法學研究》一九八七年第二期。
○黃盛璋：《論青川秦簡田律》《農業考古》一九八七年第二期

。

○大庭脩（著）孫言誠（譯）《雲夢出土竹書秦律的研究》《簡牘研究譯叢》第二輯，中國社會科學出版社，一九八七年五月。

○劉海年：《文物中的法律史料及其研究》《中國社會科學》一九八七年第五期。

○王占通等：《「秦『隸臣妾』分爲官奴隸和刑徒兩部分」值得商榷》《法學研究》一九八七年第五期。

○商慶夫：《再論秦簡〈編年記〉作者的思想傾向》《文史哲》一九八七年第六期。

○楊升南：《雲夢秦簡中「隸臣妾」的身份和戰國時期秦國的社會性質》《鄭州大學學報》一九八七年第二期。

○劉漢東：《再說「隸臣妾」確爲奴隸》《中州學刊》一九八七年第二期。

○吳益中：《關於雲夢秦簡中「男子」一稱——與高敏先生商榷》《江漢考古》一九八七年第一期。

○張聞玉：《雲夢秦簡〈日書〉初探》《江漢論壇》一九八七年第四期。

○王勝利：《雲夢秦簡〈日書〉初探商榷》《江漢論壇》一九八七年第十一期。

○李曉東、黃曉芬：《從〈日書〉看秦人鬼神觀及秦人文化特徵》《歷史研究》一九八七年第四期。

○林富士：《試釋睡虎地秦簡〈日書〉中的「夢」》《食貨月刊》第十七卷第三、四期，一九八七年八月。

○吳福助：《秦簡〈語書〉論考》東海大學《東海中文學報》第七期，一九八七年七月。

○吳樹平：《從秦簡〈秦律〉本看秦律律篇的歷史淵源》《中華文史論叢》一九八七年第二、三輯。

○林劍鳴：《從價値觀看秦文化的特點》《歷史研究》一九八七年第三期。
○吳益中：《秦什伍連制度坐初探》《北京師院學報》一九八八年第二期。
○林劍鳴：《曲徑通幽處，高樓望路時——評介當前簡牘〈日書〉研究狀況》《文博》一九八八年第三期。
○賀閏坤：《從〈日書〉看秦國的穀物種植》《文博》一九八八年第三期。
○張銘洽：《雲夢秦簡〈日書〉占卜術初探》《文博》一九八八年第三期。
○王桂鈞：《〈日書〉所見早期秦俗發微——信仰、習尙、婚俗及貞節觀》《文博》一九八八年第四期。
○楊巨中：《〈日書〉星釋義》《文博》一九八八年第四期。
○吳福助：《新版〈睡虎地秦簡擬議》《東海中文學報》第八期，一九八八年七月。
○余崇生：《從雲夢秦簡看秦律》《國文天地》第三卷第九期，臺北，一九八八年二月。
○林富士：《〈日書〉正文標題與內容分類表》《漢代的巫者》附表一，稻香出版社，臺北，一九八八年。
○李學勤：《〈周禮〉與秦律——〈周禮正義〉札記之一》紀念孫詒讓學術討論會論文，一九八八年。
○林劍鳴：《秦王朝統一後的社會各階級》中國秦漢史研究會第四屆年會暨國際學討論會論文，徐州，一九八八年九月。
○吳小强：《試論秦人婚姻家庭生育觀念——秦簡〈日書〉社會學研究》中國秦漢史研究會第四屆年會暨國際學討論會論文，徐州，一九八八年九月。
○賀潤坤：《雲夢秦簡〈日書〉看秦國民間的衣食住行》中國秦漢史研究會第四屆年會暨國際學討論會論文，徐州，一九八八年九月。

○太田幸男：《雲夢秦簡和社會史——戰國末年社會史研究的一個方法》中國秦漢史研究會第四屆年會暨國際學討論會論文，徐州，一九八八年九月。

○何雙全：《天水放馬灘秦簡綜述》《文物》一九八九年第二期。

○劉海年：《戰國秦漢法制的沿革》日本早稻田大學講演稿，一九八九年。

○賀潤坤：《雲夢秦簡所反映的秦國漁獵活動》《文博》一九八九年三月。

○韓復智：《睡虎地秦墓竹簡研究報告引言》《史原》第十七期，國立臺灣大學歷史研究所，一九八九年五月。

○王健文：《秦簡〈爲吏之道〉與秦的吏治》《史原》第十七期，國立臺灣大學歷史研究所，一九八九年五月。

○金善珠：《試論秦始皇「統一律令」——以雲夢睡虎地秦簡爲中心》《史原》第十七期，國立臺灣大學歷史研究所，一九八九年五月。

○李訓祥：《秦簡中的盜罪》《史原》第十七期，國立臺灣大學歷史研究所，一九八九年五月。

○金甲鈞：《試論睡雲夢睡虎地秦簡〈編年記〉——談「吏誰從軍」解》《史原》第十七期，國立臺灣大學歷史研究所，一九八九年五月。

附錄

《雲夢秦簡相關資料和著述目錄》

中　文

一九七六年

○《湖北雲夢縣發掘十二座戰國末年至秦的墓葬，出土一批秦代法律、文書竹簡》《人民日報》一九七六年三月廿八日。

○雲夢秦簡整理小組等：《雲夢秦簡部分釋文：㈠、南郡守騰文書㈡、大事記㈢、從騰的〈文書〉看秦代的反復鬥爭》《光明日報》一九七六年四月六日。

○曉涵：《雲夢秦簡〈大事記〉簡述》《光明日報》一九七六年四月廿二日。

○華中師院京山分院政史系理論組：《從雲夢秦簡看秦始皇的反復辟鬥爭》《湖北日報》一九七六年四月廿一日。

○施正：《從雲夢秦簡看秦始皇鎮壓復辟勢力的必要性》《光明日報》一九七六年四月廿九日。

○鄭實：《加强上層建築領域中的革命專政——從〈南郡守騰文書〉看秦始皇堅持反復辟鬥爭》《光明日報》一九七六年五月十三日。

○鍾志誠：《秦始皇時期反復辟鬥爭的歷史見證——談湖北雲夢出土的秦簡南郡守騰的文書》《華中師院學報》一九七六年第二期。

○季勛：《雲夢睡虎地秦簡概述》《文物》一九七六年第五期。

○張澤棟等：《參加雲夢秦簡墓發掘的幾點認識》《文物》一九

七六年第五期。

○文物通訊員：《新生事物的強大生命力——記湖北孝感地區亦工亦農考古短期訓練班》《文物》一九七六年第五期。

○蒙默：《秦始皇反復辟功績的歷史見證——讀最近出土的雲夢秦簡》《四川大學學報》（哲學社會科學版）一九七六年五月第二期。

○孝感地區第二期亦工亦農考古短期訓練班：《湖北雲夢睡虎地十一號秦墓發掘報告》《文物》一九七六年第六期。

○雲夢秦墓竹簡整理小組：《雲夢秦簡釋文》㈠《文物》一九七六年第六期。

○田昌五：《秦國法家路線的凱歌——讀雲夢出土秦簡札記》《文物》一九七六年第六期。

○吳樹平：《〈秦律〉是新興地主階級反復辟的銳利武器》《文物》一九七六年第六期。

○龔發：《從雲夢秦簡看秦代的反復辟鬥爭》《北京大學學報》一九七六年第四期。

○雲夢秦簡整理小組：《雲夢秦簡釋文》㈡《文物》一九七六年第七期。

○《秦代竹簡首次出土》《人民畫報》一九七六年第七期。

○《雲夢縣出土一批秦代的竹簡》《解放軍畫報》一九七六年第七期。

○林甘泉：《秦律與秦朝的法治路線——讀雲夢出土的秦簡》《文物》一九七六年第七期。

○石言：《〈南郡守騰文書〉與秦法家路線》《歷史研究》一九七六年第七期。

○上海市重型機械製造公司工人歷史研究小組：《從雲夢秦簡〈大事記〉看秦統一六國和反復辟鬥爭》《文物》一九七六年第七期。

〇湖北化工廠工人理論組等：《雲夢秦簡看秦代的階級變動》《光明日報》一九七六年八月十二日。
〇雲夢秦簡整理小組：《雲夢秦簡釋文》㈢《文物》一九七六年第八期。
〇北京新華印刷廠工人理論組等：《雲夢秦簡——秦始皇鞏固新興地主階級專政的重要歷史見證》《文物》一九七六年第八期。
〇北京第二機床廠工人理論組等：《一篇反擊復派的戰鬥檄文——讀南郡守騰文書》《考古》一九七六年第五期。
〇吉林大學考古專業紀南城開門辦學分隊：《〈南郡守騰文書〉和秦反復辟鬥爭》《考古》一九七六年第五期。
〇北京儀器廠、考古研究所《中國考古講話》編寫組：《秦的統一》（《中國考古講話》選載）。
〇湖北孝感地區第二期亦工亦農文物考古訓練班：《湖北雲夢睡虎地十一座秦墓發掘簡報》《文物》一九七六年第九期。

一九七七年

〇陳直：《略論雲夢秦簡》《西北大學學報》一九七七年第一期。
〇黃盛璋：《雲夢秦簡〈編年記〉初步研究》《考古學報》一九七七年第一期。
〇鄭實：《從雲夢秦簡秦代的主要矛盾》《武漢大學學報》一九七七年第六期。
〇吳樹平：《秦代社會的階級和階級關係——讀雲夢秦簡札記之一》《文物》一九七七年第六期。
〇高恒：《秦律中「隸臣妾」問題的探討——兼批四人幫的法家「愛人民」的謬論》《文物》一九七七年第七期。
〇唐贊功：《從雲夢秦簡看秦代社會的主要矛盾》《歷史研究》

一九七七年第五期。

〇吳榮曾：《論秦律的階級本質——讀雲夢秦簡札記》《歷史研究》一九七七年第五期。

〇黃盛璋：《影射史學的一個黑標本——批從雲夢秦簡看秦代的反復辟鬥爭》《天津師院學報》一九七七年第六期。

〇睡虎地秦墓竹簡整理小組：《睡虎地秦墓竹簡》（線裝本，附圖版、釋文）《文物出版社，一九七七年九月。

〇王連升：《四人幫在史學領域招搖的一面霸旗》《文史研究》一九七七年第二期。

一九七八年

〇吳白匋：《從出土秦簡帛書看秦漢早期隸書》《文物》一九七八年第二期。

〇鄭實：《嗇夫考——讀雲夢秦簡札記》《文物》一九七八年第二期。

〇劉海年：《秦漢「士伍」的身份與階級地位》《文物》一九七八年第二期。

〇馬非白：《雲夢秦簡中所見的歷史新証舉例》《鄭州大學報》一九七八年第二期。

〇高敏：《（秦律）是地主階級壓迫剝削農民階級工具——讀(雲夢秦簡)札記，兼批「四人幫」的「法家愛人民」等謬論》《鄭州大學報》一九七八年第一期。

〇熊鐵基：《秦代賦稅徭役制度初探》《華中師院學報》一九七八年第一期。

〇吳榮曾：《從秦簡看秦國商品貨幣發展狀況》《文物》一九七八年第五期。

〇高敏：《秦代徭役剝削並不很重嗎？一批「四人幫」法家愛人民謬論》《光明日報》一九七八年一月二十六日。

○傅振倫：《雲夢秦墓牒記考釋》《社會科學戰線》一九七八年第四期。
○詹越：《斥〔四人幫〕在秦代史上的反動謬論》《考古》一九七八年第三期。
○鄭良樹：《論雲夢秦簡大事記之史料價值》《故宮季刊》一九七八年第三期。
○俞偉超：《略釋漢代獄辭文例——一份治獄材料初探》《文物》一九七八年第一期。
○高敏：《關於秦時服役者年齡探討》《鄭州大學報》一九七八年第二期。
○睡虎地秦墓竹簡整理小組：《睡虎地秦墓竹簡》〈普及版，附釋文、注釋、語釋、索引〉文物出版社，一九七八年十一月。
○舒學：《我國古代竹木簡發現出土情況》《文物》一九七八年第一期。
○朱紹侯：《軍功爵制試探》《開封師院學報》一九七八年第一期。

一九七九年

○劉海年等：《從雲夢秦簡看秦律的階級本質》《學術研究》一九七九年第一期。
○高敏：《論（秦律）中的「嗇夫」一官》《社會科學戰線》一九七九年第一期。
○高敏：《雲夢秦簡初探》（專著）河南人民出版社一九七九年一月第一版，一九八一年七月第二版（增訂本）。以下爲該書目錄：
《編年記）的性質與作者質疑》；《關於秦時服役者年齡探討》；《勞動人民是戍邊徭役的主要承擔者》；《南郡騰守的經壢及其發布（語書）的意義》；《商鞅（秦律）與雲夢出土（

秦律）的區別和聯繫》；《從出土（秦律）看秦的奴隸制殘余》；《（秦律）是地主階級壓迫剝削農民的工具；《關於（秦律）中的「隸臣妾」問題質疑》；《秦簡（編年計）與（史記）》；《從雲夢秦簡看秦的土地制度》；《從雲夢秦簡看秦的習賜爵制度》；《從雲夢秦簡看秦的若干制度》；《秦簡（爲吏之道）中所反映的儒法融合傾向》；《從（秦律）的刑罰類別看地主階級的法律實質》；《「有秩」非「嗇夫」辨》；《論秦漢時期的「亭」》；《秦的奴隸制殘余與秦末農民起義》；《見於（秦律）中的訴訟、審訊和量刑制度》；《秦簡中幾種稱謂的涵義試析》。

○舒之梅：《從近年湖北出土的秦漢簡牘看地主階級對殘餘奴隸制的政徹策》《江漢歷史學叢刊》一九七九年第一期。

○陳自方：《秦漢連坐制度試探》《北方論叢》一九七九年第二期。

○熊鐵基：《秦代的郵傳制度——讀雲夢秦簡札記》《學術研究》一九七九年第三期。

○黃賢俊：《從雲夢秦簡看秦代刑律及其階級本質》《西南政治學院學報》一九七九年第二期。

○陳直：《談談秦漢史和秦漢攷古學的研究——中國史學三十年的回顧與展望》《中國史研究》一九七九年第三期。

○熊克：《「吏誰從軍」解——讀秦簡（編年記）札記》《中國史研究》一九七九年第三期。

○熊鐵基：《釋（南郡守騰文書）》——讀雲夢秦簡札記》《中國史研究》一九七九年第三期。

○陳抗生：《秦法和秦人執法》《江漢論壇》一九七九年第三期。

○黃盛璋：《雲夢秦簡辨證》《考古學報》一九七九年第三期。

○劉海年等：《從秦簡（爲吏之道）看秦的治吏思想》《吉林大

學社會科學論叢》一九七九年第四輯。

○邢義田：《雲夢秦簡簡介——附對「爲吏之道」及墓主喜職務性質的臆徵測》《食貨月刊》第四期。

○朱紹侯：《秦軍功爵制簡論》《河南師大學報》一九七九年第六期。

○黃中業：《論盜賊》《歷史學季刊》一九七九年第四期。

○陳抗生：《爲什麼雲夢古墓多》《史學論文集》武漢大學歷史系一九七九。

○林劍鳴：《從雲夢秦簡看秦代的法律制度》《西北大學學報》一九七九年第三期。

○舒之梅：《法律與吏治——讀雲夢秦簡札記》《長江日報》一九七九年十月二十八日。

○陳玉璟：《秦漢「徒」爲奴隸說質疑《安山徽師大學報》一九七九年第二期。

○游紹尹：《秦律的階級本質和基本內容》《理論與實踐》一九七九年第一期。

○湖北省博物館：《湖北省三十年考古重大發現》《華中師院學報》（哲學社會科學版）一九七九年第四期。

○巫鴻：《秦權研究》《故宮博物院院刊》一九七九年第四期。

○陳金生：《「城旦」解》《文史》第六輯，一九七九年。

一九八〇年

○劉海年：《秦漢訴訟中的「爰書」《法學研究》一九八〇年第一期。

○啇慶夫：《睡虎地秦簡（編年記）的作者及其思想傾向》《文史哲》一九八〇年第一期。

○錢劍夫：《秦漢嗇夫考》《中國史研究》一九八〇年第一期。

○黃灼耀：《關於秦史若干問題的辨析》《華南師院學報》一九

八〇年第一期。

〇陳玉璟：《略論雲夢（秦律）的性質）《江淮論壇》一九八〇年第一期。

〇王煜：《睡虎地琴墓竹簡的法家思想》《中華文化復興月刊》一九八〇年第一期。

〇黃展岳：《雲夢秦律簡論》《考古學報》一九八〇年第一期。

〇陳抗生：《「睡簡」雜辨》《中國歷史文獻研集刊》第一集（一九八〇年）。

〇陳抗生：《「似羊非羊辨」《史學論文集》一九八〇年（武漢大學歷史系）。

〇曾憲通：《楚月名初探》《中山大學學報》一九八〇年第一期。

〇劉海年：《從雲夢初土的竹簡看秦代的法律制度》《學習與探索》一九八〇年第二期。

〇林劍鳴：《「隸臣妾」辨》《中國史研究》一九八〇年第二期。

〇高恒：《「嗇夫」辨正》《法學研究》一九八〇年第三期。

〇于豪亮：《雲夢秦簡所見職官述略》《文史》第八輯（一九八〇年三月）。

〇祝瑞開：《漢代的公田和假稅—附說秦的「受田」和「租」「賦」《西北大學學報》一九八〇年第二期。

〇王京陽：《關於秦始皇幾次出巡路線的探討》《人文雜志》一九八〇年第三期。

〇鄒賢俊：《秦末農民戰爭中張楚政權的幾個問題》《華中師院學報》一九八〇年第三期。

〇臧雲浦：《中國歷代官制概述》《徐州師範學院學報》一九八〇年第三期。

〇袁仲一等：《秦代中央官署製陶業的陶文》《考古與文物》一

九八〇年第三期。

〇吳榮曾：《胥靡試探—論戰國時的刑徒》《中國史研究》一九八〇年第三期。

〇于豪亮：《秦律叢考》《文物集刊》一九八〇年第二期。

〇朱德熙等：《戰國時的「料」和秦漢時代的「半」》《文史》第八輯（一九八〇年三月）。

〇田人隆：《「閭左」試探》《中國史研究》一九八〇年第四期。

〇王好立：《「閭左」辨疑》《中國史研究》一九八〇年第四期。

〇宋敏：《雲夢秦簡—奴隸制社會的新證》《東北師大學報》一九八〇年第四期。

〇宋敏：《論秦的土地國有制》《求實學刊》一九八〇年第四期。

〇趙德馨：《關於布幣的三個問題—讀雲夢出土秦簡（金布律）札記》《社會科學戰線》一九八〇年第四期。

〇黃展岳：《關於秦漢人的食糧計量問題》《考古與文物》一九八〇年第四期。

〇段秋關：《試論秦漢之際法律思想的變化》《法學研究》一九八〇年第五期。

〇崔春華：《戰國時期秦封建法制的發展—讀（睡虎地秦墓竹簡札記）》《遼寧大學學報》一九八〇年第五期。

〇朱紹侯：《軍功爵制在秦人政治生活中的地位》《河南師大學報》一九八〇年第六期。

〇黃盛璋：《雲夢秦墓兩封家信中有關歷史地理問題》《文物》一九八〇年第八期。

〇晁福林：《「南郡備警」說質疑》《江漢論壇》一九八〇年第六期。

○張政良：《秦律「葆子」釋義》《文史》第九輯（一九八〇年六月）。
○駢字騫：《秦「道」考》《文史》第九輯（一九八〇年六月）。
○高恆：《秦律中徭戍問題——讀雲夢秦簡札記》《考古》一九八〇年第六期。
○賈靜濤：《中國古代的檢驗制度》《法學研究》一九八〇年第六期。
○無戈：《秦代的經濟制裁法》《陝西日報》一九八〇年十一月十二日。
○李裕民：《從雲夢秦簡看秦代的奴隸制》《中國考古學會第一次年會論文集》一九八〇年。
○馬先醒：《舉世笑談（睡虎地秦墓竹簡）——大庭脩、何四維二博士竹書秦律論文書後—《簡牘學報》一九八〇年。
○馬先醒：《簡牘蹤跡》《簡牘學報》一九八〇年。
○馬先醒：《簡牘本之經史子集》《簡牘學報》一九八〇年。
○馬先醒：《簡牘形制》《簡牘學報》一九八〇年。
○馬先醒：《簡牘學要義》《簡牘學會》一九八〇年。
○許倬雲：《由新出土簡牘所見秦漢社會》《中央研究院歷史語言研究所集刊》一九八〇年。
○譚世保：《秦史皇的「車同軌、書同文」新評》《中山大學學報》一九八〇年第四期。
○馬子雲：《秦代篆書與隸書淺說》《故宮博物院院刊》一九八〇年第四期。
○朱紹侯：《軍功爵制試探》上海人民出版社，一九八〇年四月。
○大庭脩（著）、林錦生（譯）：《雲夢出土竹簡秦律之研究》《簡牘學報》第七期一九八〇年。

○胡四維（著）、詹泓隆、詹益熙（譯）：《一九七五年湖北發現之秦文物》同上。
○黃賢俊：《對雲夢秦簡中訴訟制度的探索》《法學研究》一九八〇年第五期。

一九八一年

○馬非白：《關於秦國杜虎符之鑄造年代》《史學月刊》一九八一年第一期。
○韓連琪：《睡虎地秦簡（編年記）考証》《中華文史論叢》一九八一年第一輯。
○謝巍：《范雎疑年考》《中華文史論叢》一九八一年第一期。
○張銘新：《關於（秦律中的居）——（睡虎地秦墓竹簡）注釋質疑》《考古》一九八一年第一期。
○黃留珠：《略談秦的法官法吏制》《西北大學學報（㨗學社會科學版）一九八一年第一期。
○雲夢縣文物工作：《湖北雲夢睡虎地秦漢墓發掘簡報》《考古》一九八一年第一期。
○曾仲珊：《（睡虎地秦墓竹簡）中的數詞和量詞》《求索》一九八一年第二期。
○羅開玉：《秦國「士伍」「伍人」考—讀雲夢秦簡札記》《四川大學學報》一九八一年第二期。
○言翚達：《試論秦隸及其在書法史上的地位》《南藝學報》一九八一年第二期。
○平勢隆郎：《「楚曆」小考——對（楚月名初探的管見）》《中山大學學報》一九八一年第二期。
○蘇俊良：《試論秦漢御史制度》《北京師院學報》一九八一年第二期。
○馬作武：《秦官吏制度管窺》《北京政治學院學報》一九八一

年第二期。

○楊庭福：《論中國古代法制建設》《學習與探索》一九八一年第二期。

○羅開玉：《秦國「少內」考》《西北大學學報》一九八一年第三期。

○李裕民：《秦統治者絕對排斥儒家思想嗎？》《山西大學學報》一九八一年第二期。

○安作璋：《從睡虎地秦墓竹簡看秦代的農業經濟》《秦漢史論叢》第一輯（一九八一年）

○楊寬：《從「少府」職掌看秦漢封建統治者的經濟特權》《秦漢史論叢》第一輯（一九八一年）。

○熊鐵基：《試論秦代軍事制度》《秦漢史論叢》第一輯，一九八一年。

○林劍鳴：《秦代法律制度初探》《法律史論叢》第一輯，一九八一年。

○高恒：《漢律篇名新箋》《法律史論叢》第一輯，一九八一年。

○王瑞明：《雲夢秦簡〈金布律〉試釋》《中國歷史文獻》第二集，一九八一年。

○黃今言：《秦代租稅徭役制度初探》《秦漢史論叢》第一輯，一九八一年。

○裘錫圭：《戰國時代社會性質試探》《中國古史論集》一九八一年。

○林劍鳴：《秦國奴隸制社會形態的特點》《中國古史論集》一九八一年。

○劉海年：《睡虎地秦簡中有關農業經濟法規的探討》《中國古史論集》一九八一年。

○吳榮曾：《監門考》《中華文史論叢》一九八一年第三期。

○龔鵬九：《秦漢的民爵、囚徒和謫發》《邵陽師專教與學》（文科）一九八一年第三期。
○唐贊功：《雲夢秦簡官私奴隸問題試探》《中華文史論叢》一九八一年第三期。
○林甘泉：《從出土文物看春秋戰國間的社會變革》《文物》一九八一年第五期。
○黃展岳：《從秦律第「瀆職罪」看秦代對官吏玩忽職守的處分》《光明日報》一九八一年六月八日史學副刊。
○陳振裕：《從湖北發現的秦墓談秦楚關係》《楚文化新探》一九八一年。
○林劍鳴：《簡牘概述》陝西人民出版社，一九八一年出版。
○許慶發：《秦代的郵驛法》一九八一年第七期。
○舒之梅：《珍貴的雲夢秦簡》《雲夢秦簡研究》中華書局一九八一年七月出版。
○馬雍：《讀雲夢秦簡〈編年記〉書後》《雲夢秦簡研究》中華書局一九八一年七月出版。
○吳榮曾：《秦的官府手工業》《雲夢秦簡研究》中華書局一九八一年七月出版。
○唐贊功：《雲夢秦簡所涉及土地所有制形式問題初探》《雲夢秦簡研究》中華書局一九八一年七月出版。
○熊鐵基：《秦代的封建土地所有制》《雲夢秦簡研究》中華書局一九八一年七月出版。
○吳樹平：《雲夢秦簡所反映的秦代社會階級狀況》《雲夢秦簡研究》中華書局一九八一年七月出版。
○于豪亮：《秦簡中的奴隸》《雲夢秦簡研究》中華書局一九八一年七月出版。
○高恒：《秦簡中的私人奴婢問題》《雲夢秦簡研究》中華書局一九八一年七月出版。

○于豪亮、李均明：《秦簡所反映的軍事制度》《雲夢秦簡研究》中華書局一九八一年七月出版。
○劉海年：《秦律刑罰考析》《雲夢秦簡研究》中華書局一九八一年七月出版。
○高恒：《秦簡中與職官有關的幾個問題》《雲夢秦簡研究》中華書局一九八一年七月出版。
○裘錫圭：《嗇夫初探》《雲夢秦簡研究》中華書局一九八一年七月出版。
○高敏：《秦漢時期的亭》《雲夢秦簡研究》中華書局一九八一年七月出版。
○于豪亮：《秦王朝關於少數民族的法律及其歷史作用》《雲夢秦簡研究》中華書局一九八一年七月出版。
○李學勤：《秦簡中古文字學考察》《雲夢秦簡研究》中華書局一九八一年七月出版。
○李學勤：《秦簡與〈墨子〉城守各篇》《雲夢秦簡研究》中華書局一九八一年七月出版。
○張政烺：《秦律〈集人〉音義》《雲夢秦簡研究》中華書局一九八一年七月出版。
○于豪亮：《秦簡〈日書〉記時記月諸問題》《雲夢秦簡研究》中華書局一九八一年七月出版。
○黃盛璋：《〈雲夢秦簡初探〉序》《雲夢秦簡初探》河南人民出版社一九八一年增訂版。
○馬先醒：《睡虎地秦簡研究班與其研究專號——〈睡虎地秦簡研究專號〉引言》《簡牘學報》第一〇，一九八一年。
○馬先醒：《睡虎地秦簡中的篇題及其位置》《簡牘學報》第一〇，一九八一年。
○馬先醒：《就簡牘學觀點略論睡虎地秦簡（上）》《簡牘學報》第一〇，一九八一年。

○馬先醒：《簡牘本秦律之律名、條數及其簡數》《簡牘學報》第一〇，一九八一年。
○馬先醒：《睡虎地秦簡刑律律文集錄》《簡牘學報》第一〇，一九八一年。
○馬先醒：《秦國的戍律與屯表律》《簡牘學報》第一〇，一九八一年。
○馬先醒：《「坐」與「連坐」》《簡牘學報》第一〇，一九八一年。
○馬先醒：《秦簡雜考》《簡牘學報》第一〇，一九八一年。
○吳福助：《秦簡語書論究》《簡牘學報》第一〇，一九八一年。
○李紀祥：《秦始皇名諱及其在秦簡研究上之意義》《簡牘學報》第一〇，一九八一年。
○張永成：《秦簡隋筆二則》《簡牘學報》第一〇，一九八一年。
○張永成：《秦簡爲地吏之道之版式及其正附文問題》《簡牘學報》第一〇，一九八一年。
○蔣義斌：《秦簡爲地吏之道在思想史上的意義》《簡牘學報》第一〇，一九八一年。
○湯蔓媛：《從歲睡虎地秦簡看秦代的刑罰類別》《簡牘學報》第一〇，一九八一年。
○張壽仁：《秦漢五徒刑期》《簡牘學報》第一〇，一九八一年。
○黃眞眞：《秦代贖刑考略》《簡牘學報》第一〇，一九八一年。
○陳惠琴：《秦簡中所見的耐刑》《簡牘學報》第一〇，一九八一年。
○睡虎地秦簡研究班：《睡虎地秦簡校誌》《簡牘學報》第一〇

，一九八一年。

○金燦著，劉順達，周業溫合譯：《雲夢出土秦簡與秦、漢初之征兵適令》《簡牘學報》第一〇，一九八一年。

○工騰元男著，李守爰譯：《秦內史》《簡牘學報》第一〇，一九八一年。

○高明士：《雲夢秦簡與秦漢史研究——以日本的研究成果中心》《食貨月刊》復刊：三、一九八一年。

○高明士：《日本對雲夢簡的研究》《中央日報》地十版（文史），一九八一年六月卅。

○鄭樹良：《七十年代出土竹簡帛書對古籍之影響》（上）（下）《故宮季刊》一五：三、四，一九八一年。

○王曉波：《秦的興亡與法家之治》《大陸雜志》六三：三，一九八一年。

○張溯崇：《竹簡秦律概說》《法聲》一八，一九八一年。

○李學勤：《新出土竹簡帛與楚文化》《楚文化新探》湖北人民出版社一九八一年。

○姚鑒等：《日本大庭脩著（雲夢出土竹書秦律的研究）》《中國歷史博物館館刊》總地三期一九八一年。

○黃賢俊：《雲夢秦簡中訴訟制度的探索》《法學研究》一九八五年第五期。

○張晉藩等：《秦朝的法律制度》《中國法制史》第一卷第二編第二章第三節一九八一年。

○林劍鳴：《秦史稿》第九章四《法律制度》上海人民出版社一九八一年。

○陳振裕：《簡牘概述》《雲夢睡虎地秦墓》第二章第一節，文物出版社一九八一年。

○蕭永清：《秦朝的法律制度》《中國法制史簡》第二章第一節三，山西人民出版社一九八一年。

○張晉藩等：《秦簡〈爲史之道〉與秦的官僚政治》《中國法制史》第一卷第二編第二章第二節，北京，中國人民大學出版社，一九八一年。

○李解民：《開阡陌辨正》《文史》第十一輯，一九八一年。

○雲夢睡虎地秦墓編寫組：《雲夢睡虎地秦墓》（附圖版、釋文、並首次發表〈日書〉）文物出板社，一九八一年九月。

○梁文偉：《雲夢秦簡〈編年記〉相關史事斅斛兼論〈編年記〉性質》國立台灣大學中文研究所博士論文，台北，一九八一年。

○陶元甘：《從〈雲夢秦簡〉探討巴蜀史上的三個問題》《成都大學學報》一九八一年第二期。

○高敏：《秦律》所反映的訴訟審訊和量刑制度「鄭州大學學報」一九八一年三期。

一九八二年

○劉海年：《雲夢秦簡的發現與秦律的研究》《法學研究》一九八二年第一期。

○宮長爲等：《「隸臣妾」是秦的官奴婢》《中國史研究》一九八二年第一期。

○黃留珠：《秦仕進制度考述》《中國史研究》一九八二年第一期。

○葉小燕：《秦墓初探》《考古》一九八二年第一期。

○王瑛：《雲夢秦墓竹簡所見某些語法現象》《語言研究》一九八二年第一期。

○蘇誠鑑：《秦「隸臣妾」爲官奴隸歲說——兼論我國歷史上「歲刑」制的起源》《江淮論壇》一九八二年第一期。

○徐楊傑：《秦統一中國的原因再探索》《武漢大學學報》（哲學社會科學版）一九八二年第一期。

○鄭良樹：《論雲夢〈大事記〉之史料價值》《竹簡帛書論文集》中華書局一九八二年一月出版。

○鄭良樹：《論雲夢〈大事記〉札記》《竹簡帛書論文集》中華書局一九八二年一月出版。

○韓養民：《秦置相邦丞相淵源考》《人文雜志》一九八二年第二期。

○劉海年：《秦代法吏體系考略》《學習與探索》一九八二年第二期。

○于豪亮：《西漢對法律的改革》《中國史研究》一九八二年第二期。

○傳漢：《「隱宮」與「隱官」》《遼寧大學學報》一九八二年第二期。

○羅開玉：《秦國傅籍考辨——讀雲夢秦簡札記》《中國歷史文獻集刊》一九八二年第二集。

○葛劍雄：《秦漢的上計和上計吏》《中華文史論叢》一九八二年第二輯。

○高敏：《〈秦律〉反映的訴訟、審訊和量刑制度》《鄭州大學學報》一九八二年第三期。

○漢生：《〈秦簡〉中爲什麼以「一百一十」爲進位數》《政治與法律》一九八二年第三期。

○程天權：《秦律婚姻家庭關係探索》《政治與法律》一九八二年第三期。

○呂名平：《秦律貲罰制論》《中南民族學院學報》一九八二年第三期。

○王瑞明：《從雲夢秦簡看秦代中央集權的歷史做作用》《中國歷史文獻集刊》一九八二年第三集。

○陳抗生：（丁一）：《雲夢秦簡是怎麼發現的》《今昔談》一九八二年第四期。

○羅開玉：《秦在巴蜀地區的民族政策試析》《民族研究》一九八二年第四期。

○張銘新：《〈秦律〉中的經濟制裁——兼談秦的贖刑》《鄭州大學學報》（社科版）一九八二年第四期。

○張維華：《論西漢初年對於刑事的修正》《文史哲》一九八二年第四期。

○陳抗生：（丁一）：《秦代的俸祿和口糧》《今昔談》一九八二年第五期。

○羅開玉：《秦國鄉、里、亭新考》《文物與考古》一九八二年第五期。

○安作璋等：《秦漢的丞相制度》《山東師範大學學報》一九八二年第五期。

○黔容：《秦刑棄灰的原因》《社會科學輯刊》一九八二年第五期。

○宮長爲：《淺談秦代經濟管理中對官吏的幾種規定》《東北師大學報》一九八二年第六期。

○林劍鳴：《四川青川秦木牘內容探討》《考古與文物》一九八二年第六期。

○蕭隆：《〈雲夢睡虎地秦墓〉簡介》《考古》一九八二年第六期。

○陸倫章：《我國刑事檢驗制度歷史悠久——從出土秦簡《賊死》篇談起《法學》一九八二年第十期。

○始皇陵秦俑坑考古發掘隊：《秦始皇陵西側趙背戶村秦刑徒墓》《文物》一九八二年第十期。

○孫民英：《秦始皇陵西側趙背戶村秦刑徒墓質疑》《文物》一九八二年第十期。

○郭人民：《名田解〈秦漢〉》《光明日報》一九八二年十一月二十四日。

○楊巨中：《從雲夢秦簡看秦的生產關係》《先秦史論文集》一九八二年。

○裘錫圭：《〈睡虎地秦墓竹簡〉注釋商榷（一）》《文史》第十三輯一九八二年。

○饒宗頤、曾憲通：《雲夢秦簡〈日書〉研究》香港中文大學出版社一九八二年。

《雲夢秦簡〈日書〉研究》

《秦簡日書中夕（奕）字含義初探》

《秦簡日書歲篇講疏》

○馬非百：《法律志》《秦集史》中華書局版、一九八二年。

○郭道揚：《秦代的會計》《中國會計史稿》中國財政出版社一九八二年出版。

○王美宜：《睡虎地秦墓竹簡通假字初探》《寧波師範學院學報》一九八二年第一期。

○陳玉環：《秦律中「隸臣妾」性質再探》《阜陽師範學院學報》一九八二年第二期。

○曹延尊、徐元邦：《簡牘資料論著目錄》《考古學集堪》第二集，一九八二年。

○余宗發：《雲夢秦簡——佚書研究》國立臺灣師範大學研究所論文，台北，一九八二年。

○宋豫卿：《秦司空研究——睡虎地秦簡資料爲主》私立文化大學史學研究所碩士論文，台北，一九八二年。

○張壽仁：《秦五徒之廩給石數》《中國歷史學會史學集刊》第十四期，台北，一九八二年。

○劉玉堂：《秦漢之安陸並非新地城》《文物》一九八二年第三期。

○于豪亮：《西漢適齡男子戍邊三日說質疑》《考古》一九八二年第四期。又見《于豪亮學術文存》中華書局，一九八五年一月。

○法學教材編輯部《中國法制史》編寫組：《秦朝的法律制度》《中國法制史》第五章，群眾出版社，一九八二年。

○施丁：《秦漢郡守兼掌軍事略說》《文史》第十三集，一九八二年三月。

○四川省博物管、青川縣文化館：《青川縣出土更修田律木牘》《文物》一九八二年第一期。

○于豪亮：《釋青川秦墓木牘》《文物》一九八二年第一期。又見《于豪亮學術文存》，中華書局，一九八五年一月。

○楊寬：《釋青川秦牘的田畝制度》《文物》一九八二年第七期。

○黃盛璋：《青川新出秦田律木牘及其相關問題》《文物》一九八二年第九期。

○李學勤：《青川郝家坪木牘研究》《文物》一九八二年第十期。

○張晉藩：《從秦簡〈爲吏之道〉看秦的「治吏」思想》《中國法律史論》一九八二年。

一九八三年

○朱紹侯等：《秦律中的獎懲責任制》《光明日報》一九八三年一月十二日。

○張金光：《秦自商鞅變法後的租賦徭役制度》《文史哲》一九八三年第一期。

○劉海年：《秦律刑罰的適用原則》（上）（下）《法學研究》一九八三年第一—二期。

○陳抗生：《秦季法律思想初探》《法學評論》一九八三年一月第一期。

○潘世憲：《從竹簡〈秦律〉看秦代的經濟立法》《內蒙古大學

學報》一九八三年第一期。
○陸倫章：《我國兩千年前的一批青少年法規簡篇——雲夢秦墓出土的竹簡初探》《青少年犯罪問題》一九八三年第一期。
○蔡葵：《試論秦漢時期的生產奴隸》《西北大學學報》一九八三年第一期。
○吳永章：《從雲夢秦簡看秦的民族政策》《江漢考古》一九八三年第二期。
○潘策：《從睡虎地秦墓竹簡看秦的土地政策》《江漢考古》一九八三年一月第二期。
○黃留珠：《「史子」「學室」與「喜楡史」——讀雲夢秦簡札記》《人文雜志》一九八三年第二期。
○楊劍虹：《「隸臣妾」簡論》《考古與文物》一九八三年第二期。
○鐘鳴天等：《從雲夢秦簡看秦隸》《書法》一九八三年第三期。
○林劍鳴：《秦漢時代的丞相和御史》《蘭州大學學報》一九八三年第三期。
○陶毅：《關於中國古代婚姻立法的質疑》《法學研究》一九八三年第三期。
○胡留元等：《驪山刑徒辨析》《人文雜志》一九八三年第四期。
○林劍鳴：《秦代官、爵制度變化的奧秘》《光明日報》一九八三年五月二十五日。
○田宜超：《秦田律考釋》《考古》一九八三年第六期。
○胡平生：《青川秦墓木牘「爲田律」所反映的田畝制度》《文史》第十九輯一九八三年。
○楊禾丁：《「段門」「監門」》《中華文史論叢》一九八三年第三期。

○江慶柏：《「睡簡」〈爲吏之道〉與墨學》《陝西師大學報》一九八三年第四期。

○謝巍：《睡虎地秦簡〈編年記〉爲年譜》《江漢論壇》一九八三年第五期。

○錢大群：《談「隸臣妾」與秦代的刑罰制度》《法學研究》一九八三年第五期。

○劉序傳：《從雲夢秦簡看秦代的經濟立法》《法學研究》一九八三年第六期。

○高恒：《秦律中的刑徒及其刑期問題》《法學研究》一九八三年一月第六期。

○安作璋：《從睡虎地秦墓竹簡看秦統一的原因》《歷史論叢》第三輯一九八三年。

○陳紹棣：《秦國重農政策簡論——商鞅秦律與雲夢出土秦律的比較研究之一》《秦漢史論叢》一九八三年一月第二期。

○呂名中：《秦律中的「貲」與「貲贖」》《秦漢史論叢》第二輯一九八三年。

○朱大昀：《有關「嗇夫」的一些問題》《秦漢史論叢》第二輯一九八三年。

○林劍鳴：《「隸臣妾」並非奴隸》《歷史論叢》第三輯一九八三年。

○孔慶明：《從〈秦簡〉看法制研究中的幾個問題》《法律史論叢》第三輯一九八三年。

○薛梅卿：《〈秦簡〉中經濟法規的探索——讀〈睡虎第秦墓竹簡〉札記》《法律史論叢》第三輯一九八三年。

○劉海年：《論秦始皇的法律思想》《法律史論叢》第三輯一九八三年。

○王瑞明：《雲夢秦簡看秦代中央集權制的歷史作用》《中國歷史文獻研究集刊》第三輯一九八三年。

○楊寬：《雲夢秦簡所反映的土地制度和農業政策》《上海博物館集刊——建管三十週年特輯》（總第二期）一九八三年。
○游紹尹等：《秦的法律制度》《中國政治法律制度簡史》湖北人民出版社一九八三年出版。
○陳漢生：《淺談秦代經濟立法》《法史研究文輯》一九八三年。
○李甲孚：《近代出土的秦律》《中國法制及其引論》（增訂本）。
○杜正勝《「編戶齊民」的出現及其歷史意義——編戶齊民的研究之一》《中央研究院歷史語研究所集刊》，五四：三，一九八三年。
○孫鐵剛：《有的人死後才出生——秦國縣吏喜的一生》《中國時報》一九八三年十月二十五日。
○邢義田：《秦漢的律令學——兼論曹魏律博士的出現》《中央研究院歷史語研究所集刊》，五四：四，一九八三年。
○費海璣：《秦墓簡書之研究》《東方雜志》，一六，一一，一九八三年。
○張壽仁：《秦對境內少數民族政策之探討》《中國歷史學會史集刊》，一五，一九八三年。
○堀毅（整理）：《一九七六年出版〈睡虎地秦墓竹簡〉之正漢字所作之釋文·睡虎地秦墓竹簡》（付校勘記）島田三郎主編《中國法制史料》第二集第一冊、鼎文書局、一九八三年。
○田宜超、劉釗：《秦田律考釋》《考古》一九八三年第六期。
○陳平：《淺談江漢地區戰國秦漢墓的分期和秦墓的認別問題》《江漢考古》一九八三年第三期。
○陶天翼：《考績源起初探——東周迄秦》《中央研究院歷史語研究所集刊》第五十四本第二分一九八三年。
○李學勤：《論睡虎第秦簡與馬王堆帛書中的數術書》美國「中

國占卜靈異學術討論會」論文，一九八三年。

○張金光：《試論秦自商鞅變法後的土地制度》《中國史研究》一九八三年第二輯。

○佚名：《讀秦律「以其罪罪之」》《考古與文物》一九八三年第五期。

○胡澱成：《四川青川秦墓〈爲田律〉木牘考釋——並論我國古代田畝制度》《安徽師大學報》一九八三年第三期。

○楊禾丁：《釋秦律「率敖」》《中國古代史論叢》一九八三年第一輯。

○韓偉：《秦國的主　糧設施淺議》《陝西考古學會第一屆年會論文集》一九八三年。

○郭興文：《秦代馬政考略》《陝西考古學會第一屆年會論文集》一九八三年。

○籾山田（著）孫言誠（譯）：《秦的隸屬身分及其起源——關於隸臣妾》《中國史研究動態》一九八三年第十期。

○陳漢生：《我國古代贖刑制度述略》《社會科學》（上海）一九八三年第十一期。

○程天權：《論商鞅改法爲律》《復旦學報》一九八三年第一期。

○劉海年：《論秦始皇的法律思想》《法律史論叢》一九八三年第三輯。

○李裕民：《秦統治者絕對排斥儒家思想嗎》《山西大學學報》一九八三年第三期。

○劉海年：《睡虎地秦簡中有關農業法規的探討》《中國古代史論集》一九八三年。

一九八四年

○程孟明：《世界上最古老的法律，新出土的兩千年前的法律》

《源流》一九八四年創刊號。
○王傳生：《從秦簡看社會變革時期經濟生活的法律規範》《法學研究》一九八四年第一期。
○施偉青：《「隸臣妾」的身份復議》《中國社會經濟史研究》一九八四年第一期。
○張金光：《論秦漢的學史制度》《文史哲》一九九八四年第一期。
○石子政：《秦律貲罰甲盾與統一戰爭》《中國史研究》一九八四年第二期。
○陳漢生：《關於秦代的經濟立法》《政治與法律》一九八四年第二期。
○王占通等：《「隸臣妾」是帶有奴隸殘餘的刑徒》《吉林大學學報》（社科版）一九八四年第二期。
○水壽：《秦的經濟關係規範攷論》《西北政法學院學報》一九四年二—三期。
○倪正茂：《法網嚴密，一脈相承——秦漢立法概況》《法學雜志》一九八四年第三期。
○栗勁：《秦律和罪刑法定主義》《法學研究》，一九八四年第三期。
○李力：《亦談「隸臣妾」與秦代刑罰制度》《法學研究》，一九八四年第三期。
○劉海年：《秦代的治安機構及有關治安的法律》《國際政治學院學報》一九八四年第三期。
○栗勁等：《試論秦的刑徒無期刑》《中國政法大學學報》一九八四年第三期。
○馮春田：《〈睡虎地秦墓竹簡〉某些語法現象研究》《中國語文》一九八四年第四期。
○栗勁：《〈睡虎地秦墓竹簡〉譯注斠補》《吉林大學社會科學

學報》一九八四年第五期。

○吳九龍：《銀雀山漢簡齊國法律考析》《史學集刊》一九八四年第四期。

○徐鴻修：《從古代罪人收奴刑的變遷看「隸臣妾」「城旦舂」的身份》《文史哲》一九八四年第五期。

○劉海年：《秦簡〈語書〉深析》《學習與探索》一九八四年第六期。

○王云度：《秦簡的出土開闊了秦史研究新天地》《文物天地》一九八四年第六期。

○朱德熙等，《七十年代中國出土的秦漢簡徹冊和帛書》《中國語文研究》一九八四年第六期。

○胡銀康：《蕭何作律九章質疑》《學術月刊》一九八四年第七期。

○高敏等：《秦簡「隸臣妾」確爲奴隸說——兼與林劍鳴先生商榷》《學術月刊》一九八四年第九期。

○程維榮：《秦國法史法律責任評述》《歷史教學》一九八四年第十期。

○陳濤：《秦律罪盜考論》《法史研究文集》（上）西北政法學院一九八四年出版。

○勞榦：《從漢簡中的嗇夫令史候史和士吏論漢漢代郡縣吏的職務和地位》《中央研究院歷史語言研所集刊》，五五，一，一九八四年。

○劉海年、楊一凡：《中國古代法律史知識》；《商鞅的法治理論和變法實踐》；《雲夢秦簡及其主要內容》；《秦律的本質與特點》；《秦律中有關經濟方面的法律規定》；《秦始皇時地方頒行的一個法規》；《秦始皇法律思想的主要內容》；《中國古代的贖刑和貲罰》；《中國最早的自然環境保護的法律規定》；《中國最古代的刑訊制度》；《中國古代最早的現場勘查法與法醫檢驗》；《古代訴訟中的「傳爰書」制度》；黑龍江人民出版社一九八四年出版。

○李孝林：《從雲夢秦簡看秦朝的會計管理》《江漢考古》一九八四年第三期。

○楊劍虹：《睡虎地秦簡〈編年記〉作者及其政治態度》《江漢考古》一九八四年第三期。

○蕭亢達：《雲夢睡虎地秦墓漆器針刻銘記探析——兼談秦代「亭」、「市」地方官營手工業》江漢考古》一九八四年第二期。

○朱紹侯、孫英民：《秦律中的獎懲責任制》《古史研究論集》，《河南大學學報》增刊，一九八四年。

○朱紹侯、孫英民：《「居貲」非刑名辨》《古史研究論集》，同上。

○黃展岳：《雲夢秦漢墓葬的發掘和秦簡的研究》《新中國的考古發現和研究（一九五〇——一九八〇》第四章，文物出版社，一九八四年五月。

○陳光中、沈國峰：《中國古代司法制度》群衆出版社，一九八四年十月。

一九八五年

○劉海年：《秦的訴訟制度《大中國法學》一九八五年第一、三、四期，一九八六年第二、三、六期，一九八七年第一期連載。

○陳玉璟：《秦簡詞語札記》《安徽師大學報》（哲學社會科學版）一九八五年第一期。

○陳振裕：《從雲夢秦簡看秦代的農業生產》《農業考古》一九八五年第一期。

○楊作龍：《漢代奴婢戶籍問題商榷》《中國史研究》一九八五

年第二期。

○張平轍：《讀簡牘發微》《蘭州大學學報》（社科版）一九八五年第二期。

○林劍鳴：《日本學者對中國簡牘的研究》《中國史研究動態》一九八五年第二期。

○林劍鳴：《〈日書〉——秦代社會的一面鏡子》《文博》一九八五年第三期。

○高敏：《秦漢徭役制度辦析》（上）《鄭州大學學報》（哲社版）一九八五年第三期。

○李力：《秦刑徒刑期辦證》《史學月刊》一九八五年第三期。

○栗勁：《論秦簡中有關經濟法規的基本原則》《西北政法學院學報》一九八五年第三期。

○朱建華：《重刑主義與秦律》《貴州師範大學學報》一九八五年第三期。

○徐進：《秦經濟法律制度初探》一九八五年第三期。

○施偉青：《從秦簡看戰國時期秦國保護人力的措施》《中國社會經濟史研究》一九八五年第三期。

○羅開玉：《簡析秦律對官吏生活的約束》《法學季刊》一九八五年第三期。

○李學勤：《睡虎地秦簡〈日書〉與楚秦社會》《江漢考古》一九八五年第四期。

○李學勤：《何四維〈秦簡遺文〉評介》《中國史研究》一九八五年第三期。

○陳乃華：《秦漢族刑考》《山東師大學報》一九八五年第四期。

○張中秋：《試論秦朝法官責任制》《法學雜志》一九八五年第四期。

○陳國華：《秦漢刑考》《山東師大學報》一九八五年第四期。

○郭延威：《淺析秦代的刑事檢驗制度》《西北政法學院學報》一九八五年第四期。
○金明煥：《秦代官吏之優劣觀》《中國法制報》一九八五年八月十二日。
○趙樹貴：《試論兩漢奴婢問題與如婢政策》《史學月刊》一九八五年第五期。
○劉海年：《關於中國歲刑的起源——兼談秦刑徒的刑期和隸臣妾的身份》〈上〉〈下〉《法學研究》一九八五年第五一六期。
○王雲：《秦漢的謫戍和過寧更》《遼寧師範大學學報》（社科版）一九八五年第六期。
○錢大群：《再談「隸臣妾」與秦代的刑罰制度——兼復〈亦談「隸臣妾」與秦代的刑罰制度」》《法學研究》一九八五年第六期。
○錢劍鳴：《三辨「隸臣妾」談歷史研究中的方法論問題》《學術月刊》一九八五年第九期。
○張志哲：《秦內史「騰」考述》《江漢論壇》一九八五年第一一期。
○張金光：《關於秦刑的幾個問題》《中華文史論叢》第三三輯一九八五年。
○劉海年：《中國古代早期的現勘查與醫驗的規定》《中國警察制度簡論》群眾出版社一九八五年出版。
○劉海年：《中國古代早期的刑徒及其管理》《中國警察制度簡論》群眾出版社一九八五年出版。
○劉海年：《中國古代監獄及有關制度》《中國警察制度簡論》群眾出版社一九八五年出版。
○劉海年：《（洗冤仕集錄）——中國古代第一部法醫學專著》《中國警察制度簡論》群眾警察制度簡論》群眾出版社一九八五年出版。

〇高恒：《秦漢地方治安管理的制度、職官與措施》《中國警察制度簡論》群衆出版社一九八五年出版。

〇高恒：《秦漢地方的警察機構——亭》《中國警察制度簡論》群衆出版社一九八五年出版。

〇高恒：《西漢京師的社會狀況及治安管理》《中國警察制度簡論》群衆出版社一九八五年出版。

〇左德承：《湖北考古四大發現之一——睡虎地秦代竹簡》《孝感風情》一九八五年十一月出版。

〇栗勁：《秦律通論》

《秦律的制定和發展》；《秦律的一般理論基礎》；《關於犯罪的理論和認定犯罪的原因》；《「重刑主義」的刑罰理論》；《秦律的刑罰體系》；《刑事訴訟的基本原則和程序》；《行政法規和行政管理》；《經濟法規和經濟管理》；《秦律中的民法問題》；

山東大學人民出版社一九八五年出版。

〇李貞德：《漢初律令中的倫常觀》《史原》一九八五年。

〇杜正勝：《從封建制度到郡縣制的土地權屬問題》《食貨月刊》，復刊一四，九，一〇，一九八五年。

〇吳福助：《秦簡〈語書〉校釋》《東海大學中文學報》第五期一九八五年。

〇杜正勝：《從肉刑到徒刑——兼論睡虎地秦簡所見古代刑法轉變的訊息》《食貨月刊》，復刊一五，五，六，一九八五年。

〇杜正勝：《古代刑獄雜考》《中國史新論》一九八五年。

〇韓復智：《關於秦始皇「書同文字」的問題——秦史研究之二》《中國史新論》一九八五年。

〇勞榦：《漢晉西陲木簡新考》《中央研究院歷史語研究言所單刊》甲種之二十七，一九八五年。

〇饒宗頤：《秦簡中的五行說和納音說》《中國語文研究》一九

八五年第七期。
○周鳳五《從雲夢簡牘談秦代文學》《古典文學》一九八五年第七期。
○黃留珠：《秦漢仕進制度》西北大學出版社，一九八五年五月。
○堀敏一（著）李柏亨（譯）：《中國律令法典的形成——其概要及問題》《大陸雜誌》第七一卷第一期，一九八五年七月。
○張傳漢：《略論秦代隸臣妾的身份問題》《遼寧大學學報》一九八五年第四期。
○商慶夫：《秦刑律的淵源及其演進》《歷史論叢》第五輯，濟南，齊魯書社，一九八五年一月。
○杜正勝：《從爵制論商鞅變法所形成的社會》《中央研究院歷史語研究言所集刊》第五六本第三分，一九八五年九月。
○李貞德：《西漢律令中的倫常觀》國立臺大學歷史研究所碩士論文，一九八五年。
○李鐘磬：《法律制度——秦朝》《中華法系》華欣文化事業中心，臺北，一九八五年。
○何幼琦：《論楚國之曆》《江漢論壇》一九八五年第十期。

一九八六年

○王森：《秦律中髡、耐、完刑辨析》《法學研究》一九八六年第一期。
○林劍鳴：《寄在竹片木板上的歷史資料》一九八六年第一期。
○高敏：《秦代經濟立法原則及意義》《學術研究》一九八六年第二期。
○何家弘：《對墨刑的一點新認識》《法學研究》一九八六年第二期。
○楊廣偉：《「完刑」即「髡刑」術》《復旦學報》（社會科學

版）一九八六年第二期。

○陳漢生：《秦漢貨幣立法略論》《上海大學學報》一九八六年第二期。

○宮長爲：《秦代的糧倉管理——讀〈睡虎地秦墓竹簡〉札記》《東北師大學報》（哲社版）一九八六年第二期。

○楊劍虹：《從居延漢簡〈建武三年侯粟君所責寇恩事〉看東漢的僱傭勞動》《西北史地》一九八六年第二期。

○華雁：《秦簡中關於官吏的法律責任》《福建論壇》一九八六年第三期。

○葉鋒：《漢律在中國法制史上的地位》《政治與法律》一九八六年第四期。

○《日書》研讀班：《〈日書〉——秦國社會的一面鏡子》《文博》一九八六年第五期。

○彭年：《〈約法三章〉新論》《秦漢史論叢》第三輯，一九八六年。

○高尚志：《秦簡律文中的「受田」》《秦漢史論叢》第三輯，一九八六年。

○曾憲通：《秦簡〈日書〉歲篇證》《古文字學與語言學論集》一九八六年。

○韓連琪：《先秦兩漢史論叢》齊魯書社一九八六年出版。

○李錫厚：《「棄灰罪」考釋》《中國人民警官大學學報》一九八六年第三期。

○杜正勝：《傳統法典始原——兼論李克法經的問題》《勞貞一先生八秩榮慶論文集》一九八六年臺北出版。

○吳福助：《嬴秦牛耕新證》《黎東方先生八秩榮慶論文集》又收《簡牘學報》第十二期，一九八六年。

○林富士：《論雲夢秦簡中的「癘」與「定殺「《史原》第十五期，一九八六年。

○饒宗頤：《秦簡中「稗官」及如淳稱魏時謂「偶語爲稗」說——論小說與稗官》《王力先生紀念論文集》香港中國文學會，一九八六年。

○邢義田：《從安田重遷論秦漢時代的徙民與遷徙刑——附錄：論秦漢遷徙刑的運用與不復肉刑》《中央研究院歷史語研究言所集刊》第五十七本，一九八六年。

○吳昌廉（編）：《中華五千年文物——簡牘篇二、三》國立故宮博物院，臺北，一九八六年。

○李建民：《由新出考古資料看漢代奴婢的發展與特質》《食貨月刊》第十五卷第十一期、十二期，一九八六年六月。

○逢振鎬：《試論秦漢土地制度的基本特點》《中國史研究》一九八六年第三期。

○施偉青：《也論秦自商鞅變法以後的土地制度》《中國社會經濟史研究》一九八六年第四期。

○彭年：《秦漢族刑、收孥、相坐諸法淵源考釋》《四川大學學報》一九八六年第二期。

○柳春藩：《秦專制主義中央集權的經濟基礎》《秦漢史論叢》第三輯，陝西人民出版社，一九八六年七月。

○寧漢林《中國刑法通史》（第二分冊），遼寧大學出版社，一九八六年八月。

一九八七年

○彭年：《對西漢收孥法研究中的兩個問題商榷》《社會科學研究》一九八七年第一期。

○蔣維德：《從漢律看我國古代的民事立法》《內蒙古大學學報》一九八七年第一期。

○劉漢東：《略論西漢「貴治獄之吏」的原因及其後果》《鄭州大學學報》（哲社版）一九八七年第一期。

○叢希斌：《「漢科」質疑》《天津師大學報》一九八七年第一期。

○楊作龍：《銀雀山竹書〈田法〉雛議》《洛陽師專學報》一九八七年第一期。

○劉海年：《戰國齊國法律史料的重大發現》《法學研究》一九八七年第二期。

○林劍鳴：《以君主意志爲法權的秦法》《學術月刊》一九八七年第二期。

○黃盛璋：《論青川秦簡田律》《農業考古》一九八七年第二期。

○劉海年：《文物中的法律史料及其研究》《中國社會科學》一九八七年第五期。

○王占通等：《「秦『隸臣妾』分爲官奴隸和刑徒兩部分」值得商榷》《法學研究》一九八七年第五期。

○商慶夫：《再論秦簡〈編年記〉伯者的思想傾向》《文史哲》一九八七年第六期。

○高敏：《秦的奴隸制殘餘和秦末農民起義——讀秦簡札記》《《中國農民戰爭史研究集刊》第二輯。

○楊升南：《雲夢秦簡中「隸臣妾」的身份和戰國時期秦國的社會性質》《鄭州大學學報》一九八七年第二期。

○劉漢東：《再說「隸臣妾」確爲奴隸》《中州學刊》一九八七年第二期。

○勞榦：《論「家人」言與「司空城旦書」》《陶希聖先生九秩榮慶祝壽論文集》食貨出版社，臺北，一九八七年。

○馮春田：《秦墓竹簡選擇問句分析》《語言研究》一九八七年第一期。

○陳明光：《秦朝傅籍準蠡測》《中國社會經濟史研究》一九八七年第一期。

○常俊山：《秦代經濟立法略論》《安徽大學學報》一九八七年第二期。

○陳乃華：《關於秦漢刑事連坐的若干問題》《山東師大學報》一九八七年第六期。

○楊劍鳴：《秦代的口賦、傜役、兵役制度初探》《考古與文物》一九八七年第五期。

○高敏：《秦漢的傜役制度》《中國經濟史研究》一九八七年第一期。

○胡大貴、馮一下：《試論秦代傜戍制度》《四川師範大學學報》一九八七年第六期。

○葉茂：《秦漢的外傜與居役》《中國經濟史研究》一九八七年第二期。

○孫言誠：《秦漢的傜役與兵役》《中國史研究》一九八七年第三期。

○吳益中：《關於雲夢秦簡中「男子」一稱——與高敏先生商榷》《江漢考古》一九八七年第一期。

○李零：《論秦田阡陌制度的復原及其形成線索——郝家坪秦牘〈爲田律〉研究述評》《中華文史論叢》一九八七年第一期。

○李解民：《睡虎地秦簡所載魏律研究》《中華文史論叢》一九八七年第一期。

○張聞玉：《雲夢秦簡〈日書〉初探》《江漢論壇》一九八七年第四期。

○王勝利：《雲夢秦簡〈日書〉初探商榷》《江漢論壇》一九八七年第十一期。

○李曉東、黃曉芬：《從〈日書〉看秦人鬼神觀及秦人文化特徵》《歷史研究》一九八七年第四期。

○彭邦炯：《從出土秦簡再探秦內史與大內、少內和少府的關係與職掌》《考古與文物》一九八七年第五期。

○李貞德：《西漢律令中的家庭倫理觀》《中國歷史學會史學集刊》第十九期，一九八七年。

○林富士：《試釋睡虎地秦簡〈日書〉中的「夢」》《食貨月刊》第十七卷第三、四期，一九八七年八月。

○吳福助：《秦簡〈語書〉論考》東海大學《東海中文學報》第七期，一九八七年七月。

○陳振裕：《從湖北發現的秦墓談秦楚關係》《楚文化新探》湖北人民出版社，一九八七年。

○吳樹平：《從秦簡〈秦律〉本看秦律律篇的歷史淵源》《中華文史論叢》一九八七年第二、三輯。

○林劍鳴：《從價值觀看秦文化的特點》《歷史研究》一九八七年第三期。

○余宗發：《秦人出入各家思想分期初探》學海出版社，臺北，一九八七年十二月。

○邢義田：《秦簡簡牘與帛書研究文獻目錄》《秦漢史論稿》東大圖書公司，臺北，一九八七年六月。

○高明士：《有關雲夢秦簡的參考文獻》《戰後日本的中國史研究》明文書局，臺北，一九八七年九月增訂二版。

○大庭脩（著）孫言誠（譯）《雲夢出土竹書秦律的研究》《簡牘研究譯叢》第二輯，中國社會科學出版社，一九八七年五月。

一九八八年

○吳益中：《秦什伍連制度坐初探》《北京師院學報》一九八八年第二期。

○黃曉斧：《秦代竹簡》《新史料檢索與利用》四川大學出版社，一九八八年。

○林劍鳴：《曲徑通幽處，高樓望路時——評介當前簡牘〈日書

〉研究狀況》《文博》一九八八年第三期。

〇賀閏坤：《從〈日書〉看秦國的穀物種植》《文博》一九八八年第三期。

〇張銘洽：《雲夢秦簡〈日書〉占卜術初探》《文博》一九八八年第三期。

〇王桂鈞：《〈日書〉所見早期秦俗發微——信仰、習尙、婚俗及貞節觀》《文博》一九八八年第四期。

〇楊巨中：《〈日書〉星釋義》《文博》一九八八年第四期。

〇麥天驥：《從雲夢秦簡看秦代刑徒的管理制度》《考古與文物》。

〇吳福助：《新版〈睡虎地秦簡擬議》《東海中文學報》第八期，一九八八年七月。

〇吳福助：《〈睡虎地秦墓竹簡〉評介》《書和人》（《國語日報》）第五九八期，一九八八年年十月二日。

〇梁文偉：《釋䦨》《教育學院學報》，臺灣，一九八八年。

〇余崇生：《從雲夢秦簡看秦律》《國文天地》第三卷第九期，臺北，一九八八年二月。

〇林富士：《〈日書〉正文標題與內容分類表》《漢代的巫者》附表一，稻香出版社，臺北，一九八八年。

〇孫言誠：《秦漢的戍卒》《文史哲》一九八八年第五期。

〇孫仲奎：《「隸臣妾」與「公人」》《文史哲》一九八八年第六期。

〇堀毅：《秦漢法制史論考》法律出版社，一九八八年八月。

〇蔡鏡浩：《〈睡虎地秦墓竹簡〉注釋補正》㈠㈡《文史》第二九輯，一九八八年一月。

〇連劭名：《西域木簡所見〈漢律〉》《文史》第二九輯，一九八八年一月。

〇李學勤：《〈周禮〉與秦律——〈周禮正義〉札記之一》紀念

孫詒讓學術討論會論文，一九八八年。

○林劍鳴：《秦王朝統一後的社會各階級》中國秦漢史研究會第四屆年會暨國際學討論會論文，徐州，一九八八年九月。

○王子今：《秦簡〈日書〉交通文化史料研究》中國秦漢史研究會第四屆年會暨國際學討論會論文，徐州，一九八八年九月。

○張銘洽：《秦簡〈日書〉建除法試析》中國秦漢史研究會第四屆年會暨國際學討論會論文，徐州，一九八八年九月。

○吳小强：《試論秦人婚姻家庭生育觀念——秦簡〈日書〉社會學研究》中國秦漢史研究會第四屆年會暨國際學討論會論文，徐州，一九八八年九月。

○賀潤坤：《雲夢秦簡〈日書〉看秦國民間的衣食住行》中國秦漢史研究會第四屆年會暨國際學討論會論文，徐州，一九八八年九月。

○何雙全：《漢簡「司法文書」考疏》中國秦漢史研究會第四屆年會暨國際學討論會論文，徐州，一九八八年九月。

○堀毅：《日本的睡地秦簡研究》中國秦漢史研究會第四屆年會暨國際學討論會論文，徐州，一九八八年九月。

○太田幸男：《雲夢秦簡和社會史——戰國末年社會史研究的一個方法》中國秦漢史研究會第四屆年會暨國際學討論會論文，徐州，一九八八年九月。

○林劍鳴：《法與中國社會》吉林文史出版社，一九八八年五月。

一九八九年

○張焯、張東剛：《秦「道」臆說》《民族研究》一九八九年第一期。

○高敀：《秦簡解决了目前秦史研究中的哪些重大問題》《史學月刊》一九八九年第二期。

○田餘慶：《說張楚——關於「亡秦必楚」問題的探討》《歷史研究》一九八九年第二期。

○何雙全：《天水放馬灘秦簡綜述》《文物》一九八九年第二期。

○劉海年：《戰國秦漢法制的沿革》日本早稻田大學講演稿，一九八九年。

○劉海年：《寫在〈秦漢法制史論考〉（堀毅）出版之後》一九八九年三月。

○高敏：《評堀毅著〈秦漢法制史論考〉稿本》，一九八九年。

○賀潤坤：《雲夢秦簡所反映的秦國漁獵活動》《文博》一九八九年三月。

○呂卓民：《從考古資料看秦漢時期咸陽的製陶業》《文博》一九八九年三月。

○李力：《從幾條未引起人們注意的史料辨析〈法經〉》中國法律史國際學術討論會論文，一九八九年四月。

○李學勤：《竹簡秦漢律與周禮》中國法律史國際學術討論會論文，一九八九年四月。

○韓復智：《睡虎地秦墓竹簡研究報告引言》《史原》第十七期，國立臺灣大學歷史研究所，一九八九年五月。

○王健文：《秦簡〈爲吏之道〉與秦的吏治》《史原》第十七期，國立臺灣大學歷史研究所，一九八九年五月。

○金善珠：《試論秦始皇「統一律令」——以雲夢睡虎地秦簡爲中心》《史原》第十七期，國立臺灣大學歷史研究所，一九八九年五月。

○李訓祥：《秦簡中的盜罪》《史原》第十七期，國立臺灣大學歷史研究所，一九八九年五月。

○金甲鈞：《試論睡雲夢睡虎地秦簡〈編年記〉——談「吏誰從軍」解》《史原》第十七期，國立臺灣大學歷史研究所，一九八九年五月。

○池田雄一：《論中國古代法制的發展——中國古代的法和國家》《中國史研究》《中國史研究》五月。

○林文慶：《秦律徒刑制度研究》私立文化大學中國文學研究所碩士論文，一九八九年六月。

○謝宗炯：《秦書隸變研究》國立成功大學歷史語言研究所碩士論文，一九八九年六月。

○段莉芬：《秦簡釋詞》私立東海大學中國文學研究所碩士論文，一九八九年六月。

○吳福助：《秦簡〈爲吏之道〉法儒道思想史研討會論文，私立東海大學文學院，一九八九年六月。

○吳福助：《睡虎地秦簡十四年研究述評》民國以來國史研究的回顧與展望研討會論文，國立臺灣大學歷史研究所，一九八九年八月。

○郭志坤：《秦始皇大傳》三聯書局上海分店，一九八九年三月。

日　文

一九七六年

○《始皇帝戰史・建築法など「貴重な竹簡」中國で發掘》（《中國出土秦始皇戰史・建築法等「珍貴竹簡》）《讀賣新聞》一九七六年三月十五日。

○《秦漢時代の竹簡大量發現——湖北省の一二の古墓から》（《湖北省一二座古墓中發現大批秦漢時代竹簡》）《每日新聞》一九七六年三月二十日。

○《今度は秦代の竹簡發現——中國湖北省・馬王堆の帛書に匹

敵？》（此次發現秦代竹簡——可與中國湖北省・馬王堆帛書相匹敵？》）《朝日新聞》一九七六年三月二十日。

○《中國最古の法律案文——湖北省で出土・秦代の竹簡一千點余》（《中國最早的古代法律案文——湖北省出土秦代竹簡一千餘枚》）《朝日新聞》一九七六年三月二八日。

○《秦代の法律條文發現「中國最古」發掘竹簡から》（《從出土的「中國最早」的竹簡中發現秦代法律條文》）《讀賣新聞》一九七六年三月二八日。

○《中國最早「秦代の法典」發掘——二二○○年前の湖北省の墳墓から》（《中國最早的「秦代法典」出土——從二二○○年前湖北省的墳墓中發掘出來》）《每日新聞》一九七六年三月二八日。

○《てれが秦の竹簡》（《這就是秦代竹簡》）《每日新聞》一九七六年四月一日。

○《てれが中國の法律條文》（《這就是中國的法律條文》）《讀賣新聞》一九七六年四月一日。

○《二二○○年前の生活用品・秦代の「法律書」もはつざり》（《二二○○年前的生活用品・秦代「法律書」也一目瞭然》）《朝日新聞》一九七六年四月二日。

○香坂順一：《秦代竹簡發掘の意義》（《秦代竹簡出土的意義》）《每日新聞（夕刊）》一九七六年四月十五日。

○《はじあて出土した秦代の竹簡》（《首次出土的秦代竹簡》）《中國畫報》一九七六年七月。

一九七七年

○饒宗頤：《出土資料から見た秦代の文學》（《從出土資料看秦代文學》）《東方學》第五四輯。

○大庭脩：《雲夢出土竹書秦律の研究》（《雲夢出土竹書秦律

之研究》）關西大學《文學論集》第二七卷第一號。

○大庭脩：《木簡の內容——法律　木簡のはなし⑥》（《木簡的內容——法律　關於木簡⑥》）《日本美術工藝》第四六號。

○古賀登：《中國古代の時代區分問題と雲夢出土の秦簡》（中國古代的時代劃分問題與雲夢出土的秦簡》）《史觀》第九七冊。

○堀毅：《雲夢出土秦簡の基礎的研究》（《雲夢出土秦簡之基礎的研究》）《史觀》第九七冊。

○飯島和俊：《漢初期の官吏任用における二・三の問題》（《關於漢初官吏任用的二三個問題》）中央學院大學院《論究》第七八號、一九七七年。

○赤井清美（編）：《雲夢大墳頭一號墓出土木方》（併解說）《書道集成》第一期，《漢簡》第十二卷，東京堂出版，一九七七年。

○赤井清美（編）：《雲夢睡虎地十一號墓出土秦簡》（併解說）《書道集成》第一期，《漢簡》第十二卷，東京堂出版，一九七七年。

○赤井清美（編）：《雲夢睡虎地四號墓出土秦代木牘》（併解說）《書道集成》第一期，《漢簡》第十二卷，東京堂出版，一九七七年。

一九七八年

○古賀登：《盡地力說・阡陌制補論——主として雲夢出土秦簡による——》（《盡地力說・阡陌制補論——主要依據雲夢出土秦簡》）《早稲田大學大學院文學研究科紀要》第二三號。

○堀毅：《秦漢刑名考——主として雲夢出土秦簡（による——）》（《秦漢刑名考——主要依據雲夢出土秦簡》）《早稲田

大學大學院文學研究科紀要》別冊・第四集。

○秦簡講讀會：《〈湖北睡虎地秦墓竹簡〉譯註初稿》（《〈湖北睡虎地秦墓竹簡〉譯註初稿》）中央學院大學院《論究》第一〇卷第一號。

○町田三郎：《秦の思想統制について——雲夢秦簡ノ——ト——》（《秦的思想統治——雲夢秦簡札記》）《中國哲學論集》四。

○大塚伴鹿：《商君の法と秦墓竹簡》（《商君之法與秦墓竹簡》）《東方》六號。

○滋賀秀三：（書評）大庭脩《雲夢出土竹書秦律の研究》・堀毅《雲夢出土秦簡の基礎的研究》（書評：《大庭脩《雲夢出土竹書秦律之研究》・堀毅《雲夢出土秦簡之基礎究》）《法制史研究》第二八號。

○好並隆司：《中國古代の家父長的家內奴隸制——在地首長・豪族との關連について》（《中國古代家長式的家內奴隸制——在地首長・豪族的關係》《歷史學研究》四六二號，一九七八年。

○堀效一：《中國の律令と農民支配》（《中國的律令與農民統治》）《歷史學研究》別冊・《一九七八年歷史學研究會大會報告》。

一九七九年

○古賀登：《睡虎地秦墓某喜墓の秦律等法律文書副葬事情あめぐつて》(《關於睡虎地秦墓某喜墓秦律等法律文書的隨葬情況》）《史觀》第一〇〇冊。

○町田三郎：《雲夢秦簡〈編年記〉について》（《雲夢秦簡〈編年記〉》）《九州中國學會報》第二二號。

○飯島和俊：《〈文無害〉考——〈睡虎地秦墓竹簡〉かかりと

して見た秦・漢の官吏登用法——》（《〈文無害〉考——〈睡虎地秦墓竹簡〉爲線索看秦漢時期的官吏任用法——》中央大學《アジア史 研究》三號。

○秦簡講讀會：《〈睡虎地秦墓竹簡〉譯註初稿（承前）——秦律十八種（軍爵律、置吏律、效律、傳食律、行書、內史雜、尉雜、屬邦）、效律、秦律雜抄——》（《〈睡虎地秦墓竹簡〉譯註初稿（承前）——秦律十八種（軍爵律、置吏律、效律、傳食律、行書、內史雜、尉雜、屬邦）、效律、秦律雜抄——》）中央學院大學院《論究》第一一卷第一號。

○堀敏一：《中國古代の新史料發見と歷の史書きかた》（《中國古代新史料的發現與歷史書記載》（《世界史のしおり》、帝國書院、一九七九年一四號。（《世界史指南》、帝國書院、一九七九年一四號）。

○重近啓樹：《秦漢の國民と農民》（秦漢的國民與農民》）《歷史學研究》別冊特集，一九七九年。

○大庭脩：《中國出土簡牘研究文獻目錄》（《中國出土簡牘研究文獻目錄》）關西大學《文學論集》第二八卷第四號，一九七九年。

○大庭脩：《木簡》（《木簡》）學生社，一九七九年。

○池田溫：《中國古代籍帳研究》（《中國古代籍帳研究》）東京大學東洋文化研究所，一九七九年。

○浦野俊郎：《秦・漢初の簡牘帛書の書體と隸書の成立》（《秦、漢初簡牘帛書的書體和隸書的成立成立》）《二松學舍大學論集》昭和四十五年度，一九七九年。

○山田勝芳：《近年の秦漢史研究をめぐつて——好並隆司・谷川道雄・渡邊信一郎三氏の研究を中心として——》（《近年來秦漢史研究——以好並隆司・谷川道雄・渡邊信一郎三氏的研究爲中》）《集刊東洋學》四二號，一九七九年。

一九八〇年

○古賀登：《漢長安城と阡陌・縣鄉亭里制度》（《漢長安城と阡陌・縣鄉亭里制度》）雄山閣。一九八〇年。

○太田幸男：《湖北睡虎地出土秦律の倉律をめぐつて、その一》（《關於湖北睡虎地出土秦律之倉律（一）》）《東京學藝大學紀要》第三部門第三一集。

○太田幸男：《湖北睡虎地出土秦律の倉律をめぐつて、その二》（《關於湖北睡虎地出土秦律之倉律（二）》）《東京學藝大學紀要》第三部門第三二集。

○佐竹靖彥：《秦國の家族と商鞅の分異令》（《秦國的家族和商鞅的分異令》《史林》第六三卷第一號。

○若江賢三：《秦漢時代の「完」刑について》（《秦漢時代的「完」刑》）《愛媛大學法文學部論集文學科編》第一三號。

○若江賢三：《秦漢時代の勞役刑——ことに隸臣妾の刑期について——》（《秦漢時代的勞役刑——特別是—— 隸臣妾的刑期》）《東洋史論》第一號。

○松崎つね子：《睡虎地十一號秦墓竹簡〈編年記〉よりみた墓主「喜」について》（《從睡虎地十一號秦墓竹簡〈編年記〉看墓主「喜」》《東洋學報》第六一卷第三・四號。

○永田英正：《中國における雲夢秦簡の現狀》（《中國における雲夢秦簡の現狀》）《木簡研究》第二號。

○秦簡講讀會：《〈睡虎地秦墓竹簡〉譯註初稿（承前三）》（《〈睡虎地秦墓竹簡〉譯註初稿（承前三）》）。

○籾山明：《法家以前——春秋期における刑と秩序》（《法家以前——春秋期的刑與秩序》）《東洋史研究》第三九卷第二號。

○大庭脩：（書評）古賀登《睡虎地秦墓某喜墓の秦律等法律文

書副葬事情あめぐつて》（書評：古賀登《關於睡虎地秦墓某喜墓秦律等法律文書的隨葬情況》）《法制史研究》三〇號。

〇太田幸男：《商鞅變法の再檢討、補正》（《商鞅變法的再檢討、補正》）《歷史學研究》第四八三號，一九八〇年。

〇堀敏一：《晉泰始律令の成立》（《晉泰始律令的成立》）《東洋文化》東京大學東洋文化研究所，第六〇號，一九八〇年。

〇佐竹靖彥：《中國古代の家族と家族的秩序》（《中國古代的家族與家族的秩序》《人文學報》第四一四號，一九八〇年。

〇鶴間和幸：《秦漢期の水利法と在地農業經濟》（《秦漢期的水利法與在地農業經濟》）《歷史學研究》一九八〇年別冊特集。

一九八一年

〇池田溫：《中國における出土文字資料整理の近況》（《中國出土文字資料整理近況》）《東方學》第六四輯、一九八一年。

〇池田雄一：《湖北睡虎地秦墓管見》（《湖北睡虎地秦墓管見》）《中央大學文學部紀要》第一〇〇號（史學科編第二六號）。

〇工藤元男：《睡虎地秦墓竹簡に見える大內と小內——秦の少府の成立をめぐつて》（《睡虎地秦墓竹簡所反映的大內和小內——秦少府的成立》）《史觀》第一五〇冊。

〇工藤元男：《戰國秦の都官——主として睡虎地秦墓竹簡による》（《戰國秦之都官——主要依據睡虎地秦墓竹簡》）《東方學》第三六輯。

〇工藤元男：《秦の內史——主として睡虎地秦墓竹簡による》（《秦之內史——主要依據睡虎地秦墓竹簡》）《史學雜誌》

第九〇編第三號。

〇堀毅：《秦漢時代嗇夫について——〈漢書〉百官表と雲夢秦簡による一考察——》（《秦漢時代嗇夫考析——以〈漢書・百官表〉和雲夢秦簡爲依據》）《史滴》第二號。

〇江村治樹：《雲夢睡虎地出土秦律の性格をめぐつて》（《雲夢睡虎地出土的秦律的性格》）《東洋史研究》第四〇卷第一號。

〇秦簡講讀會：《〈睡虎地秦墓竹簡〉譯註初稿（承前四）法律答問（上）》（《〈睡虎地秦墓竹簡〉譯註初稿（承前四）法律答問（上）》）中央大學大學院《論究》第一三卷第一號。

〇江村治樹：《戰國・秦漢簡牘文字の變遷》（《戰國・秦漢簡牘文字的變遷》）《東方學報（京都）》第五冊，一九八一年。

〇池田雄一：《中國古代聚落の展開》（《中國古代聚落之發展》）《歷史學研究》一九八一年別冊特集。

〇渡邊信一郎：《呂氏春秋上農篇蠡測——秦漢時代の社會編成》（《呂氏春秋上農篇蠡測——秦漢時代的社會結構》）《京都府立大學學術報告》（人文）第三三號，一九八一年。

〇好並隆司：《中國古代山澤論の再檢討》（《中國古代山澤論再探討》）《佐藤博士還記念・中國水利史論集》，國書刊行會，一九八一年。

〇好並隆司：《商鞅〈分異の令〉と秦朝權力》（《商鞅的〈分異法〉與秦朝權力》）《歷史學研究》第四九四號，一九八一年。

一九八二年

〇大庭脩：《出土文物による最近の秦漢史研究》（《近年來以出土文物爲依據進行的秦漢史研究》）唐代史研究會報告第IV

集《中國歷史學界の新動向・新石器時代から現代まで》唐代史研究會編、刀水書房（唐代史研究會報告第IV集：《中國歷史學界的新動向・自新石器時代至現代》，唐代史研究會編、刀水書房）。

○大庭脩：《雲夢秦簡に關連して》（《關於雲夢秦簡》）《東方》二〇號。

○大庭脩：《秦漢法制史の研究》（《秦漢法制史研究》）創文社。

○松崎つね子：《睡虎地秦簡よりみた秦の家族と國家》（《從睡虎地秦簡看秦的家族和國家》）《中國古代史研究》第五、中國古代史研究會、雄山閣。

○間瀨收芳：《雲夢睡虎地秦漢墓被葬者の出自について》（《雲夢睡虎地秦漢墓被葬者的出處》）《東洋史研究》第四一卷第二號。

○籾山明：《秦の隸屬身份とその起源——隸臣妾問題に寄せて》（《秦的隸屬身份及其起源——關於隸臣妾問題》）《史林》五卷六號。

○江村治樹：《雲夢出土秦律と秦の地方自治》（《雲夢出土秦律與秦的地方自治》）《人文》第二五號。

○秦簡講讀會：《〈睡虎地秦墓竹簡〉譯註初稿（承前五）法律答問（下）》（《〈睡虎地秦墓竹簡〉譯註初稿（承前五）法律答問（下）》）中央大學大學院《論究》第一四卷第一號。

○永田英正：（書評）江村治樹《雲夢睡虎地出土秦律の性格をめぐつて》（書評：江村治樹：《雲夢睡虎地出土的秦律的性格》）《法制史研究》三二號。

○永田英正：（書評）堀毅《秦漢時代嗇夫について——〈漢書〉百官表と雲夢秦簡による一考察——》（書評：《秦漢時代嗇夫考析——以〈漢書・百官表〉和雲夢秦簡爲依據》）《法

制史研究》三二號。

○角谷定俊：《秦における青銅工業の一考察——工官を中心に——》（《秦的青銅工業考察——以工官爲中心》）《駿台史學》第五五號，一九八二年。

○堀敏一：《漢代の七科讁とその起源》（《漢代の七科讁とその起源》）《駿台史學》第五七號，一九八二年。

○佐竹昭：《中國古代における赦について——日中比較のための一試論》（《中國古代的「赦」——試論日中比較》）《地域文化研究》（廣島大學總合科學部紀要Ｉ）第七卷，一九八一年度。

○金谷治：《先秦における法家思想の展開》（《先秦法家思想的發展》）《集刊東洋學》第四七號，一九八二年。

一九八三年

○富谷至：《秦漢における庶人と士伍・覺書》（《秦漢的庶人與士伍・記錄》）《中國士大夫階級の地域社會との關連についての總合的研究》（《有關中國士大夫階級的地域社會問題綜合研究》）。

○富谷至：《秦漢の勞役刑》（《秦漢的勞役刑》）《東方學報》（京都）第五五冊。

○富谷至：《謀反——秦漢刑罰思想の展開》（《謀反——秦漢刑罰思想的發展》）《東洋史研究》第四二卷第一號。

○新井光風：《睡虎地秦墓竹簡》（《睡虎地秦墓竹簡》）《書品》二七二號。

○佐藤佑治：《雲夢秦簡》よりみた秦代の地方行政》（《從雲夢秦簡看秦代地方行政》）《中國史における社會と民衆——增淵龍夫先生退官紀念論集》、汲古書院（《增淵龍夫先生退官紀念論集》，汲古書院）。

○堀毅：《秦漢賊律考》（《秦漢賊律考》）《慶應義塾創立一二五年記念論文集》、慶應法學會政治學關係。

○堀毅：《漢律溯源考》（《漢律溯源考》）早稻田大學文學部東洋史研究室編《中國正史の基礎的研究》、早稻田大學出版部（早稻田大學文學部東洋史研究室編《中國正史的基礎研究》、早稻田大學出版部）。

○堀毅：《秦漢刑政考》（《秦漢刑政考》）《法制史研究》三三號。

○森田邦博：《雲夢秦簡と韓非子》（《雲夢秦簡與韓非子》）《中國哲學論集》、九州大學中國哲學研究會，九號。

○水出泰弘：《戰國秦の「重一兩十二（十四）一銖」錢について——主として睡虎地秦簡による——》（《關於戰國秦重一兩十二（十四）一銖錢的問題——主要依睡虎地秦簡》）《アジア史研究》第七號。

○秦簡講讀會：《〈雲夢睡虎地秦墓竹簡〉譯註初稿、承前六、封診式》（《〈雲夢睡虎地秦墓竹簡〉譯註初稿，承前六，封診式》）中央大學大學院《論究》第一五卷第一號。

○紙屋正和：（書評）大庭脩：《秦漢法制史の研究》（書評：大庭脩《秦漢法制史研究》）《史學雜誌》第九二編第四號。

○堀毅：（書評）大庭脩：《秦漢法制史の研究》（書評：大庭脩《秦漢法制史研究》）《東洋史研究》第四二卷第三號。

○籾山明：富谷至《秦漢の勞役刑》（《秦漢的勞役刑》）《東方學報》（京都）第五五冊。

○重近啓樹：《秦漢の鄉里制をめぐる諸問題》（《秦漢鄉里制諸問題》）《歷史評論》第四〇三號，一九八三年。

一九八四年

○湯淺邦弘：《雲夢秦簡研究關係資料目錄》（《雲夢秦簡研究

關係資料目錄》）《中國研究集刊》天號。
○湯淺邦弘：《秦律の理念》（《秦律之理念》）《中國研究集刊》天號。
○湯淺邦弘：《秦の法と法思想——雲夢秦簡を中心として》（《秦法與法的思想——以雲夢秦簡爲中心》）《日本中國學會報》第三六冊。
○太田幸男：《睡虎地秦墓竹簡にみえる「室」「戶」「同居」をめぐつて》（《睡虎地秦墓竹簡所反映「室」「戶」「同居」的問題》）《西島定生博士還曆記念・東アジア史における國家と農民》山川出版社（《西島定生博士還曆記念・東亞史上的國家與農民》山川出版社）。
○堀毅：《唐律溯源考——秦律における「一人有數罪」の規定を中心としる——》（《唐律溯源考——以秦律「一人有數罪」的規定爲中心》）《瀧川政次郎博士米壽記念論集・律令制の諸問題》、汲古書院（《瀧川政次郎博士米壽記念論集・律令制諸問題》，汲古書院）。
○若江賢三：《睡虎地秦墓竹簡に見れる誣告反坐を通して見た貲罪に關する一考察》（《從睡虎地秦墓竹簡中的誣告反坐看貲罪》）《アジア諸民族における社會と文化・岡本敬二先生退官記念論集》、國書刊行會（《亞洲諸民族的社會與文化・岡本敬二先生退官記念論集》國書刊行會）
○工藤元男：《睡虎地秦墓竹簡の屬邦律をめぐつて》（《睡虎地秦墓竹簡之屬邦律》《東洋史研究》第四三卷第一號。
○富谷至：（書評）堀毅《秦漢賊律考》（書評：堀毅《秦漢賊律考》）《法制史研究》三四號。
○堀毅：（書評）秦簡講讀會：《〈雲夢睡虎地秦墓竹簡〉譯註初稿、承前六、封診式》（書評：秦簡講讀會《〈雲夢睡虎地秦墓竹簡〉譯註初稿，承前六，封診式》）《法制史研究》三四號。

○堀敏一：（書評）籾山明：《秦の隷屬身份とその起源——臣妾問題に寄せて》（書評：籾山明《秦的隷屬身份及其起源——關於隷臣妾問題》）《法制史研究》三四號。

○籾山明：（書評）富谷至：《謀反——秦漢刑罰思想の展開》（書評：富谷至《謀反——秦漢刑罰思想的發展》）《法制史研究》三四號。

○池田雄一：《李悝の法經について》（《李悝的法經》）《紀要》（中央大學文學部史學科）第二九號、一九八四年。

○堀敏一：《中國における律令法典の形成——その概要と問題點》（《中國律令法典的形成——其概要及問題》）《中國律令制の展開とその國家・社會との關系——周近諸地域の場合を含めて——》（《中國律令制的發展及其與國家・社會と的關係——包括周圍諸地域的情況》）、唐代史研究會報告第Ⅴ集、刀水書房、一九八四年。

○岡田功：《戰國秦漢時代の約と律令について》（《戰國秦漢時代的「約」與律令》）《歷史學研究》第五卷第三四號，一九八四年。

○間瀨收芳：《秦帝國形成過程の一考察——四川青川戰國墓の檢討による》《史林》第六七卷第一號，一九八四年。

一九八五年

○籾山明：《秦の裁判制度の復元》（《秦審判制度之恢復》）《戰國時代出土文物研究》。

○若江賢三：《秦律における贖刑制度（上）——秦律の體系的把握への試論——》（《秦律中的贖刑制度（上）——試論系統地把握秦律》）《愛媛大學法文學部論集》文學科編第一號。

○原宗子：《雲夢秦簡における食料關係史料をめぐつて》（《雲夢秦簡所反映的有關食物方面的史料》）《流通經濟大學創立二十周年記念論文集》、流通經濟大學出版會。

○大野仁：《（書評）堀毅：《唐律溯源考——秦律における「一人有數罪」の規定を中心としる一考察》（《書評：堀毅《唐律溯源考——以秦律「一人有數罪」的規定爲中心的考察》）《法制史研究》三五號。

○稻葉一郎：《戰國秦の家族と貨幣經濟》（《戰國秦的家族與貨幣經濟》《戰國時代出土文物の研究》（《戰國時代出土文物の研究》），一九八五年。

○太田幸男：《中國古代史研究の課題と方法に關する覺書》（《關於中國古代史研究的課題與方法的記錄》）《東京學藝大學紀要》第三部門・社會科學第三七集，一九八五年。

○飯尾秀幸：《中國古代における國家と共同體》（《中國古代的國家與共同體》）《歷史學研究》第五四七號，一九八五年。

○飯尾秀幸：《中國古代の家族研究をめじる》（《中國古代家族研究諸問題》）《歷史評論》第四二八號，一九八五年。

○若江賢三：《漢代の穀價》（《漢代的穀價》）《東洋哲學研究所紀要》第一號，一九八五年。

○岡村秀典：《秦文化の編年》第二號，一九八五年八月。

一九八六年

○太田幸男：《睡虎地秦墓竹簡の〈日書〉にみえる「室」「戶」「同居」をめぐつて》（《關於睡虎地秦墓竹簡〈日書〉中的「室」「戶」「同居」》）《東洋文化研究所記要》第九九冊。

○池田雄一：《湖北雲夢睡虎地出土の秦律——王家の家法から

國家法へ——》（《湖北雲夢睡虎地出土的秦律——從王家家法到國家法》）唐代史研究會編《律令制——中國朝鮮の法と國家——》汲古書院（唐代史研究會編《律令制——中國朝鮮的法與國家——》，汲古書院）。

○池田溫：《睡虎地出土竹簡にみえる伍制について》（《睡虎地出土竹簡中的伍制》）《中村治兵衛先生古稀記念東洋史論叢》，刀水書房。

○飯島和俊：《戰國秦の非秦人對策——秦簡を手掛りとして見た戰國秦の社會結構》（《戰國秦之非秦人對策——以秦簡爲線索看戰國秦的社會結構》）《中村治兵衛先生古稀記念東洋史論叢》，刀水書房。

○若江賢三：《秦律における贖刑制度（下）》（《秦律中的贖刑制度（下）》《愛媛大學法文學部論集》文學科編第一九號。

○堀毅：《睡虎地秦簡〈編年記〉考》（《睡虎地秦簡〈編年記〉考》）《アジア史における年代記の研究》（《亞洲史上的編年記研究》）《一九八六年度科學研究費補助金綜合研究成果報告書》。

○堀毅：《〈雲夢秦簡研究關係資料目錄〉補訂》（《〈雲夢秦簡研究關係資料目錄〉補訂》）中央學院大學總合科學研究所。

○堀毅：《秦漢物價考》（《秦漢物價考》）《中央學院大學總合科學研究所紀要》第四卷第一號。

○堀毅：《秦漢法制史研究の歷史と現狀》（《秦漢法制史研究的歷史與現狀》）《現代經濟・社會の歷史と理論》（《現代經濟・社會的歷史與理論》）《中央學院大學創立二十週年記念論集》。

○越智重明：《秦の國家財政制度》（《秦的國家財政制度》）

九州大學文學部《東洋史論集》第一五號。

○工藤元男：《睡虎地秦墓竹簡〈日書〉について》（《睡虎地秦墓竹簡〈日書〉》）《史滴》第七號。

○籾山明：（書評）《A.F.P.Hulsewe，Rement of Ch'in law》《史林》第九六卷第六號。

○池田雄一：籾山明：《秦の裁判制度の復元》（書評：籾山明《秦審判制度之恢復》）《法制史研究》三六號。

○堀毅：《（書評）富谷至：《連坐制とその周邊》（書評：富谷至《連坐制諸問題》）《法制史研究》三六號。

○堀敏一：《古代における身分制と身分觀念》（《古代的身分制與身分觀念》）《駿台史學》第六七號、一九八六年。

○重近啓樹：《秦漢の兵制について——地方軍を中心として——》（《秦漢的兵制——以地方軍爲中心》）《人文論集》、靜岡大學人文部、一九八六年。

○林劍鳴（著）林世景（譯）：《中國の木簡の出土とその研究の近況》（《中國の木簡の出土とその研究の近況》《史滴》第七期，一九八六年一月。

○清水康敎：《關於六十支的吉凶》日本命理學研究志《福星》復刊第一一九號，一九八六年三月。

○清水康敎：《關於二十八星占》日本命理學研究志《福星》復刊第一二一——二五號，一九八六年七月—一九八七年三月。

一九八七年

○富谷至：《ふたつの刑徒墓——秦・後漢の刑役と刑期》《兩座刑徒墓——秦至後漢的刑役和刑期》）《中國貴族制社會の研究》、京都大學人文科學研究所》（《中國貴族制社會の研究》、京都大學人文科學研究所》）。

○堀敏一：《雲夢秦簡にみえる奴隸身份》（《雲夢秦簡所反映

的奴隸身份》）《島田正郎博士頌壽記念論集・東洋法史の探究》、汲古書院（《島田正郎博士頌壽記念論集・東洋法史探究》，汲古書院）。

○堀毅：《秦漢盜律考》（《秦漢盜律考》）《島田正郎博士頌壽記念論集・東洋法史の探究》、汲古書院（《島田正郎博士頌壽記念論集・東洋法史探究》，汲古書院）。

○工藤元男：《二十八宿占い（一）——秦簡〈日書〉箚記》《史滴》第八號，一九八七年。

○大櫛敦弘：《雲夢秦簡〈日書〉》にみえる「困」について》《中國——社會と文化》一九八七年第二期。

一九八八年

○早稲田大學秦簡研究會：《雲夢睡虎地秦墓竹簡〈爲吏之道〉譯註初稿》（一）《史滴》一九八八年第九期。

一九八九年

○吉川中夫（著）、紀大平（譯）：《秦始皇》三秦出版社，一九八九年二月。（頁一〇〇——一〇六）。

英　文

一九七七年

○Michael Loewe, “Manuscripts found recently in China, a preliminary sur-vey ”, in T'oung Pao 63（1977），pp.99-136.

一九七八年

○A.F.P. Hulsewe, "The Ch'in documents discovered in Hu-pei in 1975", in T'oung Pao 64 (1978), pp.175-217 and 338.

一九八一年

○Robin D.S. Yates and Katrina C.D. McLeod, "Forms of Ch'in in law: an annotated translation of the Feng-chen Shih", in Harvard Journal of Asia Studies 41 (1981), pp.111-163.

○A.F.P. Hulsewe, "Supplementary note on li ch'ieh", in T'oung Pao 67 (1981), p.361.

○A.F.P. Hulsewe, "Weights and mesures in Ch'in law", in D. Eikemeier, ed., State and law in East Asiq. Festschrift Karl Bunger (Wiesbaden, Harrassowitz, 1981), pp.25-39.

○A.F.P. Hulsewe, "The legalists and the laws of Ch'in", in W.L. Jdema, ed., Leyden Studies in Sinology (Leiden, Brill, 1981), pp.1-22.

一九八五年

○A.F.P. Hulsewe, "Remnants of Ch'in Law-An annotated translation of the Ch'in Legal and administrative rule of the srd century B.C. discovered in Yunmeng Prefecture, Hu-Pei Province, in 1975-Sinica Leiedensia XVII (Leiden, Brill, 1985)

○A.F.P. Hulsewe, "The inflluence of the 'Legalist' government of Qin on the economy as reflected in the texts discovered in Yunmeng County", in S.R.

Schram ed., The Scope of state Power in China (London, University of London, 1985)

一九八五年—一九八七年

○Robin D.S. Yates: "Some Notes on Ch'in Law-A Review Article of Remnants of Ch'in Law by A.F.P. Hulsewe" "Early China", pp.11-12, 1985 - 1987.